LES COMPAGNONS DE MALETAVERNE

DU MÊME AUTEUR

Deux Journées à Bassora, Milan
Le Deuil de l'image, Philippe Olivier
Le Vent mauvais, Lucien Souny
La Folie des justes, Lucien Souny
Les Caramels à un franc, Lucien Souny
La Rosée blanche, Albin Michel
Les Encriers de porcelaine, Albin Michel
Le Domaine de Rocheveyre, Presses de la Cité
Les Vignerons de Chantegrêle, Presses de la Cité
Jours de colère à Malpertuis, Presses de la Cité
Quai des Chartrons, Presses de la Cité

Jean-Paul Malaval

LES COMPAGNONS DE MALETAVERNE

Roman

Production Jeannine Balland
Romans Terres de France

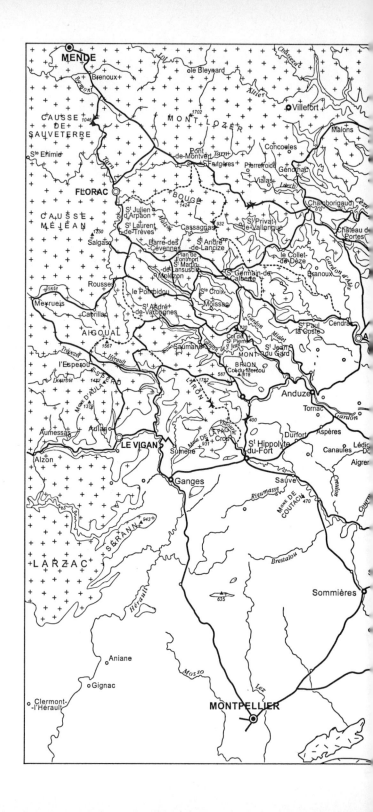

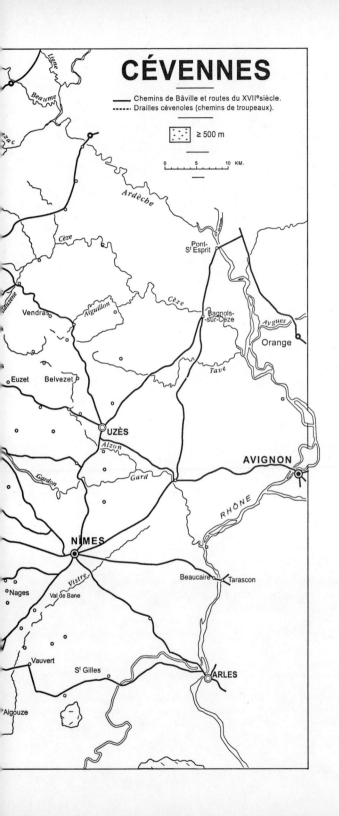

Le Code de la propriété intellectuelle n'autorisant, aux termes de l'article L. 122-5, 2e et 3e al., d'une part, que les « copies ou reproductions strictement réservés à l'usage privé du copiste et non destinées à une utilisation collective » et, d'autre part, que les analyses et les courtes citations dans un but d'exemple et d'illustration, « toute représentation ou reproduction intégrale ou partielle faite sans le consentement de l'auteur ou de ses ayants droit ou ayants cause est illicite » (art L. 122-4).

Cette représentation ou reproduction, par quelque procédé que ce soit, constituerait donc une contrefaçon, sanctionnée par les articles L. 335-2 et suivants du Code de la propriété intellectuelle.

© Presses de la Cité, 2003
ISBN 2-258-05961-5

PREMIÈRE PARTIE

Les chemins de Basville

1

Des floches de brume couraient sur la barre, sans discontinuer, poussées par un vent violent. Les buis et les
genévriers, tantôt hérissés, tantôt ramassés en boules iné-
gales, marquaient le relief du désert. Depuis trois jours,
point d'accalmie, sinon le vent d'ouest soufflant sur les
Cévennes. Guère de pluie, non plus. Les lourds nuages
bas ne faisaient que passer, d'un bord à l'autre du ciel. Et
sur la lande jaune du causse, on pouvait suivre leurs
ombres fantomatiques portées par la lumière tamisée.
Ainsi, les jours et les nuits s'écoulaient au rythme des rafa-
les du vent, marteleur et siffleur, une musique étourdis-
sante qui ne laissait aucun répit, jusque dans l'hébétude
de la fatigue. D'autant qu'il n'y avait pas sur le plateau un
seul endroit pour se protéger. Les arbustes y étaient
menus, décharnés, ou morts. Parmi les cailloux blancs qui
parsemaient le causse, semblables à des os délavés de cha-
rognes, le petit bois ne manquait pas. On pouvait se risquer à allumer un feu dans un entonnoir, où le vent
mollissait un peu. Sans profit, néanmoins. Les bourrasques suffisaient à en disperser la chaleur, à même la braise.
Et les mains qui se pressaient, l'une contre l'autre, pour
se réchauffer se désolaient du peu d'effet obtenu.

Les compagnons de Maletaverne

Quinze hommes se tenaient en cercle, autour du petit feu qu'ils avaient allumé. Pour exciter les flammes, rabattues par le vent, l'un d'eux vint jeter, sur le petit bois disposé en éventail afin que les pointes incandescentes se touchent, une touffe de bruyère desséchée. Instantanément, une fumée jaune et âcre enfla au milieu du cercle. Les hommes se reculèrent en maugréant, et plusieurs allèrent se pelotonner au pied d'un muret naturel que l'érosion avait taillé dans le calcaire.

Ils portaient, tous, une ample pelisse sommairement façonnée dans de la peau de mouton retournée. La confection montrait qu'on avait pris soin de tirer parti au mieux de chacune des pièces. Et ce grossier assemblage prêtait à ces individus des allures d'hommes préhistoriques. Leurs chevelures, longues, poisseuses et filasse, disparaissaient à peine sous des chapeaux noirs ou gris, dont le vent agitait les larges bords, telles des ailes de corbeau.

L'un des hommes, qui s'était éloigné du groupe de quelques pas, allait et venait, cerné par les paquets de brume qui effaçaient par intermittence sa forme sombre. Une bible ouverte devant les yeux, il paraissait absorbé par la lecture des psaumes. En s'approchant, on eût pu entendre, distinctement, que ses lèvres balbutiaient les vers que Clément Marot avait traduits du latin. Toujours les mêmes. Inlassablement. Comme s'il voulait, à force de les répéter, qu'ils s'inscrivent dans sa mémoire. Peut-être ne parvenaient-ils pas, malgré tous ses efforts, à pénétrer le pur et simple esprit qu'il était, peu roué au demeurant à l'art de la métaphore.

— Hé ! Samuelet ? cria un tout jeune garçon malingre sous son manteau démesuré.

Les chemins de Basville

— Laisse voir, Franc-Cœur, répliqua son voisin d'un geste autoritaire. T'vois bien qu'y communie avec not' seigneur et maître ?

La Rose ne manquait jamais l'occasion de montrer sa supériorité sur ses proches compagnons depuis qu'il avait échappé, par un heureux concours de circonstances, aux griffes des soldats de Lamoignon de Basville, décidés à le conduire au gibet d'Anduze. Cette singulière chance n'était pas du goût de tout le monde ; on en était arrivé à le soupçonner d'avoir abjuré son Dieu à la simple vue des ceps. Sans doute était-ce là une suspicion bien injuste pour un parpaillot qui avait montré, en maintes occasions, son courage dans la rébellion contre les papistes, par exemple à Roquedur, près du Vigan.

— Dans ces moments, notre frère, ajouta La Rose, l'est comme qui dirait en transe, porté sur les épaules du bon Dieu...

Les hommes tournèrent leur regard vers lui, offrant des mines glacées, figées. Pourquoi La Rose bravait-il ainsi l'interdit de son chef, Julien Valleraugue, pour qui l'usage de la parole devait se limiter aux ordres de commandement et aux acquiescements à la discipline ? Et rien d'autre. Sinon, la parole dans le texte sacré, la voix éclairée de Jérusalem-la-sainte contre Babylone-la-prostituée.

Aussi, la réaction de son voisin, La Verdure, ne se fit pas attendre :

— T'vas pas imiter les curés, pape-diable, de ceusses qui pérorent sans fin sur l'hérésie. Et qui voudraient nous rôtir ici-bas... De ceusses, reprit La Verdure, qu'j'saigne comme des cochons avec mon tire-âme qu'v'là !

Du pouce, il dégagea la lame de son couteau, courte et acérée, comme une lancette. Sous sa gorge, il fit, avec la

13

Les compagnons de Maletaverne

pointe, un signe de croix. C'était sa manière de se signer. Une manie fort en usage chez tous les osards[1] du désert. Puis il amena son arme à hauteur de son visage, l'approchant jusqu'à loucher bigrement, comme un diable. Un sentiment d'effroi traversa les attroupés[2]. Chacun avait vu avec quelle dextérité La Verdure égorgeait son papiste, comme on éventre une outre de vin, en se délectant de sentir le sang chaud couler sur les mains en jets spasmodiques. Puis, pour clore le discours, l'homme passa le pouce sur le fil de la lame. On ne pouvait trouver alentour tranchant plus affûté que celui-ci. La Verdure occupait ses soirées à gratter la pierre graissée de jus de couenne, en écoutant *Le Cantique des cantiques* psalmodié par Samuelet. Et, soudain, d'un geste bref, il replia la lame et rangea prestement l'outil dans son étui en corne de vache.

Juché sur la crête de l'abri où les attroupés s'étaient réfugiés, Julien Valleraugue avait suivi toute la scène sans y prêter, en apparence, grande attention. Ce n'était pas peu dire qu'il haïssait ces démonstrations barbares, cette criminelle propension à emplir de sang les calices sacrés. Mais sa haine des catholiques, qui avaient fait de lui un converti, un humilié, un réprouvé, après la révocation et avant que la révolte ne le ramène sur le droit chemin de la Réforme, était plus forte que la répulsion que lui inspirait, à ses heures, un La Verdure ou un Grattepanse. Il s'accommodait de bonne grâce de cette compagnie par une poigne de fer, en veillant à ce que l'immolation ne fût pas gratuite lorsqu'elle devait s'accomplir. Valleraugue savait, en chef incontesté des barbets[3], que la guerre

1. Nom donné, dans les premiers temps, aux rebelles cévenols.
2. Rebelles cévenols organisés en bandes.
3. Par analogie avec les protestants vaudois.

Les chemins de Basville

engagée contre les idolâtres ne se gagnerait pas sans cette sorte de compagnonnage assoiffé de sang, pétri de haine et de vengeance, brûlé par le fanatisme.

Trouvant que son homme de main avait assez amusé la galerie, Julien Valleraugue lui fit signe de briser là sa démonstration, que, du reste, il avait terminée, faute d'interlocuteur. Car La Rose s'était désisté depuis longtemps, tant son voisin lui inspirait la crainte, jugeant sans doute qu'il y avait dans cette exubérance plus de folie que de ferveur religieuse.

On atteignait ce degré de la journée où le jour bascule vers son versant déclinant. Un apaisement sembla s'imposer sur le plateau. Pour preuve, avec la chute du vent, on entendait désormais la voix de Samuelet, comme un bourdon. Le timbre grave était égal, syllabe après syllabe, monotone et lent. Le garçon ne marquait aucune des intonations nécessaires à la compréhension du texte, comme si le sens de ce qu'il lisait, laborieusement, lui était étranger. Qu'importe l'entendement des versets, la nature des symboles, les allégories, les paraboles, comme si le seul fait de lire suffisait à rendre cette occupation sacrée.

Julien Valleraugue avait recommandé à Samuelet — dont on voulait faire un pasteur du désert, comme on fait un forgeron en forgeant — d'occuper les hommes à entendre les Psaumes chaque fois que l'occasion se présentait, dans l'espoir d'en élever l'âme, vaille que vaille, d'en faire des combattants inspirés du Libre Examen.

Le chef descendit du piédestal où il avait l'habitude de se poster pendant les haltes, soucieux de surveiller les mouvements alentour, tel un faucon. Pour l'heure, il n'y avait rien à craindre. Le brouillard était du côté des reli-

Les compagnons de Maletaverne

gionnaires[1], étouffant les bruits, écartant les longues-vues des guetteurs. Malgré tout, Valleraugue, en chef averti, avait pris soin, avant de s'embarquer dans cette expédition punitive, de puiser ses renseignements aux meilleures sources. Il possédait des espions partout dans la Vaunage, des guetteurs sourcilleux qui pouvaient en moins de deux jours l'avertir d'un danger. Pour l'heure, on ne lui avait signalé aucun mouvement de troupes. Le maréchal de Broglio, gouverneur militaire du Languedoc, chargé par les conseillers du roi de pacifier les contrées rebelles, avait massé ses régiments de fusiliers à proximité de Nîmes. Toutefois, on pouvait compter sur les doigts d'une main les attroupés qui savaient, dans la plaine, ce que Valleraugue avait entrepris. Des hommes fidèles, qui ne parleraient jamais sous la torture... Néanmoins, il n'y avait pas de secteurs plus sûrs que la Corniche des Cévennes, dominant Florac, Saint-André-de-Valborgne et Fontmort, le refuge arrière des religionnaires, quelques centaines d'hommes disséminés dans les montagnes, à l'abri de défilés impénétrables, de grottes invisibles, de nids d'aigle inaccessibles.

Un à un, sans même attendre le moindre signal, les barbets allèrent quérir leurs armes, qu'ils avaient déposées dans un recoin de l'abri. Il s'agissait en tout et pour tout de faux manchées à rebours, de serpettes, de bâtons cloutés, de crocs à bœuf. Seul Valleraugue possédait un mousqueton, une poire à poudre et des plombs.

La bande se remit en marche, à la file, selon son habitude, leur chef en avant, suivi de Samuelet qui fredon-

---

1. Adeptes de la RPR (Religion Prétendue Réformée).

Les chemins de Basville

nait une comptine. Une bourrasque salua le départ et
ôta quelques chapeaux mal accrochés. Grattepanse, le
fidèle lieutenant de Valleraugue, pesta de sa grosse voix
de géant contre les imprévoyants. Le groupe gagna en
contrebas la draille qui serpentait jusqu'à la forêt de
Fontmort. La traversée, dans les sous-bois de pins, leur
demanderait trois bonnes heures de marche, puis la
troupe atteindrait enfin, au cœur de la nuit, les premières châtaigneraies de Maletaverne.

Le père François Pelletan s'en revenait d'un long périple qui l'avait conduit, un mois durant, dans le haut pays
des Cévennes où s'étendait sa paroisse. Il y avait célébré
des messes sans relâche, confessé et communié les âmes,
sermonné les assemblées, baptisé les nouveau-nés,
réconforté les malades, recensé les indigents et les
orphelins pour son bureau de charité, flairé les marmites
des jours d'abstinence, admonesté les ouailles tentées
par la nécromancie, dressé les listes des familles hérétiques, visité seigneurs, gentilshommes et commensaux,
vérifié la bonne tenue du rôle des petites dîmes... Et,
avec le sentiment du devoir accompli, l'inspecteur des
missions — charge consistant à convertir les protestants
de sa curie — pouvait enfin prendre un peu de repos
dans sa maison forte de Maletaverne. L'évêque de
Mende, monseigneur de La Rouvère, en l'installant
dans cette demeure fort confortable, l'avait sans nul
doute gratifié d'une faveur. Mais celle-ci allait de pair
avec les titres dont il l'avait adoubé : archiprêtre des
hautes Cévennes et vicaire général. La demeure de
Maletaverne occupait tout le flanc sud de l'église, avec
un jardin intérieur au centre duquel coulait une fon-

Les compagnons de Maletaverne

taine. Une allée couverte en cernait le pourtour, sorte de déambulatoire que François Pelletan aimait à arpenter en lisant les *Confessions* de saint Augustin. Sa végétation luxuriante était à ses yeux un fragment du jardin d'Eden en terre hostile. Aussi, chaque fois que le maître des lieux devait reprendre son bâton de pèlerin pour partir à la reconquête de ses ouailles, il éprouvait un pincement au cœur à l'idée de se séparer de ces douceurs monacales. Pelletan se serait volontiers fait à l'idée d'une existence recluse et contemplative. Mais les temps difficiles exigeaient de lui des occupations plus séculières. Il était ainsi devenu, par la force des choses, un combattant de Dieu, un fanatique de la foi romaine, un chasseur d'hérétiques, un chien de garde de la papauté.

La curie de Maletaverne comprenait une dizaine de pièces de vastes proportions avec de hauts plafonds ornés, assombris par les fumées des cheminées. Seules les boiseries des murs avaient été astiquées à la cire d'abeille. Lorsque le soleil venait à donner à plein par les vitraux pâlement teintés, il se dégageait une chaude atmosphère propice à l'étude et à la réflexion. Le père Pelletan y occupait trois pièces seulement, les plus spacieuses et les mieux exposées, plein sud. Le reste des commodités était réservé à sa gouvernante, Clarisse Sainjon, et au jeune abbé, Aristide Bartélemy, qui faisait office de secrétaire. Au rez-de-chaussée, les cuisines voûtées eussent pu servir à nourrir un régiment tant elles étaient de vastes proportions. Sans doute remplissaient-elles cet office autrefois, au temps où les lieux abritaient une importante confrérie de pénitents blancs, désormais établie à Mende. Dans les pièces voisines, jouxtant l'écurie, étaient installés gardes, cochers et palefreniers, au service du vicaire général.

Les chemins de Basville

La gouvernante avait patiemment attendu, derrière la porte, que son maître l'autorise enfin à entrer, d'une voix forte. Il fallait montrer patte blanche pour se risquer dans l'antre de monsieur le vicaire général. Les bras chargés d'un fagot de petit bois de châtaignier, Clarisse s'en vint ranimer le feu de cheminée. Le prêtre leva à peine les yeux de son ouvrage. Il n'éprouvait pour sa gouvernante aucune sorte de commisération. Clarisse représentait, à ses yeux, tout ce qu'il y avait de plus haïssable dans le petit peuple des Cévennes, l'indocilité et la niaiserie. Il lui était souvent arrivé de lever sur elle la baguette, lorsqu'elle montrait à l'endroit des Saintes Ecritures une crasse ignorance. Pelletan prenait plaisir à la rabrouer, à l'obliger à se mettre à genoux devant lui, à réciter des prières. L'abbé Aristide n'approuvait guère les traitements cruels infligés à la malheureuse. « Ne nous faut-il point extirper la mécréance qui sommeille ? répliquait le vicaire général. Par le fouet, mon jeune ami. La mansuétude en la matière ne conduit qu'à l'hérésie… » L'abbé s'inclinait devant la volonté de son supérieur, lèvres tremblantes, en se souvenant des flagellations, des heures de cachot, de pénitence, d'affliction subies au séminaire. Tant de rude éducation n'avait pourtant pas réussi à endurcir ce cœur d'homme. Et sur son visage abîmé par l'acné, blafard, on voyait poindre souvent des larmes silencieuses. « Pourquoi Dieu n'a-t-il point créé l'homme à son image, parfait et bon ? se demandait-il. Alors qu'il nous faut, sans cesse, en abonnir les âmes, corriger les défauts, réprimer les turpitudes… » François Pelletan répondait par un peu de latin : « *Oportet haereses esse*. Il faut qu'il y ait des hérétiques afin que ceux qui résistent soient plus assurés en leur foi. » En de telles circonstances, le vicaire général aimait

Les compagnons de Maletaverne

à évoquer la terrible réplique de saint Paul aux chrétiens de Corinthe. N'était-elle point prophétique durant ces heures de lutte acharnée contre la religion prétendue réformée ?

Sur le cahier des missions largement ouvert devant lui sur son bureau de chêne noir, François Pelletan inscrivit la date, d'une écriture savamment déliée : « 24 février de l'an de grâce 1702. » Du plat de la main, le prêtre effaça la poudre de buis dont il se servait pour fixer l'encre. Cette caresse, sur la chair molle du parchemin, lui procurait, chaque fois, une sensation voluptueuse. Elle réveillait en lui le goût de la littérature à laquelle il s'adonnait, souvent, pour son seul plaisir, en relatant les événements de sa charge.

La lecture d'un tel document, *Le Cahier des missions*, eût pu nous en apprendre beaucoup sur le personnage. Mais le journal n'était assurément pas destiné à la divulgation. Cette relation au jour le jour était une affaire intime, des plus intimes même. Tantôt contourné et filandreux, tantôt précis et rigoureux, le style passait d'un genre à l'autre, au gré d'un tempérament changeant. François Pelletan trempa sa plume d'oie dans l'encrier et, la main en suspens au-dessus de la feuille, il attendit. La gouvernante tisonnait son aise, ramenant une à une les brindilles éparses vers le foyer.

— Ma bonne Clarisse, fit-il d'un ton pincé, vous voyez bien que je suis occupé.

— Oh, mon père ! dit-elle en se retournant vers lui, le regard craintif.

— Vous irez ajouter un peu de chandelle dans notre chapelle, je compte prier, ce soir, fort tard.

— Oh oui, mon père, ajouta-t-elle en se retirant d'un pas hâté.

Les chemins de Basville

Une heure durant, le vicaire général s'escrima à reconstituer, par le détail, les événements du mois passé à courir la campagne. L'homme pouvait se fier à sa mémoire. Elle était aussi aiguisée, incisive, que la lancette de Grattepanse, guidée par les ressentiments qui avaient animé son séjour chez les Cévenols. Race pugnace, secrète, renfermée, jugeait-il, sans la moindre objectivité. Ses commentaires relataient, par l'exemple, le nombre de fois où il avait dû user de la menace pour conforter ses paroissiens à la dénonciation des faux catholiques, des convertis parjurés. François Pelletan s'étonnait de la résistance qu'on lui avait opposée, une rébellion contraire à la volonté de Dieu qui exigeait de ses brebis qu'elles fussent obéissantes et soumises.

Néanmoins, son récit s'appesantit longuement sur l'un des seigneurs qui hantaient le haut pays. Le curé avait profité de l'inspection pour visiter quelques-unes des meilleures tables, dont celle de monsieur Thibaut de Jassueix. Ce gentilhomme, propriétaire terrien, avait la réputation d'être un original. Chasseur de sangliers, de renards et de loups, il passait grand temps à courir son domaine à cheval, flanqué de ses fils, Aurèle et Aaron. Des enfants qui étaient toute sa fierté et pour lesquels il se fût damné. Son château se dressait fièrement au-dessus du Tarnon, accroché à un pic aride. Alentour, la forêt impénétrable en faisait un joyau médiéval ; des hectares et des hectares de châtaigneraies, de pâturages pentus, livrés aux troupeaux de moutons et de brebis. Les paysans dont il avait la charge étaient pauvres, mais libres d'aller et venir, sans autre devoir que de payer un peu de dîme et de fournir viandes et avoine à leur protecteur. En contrepartie, le maître distribuait le sel nécessaire à la conservation des denrées.

Cet usage n'était pas courant dans le pays. Mais Thibaut de Jassueix y avait consenti pour éviter les famines d'hiver, tout en fermant les yeux sur le faux saunage et le braconnage. « Je veux conserver mes paysans en état de travailler », disait-il pour sa défense aux baillis et sénéchaux, qui lui en faisaient souvent le reproche. Le vicaire général se remit à l'ouvrage, d'une plume nerveuse, qui éclaboussait ses marges de minuscules taches d'encre.

Le 18, de janvier, monsieur de Jassueix vint m'accueillir à la porte de son château. Néanmoins, il choisit de s'y présenter seul. J'eusse aimé qu'il y vînt en compagnie de ses fils, comme la bienséance l'exigeait, s'agissant d'un seigneur en vue jusques à la cour du roi Louis. Mais monsieur de Jassueix n'est-il pas un homme fier ? Comment l'aurais-je oublié ? Je m'en étonnais fort à propos lorsqu'il se résolut à me toiser, chapeau haut, comme il l'eût fait, assurément, devant un de ses fermiers. Aussi, je tardais à m'avancer, attendant que mes gardes me précédassent sur le chemin. Cette précaution parut fort l'amuser. Et je devinais aussitôt, à son air narquois, la pensée qui venait à lui traverser l'esprit : « Vous défieriez-vous de moi, monsieur le curé ? N'ai-je pas toujours répondu à vos attentes ? Auriez-vous à vous plaindre de vos églises ? Ne sont-elles pas convenablement couvertes ?... »

A cette devinette, je n'ai aucun mérite. Combien de fois ai-je entendu, sans y prêter grande attention, du reste, cette sorte de déclamation ? Monsieur de Trincy, monsieur de Lavèze, sans oublier ce pauvre marquis de Serguille ne me tiennent pas un autre langage, hormis le baron de Salamon qui demeure en toute situation d'une humilité profonde. Les seigneurs de ce pays se jugent volontiers quittes de leur devoir devant Dieu seulement en veillant à l'état de nos monuments.

Les chemins de Basville

Qu'importe le culte auquel leurs sujets se prêtent, ceci les laisse indifférents, pour ne pas dire fautifs. Nos oreilles, nos âmes, notre entendement se révoltent devant le galimatias qui tient lieu de prière. Nous y célébrons des messes approximatives. Et les chants qui s'élèvent ne rendent aucune grâce à Dieu, sinon une sorte d'abaissement qui offusque l'esprit chrétien. Un chaos de paroles mal articulées sert de répons et d'antiennes, alors que les neumes y sont escamotés par ignorance. Et lorsque nous prêchons en chaire, que dire de ces yeux égarés qui vous fixent, de ces mines éperdues ? Parlons-nous à des brebis de Dieu ou à des sauvages du Nouveau Monde ? Est-ce la dureté de leur existence qui nous les rend ainsi ? Ne serait-ce point plutôt le contraire ? L'âpreté des jours ne dispose-t-elle pas mieux à la contemplation, à l'émerveillement devant le mystère ? Je ne sais parfois que penser. Céder au doute est un acte coupable. Mais le pire, en la Cévenne, réside dans l'indifférence de nos seigneurs. Suffit-il de lever la capitation pour être quitte ?

J'étais tout à mes pensées en accompagnant monsieur de Jassueix dans ses appartements. Il m'ouvrait le chemin en me parlant des neiges et des tempêtes qui avaient rendu notre hiver rigoureux. Je ne l'écoutais que distraitement, tandis que mes gardes et mon cocher dirigeaient nos chevaux vers l'écurie. « Verrai-je madame la Comtesse, au moins ? Depuis Noël je ne l'ai entendue en confession. » Le comte m'offrit un siège près de la cheminée, où brûlait un feu de corps de garde. « Mais n'ayez crainte, monsieur le vicaire général, vous nous entendrez tous deux. Moi, d'abord. Plus vite nous expédierons l'affaire... » Monsieur de Jassueix eut un petit rire rauque à mon adresse. Je ne dis mot en l'observant, tout en faisant mine de prier pour lui par avance, devant tant de légèreté. « Monsieur le Comte estime, sans doute, n'avoir que de petits péchés à me rapporter ? » Mon hôte se délesta de son

Les compagnons de Maletaverne

chapeau, de sa perruque, et jeta le tout sur un bureau. « J'ai peu l'occasion de commettre de grands péchés, fit-il en passant une main sur son crâne dégarni. Croyez bien que je le regrette. Les divertissements d'un gentilhomme dans mes Cévennes sont de ceux que nous procure la bienfaisante et innocente nature. La chasse, la pêche et les longues promenades épuisantes sur nos sentiers. Le dévergondage, le libertinage, la courtisanerie, la flatterie, le maquerellage, la menterie, la diablerie, la damnerie sont réservés à la Cour, dont je suis tenu éloigné depuis la fameuse étude sur l'état du royaume inspirée par le duc de Beauvillier, qui a requis mes services, comme vous le savez. Depuis 1697 je n'ai eu l'honneur de m'incliner devant notre roi. » Monsieur de Jassueix en parut triste et affecté. Je ne manquai point d'abonder dans ses états d'âme, par convenance. Et il m'en remercia chaleureusement.

Dans la minute, je l'entendis en confession. Nous passâmes vite sur les affaires ordinaires. Et j'en vins à ce qui me préoccupait et ce pour quoi monseigneur de La Rouvère m'avait mandaté. « Monsieur le Comte, je dois obtenir de vous toute la vérité sur vos sujets. L'édit royal est fort explicite. La conversion des hérétiques ne souffre aucune attente. En est-il dans nos villages qui s'adonnent à l'hérésie ? Nous devons en compléter les listes afin de les convertir sans délai. Ceux qui refusent de faire acte de catholicité ou, pire, qui s'adonnent à la propagation des idées huguenotes doivent être chassés de leur terre, emprisonnés. Avez-vous levé une milice comme monseigneur de La Rouvère vous l'a conseillé ? »

Monsieur le comte parut fort préoccupé par mes propos. Et je sentis aussitôt qu'il avait envie de s'affranchir de mes questions au plus vite. « Je ne sache point qu'on s'adonne à l'hérésie sur mes terres », fit-il, étonné. Et je le repris aussitôt avec la fermeté qui s'imposait : « Vous n'ignorez pas que des

Les chemins de Basville

bandes armées courent la campagne, perpètrent des crimes affreux. Là où notre magistère résiste, ces réprouvés n'hésitent point à massacrer les serviteurs de Dieu et de la vraie foi. »

Monsieur le comte se mit à hocher la tête avec gravité. Puis il me servit son plat préféré : la bonne entente avec ses gens, sa loyauté en contrepartie de la paix civile. Rien qui ne fût en mesure de me rassurer. « Je ne doute pas que vous soyez en paix avec vos sujets. Cette sorte d'harmonie, dont vous faites état, ne saurait satisfaire notre roi. L'édit de Fontainebleau doit être appliqué sur tout le territoire du royaume avec la plus extrême sévérité. »

Monsieur de Jassueix ne pouvait ignorer ce que signifiait pour les protestants la révocation de l'édit de Nantes. Et que je voulusse l'engager dans cette cause parut le chagriner. Aussi, sous la foi du serment, je lui mandai, haut et fort, les yeux dans les yeux, s'il n'éprouvait pas pour la Réforme un penchant fâcheux. « Car il est, dis-je, une manière pour un gentilhomme de se rendre coupable d'hérésie, c'est de fermer les yeux sur les opinions de ses sujets. »

Monsieur le comte s'éloigna de mon regard. Il avait fort envie de me renvoyer à mes gardes. Mais la haute mission que monseigneur de La Rouvère m'avait confiée, tout autant que mes devoirs de police et mes obligations au renseignement réfrénèrent ses humeurs. N'avais-je pas plus d'autorité que lui, depuis que l'édit royal avait placé le clergé sous la dépendance des évêques et que celui de Mende m'avait élevé au titre de vicaire général ?

« Comment pouvez-vous me soupçonner de collusion ? » se récria-t-il avec force gestes. Et, s'agitant alentour, le comte bousculait ses objets, les fauteuils qui encombraient son pas, les vases qu'il jeta au mur. Jamais je ne vis homme d'un tel rang s'emporter de la sorte. « Il faut, monsieur, gronda-t-il, que vous m'ayez en bien piètre estime pour me

25

ranger promptement dans la secte des réformés. Je n'ai, je vous le jure sur mes biens les plus sacrés, jamais entretenu le moindre commerce qui pût porter à conséquence avec ces gens. Du reste, le voudrais-je que je ne le pourrais pas !»

Et il martela ses derniers mots avec le poing, vivement, sur le bureau, faisant tressauter les objets qui s'y trouvaient.

« Eclairez-moi sur ce que vous venez de dire, insistai-je. Un commerce qui pût porter à conséquence... Ai-je bien ouï ? Vous continuez à entretenir avec ces hérétiques une sorte de commerce qui puisse ne point porter à conséquence ? Je crains fort que tout commerce avec les hérétiques, même le plus coutumier, ne porte à conséquence... »

Monsieur de Jassueix arrêta aussitôt ses démonstrations intempestives. Je venais de désarçonner l'orgueilleux homme d'une main de maître, et j'en fus fort content.

« Quel vilain procès vous me faites là, renchérit-il d'une voix rassérénée. Il ne se trouve plus dans nos rangs, à mille lieues à la ronde, un seul partisan de Guillaume d'Orange. Ceux-ci ont fui en Hollande, en Suisse, en Angleterre, dès que messieurs Le Tellier et de Croissy ont posé le sceau sur le fameux édit. Pourquoi feignez-vous de l'ignorer ? C'est fausse querelle que tout ceci. »

Le comte se remit à marcher de long en large, en prenant une infinie précaution à la tournure de ses phrases, sachant que la moindre assertion pouvait lui être fatale.

« Cependant, j'ai souvenir, poursuivit-il, de fort aimables gentilshommes qui avaient prouvé en des circonstances malaisées leur allégeance au roi et prirent sans délai le chemin de l'exil, comme monsieur de Brainville ou le marquis de Foncroy. Ils étaient de mes amis et je déplore, il est vrai, le sort qui leur est fait... »

Je ne pus retenir l'envie de me rebeller contre ce jugement. Et je fis, en toute hâte, deux ou trois signes de croix pour

Les chemins de Basville

conjurer la noirceur de ces aveux. Monsieur de Jassueix, tout à sa confession qui devait réclamer de lui du courage et de la tempérance, dont la nature ne l'avait point dépourvu, ne parut pas s'en étonner. Il y avait beaucoup de ridicule dans mon geste, pour un gentilhomme distant, autant qu'il se pouvait, des affaires de religion. Mais la gravité de ses propos requérait sans doute toute son attention. Se rendait-il compte qu'il jouait, ainsi, son honneur de bon et juste chrétien ? A moins qu'il ne jugeât que sa propre considération fût, de toutes, celle qui pouvait le mieux rassurer.

« D'autres gentilshommes ont choisi de se convertir et de renoncer à leur foi, plaida-t-il avec une conviction qui ne me laissait plus aucun doute sur les opinions qui l'agitaient. Comme monsieur le comte de Trincy ! s'écria-t-il. Voilà qui en fait un de nos seigneurs au-delà de tout soupçon, bien que ses ancêtres eussent accompagné le jeune Henri de Navarre jusques à Paris et l'eussent assis sur son trône. Monsieur de Trincy doit-il aussi abjurer les actions d'éclat de ses pères, auxquels le royaume est redevable ? Son ancêtre Donatien de Trincy ne fut-il pas un des émissaires chargés d'obtenir des Habsbourg la libération du grand roi François et un glorieux commandant à la tête de ses troupes dans le Piémont ? Non, monsieur, nous ne pouvons nous résoudre à couvrir d'opprobre les faits d'armes et de diplomatie de cette lignée. De même ôter de notre grand livre ces pages fameuses, parce que les temps présents honnissent les protestants et obligent leurs enfants à porter la hart au col et le cierge à la main... »

Je me dressai, vivement, pour ramener ce vilain à la raison et, tout au moins, faire taire des propos que ma conscience ne pourrait escamoter à l'instant de rédiger mes ordonnances à monseigneur de La Rouvère...

Les compagnons de Maletaverne

En poussant la porte du cabinet, l'abbé Aristide interrompit, soudain, l'ouvrage de son maître. Ce n'était pas dans ses habitudes de venir déranger aussi brutalement le vicaire général. D'ordinaire, le jeune homme attendait qu'on le convoque, démarche qui revêtait toujours une raison impérieuse. Aussi Pelletan vit-il avec une moue de surprise son second entrer, puis se diriger vers la cheminée qui dégageait déjà, dans la pièce, une douce chaleur.

La flambée préparée par Clarisse n'était pas près de s'amenuiser, tant le bois qu'elle y avait entassé était noueux. Des escarbilles sautaient régulièrement sur les parquets, avec un crépitement sec. C'était dans la nature même du châtaignier de produire ces désagréments. Mais la gouvernante avait pris soin d'éloigner suffisamment les tapis pour qu'ils ne fussent pas brûlés.

Aristide s'adossa à la cheminée afin de prendre un peu de la chaleur qui faisait tant défaut dans ses appartements. Pour se réchauffer les mains, il ne disposait que de ses bougies, aux flammes vacillantes. Le vicaire général trouvait qu'il y avait du bon à vivre à la spartiate. A la différence qu'il ne s'appliquait guère à lui-même ce précepte, jugeant qu'il avait beaucoup donné durant ses années de noviciat.

— Quel sort comptez-vous offrir à vos prisonniers ? J'aimerais en être instruit, mon père…

Aristide avait jeté sa question dans un seul souffle, pour écraser la timidité qui lui nouait la gorge. Et, aussitôt, il s'était avancé vers le bureau où son maître officiait. Puis il avait pris la pose affligée du confesseur. Cela l'aidait bien, cette posture d'attente, le regard fixant le tapis qui s'étendait jusqu'aux pieds du vicaire général.

Les chemins de Basville

Pelletan piqua sa plume dans l'étui en bronze de son encrier, ce qui voulait dire, sans doute, qu'il se résignait de mauvaise grâce à interrompre son travail. Puis il leva les yeux sur son secrétaire, le fixant avec insistance. Il connaissait la nature de ses tourments pour les avoir, bien des fois, examinés en confession. Et, à l'usage, le curé de Maletaverne avait fini par reconnaître que son jeune protégé, décidément, n'avait pas le cœur assez caréné pour combattre résolument l'hérésie, que sa mollesse d'âme le prédisposait à une sensiblerie inutile.

— Voulez-vous être entendu en confession, mon fils ?

— Non, mon père. Je me sens l'âme aussi pure que celle d'un nouveau-né.

— Oh, mon Dieu, quel manque d'humilité ! Seriez-vous tenté par l'isolement ? Sans doute est-ce ainsi que vous vous prémunissez contre le doute ? Seriez-vous en proie au doute, mon petit Aristide ? Je lis en vous de l'affliction. Et je puis vous soulager. Car le malin épouse toutes les circonvolutions de la pensée, pour se frayer un chemin. Et, à l'instant où nous croyons toucher la vérité, parfois c'est lui qui nous dicte les fausses réponses.

— Oh, mon père, je vous en prie. Je ne suis plus un novice. Comment pourrais-je supporter ces cris qui montent de nos cachots ? Ces regards blessés, torturés, qui supplient. Est-ce Dieu tout cela ? Est-ce la vérité de Dieu ?

— Le cri des souffrances de nos méchants les purifie. Soyez-en assuré, mon cher enfant. N'avez-vous point observé combien ils sont sereins après que nous les avons tourmentés ? Par le fer et le feu nous ôtons le mal qui dévore leur âme égarée. Nous tuons, petit à petit, la bête qui s'est logée en eux. Et, un jour, ils nous loueront

Les compagnons de Maletaverne

de les en avoir délivrés… Ils diront avec nous : « Grâces soient rendues à Dieu, qui nous fait toujours triompher en Christ et qui répand par nous en tout lieu l'odeur de sa connaissance ! »

— Oh, mon maître, comme je voudrais vous croire ! s'écria Aristide en tombant à genoux, le front heurtant le bois rude du bureau.

Le vicaire général fit un mouvement vers son second pour l'aider à se relever. Il n'aimait guère qu'on s'affligeât de la sorte, alors que les commandements de l'Eglise romaine exigeaient de ses serviteurs qu'ils gardassent le front haut pour combattre les égarés de la foi.

Par la porte entrebâillée du cabinet, on entendit au-dehors des pas précipités sur la pierre de l'escalier. A la respiration lourde, ils reconnurent Siméon, l'un des gardes attachés à la curie. Pour le petit abbé, c'était un signe de mauvais augure que l'apparition de cet homme, et il poussa un cri de bête, que la main de Pelletan étouffa vigoureusement. Car Siméon n'était pas seulement un gardien des lieux. Le vicaire général en avait fait un bourreau et un tortionnaire. Cela ne lui avait guère demandé d'efforts, tant la haine du huguenot avait incité le bonhomme à accomplir ses besognes sans rechigner.

— Oh, mon Dieu ! s'écria Aristide en se dégageant de l'emprise de son maître. Ne me dites pas que ces horreurs vont recommencer ?

— Je vous prierai même de m'accompagner au parloir pour y tenir le registre…

C'était ainsi que le vicaire général nommait la salle des tortures, une belle cave voûtée en ogive où, jadis, au temps heureux des pénitents blancs, on remisait le vin, l'huile, le sel et les denrées nécessaires à l'ordinaire.

Les chemins de Basville

Les propos que venait de tenir son secrétaire incitèrent François Pelletan à le traîner de force dans le fameux parloir. Le vicaire général était convaincu qu'il n'y avait pas meilleure médication pour l'endurcir. Un jour, pensa-t-il, mon jeune prêtre deviendra aussi insensible que je le suis devenu moi-même, gagné par la certitude qu'il n'y a, pour la gloire de Dieu, d'autre solution qu'une conversion par la contrainte. Que faire pour briser les résistances ? Quand la raison et la casuistique échouent, il ne reste que la force brutale, puisque ne demeurent plus en notre pays que les réfractaires opiniâtres, les acharnés de la Réforme, les réprouvés assoiffés de haine...

En franchissant le passage voûté du parloir, Aristide se signa, puis prit la croix d'argent qui était suspendue à son cou et la porta à ses lèvres. Il eût voulu la conserver ainsi longtemps, tandis qu'il implorait Dieu de lui donner du courage pour affronter les horreurs. Une écritoire se dressait sur une estrade de pierre. Le prêtre y monta, les épaules basses, et ouvrit le registre à la page où l'on avait écrit le nom de l'insoumis qui gisait tout près dans les fers. Il se nommait Abel Bouvier. On ne savait presque rien de ce malheureux, sinon qu'il était un fils de paysan au village de Maillautier, où Julien Valleraugue avait mis le feu à l'église. La milice de monsieur de Serguille avait arrêté ce garçon, qui traînait à l'arrière de sa troupe et, vite confondu, avait été remis à la curie de Maletaverne pour y être converti. C'était un moindre mal, en cette terrible période, que d'être soumis à ces dispositions. Il suffisait que le jeune garçon abjure sa religion pour recouvrer la liberté. Monsieur de Serguille avait consenti à cette solution eu égard à son âge, seize ans. Trois autres compagnons d'infortune eurent moins de chance. On les conduisit à Mende où le bailli, homme fort sévère, ne manquerait pas de prononcer les condamnations à mort.

Siméon avait devancé de quelques pas son maître pour rejoindre le prisonnier. Et il le réveilla d'un vigoureux coup de pique-feu appliqué sur le visage. Le garçon poussa un gémissement.

— Mon maître, demanda le bourreau en se tournant vers le prêtre, faut-il lui administrer les brodequins ? J'ai là de beaux instruments, bien graissés, qui feront merveille. Faites-moi confiance, mon seigneur... Y a point de mauvais chrétiens qu'ont résisté plus d'une journée dans ces jougs-là.

Et il se mit à ricaner, nerveusement, comme il le faisait chaque fois qu'on exigeait de lui l'application servile de ses bons offices.

Le vicaire général s'arrêta en observation devant le prisonnier. Puis il marqua un long temps d'hésitation.

— C'est une douloureuse médication que tu veux lui infliger, dit le prêtre sans même lever le regard sur la face cramoisie du bourreau. Nous avons déjà essayé le supplice de la braise. Sans succès. Les brodequins ? Seigneur, il est bien jeune pour qu'on lui brise les os de la sorte. Pourtant, le vilain garçon ne nous laisse guère le choix. J'aimerais l'interroger. Car le temps porte conseil...

François Pelletan alla quérir un siège et vint s'asseoir près d'Abel Bouvier. Il prit la main du malheureux, noircie, brûlée, cloquée par les braises que Siméon y avait placées tout en l'obligeant à serrer le poing. C'était une méthode assez répandue pour contraindre les religionnaires à renoncer à leur foi. Mais le vicaire général jugea sans doute que le renouvellement de ce

Les chemins de Basville

supplice, comme celui des coups de lancette sur la poitrine, n'apporterait aucune renonciation chez le jeune huguenot.

A six pas, juché sur l'estrade, Aristide tenait ses mains appliquées sur son visage, les doigts serrés pour ne pas voir la scène. Les cris, les soupirs, les gémissements suffisaient à son désarroi ; des plaintes annonciatrices de terribles souffrances lorsque Siméon, encouragé par son maître, se remettrait à la tâche. Et le petit abbé se reprocha, alors, d'avoir dérangé la placide besogne de son supérieur et de l'avoir incité, ainsi, à recommencer ses exploits. Que n'a-t-il poursuivi sa paisible occupation, cela m'eût évité cette terrible épreuve, pensa-t-il. Et des mots de prière, fort personnels, s'en vinrent se dessiner sur ses lèvres. « O, toi, pauvre agneau de Dieu, qui portes le péché du monde, te voici réduit au supplice !

O, mon Dieu ! Mon Dieu, aie pitié de nous. Pardonne-nous, pauvres pécheurs, qui refusons de pardonner à ceux qui nous ont offensés… O, mon Dieu, que ta main miséricordieuse nous épargne les flammes de l'enfer, quand l'heure sera venue de paraître devant toi… Pour nos fautes, nos si grandes fautes… »

— Mon fils, l'heure est venue de te soumettre à la loi de Dieu ! s'écria François Pelletan en joignant les mains.

Le curé aimait se prêter des airs de bon Samaritain, même dans l'exercice de ses basses œuvres, comme si, en lui, la bonté et la dureté pouvaient cohabiter sans que l'une et l'autre pussent en être affectées. Devant tellement de désordre, le jeune Aristide en arrivait à penser que cet homme cédait à une sorte de frénésie démoniaque, au point que son esprit se scindait en deux. Et, une fois le repos retrouvé, par la seule force de la prière,

Les compagnons de Maletaverne

François Pelletan s'en revenait, comme si de rien n'était, sur les rivages sereins de son magistère.

Abel Bouvier leva sur son tourmenteur un regard effarouché. La seule apparition du curé avait le pouvoir de le glacer d'effroi. N'était-il pas venu lui glisser, lui-même, du bout d'une pincette, une braise ardente dans le creux de la main et s'interroger sur sa douleur, se féliciter que celle-ci pût le réveiller à sa conscience de chrétien ?

— J'veux pas de ton dieu ! cria Abel Bouvier. Le dieu des idolâtres !

Le prêtre reçut cet aveu avec un hochement de tête, reconnaissant enfin que ses traitements avaient échoué, une fois encore, et qu'il lui fallait reprendre sa besogne au point de départ.

— Ma patience est immense, dit François Pelletan, aussi vaste que le royaume de Dieu auquel tu te refuses, obstinément. Il n'y a qu'un seul Dieu à adorer, par Son fils mort sur la Croix pour racheter les péchés du monde, par la Sainte Vierge, mère de Dieu. Je te demande de le sanctifier, à genoux, de te repentir devant lui, de reconnaître, mon fils, que tu persistes dans l'erreur...

— Que le diable t'emporte, maudit papiste ! Idolâtre ! Je choisis, s'il le faut, le même sort que Jésus plutôt que me renier, que trahir la confiance de mes compagnons. Car il est dit que tout protestant qui meurt dans les tourments des papistes, corrompus par l'Eglise de Rome, siégera à la droite du Père. Et toi, jura-t-il, suppôt de Satan, tu iras rôtir en enfer.

Le vicaire général accueillit ces vociférations sans colère. Il en connaissait les couplets par cœur, rabâchés dans les messes secrètes dites sur l'emplacement des

Les chemins de Basville

temples détruits, dans les profondeurs des bois, à l'orée des grottes où les religionnaires avaient coutume de se rassembler. Et, de ses doigts longs et nerveux, ornés de bagues rutilantes, il vint griffer le visage du jeune affligé, lui tordre le nez, lui tirailler les lèvres et ajouter un peu de sang nouveau à l'ancien.

— Crois-tu venir à bout de ma détermination, jeune orgueilleux ? Tu chemines dans l'erreur, et l'hérésie t'emportera dans la géhenne. Abjure ! Abjure ! Et la vérité sera ton repos. Tu recouvreras la paix. Sinon, tu subiras les pires supplices. Car Dieu l'ordonne ! Je l'entends. Il me dit : « Fais taire cet orgueilleux qui insulte ma puissance divine. » Voilà ce que me dicte Dieu. Et tu dois demander pardon pour toutes tes fautes, dénoncer les crimes que tu as commis avec tes compagnons, me livrer leurs noms, leurs caches secrètes...

— Jamais ! Jamais ! s'écria Bouvier tandis que Siméon le piquait de sa lancette, comme il eût fait avec un cochon, s'excitant du sang qui sourdait de sa chair frémissante.

— Regardez, mon seigneur, il saigne comme une charogne ? Charogne ! Vas-tu donc parler ? tonnait Siméon.

Le vicaire général se recula pour éviter que les plaies sanguinolentes ne vinssent lui salir la robe. Jésus, lui-même, n'avait-il pas saigné son aise, sous les coups de lance ? Et ce supplice ne lui avait-il pas permis de racheter le péché du monde ? Qu'on fît, une fois encore, du jeune Abel Bouvier un martyr ne pouvait que satisfaire aux commandements de l'Eternel des Armées. Et il se signa à plusieurs reprises avec, sur le visage, une sorte de sourire béat. C'était le souffle des anges qui le soulevait dans cette exultation, et non la sinistre illumina-

Les compagnons de Maletaverne

tion d'un Torquemada. Le bourreau se pressait de tous côtés, en proie à l'excitation, pour arracher à sa victime le seul mot qui eût pu arrêter son geste : « Je me convertis, mon Dieu, je me convertis à la seule religion, catholique et romaine... » Ainsi avait-il obtenu, de quelques dizaines de religionnaires, la phrase sublime, par laquelle triomphait la vérité de Dieu. Et on avait vu, ensuite, ces fous sécher les plaies, soulager les souffrances, consoler les pleurs, avec la même exaltation qu'ils avaient mis à les enflammer.

— Fils d'hérétique ! Blasphémateur ! sermonna le prêtre devant son prisonnier, faudra-t-il te rendre aveugle à ce monde pour te faire chanter les louanges à notre Seigneur ? Comme ces oiseaux en cage qui vocalisent à merveille, les yeux percés d'un coup d'aiguillon... Puisque l'aveuglement terrestre est ton fort, alors qu'il s'accomplisse. Peut-être que la cécité, mon fils, te fera recouvrer la juste et sainte lumière. Tel le mendiant de Jéricho. Jésus lui dit : « Que veux-tu que je te fasse ? » Il répondit : « Seigneur, que je recouvre la vue. » Et Jésus lui dit : « Tu vas retrouver la lumière puisque ta foi t'a sauvé. » A l'instant, l'aveugle recouvra la vue et suivit Jésus en glorifiant Dieu.

Tandis que François Pelletan discourait, Siméon s'était emparé d'un pique-feu chauffé à blanc dans un brasero et il vint le promener, lentement, sur le visage d'Abel Bouvier. Ce dernier s'agitait dans ses ceps, se tortillant comme un ver empalé à l'hameçon. Et à l'instant où le bourreau allait appliquer, d'une main ferme, son fer rougi sur les yeux du prisonnier, le vicaire général l'écarta d'un geste généreux.

— Non. Je te laisse réfléchir jusqu'à l'aube. Et, ce délai écoulé, nous reviendrons t'interroger pour que tu

Les chemins de Basville

renonces, mon fils, à tes chimères. Et si, par malheur, tu persistes dans l'erreur, alors nous t'ôterons la vue à jamais. Je vais prier, de ce pas, pour que Dieu t'inspire la renonciation. Et, ainsi, te fasse entrer dans Sa gloire, parmi nous, Ses humbles fils...

Dans un grand fracas, l'abbé Aristide s'abattit d'une masse le long de l'écritoire.

— Réveille donc ce misérable ! ordonna le vicaire général à Siméon, incrédule. Oui, bien sûr, avec ceci ! Avec ton pique-feu. Fais-lui sentir le baiser de Dieu.

2

A la tombée du jour, les affligés abordèrent le bord du plateau, quelque part entre Prat-Reboubalès et Roche-Courbade. Un rai de soleil traversait les nuages en oblique, devant eux, comme si le ciel en se dégageant, en cet endroit, par on ne sait quel prodige, venait à leur montrer le chemin. Julien Valleraugue pressa le pas pour gagner le bord de la falaise qui dominait la forêt de Fontmort et l'étroit défilé de la Mimente.

Le chef jeta son mousquet à terre, près d'un buisson, et, bras dressés par-dessus tête, tomba à genoux. Puis, d'un mouvement lent, comme s'il voulait embrasser l'espace tout entier où venait de se manifester ce prodige, Julien Valleraugue joignit les mains.

— Mes frères ! s'écria-t-il. Contemplez le signe !

Tous les regards ne fixaient plus que le rayon de soleil qui tombait, comme une flèche jaune et blanche, sur Maletaverne. Au creux de la vallée qui se dessinait devant eux, le village semblait auréolé par une lumière vive. Et, par un singulier effet de loupe, désormais, on pouvait voir distinctement le jade de la rivière sur son lit de cailloux blancs, puis, au centre du défilé, les hautes bâtisses ocre agglutinées autour de leur église, la

Les chemins de Basville

maison forte avec ses remparts dressés au pied de la Mimente, ses contreforts ardus se jouant du relief. Alentour, les châtaigneraies cernaient les fermes, laissant juste apparaître des enclos pour le pâturage, des jardinets protégés de murets gris, le tout formant des taches vert-jaune, dessinées au cordeau.

Suivant l'exemple de leur chef, les barbets s'étaient agenouillés, là même où la surprise les avait cueillis. Seul Samuelet était resté debout, la bible tendue vers un ciel tourmenté, teinté de lapis, de bronze et d'étain, des jours de colère.

— Dieu nous désigne la Babylone que nous devons châtier, mes frères, ajouta Julien Valleraugue.

L'osard avait ôté son chapeau noir à large bord. Et le vent chahutait sa chevelure. Il n'aimait point domestiquer sa crinière, même au plus fort des combats. Il prisait cette allure d'homme des bois, libre et affranchi du poids des jours.

— « Jour cruel, jour de colère et d'ardente fureur, qui réduira la terre en solitude et en exterminera les pécheurs... » lit Samuelet d'une voix haussée, afin de dominer le chant du vent, à moins qu'il ne lui servît d'accompagnement.

— Dieu nous guide, mes frères ! Voyez le signe, jura Valleraugue.

Et chacun reprit à son compte cette parole, telle une prière. La Verrue fixait la pointe de sa faux, dressée vers le ciel comme une croix borgne, avec des yeux exorbités. Sur sa lame étincelante, il voyait des larmes de sang. Et cette vision d'épouvante le terrifiait, lui qui avait tant apporté la mort avec ce glaive rustique, lui qui n'avait jamais connu l'apitoiement devant une plainte, fût-ce celle d'un enfant.

Les compagnons de Maletaverne

— « Tous ceux qu'on trouvera seront percés, et tous ceux qu'on saisira tomberont par l'épée... » continuait Samuelet, allant et venant parmi ses frères qui l'écoutaient religieusement.

Le jeune prédicant s'avança au bord de la falaise. Ses amples vêtements fouettés par le vent ressemblaient à des ailes lugubres. Et Le Faucon et La Violette, deux paysans de Saint-André-de-Lancize passés à l'huguenoterie après que les miliciens de Salamon eurent brûlé leurs fermes et violé leurs femmes, crurent, un instant, qu'il allait s'envoler par-dessus la vallée, entre ciel et terre, dans la lumière annonciatrice.

— « Et leurs enfants seront écrasés sous leurs yeux... »

Un nuage vint obscurcir le ciel, noir et vaste comme un couvercle de plomb. Et la vision de Maletaverne, que les huguenots venaient d'identifier à la Babylone des Chaldéens, corrompue et tyrannique, fut brouillée par un clair-obscur de fin du monde.

— « Elle ne sera plus jamais habitée. Elle ne sera plus jamais peuplée[1]... »

Un cri sauvage courut les rangs, tandis que les hommes se relevaient, allant former une haie d'armes et de fureur au bord du précipice. Puis le chef ordonna qu'on reprît la marche par un petit chemin qui serpentait, abrupt, entre les buis et les genévriers, et finissait par se perdre dans les pins.

A force de patience et temps, les barbets avaient acquis l'art de se diriger dans la nuit, par les mille et un chemins qui sillonnaient ces contrées. On se guidait à

1. Isaïe, 13.

Les chemins de Basville

l'ancienne, par la position des étoiles, par les murmures de la forêt. Le chuintement d'une source, le bruissement d'une rivière, les feux des masures, tout était matière à repère. S'ajoutaient des signes cabalistiques, étranges et mystérieux pour qui n'en possédait pas les clés ; un langage que seuls les initiés pouvaient déchiffrer. C'étaient de petites marques sur les rochers, des entailles dans l'écorce des arbres, des pierres entassées ou disposées de savante façon. Partout dans les hautes Cévennes, même dans les lieux les plus impénétrables, les huguenots disposaient de jalons pour guider leurs pas jusque dans les caches les plus secrètes, les refuges providentiels, les lieux de culte. Nombre de grottes contenaient des vivres, des armes, des grabats pour s'y reposer ou attendre des jours meilleurs. Ces refuges étaient essaimés par tout le désert, de Florac à Génolhac, du mont Aigoual à Alès. Il avait fallu des décennies de persécution pour amener les parpaillots à installer, dans tout le pays, un réseau de défense propice à satisfaire tous les besoins de la clandestinité. Et la force première des attroupés résidait dans leur capacité de mouvement. Tandis que les milices seigneuriales les croyaient à Collet-de-Dèze, ils se rassemblaient à Sainte-Croix ou à Saint-Privat-de-Vallongue, préparant tranquillement de nouvelles expéditions punitives contre les papistes. La fiabilité de ces abris incitait même les convertis à rallier en grand nombre leurs frères rebelles et à reprendre le chemin de la foi que le roi de France leur avait fait abjurer, à genoux et la main sur la Bible, aux portes des églises.

Tandis qu'on cheminait dans la forêt de pins, Valleraugue avait autorisé l'emploi d'un falot, qui brinquebalait à la pointe d'un pic à bœuf. La lumière vacillante permettait tout juste d'éviter les chutes dans les passages

Les compagnons de Maletaverne

difficiles, encombrés d'arbres morts et de pierrailles ins-
tables. La marche forcée, sans grand repos, juste le
temps de se désaltérer et de croquer des châtaignes
grillées, avait rendu les hommes irritables. Mais leur chef
avait la réputation de posséder une poigne de fer. Et nul
ne se fût risqué à lui désobéir. Dans ces moments-là, il
n'y avait que la lecture des psaumes de la Bible qui pouvait les ramener à la raison. Pour l'heure, on avait déjà
sacrifié à la prière, et seul importait désormais la mission
dont Dieu les avait chargés. L'épaisse nuit comblait leur
audace. Ils se savaient invisibles, invincibles, tels les soldats d'Ezéchiel pourchassant les Philistins.

De temps à autre, sur un simple geste, Julien Valleraugue arrêtait sa cohorte. Et, sans un mot, sans un soupir, on s'accroupissait dans la nuit, un chapeau posé sur
la lanterne. Le bruyant passage d'un sanglier, d'un cerf,
une équipée de loups suffisait à les mettre en alerte. Par
précaution, Grattepanse ouvrait son couteau à la lame
incurvée, comme un bec d'épervier, prêt à égorger qui
viendrait, malencontreusement, se mettre en travers.
Mais, par cette heure avancée, qui oserait donc se risquer dans la forêt de Fontmort ? Un braconnier ?
Qu'importe. Un simple hululement, retourné en écho,
suffirait à reconnaître un frère. Mais, par ce temps de
froidure, de terres gelées, on ne hantait guère le désert,
sinon pour de funestes projets qui requéraient l'assenti-
ment de Dieu. Seule la foi pouvait activer ces hommes
à leur besogne, les livrer à une folie divine comme il ne
s'en prépare que lorsque la raison vacille.

Puis, l'alerte passée, la troupe s'en repartait. Grattepanse refermait sa lame d'un geste sec. Les branches et
les ramées faisaient en les frôlant chanter le fer des faux
manchées à rebours. Cela sonnait un air lugubre qui

Les chemins de Basville

ravissait le capitaine, à l'avant, avec son chapeau noir vissé sur la tête. Il rythmait la marche à un train d'enfer, la pelisse de mouton ouverte sur sa poitrine nue, en suée. Valleraugue ne connaissait ni le froid, ni le chaud, ni la fatigue. Cet homme eût crevé une armée de troupiers. Et on ne comprenait pas d'où il tirait son énergie, au point qu'on lui attribuait quelque pouvoir surnaturel. Pourtant, il n'y avait aucun mystère chez ce huguenot. Fils d'éleveur de vers à soie, il avait grandi au bord du Gardon, quelque part entre Anduze et Saint-Hippolyte-du-Fort, entre la vigne et l'olivier. Un pasteur de Nîmes avait décelé en lui une intelligence précoce et l'avait nourri de lectures, de sermons, de prédications. Des ouvrages tels que *De captivitate babylonica*, *La Liberté du chrétien* de Martin Luther, *L'Institution chrétienne* de Jean Calvin, ainsi que les écrits de Théodore de Bèze ou de Pierre Jurieu n'avaient plus de secret pour lui. Et lorsque le glas de la révocation vint à sonner, le jeune pasteur devint, du jour au lendemain, un paria. Puis il se décida à « prendre le désert », comme l'on disait en ce temps-là, à former ses premières troupes, à relever les temples, à propager la parole de ses maîtres, de village en village, à dresser les convertis contre les curés, à rebaptiser les enfants, à guerroyer contre les milices, à brûler les fermes des anciens catholiques[1], à punir les dénonciateurs...

Les attroupés traversèrent la Mimente à gué, sans trop mouiller leurs chausses. Du lit de la rivière où ils se trouvaient, désormais, on distinguait, à une demi-lieue en amont, les feux de Maletaverne. Un frisson d'allégresse gagna les hommes. Enfin, ils touchaient au but. Cela

1. Anciens catholiques par opposition à nouveaux catholiques, convertis de fraîche date.

43

Les compagnons de Maletaverne

faisait cinq jours que cette expédition était engagée, cinq jours à supporter le vent froid et étourdissant, à dormir sur la terre humide, sans autre nourriture qu'une poignée de châtaignes grillées.

Samuelet prit pied le premier sur la haute berge, parmi les fougères et les genêts qui bordaient le chemin de gué. Après avoir pris conseil auprès de son chef, il ordonna aux hommes de faire cercle autour de lui. Le falot, suspendu à un arbrisseau, jetait sur la scène un halo jaune. Chacun avait ôté son couvre-chef, ainsi que l'exigeaient les rites de la cérémonie qui se préparait en silence. Le garçon tenait un calice d'argent, qu'il avait subtilisé dans l'église de Maillautier. Soudain, il éleva l'objet sacré à hauteur des visages, afin que chaque homme pût en distinguer l'éclat doré. Enfin, puisant du bout des doigts l'eau de la Mimente qu'il contenait, Samuelet en aspergea les fronts de quelques gouttes, comme Jean-Baptiste au bord du Jourdain.

— « En ce jour-là, dit l'Eternel des Armées, j'exterminerai du pays les noms des idoles, afin qu'on ne se souvienne plus[1] », récita Samuelet.

Les compagnons firent leur signe de croix, puis se dispersèrent. Leur chef avait souhaité une cérémonie purificatrice brève, tant il était dangereux de demeurer ainsi à découvert.

Valleraugue s'engagea le premier sur le sentier qui longeait la rivière, tout en vérifiant l'état du mousqueton qu'il portait à l'épaule, comme un dragon du roi, prêt à le basculer pour faire feu. Sa poudre était de bonne facture, puisqu'elle provenait des magasins de Nîmes. Quant aux plombs, il les avait coulés lui-même à partir

1. Zacharie, 13, 2.

Les chemins de Basville

des armatures de vitraux récupérées pour cet usage. Cela l'amusait assez de penser qu'ils finiraient dans la peau d'un méchant catholique, d'un serviteur zélé du roi Louis, parjure et mauvais berger.

Aux portes de la cité, l'équipée se dispersa en évitant les lanternes à huile qui eussent pu révéler leur présence. Il y en avait tout le long de la grande rue, accrochées aux façades des maisons nobles, tandis que les ruelles voisines, étroites et encombrées de charrois, de paille et de détritus, étaient noires. Les rats, dérangés par ces intrus, se dispersèrent à grand bruit, jusque dans les profondeurs des caves. La population était habituée à ces sarabandes ; une de plus ou de moins ne risquait pas d'éveiller l'attention. Puis le silence s'en revint, teinté de chuchotements.

Les compagnons de Valleraugue connaissaient tous les recoins de Maletaverne, ses venelles, ses passages, ses acculs, ses bermes, pour y avoir traîné leurs guêtres en d'autres temps. Une foire aux moutons y était fort réputée à la Saint-Jean. On y commerçait la laine, les peaux. Le négoce faisait vivre la population alentour. Dans chaque ferme, on cardait, peignait son content. Les petites mains étaient mises à contribution pour filer les pelotes que l'on vendait à l'étal aux sergiers et aux cadissiers de Nîmes.

Comme convenu, les barbets se rassemblèrent sous la halle, juste le temps de distribuer les rôles. Puis les hommes se dispersèrent dans les ruelles qui entouraient la maison forte. Le plan de Valleraugue consistait à contenir les issues au cas où l'un des assiégés tenterait une sortie. Il y en avait trois, selon le plan fourni par un

45

Les compagnons de Maletaverne

osard : l'entrée principale avec courette, écurie, cuisine, une deuxième sur l'aile gauche, qui dominait la rivière, et la troisième par l'église.

Valleraugue, La Violette, Grattepanse et La Verdure s'engagèrent prestement dans le périmètre de la cour pavée. En cet endroit, la lumière était vive, avec une lanterne à chaque coin. Mais les hommes n'y prêtèrent guère attention, espérant sans doute que la rapidité de leur intrusion offrait la meilleure des garanties. Grattepanse s'avança jusqu'à la porte des gardes, qui était verrouillée à double tour. Il frappa trois coups brefs. Une voix mit longtemps à lui répondre.

— Qui va là ?

— Pitié ! Pitié ! Ouvrez-moi ! Je suis blessé, mima Grattepanse.

L'un des gardiens ouvrit, hébété de sommeil. Le bonhomme n'eut pas le temps de comprendre. La lame acérée de Grattepanse, vive comme l'éclair, lui trancha la gorge. Le malheureux se débattait encore dans son sang, formant sur le dallage une flaque noire, quand son voisin, sur sa couche, connut le même sort. Le troisième, alerté, voulut s'emparer d'un pistolet posé sur le rebord d'une cheminée, mais La Verrue l'assomma d'un coup de bâton clouté. C'était sa manière à lui de soigner ses victimes, en brisant les nuques. A cet art il avait gagné ses galons dans une tuerie à bœufs d'Alès ; à la différence, désormais, qu'il avait troqué le merlin pour le bâton de buis.

A cette heure fort avancée, minuit passé, le curé François Pelletan s'était retiré dans la chapelle de sa curie pour la prière. Clarisse avait mis assez de chandelle pour que l'atmosphère y fût baignée d'une douce lumière.

46

Les chemins de Basville

Une heure durant, il avait demandé à Dieu de le soutenir dans son œuvre. Un appel qui n'avait pas été lancé en pure perte puisqu'Il s'était manifesté à lui en dissipant un peu sa colère contre le comte de Jassueix. « Faut-il, Seigneur, que je le livre à nos bourreaux ? Son titre doit-il le garantir de vos foudres ? Car si nos nobles ne viennent point à montrer l'exemple, qui pourra faire reproche à nos manants de leur inconduite ? Est-il juste que nous les punissions, que nous les châtiions, avec rigueur, alors que leurs maîtres roucoulent dans les châteaux ? O mon Dieu, éclairez-moi sur cette question, car elle déchire ma conscience... »

Le curé se plongea dans les Saintes Ecritures, puis les délaissa au profit de saint Augustin. « Monsieur de Jassueix ne pèche que par orgueil, telle est la vérité, ô mon Dieu. Et il relève de mon magistère de lui montrer qu'il doit quitter ses hauteurs pour descendre, enfin, jusqu'à vous, Seigneur. Donnez-moi la force de l'en convaincre avant qu'il ne soit trop tard, mon Dieu. Et une fois son cœur obscurci reconquis, monsieur de Jassueix renoncera à ses démons, renoncera à ne voir en Vous, Seigneur, qu'un père qui a abandonné son fils à César... Ne suis-je pas, moi-même, Votre humble serviteur, le gardien tout désigné de cette âme éperdue ? Et dois-je l'abandonner à ses erreurs ? La livrer à nos juges, n'est-ce point un acte de mauvais berger ? Malheur à qui laisse ainsi se disperser son troupeau... »

Des pas précipités, des cris, des hurlements sortirent le vicaire général de son affliction. Vivement, il se redressa devant l'autel et alla aussitôt se réfugier près de la Vierge à laquelle il adressa, en hâte, son ultime appel. Il venait de comprendre quelle sorte de visiteurs avaient envahi sa chapelle.

Les compagnons de Maletaverne

— Si notre Seigneur a décidé mon heure, donnez-moi le courage... O, je vous en supplie. Ne m'abandonnez pas...

Son front vint heurter le bord de l'estrade. Et il ferma les yeux, se jurant que c'était la dernière image qu'il emporterait au ciel, le doux regard de la Vierge.

— Pape-diable ! Pape-diable ! criait Grattepanse en désignant Pelletan à son compagnon d'armes.

Julien Valleraugue poussa un grand soupir. Les autels, les retables, les images saintes, les statuettes, tout cela lui soulevait le cœur. Dans son enfance, à Anduze, il avait été témoin de la destruction du temple et de la manière dont les dragons du roi l'avaient jeté à bas, pierre par pierre. En serrant ses petits poings, il s'était juré de brûler toutes les églises des catholiques, de disperser les reliques, de briser les idoles. Et nul pasteur n'avait pu l'en dissuader, alors, puisque la barbarie devait répondre à la barbarie, la folie à la folie. « Entre dans la voie du pardon, lui avait-on conseillé. Car il n'est meilleure résistance que celle qui se dessine par la miséricorde. Telle sera notre force, dans la vraie parole du Christ semée à tous vents... » Mais Julien Valleraugue, tout pasteur qu'il était, n'entendait rien à cette force-là. « Semons la parole de haine ! Que la colère de Dieu se déverse sur les papistes, les idolâtres et leurs serviteurs ! Puisqu'on ne nous laisse d'autre choix que de renoncer à notre foi, de renier la mémoire de nos pères, de piétiner nos rêves et de désespérer en une Jérusalem sainte et vertueuse. »

— Redresse-toi ! Aie donc le courage d'affronter mon regard, curé impur !

La Verrue tira le vicaire général par sa robe, qu'il déchira. Et le peu de résistance que le curé offrit attisa un rire tonitruant.

48

Les chemins de Basville

— T'es plus courageux avec tes milices, à assassiner le bon peuple cévenol. Combien t'as livré de compagnons au rouet, Satan ?

François Pelletan voulut se signer, pour conjurer les paroles versées sur lui comme la grêle. Car il n'était plus que douleur, le pauvre vicaire général, devant le couteau ouvert, ensanglanté, de son tortionnaire.

— Tue-moi donc, hérétique, fit-il d'une voix étranglée par la peur. Je ne crains pas de comparaître devant mon Dieu. Car il ne m'a pas abandonné.

— Hé, fit La Violette, tu t'prends pour Jésus. Même qu'si j'm'écoutais, j't'ferais monter en croix. T'pourrais implorer ton pape pour qu'il vienne t'secourir.

— C't'autel du diable, c'est la synagogue de Satan, marmonna La Verrue.

Et, d'un coup de bâton, il frappa la statue de la Vierge. La tête vola en l'air. Puis, s'acharnant sur elle, il la versa au milieu de la chapelle, ajustant ses coups avec une vigueur de bûcheron, jusqu'à ce qu'elle fût rendue en miettes. Sa besogne accomplie, La Verrue s'arrêta, soudain.

— Vois ? Dieu n'm'a point foudroyé. Faut-il en croire qu'il est d'accord ?

Samuelet, qui venait d'entrer à son tour, avec deux ou trois compagnons à ses basques, tenait sa bible ouverte devant lui.

— « Et j'entendis une voix forte qui venait du temple, et qui disait aux sept anges : "Allez et versez sur la terre les sept coupes de la colère de Dieu[1]..." »

— Nous venons venger nos frères, ajouta Julien Valleraugue. Tous ceux que tu as livrés aux bourreaux

---

1. Apocalypse, 16, 1.

Les compagnons de Maletaverne

sataniques. Du ciel, où nos martyrs règnent dans la vérité du Seigneur, ils nous supplient : « Versez sur le curé Pelletan la colère de Dieu, car il la mérite. » Tu n'es qu'un mauvais berger qui a trahi son troupeau. Où est-il, le bon chrétien qui doit apporter réconfort et consolation ? Ton bâton de pèlerin ne te sert qu'à excommunier, punir, châtier. Combien de mes frères ont été rompus vifs par ta faute ? Car tu les as livrés à l'évêque, sans pitié. Tu les as livrés à la géhenne et tu t'es réjoui de voir leurs os blanchir en place publique.

Les barbets attendaient qu'une parole sortît de cette bouche affligée. Un regret, une repentance. François Pelletan les regardait, tour à tour, avec mépris. Et tout ce qu'il venait d'entendre, ces attendus de procès expéditif, ne faisait que le conforter dans sa foi.

— Puisqu'il est écrit, murmura-t-il enfin, que je dois mourir en martyr.

L'un des compagnons de Valleraugue, connu sous le surnom explicite de Fléau-des-Prêtres, tenait l'abbé Aristide. Il lui avait passé un cordon autour du cou.

— Hé, mes frères ? Voyez ce que je viens de trouver ! Un petit curé bien tendre.

— Oh, mon pauvre Aristide !, s'écria Pelletan. Ne lui faites pas de mal. Prenez ma vie en échange. Elle suffira à votre bonheur…

Valleraugue se mit à déambuler devant le maître-autel. Il semblait réfléchir à la signification de cette imploration. Pourquoi veut-il sauver la vie de son abbé ? Soudain, le désir fou l'effleura de faire égorger ce dernier par Grattepanse, séance tenante, histoire de mesurer l'effet que produirait l'acte barbare sur le vicaire général. Mais, l'observant attentivement, il fut amadoué, autant

Les chemins de Basville

qu'il se pouvait chez un fanatique tel que Julien Valleraugue, par le regard doux et pénétrant du jeune abbé.
— Aristide ? Es-tu prêt à renoncer à la religion catholique et romaine ? questionna Valleraugue.
Et, avant qu'on ne laissât à l'abbé le temps de répondre, le capitaine des attroupés ajouta :
— Je te laisse une chance de sauver ta vie. Tu es bien jeune pour jouer au martyr. Et la Babylone que tu vénères se fiche bien du pauvre Aristide...
Le jeune abbé ne pouvait se résoudre à abandonner son supérieur aux mains des hérétiques. Même s'il n'approuvait pas la manière dont il traitait ses ennemis, le curé se sentait solidaire du vicaire général. Dans le regard du capitaine, il avait ressenti le désir de voir couler le sang. Et Aristide pensa qu'on allait l'exécuter en préambule de cette cérémonie macabre, ainsi qu'on sacrifie un agneau pour l'offrande. Certes, il eût pu se risquer à expliquer qu'il n'avait en rien choisi d'être le secrétaire de François Pelletan, que son évêque l'avait fait à sa place. Mais la peur le paralysait, tant il se sentait à la merci des barbares.
Sans-Quartier et La Rose parurent à l'entrée de la chapelle, tout excités.
— Not' frère est vivant ! hurla l'un d'eux.
Tous les hommes se regardèrent, incrédules. Julien Valleraugue entra aussitôt dans une vive colère.
— Qui garde l'entrée ? Depuis quand désobéit-on à mes ordres ?
La Rose et Sans-Quartier baissaient la tête. La sévérité de leur capitaine était devenue légendaire. Il pouvait faire fouetter jusqu'au sang un de ses compagnons pour une peccadille. Et chacun avait encore en mémoire de quelle manière il avait exécuté, de ses propres mains, le

vieux Mathéos pour avoir décapité un bébé d'un coup de serpette.

— J'voulais dire, balbutia La Rose, que nous venons de trouver Bouvier...

— Abel Bouvier ? s'étonna Valleraugue. Mais c'est impossible, il est dans les geôles du lieutenant criminel de Mende...

— J'te jure, capitaine, que c'méchant capucin l'tient dans ses fers, insista Sans-Quartier.

La nouvelle transporta la troupe dans la cave. Le bourreau gisait près de l'écritoire, la gorge tranchée. Encre et sang s'étaient mélangés sur les dalles ; l'encre avec laquelle on inscrivait les conversions et le sang du tortionnaire qui les obtenait par la force. Cette découverte désespéra Pelletan qui voulut se jeter aux pieds de son serviteur. Mais La Verrue l'en empêcha.

— Oh, mon brave Siméon ! geignit-il. Ma vie ne vous suffit donc pas ? Encore faut-il que vous les preniez toutes...

— L'a voulu faire l'malin, se justifia Sans-Quartier en montrant son greffoir, avec lequel il l'avait exécuté.

Le jeune Abel Bouvier ne cessait de hurler sa haine contre François Pelletan, en montrant ses mains brûlées par les charbons ardents, sa poitrine lacérée.

— Y voulait même me crever les yeux, ce démon ! Pour m'obliger à ne plus voir que la lumière divine.

Et, approchant du cadavre de Siméon, qui lui inspirait encore la crainte, il lui décocha un coup de pied dans le visage. Valleraugue le retint. Ce n'était pas une manière de huguenot que de s'acharner sur un mort, fût-il la pire crapule.

— J'vas t'percer les yeux, fit Sans-Quartier en dressant sa lame à hauteur du visage de Pelletan.

Les chemins de Basville

Le vicaire général le fixait, froidement. La peur s'était éloignée, à présent qu'on lui avait laissé le temps de réciter, en lui-même, un acte de contrition. Il pouvait paraître devant son Dieu. Et ce courage étonna Valleraugue, qui en avait vu plus d'un se jeter à ses pieds pour lui demander grâce.

— Non ! Laisse-le ! ordonna le capitaine. Je veux qu'il voie sa mort approcher.

Puis il appela Grattepanse et Sans-Quartier. Ils sortirent aussitôt dans la cour avec le vicaire général. Pressentant un funeste projet, l'abbé Aristide voulut les suivre aussi.

— Là où va ton vicaire, il n'a pas besoin de toi.

— Je ne veux pas renier ma foi.

Julien Valleraugue se mit à rire.

— Tu ne peux pas renier ce que tu ne possèdes pas. Je le vois bien que tu n'es pas comme ton maître, fou de Dieu... Tu es bourrelé de remords et de souffrances. T'ôter la vie ne me serait d'aucune utilité. Au contraire, je veux que tu vives pour que tu témoignes, un jour, quelle sorte de chrétien était ton supérieur. Allez ! Passe ton chemin.

Dans la cour d'entrée de la maison forte, Aristide croisa Grattepanse, qui avait terminé sa besogne. Et ce dernier hésita. Il avait bien envie de se le faire, le petit abbé. Mais telle était la décision du capitaine. Cela ne se discutait pas. Peut-être avait-il raison. Peut-être avait-il tort. Qui sait ?

Avant de franchir la porte, la scène qui se dévoila devant ses yeux le fit tomber à genoux. Grattepanse et Sans-Quartier avaient pendu, à la grille, le vicaire général, par les pieds. Et le malheureux prêtre s'égouttait comme un cochon, les bras pendants, la gorge béante.

Les compagnons de Maletaverne

Samuelet s'était retiré dans l'église avec Clarisse, tenue en respect par un pistolet. Inutile précaution, car la gouvernante était bien trop morte de peur pour tenter quoi que ce soit. A vrai dire, le jeune pasteur haïssait la vue du sang. Et, dès qu'on le faisait couler, il s'éloignait lâchement, réfugié derrière sa bible qu'il ne quittait plus des yeux.

— Comment pouvez-vous faire de telles atrocités ? sermonna-t-elle au bout d'un long silence.

Le prédicant fut étonné par sa question. Et il lui ordonna aussitôt d'allumer les chandelles pour donner un peu de lumière dans l'église. Elle s'appliqua à cette besogne qui lui était coutumière. Ensuite, il lui demanda d'ouvrir la sacristie. Ce qu'elle fit, sans rechigner. Et, enfin, Clarisse dut en ramener tous les ornements du curé : amict, aube, manipule, étole et chasuble. Samuelet en caressa longuement la soie, les fils d'or et d'argent, dont certaines parties étaient tissées, les couleurs vives, en huma les odeurs d'encens qu'ils contenaient.

— De telles atrocités, dis-tu ? Ma pauvre, tu ne sais pas de quoi tu parles. Mais Dieu te pardonnera ton ignorance. C'est pourquoi nous te laisserons la vie sauve. Avec moi, tu ne risques rien. Je suis la conscience sacrée de notre armée. Parmi nous, il existe d'authentiques barbares, il est vrai, qui abuseraient de toi sans vergogne. J'ai voulu te soustraire à leurs griffes. Le sacrifice du vicaire suffira. Nous sommes venus le châtier pour tous ses crimes. Il a livré nos frères à la roue, à la pendaison. Cela fait des années et des années que notre peuple subit des outrages. Pourquoi faudrait-il que nous nous résignions ? Le Seigneur n'a-t-il pas dit : « Les injustes n'hériteront point le royaume de Dieu ? » Le

Les chemins de Basville

vicaire général était un injuste. Nous l'avons châtié. Et, en ce moment, il est en enfer pour y expier ses crimes...
— Et que faites-vous, ici même, sinon des crimes que notre Dieu réprouve. Vous irez en enfer, misérables !

Samuelet avait revêtu la chasuble du prêtre et tournoyait sur lui-même comme un dément. Clarisse essayait en vain de croiser son regard qui se dérobait. Mais elle n'y eût rien trouvé, sinon la douleur hautaine des réprouvés, celle par laquelle ils avaient versé dans la folie et le fanatisme.

— Dieu a ordonné que son armée combatte les idolâtres. Nous accomplissons sa mission divine. Et, si Dieu le veut, nous irons jusqu'à Rome pour y frapper le pape, Clément XI, le grand ministre de Satan qui détient les clés de l'abîme...

— Oh, pauvre fou, Jésus et la Sainte Vierge te viennent en aide... Car tu déraisonnes...

— Je t'interdis, femme, de me parler ainsi. Je connais la parole de Dieu. Et je sais que je suis dans la vérité.

Clarisse alla se prosterner devant l'autel. Se pourrait-il que la Vierge lui envoie un signe ? En vain, elle attendait le miracle qui eût pu apaiser la colère des huguenots. Elle était trop chrétienne pour leur en vouloir, trop croyante pour céder, elle aussi, à la haine.

— Tu es bonne, admit Samuelet, mais ta bonté ne sert qu'à te rendre complice des tyrans de l'Eglise romaine et apostolique qui ont prononcé contre nous, les réformés, des anathèmes. Ta bonté ne peut rien contre les dragons du roi qui torturent notre peuple pour le convertir à sa religion. Nos bons pasteurs, Martin Luther, Jean Calvin et Théodore de Bèze, ont espéré, en vain, que nos deux peuples puissent un jour vivre, côte à côte, dans l'adoration de Dieu. Et cette fraternité nous fut interdite. Ceux qui abjurèrent, les nouveaux catholiques, furent déclarés relaps par le roi, afin d'être de nouveau poursuivis, chassés, exilés ou tués...

— Le schisme est un crime.

— Qui l'a décrété ? Dieu ou le pape ? Forcément le Satan de Rome, qui craint que cette révolte des consciences n'anéantisse sa puissance temporelle. Il n'est rien qui puisse empêcher une source de couler. Même si on veut en contrarier le cours, elle finira, tôt ou tard, par jaillir en mille surgeons. Telle est la loi qui préside au destin de l'homme, asséna Samuelet. Et s'il faut brûler cette église, alors nous la livrerons au feu, comme jadis les papistes ont détruit nos temples. Nous appliquons la loi du talion. Je te le dis, en vérité, malheur à qui prononce des ordonnances iniques et transcrit des arrêts injustes...

Rien ne pouvait plus interrompre Samuelet lorsqu'il tenait à sa merci une oreille attentive, fût-elle amadouée par un pistolet brandi comme un crucifix. Clarisse lui paraissait appartenir à cette catégorie des anciens catholiques qu'on pouvait fléchir par le sermon. Du moins ne supportait-il point l'idée de la livrer à ses compagnons qui en eussent fait, aussitôt, une victime toute désignée. Dans cette crainte, il s'était empressé de la conduire hors de la maison religieuse, où se déroulaient les exactions.

La menace ne tarda pas à se faire pressante. On entendit des cris, des rires, des paroles fortes dans un remue-ménage de vaisselle brisée. Samuelet ôta la chasuble dont il s'était affublé.

— Tu ferais bien de te sauver, conseilla le prédicant.

— Je ne veux pas qu'on touche à la Sainte Vierge, fit-elle.

Les chemins de Basville

La gouvernante, toute menue qu'elle était, tenta d'emporter la statue, solidement amarrée à son socle.

— Tu ne peux rien pour elle, dit Samuelet avec des yeux énormes, comme elle ne peut rien pour toi.

Des larmes de désespoir brillaient sur ce visage blême. En se prosternant à ses pieds, elle avait tellement prié qu'elle ne pouvait se résoudre à l'abandonner aux mains sacrilèges des fanatiques. N'était-ce point trahir la promesse qu'elle s'était faite de ne jamais se soumettre à la peur ? Et, un bref instant, Clarisse crut que la Vierge Marie allait apparaître, là, enfin, devant elle, dans un halo de lumière vive. Mais la seule manifestation fut le rire aigrelet du jeune prédicant.

Alors, Clarisse se résigna à abandonner le vaisseau, sachant sans doute quel terrible sort il allait connaître. Elle disparut par la porte de côté, si basse qu'il fallait se plier en deux pour la franchir.

En moins d'une heure, les compagnons de Vallerau-gue emplirent la nef des meubles et objets précieux que contenait la maison forte. Les bahuts, les vaisseliers, les chaises, les bancs, les prie-Dieu, le confessionnal, les tableaux, les statues, les parures des cheminées, les armoires, les dressoirs, les commodes, les pupitres, les lutrins, les pendules, les tentures, les tapis, les lits, les étudioles, les panetières y furent entassés jusqu'à former un tas gigantesque. Dans cet art du chambarde-ment les hommes du capitaine Valleraugue étaient passés maîtres. A leurs yeux, tout ce qui figurait l'art de vivre de leur ennemi devait être réduit en cendres, effacé de la terre. On ne se contentait pas d'assassiner, de trucider, il fallait que la flamme passe. Aussi les cha-pardages étaient-ils rares, hormis les vaisselles en étain

dont on faisait les balles de fusil et les objets sacerdo-
taux qu'on détournait de leur usage sacramentel.

Lorsque Grattepanse et La Verrue y boutèrent le feu,
un cri d'allégresse monta sous les voûtes sacrées. C'était
le même cri d'allégresse, la même volupté qu'avaient
éprouvée jadis, les catholiques en renversant les temples
protestants, brûlant aussi les livres défendus, les dogmes
interdits, les fascicules proscrits. A peu d'années de distance, se répétait à l'envers le même saccage.

Une fumée lourde et épaisse gagna rapidement la nef
de l'église de Maletaverne, obligeant les pillards à battre
en retraite. Seuls deux ou trois compagnons en suppor-
tèrent les effets, dont Julien Valleraugue. Avant de quitter les lieux, il voulait être assuré du résultat. La chaleur
ne tarda pas à faire éclater les vitraux. La fumée, chassée
vers l'extérieur, libéra la force démoniaque des flammes
qui montèrent jusqu'au transept. Le capitaine jugea
alors que l'œuvre sacrificatoire allait s'accomplir,
comme à Maillautier.

La bande s'évanouit par une ruelle descendante. Elle
contourna le lavoir alimenté par un canal. Puis elle longea le quai étroit, courant le long de la Mimente, haute
en cet endroit. Les barbets quittèrent Maletaverne par
l'amont. Valleraugue connaissait un gué, à une lieue,
facilement praticable. Le capitaine avait jugé plus sûr de
ne point repartir par la même voie.

A pas pressés, ils finirent par atteindre le passage.
L'eau était plus haute que prévu et ils durent mouiller
leurs chausses, ce qui était un sérieux inconvénient avec
tout le chemin qui restait à accomplir, dans la hâte et la
précipitation. Et, de plus, il leur était défendu d'allumer
le moindre feu pour s'y sécher un peu, au risque d'attirer
l'attention des milices de monsieur de Serguille.

Les chemins de Basville

Désormais, derrière eux, le ciel semblait de feu. La traînée sanglante montait à l'oblique, comme le rai de soleil qui les avait guidés vers le village. En proie à l'exaltation, Samuelet avançait, à l'avant des attroupés, agitant les bras. « Les dieux qui n'ont point fait les cieux et la terre disparaîtront de la terre et de dessous les cieux[1]... »

---

1. Jérémie, 10, 11.

3

Le pont Notre-Dame franchi, la calèche se rangea près des remparts. En cet endroit, adossé à la pierre, il y avait nombre de baraquements de fortune où logeaient les petites gens auxquelles la cité refusait le droit d'entrer, faute d'en avoir acquitté la charge. On ne comptait plus, au milieu du dénuement général, manouvriers et brassiers, clochards et gueux, coquillarts et courtauds. L'approche d'un noble attelage attira les regards. Et l'on vit surgir des taudis, de partout à la fois, une ribambelle. de femmes et d'enfants. Les gardes à cheval firent rang, aussitôt, pour écarter la populace venue tendre la main, dans l'espoir d'une aumône.

Monsieur Ernis de Salamon aimait ainsi à se frotter à la misère. Elle ne l'émouvait guère. Au contraire, sa vue et son odeur ne faisaient que renforcer ses convictions en la noble mission civilisatrice qu'il portait en son cœur. Et, en reconnaissant son port de tête hautain, sa fière barbe grise mélangée à la perruque blanche qui recouvrait son chef, sa rhingrave noire ornée de rubans et de colifichets d'argent, les gueux comprirent aussitôt qu'il n'y avait aucune obole à tirer de ce seigneur-là. Les gardes se déployèrent autour du baron, l'un en avant et

Les chemins de Basville

quatre à ses côtés, la main posée sur le pommeau de la rapière. L'homme qui ouvrait la marche se retourna vers son maître, peu rassuré.

— Comment pouvez-vous prendre plaisir, mon seigneur, à patauger dans cette fange ?

Le baron dressa le regard vers le ciel, immensément azuré, et lui fit une sorte de clin d'œil de connivence.

— Voici, Gargousier, une bien belle journée. Cela fait des lunes que nous l'attendions, ce soleil. Et je vois qu'il ne rend point la canaille radieuse.

Sa main balaya l'espace autour de lui, la petite foule grise et fantomatique, hâve et prosternée, qui était venue lui faire, malgré elle, une sorte de haie d'honneur. Des volutes de fumée roulaient dans l'air. Près des remparts, on faisait chauffer des soupes d'herbes et des brouets d'orge ou de châtaigne. Ernis de Salamon entra dans la cité par la tour ronde, après que les archers du prévôt l'eurent salué, chapeau bas.

Le lieutenant au garde, qui faisait sa ronde de bon matin, fut le premier étonné de voir un seigneur se risquer ainsi au milieu des gueux. D'ordinaire, les attelages seigneuriaux entraient par la porte principale, longeaient la tour des Pénitents Blancs, traversaient la place au Blé et se dirigeaient vers le palais épiscopal construit au plus près de la cathédrale, élevée à la gloire d'Urbain V.

— Seigneur de Salamon, quelle hardiesse ! On ne compte plus les bons catholiques qui se font trancher la gorge par ces temps de rébellion.

Ernis éclata de rire. Il était fier de ses dents blanches, carnassières, de sa mine altière. Une vie tumultueuse au grand air, livrée à la guerre, à la chasse, à l'amour, avait fait de lui une sorte de géant caparaçonné, au point qu'il

Les compagnons de Maletaverne

ne pouvait un seul instant imaginer qu'une dague vînt s'y cogner.

— Mon Gargousier veille sur moi, monsieur le lieutenant au garde. Et puis je ne suis point manchot de cette main-là. Il n'est pas né, le vilain parpaillot qui me fera mettre genou à terre.

Et son rire reprit, tonitruant, tandis que les archers s'en retournaient, un à un, à leur besogne. Gargousier vint se ranger à ses côtés. Il aimait son maître plus que tout au monde et se fût sacrifié pour lui sans une once d'hésitation. Mais l'attention pouvait désormais se relâcher ; on ne risquait guère un mauvais coup au milieu de ces gens paisibles, allant et venant parmi les ruelles, tout occupés à leur ouvrage.

— Cette bonne cité de Mende nous est fidèle, ajouta le marquis. Pourtant, elle céda, elle aussi, à l'hérésie, du temps du capitaine Merle. Ce méchant huguenot s'attaqua à notre cathédrale, mais Dieu vint la protéger. Le clocher resta debout, pour montrer aux réformés qu'il n'est rien au-dessus de Notre Sauveur...

— Ce capitaine Merle, ne fut-il pas anobli par le bon roi Henri ?

Ernis haussa les épaules.

— C'est un fait que je n'ai point ouï, mon brave.

L'équipée remonta la rue Basse au pas de charge, prenant plaisir à voir la foule s'effacer devant elle, respectueusement. Le baron de Salamon était fort connu dans le pays de Mende. Et tout bon catholique louait ses milices au service du roi et sa manière de traiter l'hérétique. Les geôles de son château de Peyremale étaient plus sûres que celles de la tour de Constance. Et on ne comptait plus les temples que le baron avait fait détruire, les malheureux qu'il avait exécutés de ses propres mains,

Les chemins de Basville

au terme d'un interrogatoire sommaire. Ses exploits étaient même parvenus aux oreilles du roi, qui disait souvent à ses conseillers, dont Chamillart : « Prenez exemple sur monsieur de Salamon. Dans les Cévennes, la terre elle-même prie sous la botte de cet homme-là ! » Abandonnant ses hommes à la conciergerie du palais, Ernis monta à l'étage. Les salons de l'évêque n'avaient plus de secret pour lui. Il y avait mené plus qu'à son aise d'ardus conciliabules, souvent après la révocation, pour y instruire les dossiers des conversions. A cette époque, tout le pays fut passé au peigne fin. Et l'on dressa méticuleusement les listes des nouveaux catholiques, puis celles des proscrits ; on planifia la confiscation des biens des hérétiques : immeubles, terres, métairies, châteaux ; enfin, on organisa la chasse aux relaps. Salamon fut de toutes les campagnes, en zélé serviteur du roi, l'épée à la main. Jamais la moindre interrogation, le moindre doute. Et toujours, sur le bord des lèvres, la voix haussée pour interdire, proscrire, bannir...

Le prévôt du chapitre l'invita à partager son cabinet, dans l'attente de la réunion qui devait se tenir dans la chambre des cérémonies, toute drapée de sang et or. Ernis se défit de son chapeau et du mantelet qui couvrait ses épaules.

— Vous avez belle figure, monsieur le Baron, nota le prévôt du chapitre.

Argoin était flatteur par nature. Cette qualité lui avait valu les bonnes grâces de son évêque. Sa charge consistait à administrer les biens de l'Eglise, à veiller à l'entrée des dîmes et des capitations, à contrôler le personnel ecclésiastique. Monseigneur de La Rouvère aimait assez son collaborateur, sur lequel il se reposait lorsque la

Les compagnons de Maletaverne

paresse venait à le tenter, bien qu'il lui trouvât, par ailleurs, l'échine trop souple.

— Je me porte bien, en effet. Tel que vous me voyez, monsieur le Prévôt, il me semble que Dieu tient à me garder en vie. C'est donc qu'il a besoin de moi. Ne croyez-vous pas ?

— J'en suis fort assuré, mon seigneur.

— Ah, mon bon Argoin, vous êtes un homme délicieux.

Le prévôt inclina la tête avec un petit sourire qui plissait ses joues parcheminées. Il portait une calotte noire autour de laquelle les ciseaux du barbier avaient découpé sa chevelure. Son cou dégagé, plissé, le faisait ressembler à un vautour. Et, chaque fois qu'il le retrouvait ainsi affublé, Ernis éprouvait la même impression. Un homme de robe n'a point à plaire, se dit-il, sans doute est-ce la raison pour laquelle nous y trouvons tellement de bizarreries. Et il loua Dieu et son bienheureux père de n'avoir pas fait de lui un ecclésiastique... Le jupon me serait à jamais proscrit, ô malheureux homme ! Que d'émotions, de langueurs ignorées ! Argoin surprit son sourire de moquerie et en éprouva une sorte de malaise.

— Vous êtes toujours en avance, mon seigneur.

— J'ai conservé cette habitude des armes. Il faut toujours arriver le premier sur les champs de bataille.

— Est-ce, dans votre bouche, une métaphore ?

— En effet. Nous nous réunissons pour mettre nos armées en ordre de marche.

— Je doute que monsieur l'évêque prise votre comparaison. Monseigneur de La Rouvère éprouve la plus grande des horreurs pour tout ce qui attente à la créature de Dieu.

Les chemins de Basville

— Il arrive, monsieur le Prévôt, que la créature de Dieu se change en bête. Et alors, il nous faut exorciser ou tuer, tant il est vrai que la bête se réveille en l'homme lorsqu'il vient à perdre la foi, ajouta Ernis de Salamon d'une voix lasse.

Après s'être congratulés, les invités allèrent prendre leur place dans les stalles d'honneur. Des laquais en habit se précipitèrent à leur devant pour ouvrir les portières. Quand chacun fut installé, un silence se fit, lourd et cérémonieux. On n'attendait plus que l'arrivée de l'évêque de Mende. Son trône doré et orné de tissu chamarré attendait sur son estrade. La lumière du dehors versait sur les tapis des losanges multicolores, filtrés par les vitraux.

Il y avait là, réuni, le grand conseil des Cévennes, convoqué par monsieur de La Rouvère : Ernis de Salamon, Benjamin de Serguille, Gérald de Lavèze, Thibaut de Jassueix. Seul Harold de Saint-Ambrois avait décliné l'offre. Son siège vide, au milieu de l'assemblée, paraissait l'accuser. Comment justifier une telle défection au moment où la situation exigeait une mobilisation de toutes les énergies ? Cependant, nul ne pouvait plus ignorer son penchant pour les protestants. On l'accusait même d'héberger des émissaires de Suisse et de Hollande, de diffuser des libelles contre le roi. Jamais de telles charges n'avaient été prouvées. Et ses proches amis, hormis monsieur de Salamon, ne croyaient guère ces allégations. Le comte de Jassueix se sentait même d'humeur à prendre sa défense.

En l'attente des débats, l'impatience se dessinait sur les visages. Ernis de Salamon trompait sa nervosité en

Les compagnons de Maletaverne

donnant un peu d'aisance à sa cravate en point d'Espagne sur l'habit en droguet. En toutes situations, il ne perdait jamais le goût pour la coquetterie, bien qu'il n'y eût dans cette salle des cérémonies que peu de personnes sensibles à l'apparat. Serguille, Lavèze ou Jassueix avaient un point commun, c'étaient des gentilshommes fort peu coquets, que la vie rude dans les Cévennes avait rendus un brin campagnards. Le pire, sans doute, était bien le comte de Jassueix : il organisait fréquemment, dans son château de La Sourde, des fêtes païennes où l'on buvait, ripaillait et ribaudait son aise.

Soudain, les laquais s'en revinrent prendre place à l'entrée de la chambre, sous les ors et les tapisseries. Les conseillers se levèrent pour accueillir monseigneur de La Rouvère. Celui-ci entra d'un pas chancelant, hésitant à prendre place sur son siège d'apparat. Deux serviteurs se tenaient derrière lui, un coussin orné de raiseau or et argent dans les mains. L'évêque de Mende était si corpulent qu'il se mouvait avec difficulté dans sa robe violine. Le tailleur lui avait donné tellement d'ampleur qu'elle offrait un effet ridicule. Aussi lui fallait-il au moins deux laquais pour l'aider à se déplacer sans s'entortiller dans la soie.

A la vérité, La Rouvère guettait, avant de monter sur son trône épiscopal, l'entrée en grande pompe de son voisin, dont la présence à Mende, ce jour de février, avait été soigneusement cachée. Il s'agissait de Victor-Maurice, comte de Broglio, gouverneur militaire du Languedoc. Le représentant du roi de France surgit au milieu de ses gardes, en habit officiel, surpassant son monde d'une courte tête. Il portait l'épée au côté dans un large baudrier brodé aux armes des dragons, dont il était le commandant en chef. Chacun nota, sur sa belle

Les chemins de Basville

figure de prince italien, une gravité tout à dessein. Dans l'instant, les conseillers mesurèrent l'importance de l'événement et ils s'inclinèrent respectueusement lorsqu'il passa devant eux, s'arrêtant tour à tour pour les saluer. L'officier avait conservé son chapeau à plumet sur la tête pour signifier sa supériorité sur les seigneurs des Cévennes. Ne l'avait-on pas largement entretenu de l'indépendance d'esprit de ces gens, trop éloignés sans doute du pouvoir royal ? Sa première mission consisterait donc à y mettre bon ordre. Aussi lui fallait-il jouer de son autorité sur ces princes indisciplinés, dont on disait le plus grand mal dans les couloirs du ministère où siégeait Chamillart, contrôleur général des finances et secrétaire d'Etat à la guerre.

Pendant que le comte de Broglio rendait ses politesses, l'évêque s'était finalement juché sur son trône doré. Il rajusta sa mitre que son déplacement laborieux avait inclinée sur le côté. Puis il attendit que le gouverneur vînt le rejoindre, à sa droite, sur l'estrade où l'un des laquais était venu disposer un siège.

Dans un silence pesant, monsieur de La Rouvère se mit à bredouiller en sourdine une prière d'absolution pour les hommes qui avaient pris place devant lui. Il la clôtura prestement par un signe de croix adressé à ses invités. Seul Ernis de Salamon répondit à cette prière, en se signant à son tour. Monsieur de Jassueix baissait la tête, réprimant une envie de bâiller. Cela l'amusait beaucoup qu'on débutât un conseil par une absolution. Nous voici désormais le cœur contrit et humilié, se dit-il, prêts à subir notre pénitence. C'est dire combien nous avons fauté en épargnant la vie de quelques malheureux huguenots. Faut-il que nos manquements coupables nous soient absous avant qu'on exige de nous une poigne de fer ?

Les compagnons de Maletaverne

— Mes seigneurs, nous sommes réunis, de par la volonté du roi Louis, pour rétablir dans notre province la foi en notre Eglise. Des bandes rebelles, soulevées par des chefs hérétiques, pillent nos sanctuaires sacrés, tuent et martyrisent nos prêtres. Nous avons tout tenté pour reconduire sur le chemin de l'eucharistie ces brebis égarées par des bergers fanatiques. Nos sermons, nos homélies, nos prêches n'ont pas suffi à faire entendre la voix de Dieu. Les bandes de réprouvés poursuivent, envers et contre tout, leur sinistre besogne. A Maletaverne, monsieur l'abbé Pelletan, vicaire général, a été martyrisé et assassiné par les fanatiques, et son église, brûlée. Cette sinistre affaire s'ajoute à toutes les autres. Nous avons beaucoup prié pour le repos de son âme, comme nous prions, chaque jour, pour tous les serviteurs de Dieu qui subissent des outrages dans nos Cévennes...

Le gouverneur fit choquer son épée contre le bois de sa chaise. L'irritation semblait le gagner peu à peu. Le ton posé de l'évêque de Mende ne lui disait rien qui vaille. Combien lui faudra-t-il encore de curés égorgés pour éveiller en lui la colère ? pensa-t-il. Nous n'avons point besoin de compassion, ni de martyrs, plutôt de fanatiques passés au fil de l'épée. Mais cela est l'affaire des militaires.

— Oh, monseigneur, je partage votre souffrance. Mais monsieur l'abbé Pelletan attend de nous des actes et non des pleurs. Il ne s'agit point de le venger. Cela n'est pas assez chrétien...

La Rouvère leva les yeux au ciel. C'était ce qu'il redoutait le plus, qu'on vînt à lui ôter la parole aussitôt le Conseil commencé. Car il ne se sentait pas l'autorité

Les chemins de Basville

suffisante pour éviter que cette réunion ne devînt une veillée d'armes.

— Notre devoir de chrétiens est de convertir et non de persécuter. Convertir avec la seule arme que nous possédons, celle que nous a donnée notre foi en Dieu et en Sa sainte parole.

Le gouverneur se dressa de son siège Il avait envie de se dégourdir les jambes, habitué qu'il était à courir par monts et par vaux, de guerroyer à la tête de ses compagnies de fusiliers et de dragons. L'usage de la rhétorique n'était pas son fort, et on pouvait raisonnablement subodorer que le roi de France ne l'avait pas envoyé en Languedoc pour faire des discours.

— Depuis que messieurs Le Tellier et de Croissy ont visé le fameux édit de Fontainebleau, par lequel la religion prétendue réformée a été mise au ban du royaume, nos évêques, nos prêtres, nos juges, nos viguiers, nos baillis, nos gens d'armes n'ont cessé de travailler à l'élimination de l'hérésie, en reconduisant à l'église ceux qui s'en étaient éloignés. Nous avons fait preuve de commisération, de patience... Tout ce qui pouvait être sauvé des griffes des prédicants l'a été. Je voudrais, mes seigneurs, vous rappeler que, dès 1681, nous avons obtenu en Poitou trente-huit mille cinq cents conversions en logeant des gens de guerre chez les protestants. Il en fut de même en 1685 dans notre Béarn, où vingt-deux mille conversions furent enregistrées. En ce pays radieux, où les gens sont de meilleur caractère qu'en Cévennes, il ne fut point nécessaire d'user de la force, laquelle, comme vous le savez, fut entravée à cause de la trêve de Ratisbonne. On promit aux nouveaux convertis l'exemption de la taille et des distributions d'argent. Cela suffit à rendre cette province pacifiée. Désormais,

Les compagnons de Maletaverne

les prêtres y exercent leur culte dans des églises pleines. Puis, de la même manière, on vint à bout de la généralité de Montauban, malgré l'opposition de l'intendant Daguesseau. Heureusement, monsieur Lamoignon de Basville reprit cette affaire qu'il mena grandement. On convertit dans l'allégresse les généralités de Toulouse où, jadis, l'opposition des cathares avait causé grand souci. Bordeaux, La Rochelle, Montpellier, Poitiers, Marseille, Loudun, Rouen retournèrent à la raison. Voilà, mes seigneurs, l'état de notre royaume. Seules les Cévennes résistent. Le roi Louis a demandé à ses serviteurs de réduire la gangrène. Je dispose de trois compagnies de dragons, présentement postées à Nîmes. Je compte les engager pour châtier les bandes qui courent le pays.

Monsieur de Lavèze s'était levé afin de montrer au gouverneur qu'il voulait prendre la parole, car il ne pouvait se résoudre à ce que le conseil fût un monologue. De la manière dont la réunion s'engageait, le marquis craignait qu'on n'y mît un terme avant que les questions qu'elle soulevait y fussent détaillées. Le gouverneur de Broglio n'était pas un inconnu pour lui. Lavèze avait déjà eu à juger la manière forte dont il expédiait les affaires dans le pays, contre les faux sauniers, les colporteurs, les contrebandiers espagnols, le barillage...

— Vous nous brossez là, monsieur le gouverneur militaire, une vision idyllique de la conversion. Sans doute eût-il été possible qu'elle s'opérât dans des conditions honorables. Mais nos gouvernements ne l'entendirent point de la sorte. Après la révocation, la répression s'exerça avec une telle célérité qu'on vit nombre de Français quitter à la hâte le royaume, laissant derrière eux leurs familles et leurs biens. Par mer

Les chemins de Basville

et par terre, les proscrits durent leur salut à des passeurs, afin de gagner la Suisse, l'Angleterre, le Brandebourg, qui les accueillit en nombre, l'édit de Potsdam leur garantissant une terre pour s'établir. Mais tous n'eurent pas cette bonne fortune de rencontrer un pays d'asile. Notre gouvernement ne se contenta pas de cette première mesure. Les convertis, fidèles au roi et à la France, essuyèrent le zèle de nos princes régnants. On trouva qu'ils ne faisaient pas assez œuvre de catholicité. On jugea la tiédeur coupable et on les enferma dans nos anciennes forteresses féodales, où on les relégua parmi les coquins. Désormais, les tours de Crest, de Constance ou de Saint-Hippolyte étouffent leurs disgrâces, tandis qu'aux marches du palais on se félicite de cette bonne politique. Jadis, le bon roi Henri ne disait-il pas : « Je suis le roi berger qui ne veux répandre le sang de mes brebis, mais les rassembler avec la douceur d'un roi et non par la force d'un tyran... »

A ces mots, Ernis de Salamon se leva, rouge de colère. Il ne comprenait pas que le gouverneur n'eût pas usé de son autorité pour couper la parole au châtelain de Louradour.

— Suffit, monsieur ! Les religionnaires n'ont point besoin d'avocat. Et surtout pas vous, Lavèze. L'on égorge nos curés dans leurs églises, l'on...

— Essayons, mes seigneurs, de comprendre comment nous en sommes arrivés là. Combien d'humiliations, d'affronts, d'offenses, de vexations fallut-il pour soulever ainsi un peuple contre son roi ? Nos gens d'armes commirent des excès impardonnables dans les premiers temps de la répression. Souvenons-nous, mes seigneurs, d'Isabeau et Marie de Belcastel, tuées à coups de sabre, bien que de familles nobles, à Clauselet, près du Gardon.

Les compagnons de Maletaverne

Et l'exécution fantaisiste d'un de nos paysans à la montagne du Bougès, devant ses deux filles, simplement parce qu'il portait un fusil de chasse. Faut-il encore évoquer les tueries de Roquedur et de Baron, où nos soldats laissèrent des dizaines de victimes, près des temples de fortune où ces malheureux priaient ?

— Je pourrais, monsieur de Lavèze, citer dix ou douze exactions commises contre nos prêtres, coupa Ernis de Salamon. Depuis que le goût du sang s'est emparé de ces misérables, ils tuent et massacrent comme des loups enragés, au point qu'il n'est d'autre solution que de faire donner les dragons de monsieur de Broglio.

— C'est nous, monsieur, qui les avons enragés avec nos injustes réprimandes.

— Allons ! Allons ! s'écria monseigneur de La Rouvère. L'hérésie est un crime. Et notre croisade contre les réformés est un projet pieux, saint et juste. Il n'est d'autre vérité que dans notre sainte Eglise romaine. Tout autre croyance offense Dieu et le roi.

— Non, monseigneur, non... s'éleva Benjamin de Serguille. Notre voisin ne croit point en ces objurgations. Il lui faut des faits. Alors nous allons lui en donner, nous aussi, qui croyons à la sainte Eglise. François Vivent a levé, voici une dizaine d'années, une armée de gueux pour attaquer Florac. Il fallut que nos gens s'interposassent pour arrêter le massacre. Néanmoins, vous souvient-il, monsieur de Lavèze, quel sort obtint le malheureux curé Peyroles ? On le retrouva dans le Gardon, percé de chevrotines. Pourtant, en ces années, la lutte contre l'hérésie était bon enfant. On espérait encore que la raison l'emporterait sur le fanatisme.

Serguille repoussa vivement la portière qui l'enfermait dans la stalle de noyer noir. Et il sortit dans l'allée

Les chemins de Basville

comme pour donner plus de force à son propos, en offrant tout entière sa physionomie bonhomme au regard de ses voisins. Le maître de Latreille avait pourtant la réputation d'être un seigneur modéré, dans ses actes et ses jugements. Il avait participé aux conversions sans zèle aucun, et depuis lors maintenait sa milice dans un service mesuré, malgré les exhortations de Salamon. L'assassinat du vicaire général de Maletaverne l'avait bouleversé. Et ce crime avait éveillé en lui une sorte de peur répulsive de tout ce qui touchait les protestants.

— Je propose à notre conseil que monsieur de Lavèze soit écarté, jeta-t-il d'une voix forte, car nous venons de découvrir, avec stupeur, qu'il est de leur parti, qu'il en est, lui aussi, comme Saint-Ambrois, de la Réforme. Comment a-t-il pu, ainsi, nous cacher son penchant coupable ?

— Je ne vous autorise pas à juger de mon âme. Je suis catholique. Je l'ai toujours été, se défendit Lavèze. L'histoire de mes ancêtres en témoigne. Et je n'approuve pas les idées de Luther et Calvin. Mais sur ce sujet, il est vrai, j'en connais plus que vous, monsieur de Serguille. Depuis deux siècles, les guerres de religion déchirent notre royaume. Parfois la mansuétude et la raison l'emportent, parfois aussi la fureur et la folie. Nous voici revenus aux jours sombres. Et qui sait ce qu'il adviendra de l'avenir ? Peut-être, un jour, serons-nous de nouveau réconciliés, dans la bonne paix et l'intelligence. Et alors, messieurs les boutefeux, l'histoire vous jugera.

— Dieu seul connaît le visage de l'avenir, dit monseigneur de La Rouvère. Ce serait blasphémer que de juger à sa place de ce qui est bon ou mauvais. Le Seigneur est notre seul juge. Et ce qu'il advient de nous, présentement, de nos actes et de nos pensées, lui appartient.

Les compagnons de Maletaverne

Soyez humble, je vous prie. Sinon, comment nous convaincrez-vous que vous êtes, monsieur de Lavèze, un bon chrétien ?

— Ma conscience de chrétien, humble et servile, s'offusque, jura Lavèze. Je ne crois pas que Dieu souhaite que l'on traite ainsi sa créature. Je crois, comme le cardinal de Noailles, que la contrainte n'a jamais fait un bon chrétien.

Le marquis de Lavèze, lui aussi, sortit de la stalle, ramassant sa canne qu'il avait laissée choir à terre, étonné qu'aucun laquais ne fît le moindre mouvement pour la ramasser. C'était, à n'en pas douter, un signe annonciateur de disgrâce. Mais peu lui importait. Le sort des protestants lui avait toujours remué l'âme, au point qu'il lisait les brochures que les colporteurs diffusaient dans le pays. Pour autant, cet intérêt ne faisait pas de lui un réformé, sinon un esprit libre, tel que le siècle ne les aimait point.

— Si l'assemblée juge que je dois être écarté, comme le demande monsieur de Serguille, alors je me conformerai à sa décision.

L'évêque parut embarrassé par cette question. Il n'était visiblement pas dans ses intentions de se priver d'un seigneur auprès duquel il avait toujours rencontré un appui salutaire.

— Je m'en remets à Dieu, fit-il d'une voix lasse en laissant retomber sa tête sur sa poitrine, au point qu'on ne voyait plus de son visage que l'ombre inclinée de la mitre dorée. Je prierai pour vous, monsieur de Lavèze. Pour que Dieu éclaire votre route...

Le gouverneur militaire avait conservé un visage indifférent. Aucune surprise ne l'agitait, ni passion ni mépris. Il était, comme à l'ordinaire, indifférent. Le ministre

Les chemins de Basville

Chamillart, avec lequel il s'était entretenu avant de gagner le Languedoc pour y prendre ses fonctions, l'avait largement instruit de l'état des opinions en Cévennes. Le serviteur du roi avait ajouté : « Méfiez-vous aussi de la Vaunage. Ce n'est guère mieux, bien que les gens y soient plus souriants et affables que dans le désert. Ce pays forme une plaine agréable et fertile où poussent la vigne et l'olivier. Nîmes est au levant et la mer au midi. De tout temps, et bien avant la révocation de l'édit de Nantes, la Vaunage a été une pépinière de réformés. Ils possédaient un si grand nombre de temples qu'ils donnèrent à cette contrée le nom de "petite Canaan". »

Cette mission, qui ne s'apparentait pas à une guerre, mais qui, à bien des égards, en avait tous les désavantages, le tourmentait. Car il ne savait comment organiser une parade efficace contre les bandes qui allaient d'un bord à l'autre du pays, avec leurs complices et leurs espions dissimulés dans la population, leurs refuges secrets. Et Broglio n'était pas loin de penser qu'on ne l'avait guère gâté à Versailles en le versant dans les Cévennes. Chamillart avait eu beau enrober cette mission d'un papier de soie, cela ressemblait fort à une mission suicide.

— Qu'en pensez-vous, monsieur le gouverneur militaire ? demanda La Rouvère.

De Broglio sembla émerger de sa torpeur. Que lui importaient les propos séditieux d'un petit marquis aux états d'âme chamboulés ? Cela n'était pas son affaire de guerroyer contre les seigneurs de ces contrées. Si une disgrâce devait tomber, elle ne pourrait venir que de Versailles, être initiée par l'évêque ou quelque autre seigneur jaloux.

Les compagnons de Maletaverne

— Je n'ai qu'une assurance à obtenir de vous, mes seigneurs. Laisserez-vous agir mes dragons sur vos terres ?
Le gouverneur ne suscita aucune opposition. Comme
quoi les discours restent des discours. Il s'en sentit flatté,
remercia l'assemblée et fit mine de se diriger vers la sortie. Chamillart, encore, l'avait bien conseillé sur la
méthode à employer à l'égard des baronnies. « Assurez-
vous de leur appui, ou au pire de leur lâcheté. Et tout
ira pour le mieux... »

A l'instant où Broglio allait prendre congé avec ses
gardes, le comte de Jassueix demanda la parole. Il était
le seul des conseillers qui avait jugé préférable de se tenir
en dehors des débats. Mais ce silence imposé l'avait
taraudé, au point qu'il se jugeait plutôt lâche de n'avoir
pas couru au secours de Lavèze.

— Puisqu'on ne s'inquiète point de mon avis, je crois
devoir me livrer aussi, fit-il d'une voix hésitante.

Il s'était levé et tenait contre son ventre son grand
chapeau noir à larges retroussis emplumés. Il y avait
quelque chose de ridiculement niais dans son attitude.
Jassueix se prêtait un air de collégien coupable, car ce
qu'il avait à dire ajouterait au désordre d'un conseil où,
en définitive, aucune décision notable ne serait prise.

— A bien des égards, j'approuve les propos de mon
ami le marquis de Lavèze.

Il y eut un silence lourd, ponctué par des hochements
de tête désapprobateurs d'Ernis de Salamon. Cela ne
l'étonnait guère que Jassueix fût de cette cause, lui aussi.
Ce dernier passait pour un original depuis fort longtemps. Mais sûrement pas pour un réformé. Car il était
plutôt sans religion. Ni catholique ni protestant. Liber-
tin. A Versailles, on ne s'inquiétait guère de la tournure
de son esprit puisqu'il vivait dans sa contrée sauvage,

Les chemins de Basville

sans lien aucun avec le monde extérieur, sinon pour satisfaire les règles communes s'appliquant à un suzerain de son rang.

— Mon cœur saigne à la vue de toutes ces horreurs. Nos Cévennes ne méritent pas un tel traitement. J'aime les gens qui peuplent nos montagnes. La vie y est rude. Sans plaisir. On y meurt comme on respire. Dieu est le seul réconfort de ces gens. Un dieu personnel, à ce qu'il me semble. Un dieu sans soutane, ni statue, ni église. Un dieu nu, qui leur ressemble, et tel, peut-être, qu'était Jésus. Notre religion catholique les effraie. Car sans doute imaginent-ils le paradis aussi injuste que l'enfer sur la terre. Ils ne peuvent croire que nos prêtres, qui viennent renifler leurs marmites au temps des jours de pénitence, puissent leur assurer le bonheur dans l'au-delà. Laissez-les croire à leur dieu, puisque tel est leur souhait. Non ! s'éleva Thibaut de Jassueix en agitant son chapeau, nous leur volons cela aussi. Nous les condamnons à l'exil, à la potence... Car, ô malheur de nos temps méprisables, on ne compte plus les convois de prisonniers que l'on fait marcher pour la Nouvelle-France, des prisons d'Aigues-Mortes jusqu'au port de Marseille... Quel triste spectacle et ô combien révoltant pour nos populations que de voir ces malheureux enchaînés dans leurs charrettes... Il y a de quoi indigner le plus servile de nos sujets. Tandis que Notre Majesté est au plus haut de la gloire humaine, pour reprendre un bon mot de monsieur de Choisy, ces traitements sont indignes de sa grandeur. Je crains qu'ils n'en viennent ternir la lumière. Car, ainsi que j'ose le supposer, Notre Majesté n'en connaît pas le détail. Il est urgent que notre assemblée en vienne à lui en faire une peinture exacte...

Les compagnons de Maletaverne

En entendant ces propos, monsieur de Broglio eut un sourire sardonique. « Qui donc a décidé la révocation, sinon le roi, sur les conseils éclairés de la Maintenon ? » se dit-il. Et il franchit la porte sans se retourner.

Le gouverneur militaire parti, le conseil se dispersa aussitôt. Seul Ernis de Salamon manifesta l'intention de poursuivre les débats. Mais l'évêque paraissait déjà épuisé par la vigueur des joutes qui avaient dominé la réunion dans la salle d'honneur du palais épiscopal.

Messieurs de Jassueix et de Lavèze partirent bras dessus, bras dessous, leurs gardes sur les talons. Ils s'inclinèrent devant monseigneur de La Rouvère, sans y mettre plus de déférence qu'il n'était nécessaire. Ces seigneurs conservaient, en toute occasion, une conscience aiguë de leur importance. Et sans doute trouvaient-ils que leur allégeance au clergé allait bien au-delà du raisonnable.

Benjamin de Serguille rejoignit l'évêque dans son cabinet, à l'étage supérieur. Salamon s'y trouvait déjà, l'air songeur.

— Il y a pire, divulgua La Rouvère.

— Comment cela ? interrogea Serguille.

— Le lieutenant criminel m'a rapporté le journal des missions de notre pauvre vicaire général. On ne sait comment ce précieux document a échappé au pillage des huguenots. Sans doute est-ce le Seigneur qui a voulu que ces écrits tombassent entre nos mains.

Serguille chercha un siège et fit signe à un laquais de lui avancer un fauteuil. Il alla se placer à côté d'Ernis. Puis il vint toucher le revers de manche peluché de son voisin

Les chemins de Basville

pour attirer son attention, car il n'était point sûr que le vieux baron se fût aperçu de son arrivée.

— Vous voulez dire, souligna Salamon, que le curé Pelletan a laissé par-devers lui un témoignage de la plus haute importance ?

L'évêque hocha la tête dans un mouvement de lassitude. Il avait ôté la cravate qui lui enserrait le cou, pour se donner un peu d'aise. Le port du col empesé lui était devenu un supplice et il ne ratait jamais l'occasion de s'en libérer.

— En effet, soupira le prélat. Je n'ai point désiré alourdir le Conseil par l'étalage de tous ces détails. Mais ils sont pour nous de la plus haute importance. Et tout dépend, désormais, de ce que nous déciderons d'en faire.

Le tour énigmatique de la conversation avait jeté les deux seigneurs dans la perplexité. Ils s'observaient en fronçant les sourcils, guettant la seconde où l'on allait enfin quérir leur opinion. Tous deux prisaient par-dessus tout les conciliabules d'alcôve, les conspirations entre gens de connivence ; cela s'accordait mieux à leur tempérament que les assemblées délibératives.

L'évêque sortit du revers de sa manche une petite clé dorée avec laquelle il ouvrit l'un des tiroirs de son bureau. Puis il en extirpa un cahier relié en ventre de biche.

— Après les visites de sa paroisse, Pelletan avait pris l'habitude de rédiger une relation aussi précise que possible. Son secrétaire indiqua au lieutenant criminel que ses tortionnaires le découvrirent ainsi à la tâche, en train d'écrire. Et celle-ci fut interrompue, comme vous pouvez le constater, mes chers amis, au beau milieu d'une phrase...

79

Les compagnons de Maletaverne

L'évêque dressa à portée des regards le cahier ouvert.

— Voyez ? On ne lui laissa pas le temps de terminer son ouvrage que, déjà, les malandrins étaient sur lui, comme des bêtes féroces...

Enfin, le prélat de Mende donna lecture des fameux passages concernant le comte de Jassueix, la manière peu amène avec laquelle le visiteur avait été reçu au château de La Sourde, les propos tenus sur les proscrits, la défense de leurs actions hérétiques et, enfin, les interrogations de l'auteur. L'évêque n'eut guère besoin de commenter les écrits du vicaire général pour soulever de vives réactions chez ses voisins. Ernis de Salamon se dressa dans un de ces mouvements héroïques qu'il affectionnait, en portant la main au pommeau de son épée.

— Monseigneur, vous n'avez qu'un mot à dire, et je me porte au-devant de ce traître pour lui faire rendre gorge.

— Les événements rapportés par notre pauvre curé Pelletan ne font que confirmer les propos tenus devant notre assemblée. Il est vrai que le comte de Jassueix a trahi son honneur et, pire encore, la confiance que nous avons placée en lui.

La Rouvère tournait et retournait sur son annulaire l'anneau pastoral frappé de son sceau.

— Pas d'emballement, je vous prie. Il nous faut agir avec célérité. Mes amis, il serait préjudiciable à notre cause d'offrir à nos adversaires l'affligeant spectacle de grands seigneurs en train de s'étriper. Il y a mieux à faire. Je crois qu'il faut en référer au roi.

Messieurs de Serguille et de Salamon opinèrent de la tête. Le roi seul était en mesure d'arbitrer l'affaire et de lui donner, par son autorité sacrée, les suites les plus justes. Ernis, surtout, jubilait à l'idée que, peut-être,

Les chemins de Basville

une ordonnance de proscription ôterait à son voisin des biens qu'il convoitait. Jadis, les deux familles s'étaient affrontées pour la possession d'une châtellenie. Et il avait fallu une décision de Louis XIII pour départager les prétendants.

— Je souscris à cette requête, ajouta Salamon. Et, s'il vous la faut, j'adjoindrai ma signature au document.

Un sourire occupa un court instant le visage de l'évêque. Il eût été un bien pâle administrateur s'il n'avait point eu connaissance des querelles de territoire qui occupaient l'esprit des châtelains de son diocèse. L'unité de son Eglise, dans cette partie des Cévennes, exigeait qu'il se montrât digne d'une haute justice. Aussi balaya-t-il ces prétentions d'un geste autoritaire.

— Non. Il m'appartient de produire un rapport, de l'authentifier de mon seul sceau, parce qu'il ne s'agit que d'une question relevant de ma charge.

Serguille soupira de soulagement. Il n'était pas dans ses intentions de parapher quoi que ce fût. Et sans doute avait-il appréhendé cette perspective, qui eût fait de lui un ennemi irrémédiable de Thibaut de Jassueix, envers lequel il ne nourrissait aucun grief notable.

— Monseigneur, votre décision est de bonne sagesse, fit-il. Laissons au roi le soin de décider de ce qui est juste.

4

Avant de se séparer, Thibaut de Jassueix et Gérald de Lavèze se promirent une journée d'agapes. Cela faisait des mois que les deux châtelains n'avaient pas échangé quelque opinion sur les temps difficiles. La réunion du Conseil leur avait fait découvrir, à tous deux, combien ils étaient proches. Et une telle connivence méritait d'être cultivée devant l'adversité qui pointait à l'horizon. A vrai dire, les guerres de religion envenimaient les relations depuis des décennies. Des querelles, des duels, des expiations, des haines, telle était l'histoire de ce rude pays. Mais aussi de longs étés calmes, hormis les petits crimes ordinaires auxquels les misérables se livraient.

D'ordinaire, tous ces événements venaient s'évanouir contre les murailles des châteaux, sans risque aucun d'en traverser la carapace. Les seigneurs, forts de leur allégeance au roi ou de leur impassibilité, n'avaient rien à redouter. On tolérait leurs excentricités, leurs incartades, leurs irrégularités. Il arrivait que, dans l'entourage de Louis XIV, on trouvât tel vassal peu enclin à fustiger l'hérétique. On s'en amusait, on s'en gaussait. Et le ministre du roi, Chamillart, avait bien du mal à faire prendre au sérieux les rapports alarmants de ses espions,

82

Les chemins de Basville

qui estimaient les Cévennes entièrement gagnées à la cause de l'Eglise réformée. « Toutes les classes sociales, répétait Chamillart, le commun, les gentilshommes et les grands seigneurs... » Louis XIV y voyait là bien des exagérations, dans un temps où son esprit était accaparé par des questions autrement plus importantes pour l'avenir du royaume : les combats en Italie contre les Impériaux et la guerre de Succession d'Espagne.

Dans les premiers jours de mars, le comte de Jassueix fit porter par un de ses gardes une invitation en bonne et due forme à son voisin. La réponse revint deux jours plus tard sous forme de présents : des draperies de soie d'une manufacture de Lyon où Lavèze avait des intérêts. Quatre rouleaux de tissu de cinq quarts de largeur brodés étaient ainsi offerts, dans lesquels le couturier pourrait tirer de quoi habiller toute la seigneurie.

Le comte, peu impressionné par les fanfreluches, fit monter les coupons dans l'appartement de sa femme. Armandine reçut ces merveilles en poussant des hauts cris. Elle avait la réputation d'être fort coquette et se lamentait de ne pouvoir montrer ses toilettes devant une cour qui fût digne d'elle. Aussi traversa-t-elle son salon drapée dans un coupon fleuri, histoire de montrer à ses soubrettes quelle allure ce tissu aurait sur sa peau lorsqu'il serait façonné. On la complimenta, comme à l'ordinaire, dans des criailleries qui avaient le pouvoir de mettre monsieur le comte hors de lui.

Thibaut s'attardait peu dans les appartements de sa femme. Il en détestait les meubles, les tapis, les rideaux. Il en détestait les odeurs, autant celles des fleurs séchées que des lavandes. Le goût pour le fleuri, le plumetis, la paillette, la dentelle et autres frivolités n'était pas dans sa nature. Il leur préférait ses tenues de chasse, de grosse

Les compagnons de Maletaverne

toile et de cuir, pour battre la campagne. Certains jours, Armandine devait lui faire violence pour l'obliger à enfiler un justaucorps en étamine, une perruque à la brigadière. D'autant qu'il portait d'ordinaire le cheveu long, noué par une lanière de cuir en queue de cheval. Cette mode rustique convenait à ses activités. Et lorsqu'il voulait paraître, devant ses gens, un peu gentilhomme, il lui suffisait de coiffer un chapeau à large bord, dont les couleurs changeaient au gré des saisons. En somme, c'était la seule coquetterie qu'il s'autorisait.

Au grand désespoir de la comtesse, Thibaut avait converti ses fils à cette mode provinciale. Aurèle et Aaron étaient de rudes garçons, incivilisés à force de courir les drailles pour y assiéger la sauvagine jusque dans ses repaires, et fort peu enclins à l'étude et à la religion. Armandine désapprouvait une telle éducation, si éloignée des cercles mondains où ses enfants eussent pu s'épanouir.

— Vous êtes fou, mon bon ami, disait-elle à Thibaut qui en riait d'aise. Ils n'épouseront jamais un bon parti. A moins qu'ils ne convolent avec de petites paysannes.

— Laissez-les donc à leurs plaisirs. Tout viendra en son temps. Et plus diligemment que vous ne croyez !

Dans sa bouche, cette réponse était devenue un leit-motiv. Le comte de Jassueix était fier de ses garçons, fier de les avoir formés à la rude école de la campagne. Ils avaient tout appris de la nature, y compris comment survivre, même par les climats les plus rudes. « Tout ce qui ne s'enseigne pas dans un livre », disait-il. Ils eussent pu allumer un grand feu, même par temps de pluie, sachant que le bois mort, dans ce cas, se récolte sur les arbres plutôt qu'au sol. Et ils avaient passé nombre de nuits à la belle étoile sur les hauts plateaux venteux ou à dormir

Les chemins de Basville

dans la neige, comme des gueux. Peu leur importait. Aurèle et Aaron ne craignaient pas la nature sauvage, ses pièges, ses chausse-trappes, ses traquenards. Seule limite à cette éducation, la guerre. Le comte avait su, par ses influences et ses relations, leur éviter ce péril mortel, à une époque où Sa Majesté réclamait tant de bons et braves gentilshommes pour revêtir l'uniforme et guerroyer sur des terres étrangères. Il leur avait appris à se défier de l'héroïsme et des désirs de gloire, jugeant que sa famille avait déjà payé un lourd tribut à la cause royale.

La comtesse accueillit la perspective d'une telle fête au château avec un plaisir à peine dissimulé. Pour une fois, elle consentit même à dresser avec l'intendant, le régisseur, le cuisinier et les domestiques la liste des denrées qu'il faudrait réunir. D'ordinaire, elle jugeait cette besogne peu digne d'elle, la descendante d'un cambiste de Marseille qui avait acquis ses titres de noblesse sous François Ier. A tout bien considérer, son mari avait plus de lignée qu'elle, plus de quartiers de noblesse, même s'il répugnait à en faire étalage. Ce n'était sans doute pas sans raison qu'Armandine lui reprochait de manquer d'ambition, de se refuser à jouer le moindre rôle à Versailles où il possédait, néanmoins, de fort beaux appuis.

Les raisons de son contentement étaient aussi d'une nature plus secrète. Le marquis de Lavèze possédait une fille fort gracieuse, Isabeau, qui approchait les dix-sept ans. Et Armandine imaginait déjà quel bon parti elle pourrait être pour Aurèle. Les Lavèze étaient bien plus riches qu'eux. Ils avaient bâti leur fortune sur le commerce de la soie. Ces succès laissaient Thibaut indifférent. Diriger des manufactures, se salir les mains dans le négoce, parler argent avec des bourgeois sans scrupules lui paraissaient relever du vulgaire.

Les compagnons de Maletaverne

Thibaut était loin de ces supputations. Et si la comtesse s'était risquée à l'en entretenir, il s'en serait moqué. « Voilà bien une préoccupation de femme ! » se serait-il écrié en la toisant d'un air amusé. Le comte ne pourrait s'empêcher de songer que sa chère et tendre comtesse avait gardé, malgré les années passées à La Sourde, loin des intrigues de salon et de cour, l'esprit arriviste propre à la petite noblesse. A la vérité, le comte était encore sous l'effet des propos d'Ernis de Salamon. La passe d'armes dans le palais épiscopal de Mende lui restait sur le cœur. On y avait menacé son ami, comme au pire jour des massacres de la Saint-Barthélemy. Et il ne pouvait s'empêcher de croire que l'affaire n'en resterait pas là. Il avait mesuré, dans le regard du gouverneur militaire, ce hautain mépris des gens d'armes lorsqu'ils préparent de vilaines actions. Tout s'était conclu à l'instant même où monsieur de Broglio avait obtenu l'assurance de faire manœuvrer ses dragons sur les terres des vassaux, sans le moindre empêchement. Quant au reste, les discours conciliants ou les plaidoyers apaisants n'avaient pas eu l'air de l'infléchir. Et l'évêque, dont Thibaut avait eu à juger en d'autres circonstances de l'inflexible autorité, s'avérait résolu à bénir les pires exactions pourvu que la religion catholique y trouvât son avantage. Certes, le comte était fortement peiné de la manière dont on avait assassiné ce malheureux vicaire, peiné et effrayé à la fois à l'idée qu'un tel crime puisse allumer un feu dont nul ne saurait ensuite comment arrêter la course folle.

De tels nuages, noirs et menaçants, ne cessaient de le poursuivre alors qu'il était parti en chasse, flanqué de ses fils. Thibaut savait que seule une rude empoignade avec un sanglier de sept cents livres chasserait ses angoisses. Il avançait en tête dans les chemins escarpés qui dominent

Les chemins de Basville

le Tarn, le mousquet en travers de la selle, prêt à faire feu lorsque la bête viendrait à se rebeller. Aurèle et Aaron pestaient contre leur père qui leur interdisait de quitter la piste étroite sur laquelle ils s'étaient engagés. Le comte était ainsi fait, pétri de discipline et d'ordre, en toute chose.

Dans le milieu de l'après-midi, l'équipée trouva enfin ce qu'elle était venue chercher. Un mâle de belle taille. Aurèle se jeta sur lui, à la lance. Le pic vint à traverser le cou de l'animal, mais trop haut pour que l'attaque lui fût fatale. Alors le sanglier fit volte-face, avec une vivacité qui surprit le cheval. Celui-ci se cabra, si haut que son cavalier versa dans les fougères. Aurèle fut promptement sur ses pieds, mais les mains nues. La lance lui avait échappé. Il s'empara de son poignard, qu'il portait au côté, et le dressa devant l'animal. C'était un geste désespéré car les défenses du mâle, de six pouces au moins, l'eussent éventré avant qu'il n'eût le loisir de frapper à la jugulaire. Mais le comte fit descendre son cheval en contrebas, au risque de dévaler la pente qui dominait la rivière. Il parvint néanmoins à le maîtriser à la bride. Et quand Thibaut jugea qu'il était enfin à bonne distance, il épaula, sans trembler, et tira un coup de fusil. Une gerbe d'étincelles griffa l'air. Puis une fumée bleue s'attarda dans le feuillage épais. Aaron avait sauté dans le chemin pour venir en aide à son frère. Mais, sans le coup de mousquet du comte, il fût arrivé trop tard.

La bête gisait contre le talus, les pattes agitées de tremblements convulsifs. Aurèle se jeta sur elle et l'égorgea aussitôt d'un geste appuyé. Le comte se mit à rire, plus par peur que par bravade.

— Tu as tout ton temps, maintenant, pour le saigner. Je l'ai tué net, fit-il en levant son fusil en l'air dans un geste de triomphe.

87

Les compagnons de Maletaverne

Aaron vint le lui prendre des mains pour le recharger. Par la bouche du canon, il fit couler une dose de poudre et y enfonça un plomb avec l'aiguille. Simple précaution de chasseur averti : il arrivait parfois que la femelle vienne à charger, au cas où elle se trouverait dans les parages.

— C'est une vieille bête solitaire, indiqua Aurèle en lui ouvrant amplement la gueule.

C'était une habitude de chasseur que d'examiner la dentition des proies, afin de juger l'âge et, peut-être aussi, l'histoire de la bête.

— Tu as manqué de prudence, lui reprocha Thibaut en lui caressant la chevelure. Si je n'avais pas été là, au bon endroit et au bon moment...

— Enfin, père, nous tenons notre banquet, remarqua Aaron.

Le château des Jassueix avait pavoisé ses couleurs de sang et d'or. Les fenêtres, les meurtrières, les archères, les mâchicoulis dégueulaient de draps et d'oriflammes. De même les allées ceinturant la demeure. Il s'y dressait des pavois en grand nombre. Ainsi le comte avait-il ordonné à ses gens d'offrir à la vue tout le lustre dû à un grand seigneur.

Autour des cuisines, des écuries, des communs, il régnait l'effervescence des grands jours. Sans doute n'eût-on pas fait plus pour recevoir le roi de France. Le régisseur de sa seigneurie avait passé par les villages alentour pour recruter les mains nécessaires à l'ouvrage. On avait commencé à chasser la mauvaise herbe, les ronces, les arbustes indésirables, fauché les pelouses, rafraîchi les allées de castine. Ces travaux avaient demandé une bonne semaine. Puis on avait dressé les tables dans la salle de

Les chemins de Basville

garde pour les domestiques et les palefreniers. On comptait sur une centaine de gens environ ; Gérald de Lavèze ne s'aventurait guère, hors ses territoires, sans sa petite armée de domestiques et de serviteurs. Les cheminées, où l'on cuirait les grosses pièces de viande, étaient déjà garnies de fagots et de bûches. Et dans les cuisines, composées de trois vastes salles, les outils étaient prêts à fonctionner, les tournebroches à mécanisme d'horlogerie, les potences, les crémaillères, les crocs à suspensoir, puis les hachoirs, les couteaux, les plats de terre, de faïence et d'étain, les pots de fonte et de cuivre, les cruches d'olivier et de verre soufflé. On avait pris soin de séparer les cuisines en deux parties distinctes, afin que l'on ne mélange point ce qui relèverait du banquet commun et du festin seigneurial. Pour le commun, on avait prévu des soupes grasses, de la volaille courante, des connils, du mouton, avec des haricots, des fèves, des choux et des raves, des galettes de sarrasin et d'orge. Pour la table d'honneur, les hôtes offraient un déluge de gibier — sarcelles, faisans, perdreaux, chevreuils, sangliers — et de poissons — truites, ombles chevaliers, brochets...

Dans la salle d'honneur, si vaste qu'elle n'abritait pas moins de quatre cheminées, les serviteurs avaient soigneusement repassé et amidonné les nappes en lin, disposé les sièges nécessaires pour accueillir pas moins de quarante convives et dressé la table. La comtesse Armandine avait veillé personnellement à ces préparatifs, car le décorum relevait de son fait. Elle fit chercher dans les bois voisins des traînes de lierre, des touffes de genêts et des lianes de chèvrefeuille pour donner un peu de couleurs printanières à la fête. Les domestiques trouvaient ces inventions extravagantes et s'en moquaient dans son dos, sans grande réserve, surtout lorsqu'elle les obligeait

Les compagnons de Maletaverne

à suspendre cette verdure dans les lustres, les plafonds, comme si les ornements que la pièce contenait déjà n'étaient pas suffisants. A dire vrai, le comte Thibaut jugea plus tard, sur l'invitation de sa femme, que le décor faisait un peu chargé. Mais, à sa mine déconfite, il préféra tourner les talons au plus vite, avant que la vaisselle ne vînt à se fracasser derrière lui.

Armandine cédait aisément à des colères terribles face auxquelles le tempérament bon enfant de son époux ne résistait guère. Thibaut préférait cent fois affronter une femelle de sanglier protégeant ses petits. Cela lui laissait plus de chances de s'en tirer sans dégâts. Il aimait montrer à son régisseur les coups de griffe que sa femme lui adressait, parfois, dans l'adversité ou dans le plaisir, rappelant non sans humour que l'histoire de son mariage avait été une longue leçon d'apprivoisement et que, sur le sujet, il en connaissait autant, sinon plus, que Lucentio dans la comédie de Shakespeare.

Par contre, la comtesse se refusa à descendre aux cuisines. Il n'y avait rien qui la rebutait plus que les rigoles de sang, les montagnes de viande, les alignements de volailles éviscérées, les panières d'osier garnies de poiscaille. Il s'en dégageait une odeur fade, qui lui soulevait le cœur. Sur ce point, elle faisait confiance à Honorus, le cuisinier. Cet homme avait l'habitude des grands banquets, même s'il trouvait peu l'occasion d'exercer son art depuis qu'il était engagé à La Sourde. Auparavant, il avait travaillé au service des Mirepoix, où l'on recevait régulièrement les seigneurs et notables du comté de Foix. L'homme n'aimait guère à être contrarié. On le chargeait d'une mission et il s'en acquittait dans les règles de l'art. Cet arrangement convenait à merveille au comte de Jassueix, qui n'éprouvait aucun plaisir dans l'autorité.

Les chemins de Basville

Les journées de préparatifs, Thibaut les passa à chevaucher avec ses fils, parmi les chemins et jusque sur les hauts plateaux, pour profiter de la vue, comme il disait. Les trois hommes s'attardèrent, dans les villages, à discuter avec leurs gens. Le comte voulait savoir si l'on donnait des messes protestantes dans les bois alentour. La population gardait le silence ou faisait semblant de ne rien comprendre. Cette attitude avait de quoi intriguer. A plusieurs reprises, Thibaut tenta d'alerter les villageois des dangers qui les menaçaient. Il leur parla des dragons du gouverneur qui risquaient de patrouiller dans les environs, leur conseillant de les recevoir dignement, jusque dans leur maisonnée, et de leur offrir de quoi se restaurer. Mais lorsque le comte abordait l'assassinat du curé de Maletaverne, les sauvages exactions des réprouvés, les visages se détournaient de lui, comme si ces malheureux éprouvaient de la honte de ne pouvoir parler. Une vieille femme édentée lui montra même où elle cachait sa bible, dans une niche, au-dessus de la cheminée, qu'une pierre obturait soigneusement. Thibaut se sentit touché de la confiance qu'on lui témoignait et exigea, plus tard, de ses fils, le silence. Mais n'était-ce pas une précaution inutile ? Rien n'eût pu ébranler la complicité d'Aurèle et d'Aaron, l'adoration qu'ils éprouvaient pour leur père.

La chance voulut que cette journée de fête s'entamât par un beau soleil. Et si rien n'était plus désolant en Cévennes que les jours de pluie, le beau temps fixe rendait à ces lieux une grandeur majestueuse de commencement du monde. Ainsi devait être le premier paradis que Dieu offrit aux hommes pour s'y affranchir, un

Les compagnons de Maletaverne

décor chargé de forêts, de rivières et de montagnes neuves. Telles s'offraient à la vue les contrées sauvages de La Sourde. Au bas de la vallée coulait le Tarnon, sur son lit de rochers blancs. Cette fusion de l'eau et de la pierre rendait à la rivière des éclats vert de jade.

Dans le château tout était fin prêt, jusqu'aux livrées des domestiques, des gardes, des archers. De fort bonne heure, le comte de Jassueix avait passé sa troupe en revue, comme un général à la veille d'une bataille. Il avait livré ses dernières recommandations d'une voix forte, assurant ses hommes qu'ils feraient partie de la fête, eux aussi, lorsque tout serait accompli à la table d'honneur. Les rangs répondirent par des cris d'allégresse. Le comte Thibaut savait mener les hommes et cela se voyait jusque dans les regards.

Le vin d'auvernat coulerait, fort et dru, des barriques que les aides d'Honorus avaient mises en perce. Il y avait de quoi soûler un régiment. Et les gobelets de corne attendaient dans la resserre, précieusement alignés, que le signal en fût donné.

Dans la salle d'honneur, on avait allumé un grand feu dans les quatre cheminées. Malgré l'arrivée du printemps, il faisait encore frisquet dans ces murs épais. Et la comtesse craignait qu'une température trop basse ne fît figer les sauces dans les hanaps. Les laquais, en livrée sang et or, portant sur leur plastron des broderies aux armes des Jassueix, avaient pris place, de part et d'autre des cheminées, pour surveiller les feux. D'autres attendaient les invités, dans les alcôves voisines, en jouant au bilboquet. Des cris et des rires couraient les couloirs, des frôlements de soie, des piétinements légers.

La comtesse allait et venait dans sa robe d'apparat. Pour parfaire le tout, il n'y manquait plus que les bijoux.

Les chemins de Basville

Comme à la cour de France, Armandine portait trois jupes, la dernière retroussée et mariée à une traîne de trois aunes. Le corselet en pointe, serré fortement à la taille, avec des manches courtes, était échancré pour laisser voir la naissance des seins. Sa coiffure était dressée sans extravagance, en fontange, comme l'exigeait la mode.

Forcément, une telle toilette la privait de toute activité, aussi se contentait-elle de donner des ordres pour corriger les défauts de sa table. Il y avait toujours un verre, un couteau, une assiette qui n'étaient pas à la bonne place. Et cela l'enrageait qu'on pût la prendre en défaut. Les Lavèze savaient eux aussi recevoir, et il eût été fort déplaisant que sa maison fût, pour une fois, au-dessous de sa réputation.

Sa camériste la suivait pas à pas, prévenant ses moindres gestes. A chaque seconde elle craignait que sa maîtresse, à force de déplacements intempestifs, ne froissât, entortillât ou, pire, déchirât sa traîne.

— Madame, il aurait été plus raisonnable de porter votre manteau plus court, avança-t-elle.

Armandine soupira devant tant d'ignorance.

— Ma bonne Adeline, tu n'y penses point. Trois aunes de longueur pour une comtesse, et cinq pour une princesse... Mais je ne peux t'en vouloir, car tu ne connais rien des usages.

Dans le parc, près de ses archers, le comte Thibaut faisait les cent pas. Il avait examiné les chevaux, les armes de ses gardes, les tenues, les uniformes. Tout lui semblait dans un parfait état. Et pour être, lui aussi, dans le ton, il avait enfilé sa perruque. C'était un ornement, du reste, dont il comptait se séparer le plus vite possible, lorsque l'usage en serait rendu superflu.

Les compagnons de Maletaverne

Du plateau, le vent donnait fort et gonflait les oriflammes. Un temps qui allait à ravir au comte, et il regrettait presque de ne pouvoir descendre vers le Tarn pour pêcher la truite. Mais, après tout, n'avait-il pas de lui-même décidé cette fête ? La conversation qu'il escomptait tenir avec son ami le marquis Gérald était de la plus grande importance. Il s'agissait d'une affaire de haute politique, et toute cette mise en scène protocolaire revêtait, en définitive, assez peu d'importance.

L'avant-garde du convoi parvint au château de La Sourde peu avant midi. Une dizaine d'hommes, puissamment armés de mousquets, d'arbalètes et de lances, passa devant le comte en s'inclinant respectueusement. C'était là un petit détachement de la milice qu'avait levée monsieur de Lavèze. Les soldats portaient un uniforme vert, sans élégance, avec des bustiers en peau de mouton retournée. Le capitaine vint annoncer au comte Thibaut que le convoi serait à destination moins d'une demi-heure plus tard. De Jassueix leur souhaita la bienvenue en les invitant à mener les montures aux écuries. Puis l'hôte se décida à enfourcher son cheval, faisant signe à ses deux fils de l'accompagner. Et, à petit trot, ils partirent, tous trois, dans l'allée ombragée de châtaigniers qui descendait en pente douce vers les prairies. Des moutons pâturaient au milieu de la route. Le comte Thibaut les chassa en faisant tourner sur lui-même son cheval. Les bêtes se dispersèrent, affolées, dans les prés alentour, avec des bêlements de crainte. Un tel spectacle suffisait à amuser Aurèle et Aaron.

— Il n'y a rien de plus triste et désolant que ces animaux, fit Aaron.

— Tout juste bons à être saignés, lui répondit Aurèle. Et encore, ça vient lécher la main de son bourreau !

Les chemins de Basville

Mais leur père jeta un regard sévère. Et les rires cessèrent instantanément. Il s'agissait, désormais, de se préparer à recevoir les invités avec distinction et respect. C'étaient les mots que le comte avait employés, à dessein, pour faire la leçon à ses fils. Comment leur reprocher aussi peu d'éducation, puisqu'ils ne connaissaient rien à la bienséance ? Et, dans ces moments rares, le comte Thibaut admettait volontiers que son épouse avait bien des raisons de s'en inquiéter.

Les trois hommes progressèrent jusqu'à l'orée des bois. Près d'un massif de genêts, Jassueix décida de mettre pied à terre, jugeant qu'il en avait assez fait pour accueillir ses invités sur son domaine.

Lorsque le convoi parvint à leur hauteur, les gardes se débandèrent pour laisser les hôtes s'approcher de la voiture. Une portière s'ouvrit et on vit apparaître la figure de monsieur de Lavèze, portant un chapeau de velours rouge emplumé.

— Mon ami, soyez le bienvenu sur mes terres.

Gérald de Lavèze répondit par un hochement de tête et ne sut, au juste, s'il devait mettre pied à terre. Cela l'ennuyait fort, car il ne portait aux pieds que de petites chaussures de salon avec, sur le dessus, un délicat nœud de velours, de même ton que son chapeau. Et il craignait aussi de crotter ses bas de soie blancs enguirlandés de dentelles et de rubans.

— Avancez-vous promptement, mon ami ! cria Thibaut. Je vous escorte, si vous le voulez bien.

La portière se referma aussitôt. On entendit des rires dans la voiture. Aurèle avait juste eu le temps d'entrapercevoir une petite frimousse de fille, un peu rosie. Il pensa aussitôt à Isabeau, dont on lui avait parlé si abondamment, et se dit qu'elle possédait une belle figure.

95

Les compagnons de Maletaverne

La marquise de Lavèze était assise à côté de son époux et se lamentait déjà à l'idée que ce séjour à La Sourde serait un enfer.

— N'avez-vous point vu, mon bon mari, comment l'on nous traite ?

Un sourire occupait le visage du marquis. Il connaissait assez l'impétuosité de son voisin pour ne plus s'en étonner.

— On voudrait nous voir arriver en haillons que ces gens n'agiraient pas autrement. Si nous l'avions écouté, mon Dieu, nous finissions le chemin dans la boue, ajouta la marquise.

— Mais vous n'avez pas tout vu, ma mie, persifla de Lavèze. La chasse au sanglier… Il vous faudra monter un de ses chevaux en amazone et courir par de maudits chemins.

La marquise poussa de hauts cris en agitant les fanfreluches dont elle était parée, une armada de rubans, de colifichets, de perles de nacre. Son visage était abondamment couvert de blanc de céruse, piqueté de mouches noires. Et sa coiffure était dressée à la hurlupée, si hautement qu'elle touchait le toit du landau.

— Oh, quelle horreur ! Vous me menez chez des sauvages ?

— Mais non, ma chère Lucille. Vous aurez plaisir à converser avec la comtesse Armandine. C'est une femme d'esprit, je vous l'assure. Et fort bien de sa personne.

— Vous me faites rougir, dit la marquise en roulant des yeux. Je ne savais point que vous l'eussiez remarquée. N'insistez pas, car je pourrais vous faire une crise de jalousie.

96

Les chemins de Basville

— Bah ! s'amusa le marquis, ce ne serait pas la première fois. Et puis de tels émois, entre nous, entretiennent la passion.

— Comment pouvez-vous parler ainsi devant votre fille ?

Isabeau détourna la tête, avec ennui. Les choses de l'amour n'avaient plus l'air de l'effaroucher. Au contraire, les petits jeux entre son père et sa mère lui inspiraient quelques craintes sur le mariage. Sera-t-il de la sorte, mon futur mari ? Enfant et capricieux ? Elle l'imaginait plutôt de belle et noble figure, courageux et insolent tels les chevaliers du temps passé dont les aventures fantasques peuplaient son esprit.

Jassueix et Lavèze se congratulèrent longuement, et avec un tel épanchement que les deux épouses y virent du ridicule. Elles étaient loin de saisir l'importance de cette entrevue, même si les plaisirs paraissaient en être la raison première. Ils montèrent dans le cabinet de travail et la discussion s'engagea aussitôt.

— Les dragons ont commencé à investir la Vaunage, dit le marquis Gérald en ôtant son chapeau, qu'il jeta sur un guéridon. Ils envahissent les villages, rassemblent la population dans les églises qu'ils font surveiller par les armes. Et les curés les conduisent dans les maisons des suspects. Il s'agit la plupart du temps de nouveaux catholiques auxquels les prêtres reprochent leur manque de foi. Puis on incendie les demeures, on pille les fermes. Quelquefois, les dragons de monsieur de Broglio se heurtent à de la résistance, alors une tuerie s'engage, sans pitié. On assassine sommairement les femmes, les enfants. Je ne crois pas, mon bon ami, que ce soit ainsi que l'ordre régnera dans le royaume.

Les compagnons de Maletaverne

— Avez-vous essayé de vous y opposer ? demanda Thibaut. Il s'agit de vos gens. Et vous avez pouvoir, ce me semble, sur eux. Vous vous devez à leur protection.

— Nenni, mon cher, ajouta le marquis Gérald. Nous nous devons d'abord au roi de France. Il nous faut ployer le genou devant lui, avec obéissance, sinon nous risquons la prison. Mon voisin, le baron de Réglière, a voulu résister aux soldats de Sa Majesté. Il est désormais à la tour de Crest, où il partage le sort des attroupés. Et son château a été pillé, ses biens dispersés, ses titres nobiliaires effacés d'un coup de plume. Voudriez-vous subir le même sort ? C'est pourquoi je vous enjoins de ne rien tenter lorsque les soldats de Sa Majesté viendront placarder sur les portes des églises les ordonnances du gouverneur militaire. Présentement, il est plus utile pour nos gens de faire le gros dos. Un jour ou l'autre, cette folie trouvera son épilogue.

— Qui mène les troupes ? demanda Jassueix. Je ne puis croire que c'est Broglio en personne. Cet homme a la réputation d'être un couard.

— Il s'est trouvé un exécuteur de haute qualité en la personne de son capitaine. Un certain Poul. L'officier est sanguinaire. Et nous sommes loin de l'époque où les soldats de Sa Majesté retiraient chez les réformés vingt sols par place de cavalier et dix sols par place de fantassin et où l'on obtenait les conversions contre l'exemption de la taille.

— La mission bottée ne suffira pas à endiguer la foi de ces gens, soupira le comte Thibaut. Et plus nous les persécuterons, plus il s'en dressera, prêts au sacrifice.

Lavèze hochait la tête.

— Pourtant je ne partage pas les idées de la Réforme. Mais il me répugne d'ajouter ma voix à celle de monsieur de Salamon.

Les chemins de Basville

— Et moi donc ! s'écria le comte Thibaut. Nous pouvions convertir avec la douceur de la raison...

— Désormais, on assassine les prêtres au grand jour. De telles exactions, rarissimes il y a quelques mois, sont devenues monnaie courante. Pour les combattants de la Réforme, elles relèvent même du haut fait d'armes. Et plus ils tuent et martyrisent les curés, plus la population les approuve. On dit que leurs rangs grossissent à vue d'œil.

Pris d'excitation, le comte Thibaut ne pouvait plus longtemps rester dans son fauteuil. Il se mit à déambuler dans son vaste cabinet. Au-dehors, les cris et les rires leur parvenaient. Les gardes, les archers, les domestiques, mêlés dans la même allégresse, installaient de longues tables sur les pelouses où ils ne tarderaient pas, eux aussi, à banqueter. Des cuisines se répandaient les fumets qui excitaient les hommes et les femmes : des odeurs de viandes grillées, de graisses chaudes, de soupes mitonnées. Et, déjà, on faisait circuler les cruches de vin. Les gobelets de corne passaient de main en main. Cela faisait longtemps qu'on n'avait pas eu l'heur de boire un vin qui ne fût pas piqué ou aigre.

Thibaut observait la foule, dans l'enceinte de son château, avec un air grave. Ultime fête avant l'orage, pensait-il. Pourtant, tout alentour inspirait le calme et la sérénité. L'atmosphère fleurait le printemps retrouvé, avec ses mille odeurs. Pourquoi faut-il que le gouverneur vienne jeter la terreur parmi nos gens alors qu'ils ne réclament, les malheureux, que le droit de prier Dieu selon leur convenance ? Le comte voulut prononcer cette interrogation à haute et intelligible voix, mais se tut, en définitive, mesurant l'inutilité d'un tel discours

Les compagnons de Maletaverne

au moment où les Cévennes allaient entrer en guerre contre l'autorité royale.

En voyant le marquis Gérald et son père s'éloigner dans le cabinet du haut, Aurèle comprit que le repas n'était pas près de commencer. Il se dirigea vers le grand salon où patientaient les invités. La comtesse y avait entraîné d'autorité les femmes. Seule Isabeau était restée en retrait à examiner des broderies. C'était une manière de tromper l'ennui. Cette activité n'avait jamais fait partie de ses plaisirs. Mais la jeune fille avait acquis suffisamment d'éducation pour feindre de s'intéresser aux richesses et ornements du château. Elle échangea même quelques bribes de phrases avec des invitées, les filles de l'intendant et du régisseur. C'étaient de petites timides, sans caractère, qui attendaient en soupirant, saison après saison, l'instant où on leur présenterait un mari convenable. Puis elle s'en détourna ostensiblement, jugeant qu'elle avait assez conversé.

En pointant le nez en l'air pour contempler un portrait du général de Jassueix, une fort belle toile qui montrait l'officier d'Henri IV, entouré de ses hommes, durant une des veillées d'armes qui avaient préparé dans le secret l'entrée du futur roi dans Paris, elle vint buter contre le jeune homme entraperçu, quelques minutes plus tôt, par la portière de la voiture. Les regards se croisèrent, feignirent de s'ignorer, comme s'ils n'avaient point besoin de s'attarder. L'un et l'autre s'éloignèrent de deux ou trois pas lents. Puis ils se retournèrent, presque à l'unisson. Cela ressemblait à une sorte de ballet bien réglé. Isabeau laissa transparaître un sourire énigmatique qui se figea, ensuite, à la seconde même où le jeune

Les chemins de Basville

homme offrait cet air grave et hautain qui lui était familier. Alors la jeune fille détourna la tête, avec le même air dédaigneux et distant qu'elle n'avait pourtant pas désiré. Ce fut tout. Ils passèrent leur chemin, l'un à l'extrémité du salon, l'autre à l'opposé. Ainsi semblaient-ils combler leur colère commune de ne s'être point admirés. Isabeau poursuivit son déplacement avec une lenteur de poupée mécanique. Sa robe de couleur pelure d'oignon paraissait flotter dans le salon. Aurèle, lui, allait et venait sans but, sinon de se tenir à distance de la jeune fille qui l'avait ébloui. Il s'en voulait de n'avoir su répondre à son sourire, de n'avoir pu engager les premiers mots qui eussent brisé la glace. Trop tard, pensa-t-il. Elle a déjà acquis une opinion désastreuse de moi. Et rien ne sera assez décisif pour l'en défaire.

Désormais, Aurèle de Jassueix n'avait plus qu'une envie, se dérober au regard de la jeune fille au cas où il reviendrait l'effleurer. Aussi se tenait-il à distance d'elle, taraudé par la honte. Je n'ai pas su être à la hauteur, se reprocha-t-il. Car rien ne m'effraie plus que le regard de cette fille, même une charge de bête sauvage... Il n'éprouvait aucune pitié pour lui-même, mais de la colère contre son père qui lui avait tout appris, sauf la bonne manière d'aborder une jolie femme.

La comtesse Armandine suivait la scène à la dérobée. Elle en éprouvait du ravissement car elle avait compris, en un trait, ce qui troublait ainsi son fils. Mon Dieu ! Ce qu'il peut être emprunté, ce garçon ! Nous l'avons ainsi élevé. Et nous ne pouvons que nous en faire le reproche. Mais Armandine possédait trop de finesse pour ne pas comprendre que cette affaire n'en resterait pas là. Aussitôt, elle fit appeler sa cameriste pour lui chuchoter quelques mots au creux de l'oreille. La

Les compagnons de Maletaverne

servante courut dans la salle d'honneur pour y déplacer deux des cartons dressés devant les couverts. Grâce à ce subterfuge, son petit Aurèle se trouverait placé à côté de la belle Isabeau. On ne pouvait mieux servir le destin. Le retour de Jassueix et de Lavèze précipita le mouvement. Les laquais firent une haie d'honneur aux invités, qui s'en coururent à leur place. Une telle précipitation détonnait avec la solennité du moment, car on s'était jusqu'alors adonnés à toutes les amabilités. Il avait régné un côté cour de France dans ces préliminaires, un goût exagéré pour l'étiquette. Mais, en voyant le comte Thibaut desserrer sa cravate de soie et jeter bas le chapeau qui ornait son chef, chacun se sentit libéré des obligations de la bienséance.

— Mes chers amis ! s'écria-t-il, l'heure est aux plaisirs de chair. Banquetons sans façon. Il n'est de vrai bonheur que partagé entre gens de bonne compagnie, sans cérémonie ni pompe.

Le marquis Gérald acquiesça d'un mouvement de tête. Le masque d'inquiétude qui lui ceignait le front sembla s'effacer instantanément. Oubliée la terrible conversation dans le cabinet, envolée l'angoisse des jours sombres sur ses terres aimées de la Vaunage. Ainsi fallait-il faire bonne figure pour honorer l'amitié de ses hôtes.

La marquise Lucille chercha, parmi les convives, la soutane d'un prêtre ; une présence qui l'eût aussitôt rassurée. Avant de plonger la cuillère dans son velouté, elle avait besoin d'entendre le bénédicité. Mais il eût été cruel de révéler que la place réservée à l'ecclésiastique était vide depuis que les attroupés en avaient fait un martyr à Maletaverne. A la vérité, la prière prononcée par Thibaut de Jassueix n'était pas de son goût. Cela relevait du pire mécréant qui fût et révélait, à ses yeux,

Les chemins de Basville

ce qu'elle avait toujours pensé du châtelain de La Sourde. Mais, à la vue de son mari déjà fort occupé à laper son potage, elle se sentit bien seule dans cette acrimonie de circonstance.

Seule Armandine surveillait les enfants, si proches l'un de l'autre et muets comme des carpes. Aurèle avait accueilli sa voisine le feu aux joues. Et la petite Isabeau s'en était amusée. Elle ne comprenait pas les raisons d'autant de timidité chez ce garçon qui possédait tous les atouts pour plaire. Mais elle se souvint alors de ce qu'en avait dit son père pendant le voyage. « Un vigoureux garçon, aux mœurs sauvages... » C'était assez énigmatique et évocateur comme jugement. Le marquis Gérald avait la réputation de parler juste, sans excès ni détour.

La petite marquise faisait mine d'ignorer son voisin, sans y mettre trop d'affectation. C'eût été malséant de jouer une telle comédie chez des hôtes de qualité. Au moment de servir les découpes de chevreuil, Aurèle posa brusquement dans son assiette une pièce dont elle sentit qu'elle ne pourrait s'en défaire sans y mettre les doigts. Et soudain, devant sa mine déconfite, le garçon éclata de rire.

— Voudriez-vous que je vous vienne en aide ? dit-il en s'inclinant vers elle.

Isabeau le toisa, droit dans les yeux, d'un air farouche.

— Je n'ai besoin de personne.

Et la petite marquise se saisit de sa viande et en arracha à pleines dents des lambeaux qu'elle ingurgita goulûment. Aurèle n'en croyait pas ses yeux. Que voulait-elle lui prouver ? Autour, on faisait grande manière pour désosser la viande sans y mettre les doigts. Présentement, la scène n'échappa pas au comte Thibaut. Et, comme

Les compagnons de Maletaverne

pour sauver sa jeune invitée du ridicule, il recommanda vivement d'en faire de même, sans façon ni manière. Lui-même, pour montrer l'exemple, mordit dans un jarreton, expulsant des éclats d'os dans son assiette avec des crachotements disgracieux. Puis, d'un revers de manche, il essuya le jus dégoulinant sur son menton.

C'était ainsi que le comte Thibaut avait l'habitude de banqueter, de boire de fortes gorgées de vin la bouche pleine et de jeter par-dessus l'épaule ses os curés. Négligeant les ustensiles de table, dont l'usage lui gâtait le plaisir, il jouait de la dextérité de ses doigts gras dans l'assiette, triant les bouchées avec attention. Le marquis Gérald avait trop séjourné à Versailles, où les courtisans rivalisaient de manières à table, pour s'adonner à cette rusticité. C'étaient là des façons de paysan sans éducation, auxquelles il ne voulait point être associé. Mais, pour autant, cela ne changeait rien à son opinion. Thibaut de Jassueix était, sans nul doute, son meilleur allié dans le Languedoc. Et, au reste, il n'y avait bien que sa femme pour lui trouver des défauts. Pendant ce temps, la marquise était au supplice devant son assiette, picorant, par-ci par-là, quelques fibres de viande qu'elle avalait précautionneusement. Cette orgie de mets venant à la suite, accompagnés de sauces grasses, déglacées à l'esprit de vin et assaisonnées de menthe, de sauge, de romarin et de persil, l'écœurait.

Au dessert, Aurèle offrit sa part à la petite marquise, qui était gourmande de sucre et de fruits. Le comte avait fait venir de Montpellier les premières fraises et framboises, que l'on avait délicatement posées sur des pétales de rose. Cette gourmandise excitait le jeune homme, qui ne tarda pas à les lui servir, une à une, sur les lèvres. Comme tout le monde s'était débandé autour de la

Les chemins de Basville

table, on ne remarqua pas leur connivence faite de gestes appuyés et de sourires languissants.

Maintenant qu'on était repus, les laquais promenaient dans le salon des seaux d'aisance. Les hommes s'en servaient, sans manière, pour lancequiner. Les deux compères s'amusèrent à l'instant où le vieux régisseur, fort ivre déjà, ratant son coup, compissa sur l'habit d'un laquais. Ce dernier détourna les yeux pour ne pas voir cette débâcle écœurante. Le vieux bonhomme urinait par à-coups, avec force rugissements, tant le pissat tardait à venir. Enfin, se voyant l'objet de railleries, il se détourna vers les tapisseries contre lesquelles il acheva son œuvre.

— Ce gentilhomme a trop tiré sur le guilledou, révéla le comte Thibaut à son ami.

Gérald exulta en finissant un verre de vin qu'il avait transporté avec lui, puis le tendit à une servante qui passait.

— La vérole a fait plus de victimes au siècle passé que les guerres de religion, dit-il.

Thibaut acquiesça, lourdement. Le mal de Naples l'avait corrodé aussi, en son temps, quand il courait la gueuse dans les ruelles de Nîmes. Désormais, il se contentait des jouvencelles du château auprès desquelles le risque se trouvait amenuisé. La comtesse n'était guère portée sur la chose. Ses grossesses, dont quatre enfants mort-nés ou décédés en bas âge, avaient fini par l'en éloigner.

La petite marquise avait attiré son voisin dans une des alcôves de la maison. On y avait remisé les mantelets, les aumônières, les épées d'apparat, les plastrons en passementerie, les perruques, les chapeaux. Tout y était

Les compagnons de Maletaverne

entassé dans le plus grand désordre. Aurèle les repoussa pour dégager de la place sur un canapé.

— Tu ne t'ennuies donc pas, si loin de Nîmes et de Marseille ? s'étonnait Isabeau. Tes montagnes sont sinistres comme une île déserte. Je ne crois pas que je pourrais y vivre plus d'une saison. Et encore, j'aimerais la choisir. L'automne, seulement... Pour la couleur des feuillages.

— Et pourquoi pas l'été ? demanda Aurèle. On y respire, dans les bois profonds, des exhalaisons étranges. Et les plateaux sont si brûlants au midi qu'on peut s'y mouvoir sans autre vêtement que des braies en drap.

— L'été, soupira la petite marquise, je n'aime que la mer. Pour y prendre les eaux. Il y a des vents qui nous portent les senteurs de pays inconnus. Et, le soir, le soleil embrase l'horizon. Tu ne peux imaginer la variété des couleurs. Ici, le ciel est gris ou bleu, déplora-t-elle. Rien de plus.

— Mais nous avons, nous aussi, de somptueux crépuscules, rectifia Aurèle.

La petite marquise pouffa de rire. Elle aimait à se prêter un air effronté qui n'était pas dans sa nature. Sans doute était-ce sa toilette de petite fille qui lui inspirait ce genre capricieux ?

— Pourquoi ris-tu ? Ai-je dit une bêtise ?

— Je sais pourquoi tu préfères tes montagnes... Parce qu'elles regorgent de sangliers, et que tu aimes te confronter à eux.

Aurèle admit de bonne grâce qu'il avait un goût immodéré pour la chasse et qu'il tenait ce plaisir de son père.

— Mais tu n'as pas à t'en défendre, mon cher ! s'exclama Isabeau. Au contraire. Ça nous change des garçons timorés...

106

Les chemins de Basville

— Ah ! je vois que tu as une sacrée expérience.

La petite marquise prit un air grave. Puis elle vint le pincer au bras, d'un geste vif.

— Je ne te laisserai pas dire cela de moi. Quelle horreur !

Elle parut réfléchir à ce qu'elle voulait ajouter, tout en s'éloignant un peu du jeune homme.

— Ne te méprends pas, mon cher, fit-elle en singeant les grandes personnes, je suis un garçon manqué. Je n'aime que ça, courir la campagne, à cheval. Les salons de ma mère m'ennuient. Et parler chiffons, dentelles et bonnes manières n'est pas mon fort. D'ailleurs, je désespère la marquise !

Aurèle éclata de rire. La façon dont elle nommait sa mère, avec une petite pointe de raillerie, n'était pas pour lui déplaire.

— Je te trouve fort à mon goût, avoua le garçon en baissant les yeux. Mais cela n'est peut-être pas réciproque ?

Isabeau détourna le regard vers les vitraux de la fenêtre. La lumière du dehors jetait sur son visage des éclats rouge et bleu.

— Tu paraissais timide, dit-elle d'une petite voix. Je me suis bien trompée.

Elle avait déjà disparu, en un éclair. La minute d'après, le jeune homme doutait déjà de ce qu'il venait d'entendre. Elle n'avait pas osé lui répondre, préférant la fuite… Et c'était plus qu'un aveu. Il passa une main dans sa chevelure opulente pour la tirer en arrière, puis la noua d'un ruban de soie bleue. Il portait le front haut et dégagé, ce qui donnait à son visage une mâle vigueur. Ses yeux bleus étaient pénétrants et vifs, prompts à se parer d'une noirceur ardente.

Les compagnons de Maletaverne

Au contraire, Aaron avait la blondeur douce de sa mère. Et s'il s'adonnait, lui aussi, à des jeux barbares, ce n'était que pour égaler son frère, car il craignait toujours de demeurer en reste. Il singeait la rudesse plus qu'il ne l'aimait. En dehors des parties de campagne, Aaron passait de longues heures enfermé dans sa chambre, à lire de la poésie, *Les Essais* de Montaigne ou l'*Heptaméron* de Marguerite de Navarre. Il allait ensuite en offrir quelques extraits à sa mère, qui encourageait sa passion méditative. Cela la ravissait de voir ainsi son petit garçon, plein d'ardente fougue pour les trésors de l'esprit et tellement éloigné de son père qui croyait en avoir fait un homme pétri de férocité.

Les deux frères se retrouvèrent dans le parc, au milieu des domestiques. Le vin d'auvernat, dont on avait abreuvé les gens, faisait son office. On se querellait, s'insultait. On chantait à gorge déployée. On bousculait les femmes, les enfants. On dansait aussi quelques gigues endiablées autour des tables garnies de victuailles. Seul Aurèle semblait priser le spectacle. Et il n'eût guère fallu le pousser longtemps pour qu'il se mêlât aux jeux. Mais cette connivence lui était interdite. Aaron le suivait, pas à pas, comme un petit chien.

— Que penses-tu de la petite marquise Isabeau ?

— Elle est fort belle, mon frère.

— Elle me plaît. Et je n'ai pas manqué de le lui dire.

Aaron s'arrêta soudain, subjugué.

— Tu as osé, mon frère ? Comment as-tu fait ?

— Il n'y a aucune différence entre la chasse et l'amour. L'attaque est la meilleure méthode.

5

L'orage survint au cœur de l'été 1702, sous les traits du terrible capitaine Poul. Le valeureux pourfendeur des Turcs en Piémont entra au château de La Sourde avec une cinquantaine de ses dragons. Le comte Thibaut descendit pour le recevoir avec deux de ses gardes. Auparavant, il avait recommandé à ses archers de rester en retrait et de ne pas agir sans ordre.

Poul se laissa glisser de son cheval, avec un soupir de soulagement. Cela faisait plus d'une semaine qu'il ne quittait plus la selle. Son uniforme vert et blanc était maculé de boue et de sang. Et, son chapeau noir était piqueté de poudre, comme son visage, du reste, grêlé par les escarbilles des mousquets et des pistolets. Certains de ses hommes portaient de sanglantes blessures aux membres, emmaillotés par des pansements de fortune. Mais ils arboraient encore, fièrement, la cornette, qui les désignait tels de rudes cavaliers de régiments de ligne.

— Monsieur de Jassueix ? fit-il en se retournant vivement.

Thibaut hocha la tête. Les deux hommes s'observèrent quelques secondes. Il y avait une étrange gravité

Les compagnons de Maletaverne

dans les regards, comme deux féroces chiens qui s'épient avant l'assaut. Le capitaine claqua des doigts pour attirer à lui son lieutenant. Ce dernier, un petit homme nerveux et trapu, se rendit à ses côtés en claquant des talons. Il ne fut pas nécessaire de le commander pour qu'il tendît un parchemin, glissé sous son baudrier de cuir. Le capitaine le déroula devant les yeux du comte, qui ne fit aucun mouvement d'approche pour le lire. Alors, Poul se résolut à avancer de deux pas pour que son interlocuteur fût enfin en mesure d'y porter le regard.

— Voici l'ordonnance de monsieur le gouverneur militaire que je viens de faire placarder dans vos villages. Ainsi la population est avisée que dans votre comté j'ai droit de vie et de mort sur quiconque ose braver les interdits de Sa Majesté. Tout hérétique doit m'être signalé, au risque de voir le village qui l'abrite rasé pierre par pierre, hommes, femmes et enfants passés au fil de l'épée. Toutes les personnes qui se dénonceront conserveront la vie. Elles seront néanmoins déportées vers les villes fortes, les biens saisis et vendus à l'encan...

— Il n'y a point d'hérétiques sur mes terres, se défendit Thibaut d'un ton ferme.

Poul eut un sourire grimacier.

— Expliquez-moi pourquoi l'on assassine les prêtres et brûle les églises dans votre comté.

Et l'officier énuméra, point par point, les exactions des attroupés, à Maletaverne, au Pont-de-Monvert, à Saint-André-de-Lancize, à Collet-de-Dèze... Chacun des lieux ainsi cités était, pour le comte Thibaut, un coup d'épée porté au flanc.

— Monsieur, ajouta le capitaine, vous ne surveillez point vos gens. Vous manquez tellement d'autorité que nous ne sommes pas loin de penser que...

Les chemins de Basville

— Prenez garde ! s'écria Thibaut. Un mot de plus, et...

Poul se mit à ricaner. Et ses hommes aussi, par une sorte de contagion. L'officier voulait ainsi montrer qu'il ne craignait guère ce seigneur dans son château, et qu'il lui suffisait d'un ordre du gouverneur militaire pour l'assiéger et le détruire.

— Avez-vous levé une milice ?

— J'en dispose en effet.

— Votre voisin, monsieur de Serguille, n'en a guère vu l'ombre. A croire qu'elle est occupée à d'autres besognes que combattre les protestants.

— Ma milice agit selon mes ordres.

— Est-il normal que monseigneur de La Rouvère, évêque de Mende, hésite à dépêcher de nouveaux prêtres dans vos paroisses ? Je le comprends fort bien, puisque vous ne pouvez leur assurer la protection.

— Si monseigneur de La Rouvère me le demande, capitaine, je puis assurer la surveillance des curies. Je ne sache pas avoir reçu une telle requête.

Poul fit signe à ses dragons d'avancer jusqu'aux écuries.

— Je vous demande l'hospitalité, dit le capitaine sans attendre la réponse qui tardait à venir.

Thibaut y répondit, cependant, d'un geste las. Que pouvait-il opposer à l'autorité royale ? Sinon plier l'échine, comme ses aïeux, lorsqu'il leur avait fallu se ranger derrière les édits et les mandements pour fournir au roi soldats et argent.

Le comte Thibaut fit monter à contrecœur le capitaine Poul dans ses appartements, après avoir ordonné à ses gens de fournir aux dragons boissons, victuailles et bon lit. L'officier traversa les salons, sans même

111

Les compagnons de Maletaverne

tourner le regard vers la comtesse. Thibaut fit signe à
son épouse de s'éloigner d'un petit geste de la main.
Enfin, ils investirent le cabinet de travail. Le comte n'osa
prendre place derrière son bureau, comme il en avait
l'habitude chaque fois qu'il accueillait un visiteur. Il fit
approcher deux fauteuils et attendit que le capitaine se
fût assis pour s'installer à son tour.

— Le lieutenant criminel de Mende a rendu son rapport au roi. Les recherches ont été fructueuses, comme
vous pourrez le constater par vous-même, monsieur. Les
fanatiques qui ont profané les églises et assassiné les prêtres dans votre comté sont désormais identifiés. Il s'agit
d'une bande commandée par un certain Julien Valleraugue. Un chef de la Réforme. Il aurait fait ses premières
armes à Anduze et à Nîmes, où il est bien connu. Son
adjoint aux basses œuvres se nomme Grattepanse. Il
s'agit d'un paysan de l'Aigoual. Un tueur de la pire
espèce. La bande comprend aussi un prédicant connu
sous le nom de Samuelet. Il s'agit d'un jeune fanatique
qui circule par monts et par vaux, la Bible à la main. On
l'a vu cent fois en transe, récitant les Psaumes de Marot.
Il y a aussi quelques autres sanguinaires du même aca-
bit, La Verdure, La Rose, Franc-Cœur, La Violette... Il
y a même un Fléau-des-Prêtres. Cela veut tout dire. Un
Sans-Quartier... Et j'en passe.

Le comte Thibaut écoutait le capitaine Poul, les
mains jointes. Julien Valleraugue n'était pas un inconnu
pour lui. Son nom circulait parmi la population, où l'on
aimait vénérer quelques héros, courageux et intrépides,
en contrepoint de ceux que la noblesse inspirait dans
l'imagerie. Depuis la Saint-Jean, la bande qu'il dirigeait
s'était illustrée par des actions d'éclat. On la surnom-
mait «compagnons de Maletaverne», du nom du lieu

Les chemins de Basville

où elle s'était attaquée au vicaire général, un homme honni et craint dans toutes les Cévennes.

— Connaissez-vous ces noms ? insista Poul. Peut-être un de vos gens les a-t-il prononcés ? Il me suffira de le soumettre à la question pour obtenir de précieux renseignements.

Thibaut garda le silence. Son roi attendait de lui qu'il accomplît une glorieuse action, comme ses ancêtres sur les champs de bataille, en dénonçant les proscrits. Mais, à la vérité, il n'avait jamais approuvé les persécutions contre les réformés, alors qu'un de ses aïeux avait été du parti d'Henri de Navarre. C'était une raison supplémentaire de se tenir à l'écart de cette triste affaire, qui déchirait le royaume. Le capitaine Poul le toisait, intensément, devinant sans doute que, derrière son silence, il y avait un cas de conscience.

— Non, fit-il, non. Je ne peux rien vous dire...

— Vous ne pouvez rien me dire parce que...

— Je ne sais rien de ces fanatiques. Rien.

— Je ne puis croire un seul instant que le nom de Valleraugue n'a pas circulé...

— Non, répéta le comte. Je ne visite que rarement mes gens. Et vous imaginez bien qu'ils ne viennent pas se confier à moi.

— Donc, j'en déduis, monsieur, que tout habitant de votre comté est un hérétique en puissance. Et qu'il me faut les interroger un à un.

Thibaut baissait la tête. Il fixait les motifs du tapis devant lui, qui représentaient une scène de la Genèse dans le jardin d'Eden, avant que le serpent ne fît son office. Telles lui semblaient être ses Cévennes adorées, un jardin d'Eden peuplé d'innocentes créatures de Dieu. Et le serpent tentateur n'était pas, à ses yeux, ce

Les compagnons de Maletaverne

Valleraugue, mais bien les sacrificateurs de la foi romaine qui s'apprêtaient à juger des innocents. Pour être coupable et transgresser la parole divine, il faut connaître les Tables de la Loi. Mes gens ignorent tout des règles. Comment seraient-ils fautifs devant Dieu ? Je ne puis les livrer, moi qui ne suis pas leur juge, ni leur conscience, ni leur vérité...

— Faites ce que le roi vous a ordonné, puisque le roi remplace Dieu sur la terre, dit le comte.

Poul dressa la tête. C'était une question un peu compliquée pour lui qui avait fait ses premières armes à Carcassonne, où l'on avait eu à souffrir de la persécution des cathares au temps de Simon de Montfort. Il n'y avait qu'un dieu sur la terre, c'était son roi, divin et aimé, que les graveurs représentaient tel Hercule écrasant l'hydre calviniste. C'était une image qui suffisait à lui remplir l'esprit de vérités absolues. Et, désormais, il n'était plus que le bras armé d'une puissance supérieure, celle de Louis XIV égalant ses prédécesseurs : Clovis chassant les idolâtres, Saint Louis combattant les Sarrasins, Philippe Auguste martyrisant les juifs... Œuvre pie que celle qu'il avait entreprise à la tête de ses dragons, œuvre sainte qui assurerait le salut de son âme...

Poul partit de bon matin pour Maletaverne. Il était flanqué du lieutenant Francart et des cinquante dragons qui l'escortaient. Par la route qui dominait la Mimente, creusée à flanc de montagne, se faufilant dans les forêts de pins et de châtaigniers, la troupe avançait à marche forcée. La nuit les surprit au Plan de Fontmort. Le capitaine Poul ordonna à ses hommes d'édifier un bivouac pour la nuit. La journée avait été caniculaire. Aussi, un

Les chemins de Basville

détachement courut à une source pour en rapporter des outres d'eau fraîche. Puis on alluma un feu dans le creux d'une combe afin d'y cuire des travers de cochon. L'odeur des grillades imprégnait les environs. Poul et Francart espéraient que leur présence ne passerait pas inaperçue. Depuis que ses hommes avaient investi la corniche des Cévennes en une cinquantaine de détachements, croisant de Florac à la montagne du Bougès, il n'avait qu'un désir : tomber sur les fameux rebelles pour les mettre en pièces.

Après le repas, le lieutenant fit poster des sentinelles sur les points élevés. Et le reste de la troupe s'endormit à la belle étoile, sur un tapis de bruyères et de fougères sèches. Comme il ne pouvait dormir, Poul alla griller un *cigarro* espagnol. C'était un de ses petits plaisirs, au soir, de s'empuantir l'haleine avec des tabacs forts que lui procuraient les contrebandiers de Montpellier auprès desquels il s'approvisionnait régulièrement. Ses pas le conduisirent vers les sentinelles. Il les visita, une à une, plus par désœuvrement que par sécurité, car l'officier était assuré de la discipline de ses hommes. Ils appartenaient tous à un régiment stationné à Nîmes et qui avait mené, déjà, quelques opérations dragonnes dans la Vaunage. Les habitudes et usages des huguenots n'avaient plus de secret pour eux. La traque exigeait des trésors d'observation, des ruses de Sioux. Par exemple, ils avaient appris à distinguer, dans la nature, les signaux et les balises de leurs ennemis, pour les effacer soigneusement ; parfois, aussi, pour remonter jusqu'aux caches, déguisés en barbets afin de mieux les surprendre.

Des hauteurs de Fontmort, on jouissait d'une belle vue sur les vallées alentour. Le capitaine s'y campa pour observer chaque colline, chaque ravin. Ses yeux d'épervier, entraînés au guet, repérèrent un feu à une lieue, vers Malefosse. Cette découverte l'intrigua fort. Il s'arma de sa longue vue et crut voir, indistinctement, quelque agitation dans le secteur. D'un pas alerte, il redescendit au bivouac et fit réveiller, par son aide de camp, le sergent Lafouette, une dizaine de ses hommes. Il leur ordonna de s'armer légèrement de pistolets et de poignards, d'enfiler des chemises en lin, de nouer au col un foulard rouge, pour que les soldats, ainsi déguisés, pussent se confondre avec des rebelles.

La patrouille, guidée par Poul, atteignit rapidement la forêt de pins. Elle rencontra un chemin qui épousait les degrés successifs formés par la forte déclivité du sol. Les soldats, bien bottés, se défièrent de le suivre, préférant couper au plus court. Ils enjambaient comme des diables les murets qui protégeaient les courbes accentuées des tournants, plongeaient du haut des contreforts, parfois en s'aidant des baliveaux qui bordaient la sente. Le capitaine tempêtait chaque fois qu'une pierre venait à rouler, malencontreusement, sous le pas. Mais la nuit était si dense, dans le sous-bois, que les hommes étaient contraints à se suivre de près.

En moins d'une heure, ils parvinrent à une rivière qui se jetait dans le Gardon, plus en aval. Le pont de pierre, en arche romaine, donnait sur une route plus large. En cet endroit, les châtaigniers formaient un écran si épais qu'on ne parvenait pas à voir Malefosse. Mais Poul était sûr de son orientation.

Cet homme possédait le génie des cartes, pourtant d'une lecture fort approximative sur les Cévennes. Il lui arrivait même d'en corriger les défauts. Et il avait, au début de ses campagnes en Languedoc, suggéré au gouverneur, monsieur de Broglio, d'en faire lever de plus

Les chemins de Basville

savantes, afin de doter l'armée d'un instrument redoutable. Pour l'heure, on ne disposait que de celles dressées par le cartographe ordinaire du roi, monsieur Nolin, figurant l'état des grands chemins royaux, plus ceux recensés par Basville. Il y manquait les sentiers de troupeaux, les drailles, édifiés par les paysans cévenols. Un tissage compliqué emprunté par les combattants de la foi. A la vérité, le gouverneur militaire ne souhaitait pas que ses armées se dispersent par mille chemins peu sûrs, préférant toujours que les escadrons conservent une liaison certaine avec leurs bases arrière. A cela, le capitaine Poul répondait, invariablement : « Si nous voulons déloger la canaille, il faudra nous risquer au plus secret du pays... »

Depuis qu'on l'avait missionné dans le haut pays, il s'employait à aller au cœur même de la tourmente, là où les parpaillots se retranchaient. Cette stratégie consistant à essaimer cinq mille hommes en cent lieux différents lui paraissait être la bonne. Depuis deux mois, on patrouillait partout dans le désert, à la recherche d'indices pouvant conduire vers les attroupements des réformés.

Poul traversa le pont, seul, le pistolet à la main. Le capitaine savait que la masure où il avait cru apercevoir des mouvements d'hommes était située à quelques pas. Une odeur de bois brûlé attira son attention. Dans une clairière, il vit l'emplacement d'un feu. Alentour, le sol était piétiné. D'un coup de botte, il écarta la cendre. On avait recouvert les braises hâtivement pour en masquer le rougeoiement et étouffer la fumée. Poul soupçonna qu'en ce lieu des protestants avaient célébré leur culte. Dans les restes du foyer, il dénicha quelques grains consumés d'un chapelet

Les compagnons de Maletaverne

qu'on y avait jeté. Souvent, les rebelles aimait à sacrifier, par le feu, les objets symboliques des catholiques. Les rituels faisaient partie intégrante des cérémonies. Par ces gestes ils croyaient se libérer de ce qui les avait opprimés durant tant d'années...

L'officier fit signe à ses hommes de traverser, hâtivement, la clairière. La manœuvre s'opéra sans bruit. Lorsque les soldats furent regroupés, leur chef désigna, de l'index, la masure sombre en contrebas du talus. Chacun tira, de son ceinturon de cuir, le pistolet, et on entendit le cliquetis des chiens armés. Puis, la porte s'ouvrit brutalement sous la poussée de trois solides gaillards. Une lampe à huile éclairait faiblement une rangée de visages hagards. Une quinzaine de personnes tout au plus, hommes, femmes et enfants. Des cris fusèrent.

— On ne bouge pas ! hurla l'un des dragons en menaçant une femme dépenaillée qui tentait de fuir.

On ne voyait que ses yeux exorbités par la peur. Elle poussa un hurlement de bête et se lança sur le soldat qui tentait de la contenir. Mais ce dernier lui planta le poignard en pleine poitrine. La femme s'affaissa entre ses jambes. Alors le dragon se saisit de sa chevelure et la traîna dans la cour, dans la poussière, à l'endroit même où elle finirait d'expirer dans d'ultimes tressaillements nerveux.

Le prédicant sortit alors de la maison avec sa bible. Ses ouailles à la suite.

— Un vrai repaire de barbets ! s'écria Poul.

Il vint examiner le pasteur. C'eût été trop beau de tomber sur Samuelet. Celui-ci était d'un âge trop avancé pour qu'on pût les confondre.

Les chemins de Basville

— Tu as lu l'ordonnance du gouverneur ? Tu sais ce qu'il en coûte de défier l'autorité royale ?

Des femmes étaient restées à l'intérieur de la maison. Trois ou quatre soldats s'en amusaient sauvagement. Cela n'avait pas l'air d'inquiéter le capitaine. Et quand ils sortirent de la maison, la chemise ensanglantée, fiers de leur ouvrage, les autres soldats s'en égayèrent avec force rires et cris. Ils se passèrent, l'un à l'autre, une gourde de gnôle. Chacun but à la régalade. Pour se donner du courage. Excités par l'odeur du sang, ils allaient et venaient autour de leurs proies agenouillées, seulement éclairées par des falots disposés au quatre coins de la courette.

Poul avait terminé son interrogatoire. Il s'était heurté, comme à l'habitude, à une farouche résistance. Pourtant, le visage du prédicant n'avait plus rien d'humain. Un masque sanguinolent et tuméfié.

— Satan ! jura l'homme en mettant ses bras en croix. Vous serez maudits, toi et tes frères, maudits à jamais !

L'un des soldats éleva, calme et froid, son pistolet.

— A genoux, hérétique ! Demande pardon à Dieu.

Le pasteur avait conservé les bras écartés, pour figurer le martyr du Christ.

— « Secours-nous, Dieu de notre salut, pour la gloire de ton nom ! Délivre-nous et pardonne nos péchés, à cause de ton nom[1] ! ... »

Le coup l'atteignit en pleine tête. Le prédicant tomba à la renverse, comme une masse, les bras en croix. Poul le retourna sur le côté d'un coup de botte, pour effacer l'insupportable image de la crucifixion.

---

1. Psaumes, 79, 9.

Les compagnons de Maletaverne

— Capitaine ? demanda un dragon. Que fait-on des enfants ?

— Où sont-ils ?

— Dans la maison.

— Tue ! Tue ! ordonna l'officier d'une voix tonitruante.

Poul fit entasser les corps dans la masure. Puis il ordonna qu'on mît le feu au foin remisé sous une clède. Par ce bel été, il faisait décidément bon musarder au bord du Gardon. L'officier accorda à ses hommes qu'ils y fissent trempette.

— Le Gardon, c'est leur Jourdain, ricana Poul.

Ses voisins se mirent à rire.

— Ce sont les *camisos* qui le nomment ainsi, ajouta l'officier en approchant de la rivière.

Il prit une brassée d'eau et s'en aspergea le visage.

— Me voilà purifié, ajouta-t-il.

Le comte Thibaut entra dans Maletaverne au milieu de l'après-midi. Il avait désiré se faire accompagner de son fils Aurèle. Ce dernier avait accueilli l'invitation comme une punition. « N'est-ce pas toi l'aîné ? Celui par qui la puissance des Jassueix se perpétuera dans le comté cévenol de La Sourde ? » avait dit le père pour le décider.

La récente entrevue avec le capitaine des dragons avait éveillé, chez le comte, une sourde prémonition, selon laquelle ses jours de liberté étaient comptés. Il subodorait déjà que son tiède engagement aux côtés des armées du roi finirait par le conduire sur le chemin de l'exil ou, pire, dans une prison du royaume.

Les chemins de Basville

Lorsqu'ils franchirent les portes de la cité, une odeur de mort leur saisit les narines. C'était une singulière puanteur dont Thibaut avait gardé le souvenir depuis ses jeunes années. Cela fleure le champ de bataille, se dit-il, la mort avec les corps gonflés et bleuis par la putréfaction, la chair calcinée et la fade fragrance du sang répandu. Il porta un mouchoir de dentelle à ses narines.

Aurèle cravacha sa monture pour se porter à la hauteur de son père.

— Qu'est-ce donc ?

— Les misères du roi, fit-il.

— Père, voulez-vous dire que l'on tue nos gens ?

Le comte Thibaut hocha la tête.

Le sang avait coulé à petit filet dans le caniveau, puis séché au grand soleil. Des mouches bleues s'y gavaient en nuées. Les gardes se rapprochèrent instinctivement de leur maître, le fusil en travers de la selle. Ils étaient résolus à le défendre jusqu'à la mort, au cas où l'on viendrait lui chercher querelle.

— C'est une leçon terrible que je t'offre là, ajouta le comte Thibaut. Il n'est plus féroce chasse que celle que se livrent les hommes entre eux, bien plus bestiale que nos traques dans les gorges du Tarnon.

— Tous ces tourments pour la cause de Dieu ?

— Rien n'égale la cruauté de nos guerres de religion. Cela fait des siècles que ce poison s'est répandu dans nos têtes. Et nul ne peut en arrêter la fureur.

— O, mon père, je ne serais jamais capable de tels forfaits !

Le comte hocha la tête. Il était fier de l'éducation donnée à ses fils, quoi qu'en pensât la comtesse Armandine. Et le jeune homme, lui aussi, demanda un mouchoir

Les compagnons de Maletaverne

pour se protéger des odeurs pestilentielles qui montaient du pavé. On avait traîné par les rues des corps éventrés, mutilés, suppliciés, et partout s'y révélaient outrageusement les traces de crimes abominables. Les portes et fenêtres de certaines demeures avaient été fracassées, meubles et vaisselle jonchaient les ruelles voisines. Des femmes et des enfants en pleurs fuyaient, craintivement, à l'approche des cavaliers qui remontaient la rue, lentement. Comment eussent-ils pu deviner que ceux-ci n'étaient pas les dragons du capitaine Poul ?

Sur la place se tenait un attroupement, silencieux. Le comte Thibaut fit arrêter ses hommes à bonne distance. Puis il ôta son chapeau, qu'il accrocha à sa selle. Les dragons et les fusiliers avaient pris position devant l'église, dont il ne restait plus, depuis avril, que des murs noircis par l'incendie. Les cintres de la voûte seuls avaient résisté au sinistre et ressemblaient à des doigts calcinés, pointés vers le ciel. Aux grilles de la maison forte, les dragons avaient pendu une trentaine de religionnaires, là même où, quelques mois plus tôt, les compagnons de Valleraugue avaient supplicié le vicaire général Pelletan. Sur une estrade voisine, pavoisée aux couleurs rouge et or de l'épiscopat de Mende, trônaient quelques seigneurs. De loin, Thibaut reconnut la silhouette imposante d'Ernis de Salamon. A ses côtés, celle, voûtée, de Benjamin de Serguille. On les avait installés sur un trône, sans doute pour y rendre la justice, protégés par les dragons du roi. La foule en recul observait la scène dans un silence de mort.

Le comte Thibaut éperonna rageusement son cheval et, au trot, fendit le cordon de soldats qui fermait la place. Il vint se placer à hauteur de l'estrade.

Les chemins de Basville

— Mais c'est notre bon seigneur de Jassueix ! s'écria le marquis de Serguille. Venez nous prêter main-forte. Nous ne serons pas trop pour punir ces camisards.

Le mot était sorti d'un rapport du ministre Chamillart pour désigner les religionnaires des Cévennes, habillés pauvrement de chemises sales, les *camisos*. Aussitôt, il connut un franc succès, à la cour de France et jusqu'au plus profond du Languedoc, au point qu'on ne désigna plus les rebelles que sous ce vocable.

— Vous venez rendre la justice sur mes terres. Les vôtres ne vous suffisent-elles donc plus ? releva le comte Thibaut.

— Les miennes sont pacifiées, mon cher ami, village après village. Il faut bien que nous nous mêlions de vos affaires, puisque vous faites défaut.

Ernis de Salamon s'était levé de son siège pour mieux toiser son ennemi. Le baron s'étonnait encore qu'on n'eût point arrêté ce seigneur rebelle. N'avait-il pas adressé au roi deux ou trois lettres de placet pour demander justice ? Si celle-ci avait tardé à se traduire par une action de police à son encontre, de Jassueix le devait à quelques appuis à la cour de France, dont le duc de La Rochefoucauld lui-même.

— Ici même, les camisards ont accompli le plus grand sacrilège qui soit ! s'exclama le marquis de Serguille.

— J'admets qu'un tel crime ne doit pas rester impuni, reconnut le comte Thibaut. Mais est-il nécessaire de trucider autant de pauvres gens, dont la seule faute est de partager la foi protestante ? Nous savons qui est à l'origine de ce forfait, un nommé Valleraugue. Et j'ai lancé mes gardes à sa recherche. Je puis vous dire que je le livrerai au lieutenant criminel pour qu'il soit jugé et condamné par le bailli de Mende.

Les compagnons de Maletaverne

Le capitaine Poul s'était rapproché de la scène et avait ordonné à ses hommes qu'on écartât la foule pour qu'elle ne pût entendre.

— Ignorez-vous que ce forfait n'est point isolé ? Au Pont-de-Montvert, un certain Séguier, à la tête d'une bande de religionnaires, a assassiné l'abbé du Chayla, indiqua le capitaine, qui jouait avec le pommeau de son sabre d'Arménie.

Thibaut n'ignorait rien des crimes qui s'enchaînaient dans les Cévennes ; l'un entraînant l'autre, dans un cercle sans fin.

— Est-ce vous qui avez assiégé la ferme de Malefosse ?

Poul hésita à répondre. Après tout, il n'avait à justifier ses missions que devant le gouverneur militaire.

— Et maintenant, Maletaverne. Demain, où comptez-vous sévir ?

Le marquis de Salamon se mit à mouliner l'air de colère.

— Allons-nous supporter longtemps ces questions ? Ici même, nous avons jugé des faux convertis. Et nous les avons punis comme il se doit. Regardez ces misérables, pendus aux grilles de la maison forte. Croyez-vous qu'ils sont innocents ? Grâce à eux, Valleraugue et sa bande ont pu obtenir de précieux renseignements, avec lesquels ils ont attaqué et tué en toute tranquillité le vicaire général. Aujourd'hui, ses complices ont expié leur faute.

Comme les soldats avaient du mal à contenir la foule, les seigneurs se réfugièrent dans la maison forte. L'ancien appartement du vicaire général leur servit de refuge. L'endroit portait encore les traces du saccage. Tout y était sens dessus dessous, jusqu'aux tapisseries

Les chemins de Basville

qui avaient été lacérées. De la fenêtre aux vitraux brisés, Aurèle montra à son père les cadavres qui dérivaient au fil de la Mimente. Il n'y avait pas seulement des corps d'hommes, de femmes et d'enfants, mais aussi des animaux, des moutons surtout, qui avaient subi le même sort que les humains. Le comte Thibaut détourna les yeux, sans émotion particulière. Il tapota seulement l'épaule de son fils.

Au-dehors, des coups de fusil retentirent. Trois à quatre salves. Puis on entendit des hurlements, des bruits de pas, des piétinements incessants. La foule s'était dispersée dans une terreur indescriptible, laissant sur le pavé de la place une dizaine de morts ou de blessés. Les dragons ne se souciaient guère de cela. Ils emplissaient jusqu'à la gueule des charrettes, réquisitionnées pour cette besogne, et allaient ensuite verser les victimes dans la rivière. Il leur suffisait de reculer les attelages sur le quai des lavoirs. En cet endroit, la Mimente était profonde et le courant rapide.

— Pourquoi ces tueries ? s'inquiéta Thibaut en s'adressant à Poul qui venait d'entrer, accompagné par son fidèle sergent Lafouette.

Comme le capitaine ne voulait pas répondre, le comte insista avec fermeté.

— Francart a surpris des attroupés qui écoutaient le sermon d'un pasteur. Les scélérats n'ont qu'une idée, c'est de soulever la foule contre nous.

C'était une explication qui en valait une autre. Et Jassueix dut s'en contenter.

— Je suis écœuré, murmura Aurèle à l'oreille de son père.

Le comte le regarda avec un sourire contrit.

Les compagnons de Maletaverne

Plus loin, le baron de Salamon parlait d'une voix grave à monsieur de Serguille qui, appuyé sur sa canne, paraissait las de toutes ces péripéties. Il écoutait, distraitement, en rêvant à une sieste dans son parc de Latreille, sous les marronniers.

— Bien entendu, mes hommes vont aller s'installer chez l'habitant, expliquait le capitaine Poul. Il n'est meilleure façon d'obtenir des renseignements. De plus, je leur ai donné l'ordre de fouiller les demeures de fond en comble, d'y chercher les bibles que les huguenots cachent comme un précieux trésor. Et, chaque fois, les familles seront condamnées à être chassées de leur maison...

L'officier énonçait ses décisions d'une voix indifférente. Le marquis les approuvait par des hochements de tête.

— Ainsi extirperons-nous l'hérésie de nos terres, fit-il comme pour se rassurer. C'est une terrible gangrène. Il s'agit de couper les membres viciés pour en arrêter la progression.

— Moi, dit Poul, je vais installer mes quartiers dans la maison forte. Cette salle servira aux interrogatoires. Vous n'y voyez pas d'inconvénient, monsieur ? questionna-t-il en se tournant vers le comte Thibaut.

— Comment le pourrais-je ? Vous êtes ici le maître de la situation.

Poul ricana en secouant sa forte carcasse d'officier.

— Après tout, je suis sur vos terres, ajouta-t-il. Et cette maison forte, n'est-ce point vous qui l'entretenez ?

— J'aimerais tout autant la voir occupée par un nouveau vicaire. Mais monseigneur de La Rouvère tarde à m'envoyer un de ses ministres.

— Pour qu'on en fasse un martyr de plus ! s'écria Ernis.

Les chemins de Basville

— Au contraire, précisa le capitaine, j'ai conseillé aux évêques de Mende et d'Alès de faire acheminer, sous bonne escorte, les prêtres au château de Portes. La place est sûre. Et s'il faut dire la messe, mes hommes s'en chargeront tout aussi bien, ricana-t-il.

— Je vois que vous disposez d'une manière radicale de donner l'absolution, persifla le comte Thibaut.

Seul le marquis de Serguille trouva la réplique à son goût.

Il n'avait fallu qu'une journée aux compagnons de Julien Valleraugue pour se rendre de Pierrefroide à Génolhac. Depuis qu'ils avaient acquis cinq mules, dressées au bât, pour transporter armes, munitions et vivres, les déplacements s'opéraient avec plus de commodité dans les chemins escarpés du mont Lozère. Pour échapper aux patrouilles que le gouverneur militaire du Languedoc avait lancées à leurs trousses, les camisards usaient de ruses de Sioux, se gardant bien d'emprunter les voies communes, leur préférant les chemins de troupeaux.

Au fil des mois, la troupe de Julien Valleraugue s'était renforcée d'une cinquantaine d'hommes, des garçons plus aptes à déchiffrer les versets de la Bible qu'à s'adonner à l'art militaire. Pourtant, Grattepanse et La Verdure n'avaient pas ménagé leur peine pour enseigner le maniement du pistolet et du poignard. Toutefois, leur méconnaissance de la science militaire était largement compensée par une haine des papistes chevillée aux corps. Celle-ci s'était renforcée en comptabilisant le nombre des huguenots que les troupes du roi avaient massacrés de Florac à Alès, du Vigan à Uzès. Et chaque

Les compagnons de Maletaverne

jour apportait ses nouvelles de familles anéanties, de femmes violées, d'enfants martyrisés, de frères torturés, décapités, pendus, roués vifs. La nature de cette sale guerre de religion autorisait toutes les horreurs, chaque partie se croyant dans son bon droit.

La population du désert apportait un appui sans réserve aux camisards en les cachant dans ses demeures et en ouvrant ses greniers. La répression massive n'avait fait qu'amplifier le soutien des villageois, même si les actes de certains chefs religionnaires soulevaient plus de crainte que d'admiration. Julien Valleraugue était un de ceux-là. On louait son courage, mais on se méfiait de ses lieutenants. En passant de village en village, les compagnons de Maletaverne y avaient révélé des vocations. Ils ne manquaient plus, les jeunes révoltés qui s'identifiaient à ce nouveau héros, prêts à le suivre jusqu'en enfer.

L'équipée atteignit les hauteurs de Génolhac à la nuit tombée. Avant de s'engager dans la descente des Bouzèdes, les hommes poussèrent un grand cri de soulagement. La cité s'étendait à leurs pieds, majestueuse, avec ses toits de tuiles rouges. Elle possédait un côté bastide du Midi dans son écrin de chênes verts. Les compagnons de Valleraugue pénétrèrent sans précautions dans cette bourgade tout acquise à la cause protestante et s'y dispersèrent dans les longues rues étroites.

En cette cité, rattachée à la viguerie d'Uzès, le capitaine avait ses habitudes. Il demanda à Samuelet de l'accompagner à la taverne du Sanglier — ainsi nommée parce qu'une de ces fameuses bêtes avait fait, un jour, irruption dans l'estaminet. Le jeune prédicateur n'était pas un adepte des tournebrides. Pour lui, ce n'était rien de plus qu'un lieu de perdition ; de quoi éloigner l'esprit le plus

Les chemins de Basville

dévot des Saintes Ecritures. Ainsi, des cités prospères, Sodome et Gomorrhe, s'étaient corrompues par l'amollissement des mœurs, les relâchements de la morale.

Cependant, les relations entre les deux compagnons, l'homme d'action et le prédicant, avaient emprunté de singulières voies. Valleraugue était un froid calculateur, ivre de haine et de gloire, voué à une cause qui s'était faite chair et esprit, indissolublement liés, alors que Samuelet, à l'opposé de son chef, était un illuminé, hanté par les visions de l'Apocalypse dont il voyait poindre les prémices dans chaque manifestation du destin. Qu'est-ce donc qui pouvait tellement intéresser Valleraugue chez ce jeune possédé ? Sa foi aveugle ? Sa fureur abstraite ? Ou n'était-il rien d'autre, à ses yeux, qu'une sorte de moulin à prières destiné à servir ses desseins, à interpréter les signes du ciel, comme jadis les fous du prince ?

Samuelet ne le quittait plus d'une semelle, tant Julien Valleraugue s'inquiétait de chacune de ses absences. Le capitaine ne pouvait se risquer dans une action périlleuse sans l'avoir à ses côtés, comme s'il craignait, dans son for intérieur, qu'il ne lui arrivât malheur. Il avait conscience de sa fragilité, singulièrement révélée par la peur du sang qui coule, de la torture gratuite. De telles craintes eussent pu le faire passer pour un couard, un lâche, alors qu'elles l'émouvaient. Sans doute Julien Valleraugue estimait-il que ce double de lui-même, figuré par cette ombre fidèle, traduisait ce qui faisait de lui un être à part dans la galerie de portraits des chefs camisards. Valleraugue possédait l'orgueil des nobles, sans en détenir la particule ni l'éducation, et la lucidité des grands chefs militaires, sans en avoir les galons ni le savoir. Peut-être que se dessinait déjà, à travers lui, ce

129

Les compagnons de Maletaverne

qui ferait, un jour, les stratèges de la révolution future et qui donnerait à la France les premiers généraux de la République.

Grattepanse et La Verdure avaient proposé de les accompagner pour leur assurer une protection, mais le capitaine avait vivement refusé, jugeant qu'il était assez grand pour se défendre lui-même. Valleraugue se sentait en grande sécurité dans cette cité. Au moment de la révocation, les conversions massives avaient limité l'emploi des missions bottées. Les nouveaux catholiques y avaient ensuite pratiqué le dogme avec une tiédeur suspecte, allant aux offices sans rien laisser paraître, avant de se regrouper en cachette dans quelques maisons nobles pour y célébrer leur culte.

Dans la nuit, les deux compagnons remontèrent, en rasant les murs, la rue du Portail-Vieil. Par ces fortes chaleurs, une odeur de vase s'élevait de la rivière, par-delà laquelle s'étageaient de petits jardins peuplés de vignes et de noyers. Des gens prenaient le frais au lavoir, à la lueur de la lune et des torches accrochées au relais de diligence. La rue pavée était souillée de détritus, d'eaux sales et de crottes de chèvre. Valleraugue passa dans une venelle couverte dont la voûte était si basse qu'ils durent se baisser pour la franchir. On n'y voyait goutte. Mais ce coupe-gorge semblait convenir au capitaine, qui s'y attarda un peu. Samuelet tremblait de tous ses membres. Il avait hâte de se trouver enfin dans un endroit plus sûr. En ce lieu isolé, les coupe-bourses avaient égorgé plus d'un malheureux ; crainte bien dérisoire, au vu des deux pistolets que Valleraugue avait passés sous son ceinturon et du poignard glissé dans sa botte droite. Au sortir de la venelle, on longeait la rivière. Ils choisirent la partie la moins éclairée, par

Les chemins de Basville

crainte d'attirer l'attention. Les hommes des milices bourgeoises traînaient souvent dans le secteur. Vers la place du Colombier, un détachement de fusiliers, seul, occupait le casernement, pour ainsi dire peu de dragons, ceux-ci étant mobilisés dans la montagne du Bougès. C'étaient, du moins, tous les renseignements dont le capitaine disposait grâce à ses informateurs.

La porte arrière du Sanglier donnait sur la rivière. Les compagnons s'y faufilèrent comme des rats. Une odeur de poisson grillé les cueillit dans le petit couloir. Une matrone, portant bonnet et tablier blanc, les reçut sans effusion. La salle était peuplée de garçons et filles qui buvaient du vin clairet dans des gobelets en terre. Un vieil homme édenté chantait, en s'égosillant, une ritournelle cévenole de chevrier. A la fin, très applaudi, il se fit récompenser d'une rasade de vin. La petite servante avait le sein haut suspendu, qui dansait dans son corsage. Et Valleraugue eut un sourire en voyant son voisin détourner les yeux.

Le capitaine n'avait pas perdu l'espoir de lui faire courir l'aiguillette. Le jeune prédicateur était aussi puceau qu'un nouveau-né. Et, chaque fois que Grattepanse avait voulu l'inviter à « besogner », Samuelet s'y était farouchement refusé en proférant des sermons.

— Il est là-haut, fit la matrone. Il t'attend.

Et elle montra l'étage, auquel on accédait par un escalier croulant.

— Maime, monte-nous de quoi boire ! ordonna le capitaine. Et du lait de chèvre pour mon compagnon... ajouta-t-il.

Nicolas Jouany était assis sur une paillasse, les pieds nus baignant dans un seau. Au bruit, il s'empara d'un pistolet posé à côté de lui.

Les compagnons de Maletaverne

— C'est le capitaine ! s'écria-t-il en reposant l'arme. Pape-diable, je suis content de te revoir.

Julien Valleraugue avança à hauteur de la lampe à huile accrochée à une solive. Les deux hommes se regardèrent, puis leurs mains vinrent à claquer l'une contre l'autre.

— Je vois que les papistes ne t'ont pas encore émasculé, grand diable ! dit Jouany.

— Toi non plus.

— Moi ? s'étonna-t-il. La main de Dieu me protège.

— Seulement la main de Dieu ?

— Et cent compagnons bien armés.

— Voilà qui est plus sûr.

Jouany fit signe au capitaine de s'asseoir à côté de lui sur la paillasse crasseuse. Valleraugue lui préféra le plancher, en tailleur, comme il en avait l'habitude au bivouac. Samuelet était resté en retrait, droit comme un *i* dans sa longue chemise blanche qui lui descendait aux genoux. Sur la tête, il portait une coiffe de curé, surmontée d'un brin de buis.

Le chef camisard feignait de ne pas le voir. Hautain et fier, Jouany avait le souci d'ignorer les années d'humiliation où il avait été le valet d'un gentilhomme. Désormais, il régnait sur une armée de rebelles cachée sur les hauteurs de Génolhac, attendant l'heure de prendre la cité, d'y brûler l'église, le couvent, d'y fusiller un à un les soldats du roi. Il avait acquis la conviction que les habitants de la cité n'attendaient plus que son signal pour se rallier à sa cause. Il avait déjà dressé une liste des papistes de Génolhac auxquels il appliquerait la peine maximale. Tout était réglé, dans sa tête, comme du papier à musique.

— Poul mène la danse, avança le capitaine. Mais je ne crois pas qu'il nous atteindra avec ses patrouilles. On

Les chemins de Basville

les voit venir de loin. Et tout ce qu'elles arrivent à faire, c'est à massacrer de pauvres huguenots sans défense.

— Bien ! Très bien ! jubilait Jouany. Notre armée grossit de jour en jour. Nous gagnons en nombre. Et de sacrées recrues, capitaine, des acharnés à la cause, enivrés par l'odeur du sang. La vengeance est notre meilleure alliée. Elle forme des caractères en acier trempé.

— Je peux aligner une cinquantaine de gars. C'est peu, reconnut Julien Valleraugue.

— Tu ne sais pas comment t'y prendre. Moi, je vais les cueillir dans les familles. Elles me connaissent comme le loup blanc, mes belles familles cévenoles, elles me traitent en héros, en sauveur, en gardien des libertés. J'ai gagné ces galons en m'opposant par la force au paiement de la dîme. Même les bourgeois me donnent des bourses pleines. Te souviens-tu des années où je pendais les collecteurs de taille et de capitation aux arbres, le rôle agrafé autour du cou ?

Le pas lourd de Maime, dans l'escalier, les interrompit. La matrone vint poser aux pieds de Jouany un pichet, trois gobelets et une cruche de lait. A peine eut-elle quitté la pièce que le capitaine versa le clairet. Ils en burent en silence. Il était frais et gouleyant. Pour Valleraugue, c'était un bonheur après tant de jours passés dans le désert.

— Bientôt, je deviendrai le maître de la cité. Et je jure qu'elle sera toute à nous, rendue à sa pureté originelle, à la religion réformée.

Ils trinquèrent en se regardant droit dans les yeux, comme deux frères. Dans ce jeu, il y avait beaucoup d'hypocrisie. Valleraugue ne prisait guère le cynisme de Nicolas Jouany, qui se disait volontiers conduit et poussé par l'Esprit de Dieu. Mais qui peut prétendre

Les compagnons de Maletaverne

être le dépositaire de l'Esprit de Dieu sur la terre ? A bien des égards, le chef camisard de Génolhac ressemblait à un de ces idolâtres fanatiques qui peuplaient le royaume et contre lesquels les religionnaires dressaient les armes. Lorsque nous aurons gagné toutes les Cévennes à la cause, songeait-il, l'heure sera venue de nous débarrasser des mauvais pasteurs... Pour l'heure, tout allié est salutaire, même le pire. Mais le temps viendra, certes, où il nous faudra trier le bon grain de l'ivraie et préparer nos frères à rentrer dans la vraie religion, celle enseignée par Luther et Calvin.

Samuelet but d'un trait le lait de la cruche, s'essuya la bouche et poussa un grand soupir.

— « Que celui qui a des oreilles entende ce que l'Esprit dit aux Eglises : Celui qui vaincra n'aura pas à souffrir à la seconde mort.[1] »

De mémoire, il avait récité ce verset de l'Apocalypse de Jean, qu'il répétait souvent dans de semblables situations ; une fois même en marchant sur les braises d'un foyer pour montrer que la souffrance terrestre ne pouvait l'atteindre, lui, l'illuminé, le voyant de Dieu.

Jouany fronça le regard pour chercher, dans la pénombre de la pièce, le visage de celui qui avait énoncé la prophétie d'une voix qui semblait monter d'outre-tombe.

— C'est mon petit pasteur, Samuelet, dit le capitaine.

— Ah ! s'amusa Jouany. Tu disposes d'un prédicant. Moi, je n'en ai point besoin. Je suis tout à la fois : général, philosophe, prédicateur. Ainsi, je concentre les rôles dans une seule main. Et je m'en trouve fort bien.

1. Apocalypse, 2, 11.

Les chemins de Basville

Le capitaine attendit que le ricanement retombât. Tout cruel qu'il fût depuis que la passion huguenote le possédait ou qu'il avait trouvé dans cette noble cause l'occasion d'y affirmer sa brutalité, Nicolas était un joyeux drille, qu'un rien amusait. Par son rire, fort et tonitruant, il affirmait sa supériorité. Depuis longtemps, il s'était persuadé être le digne descendant de Théodore de Bèze, le Guillaume d'Orange des Cévennes. Du reste, il émanait de sa personne suffisamment de charisme pour attirer à lui un nombre croissant de combattants. Il n'était guère exigeant sur les qualités de ses recrues, pourvu qu'elles eussent l'esprit guerrier chevillé au corps. C'est dire s'il se méfiait des prédicants, chez lesquels il flairait des rivaux potentiels. Les enrôlés étaient rapidement déguisés en camisards : chemise blanche et chapeau noir. Ainsi se distinguait sa petite armée, tandis que lui, en grand commandant, s'autorisait un uniforme voyant : justaucorps de drap rouge et cheval blanc. En le voyant passer, on reconnaissait instantanément Nicolas Jouany. N'était-ce pas l'effet désiré ? Qu'une légende se fabriquât autour de lui dans l'imagerie populaire.

Julien Valleraugue consulta sa montre et jugea, aussitôt, que l'entretien avait assez duré.

— J'ai besoin d'armes, de poudre et de balles, dit-il sans détour. Et je sais où il s'en trouve en quantité suffisante.

Jouany fit la moue. Il craignait que Valleraugue ne devînt trop puissant dans le pays. En somme, cela lui convenait parfaitement que l'autre ne fût qu'un petit chef, à la tête d'une cinquantaine d'hommes.

— Tu dois m'aider, Jouany.

Les compagnons de Maletaverne

— Je ne possède que le strict nécessaire. Et cela convient juste à ma survie, se plaignit celui-ci.

— Tu ne m'as pas bien compris...

Le capitaine s'était levé afin de précipiter le cours de la conversation. Jouany demeura immobile, la main posée à côté du pistolet qui ne le quittait plus.

— J'ai besoin d'une trentaine de tes hommes pour attaquer une citadelle où est entreposé le précieux butin que je convoite. Je suis à court de combattants.

— Attends ! réagit Jouany. M'en diras-tu un peu plus ?

Valleraugue hésita à répondre. C'était une vieille habitude, chez lui, de n'énoncer que le strict nécessaire. Il n'avait qu'une confiance limitée dans ce chef camisard flagorneur, pétri d'orgueil et de suffisance.

— Avant que le coq chante, je compte assiéger le château de Latreille. Je jouerai de l'effet de surprise. Quatre-vingts hommes me sont nécessaires. Surtout des manieurs de fusil. Tu les possèdes, à ce que je sais.

— Et qu'y gagnerai-je en échange ?

— L'or et les bijoux. Ça ne m'intéresse pas.

Nicolas Jouany parut réfléchir. Il n'avait pas envie de répondre si promptement. Mais il savait que Valleraugue attaquerait quand même, quelle que fût sa réponse.

— Je te les accorde. A charge pour toi de confier à Sircey les bijoux de la marquise.

— Qui est Sircey ?

— Mon fidèle lieutenant. Un sacré bretteur ! Que veux-tu, mon pauvre Julien, cela m'est plus utile qu'un prédicant...

— Tu les auras. Et la marquise en prime, si tu le désires.

Jouany éclata de rire.

Les chemins de Basville

— Que ferais-je d'une vieille chouette ?

— Alors, nous l'enverrons ad patres, ajouta Valleraugue en lui frappant dans la main.

La demeure des Serguille se dressait au bord du
Luech, au pied des montagnes du Bougès. Un vaste
parc, protégé par un haut mur à échauguettes, l'entou-
rait, formant un havre de paix et de verdure. Depuis que
le gouverneur militaire de Broglio avait lancé ses compagnies de dragons dans les Cévennes, le lieu était devenu
un des points de ralliement des troupes royales. Régulièrement, on y amenait des convois de vivres et d'armes.
A sa manière, le marquis de Serguille participait à la
croisade contre les hérétiques. Parfois, des troupes fraîches y stationnaient, en petit nombre, un jour ou deux,
avant d'attaquer les difficiles sentiers des montagnes
alentour. Elles venaient d'Alès et de Nîmes, couloir
naturel et aisé par lequel on pénétrait dans le désert.

Monsieur de Serguille ne s'aventurait en dehors de
son domaine, où il régnait en maître absolu, que pour
se rendre, de temps à autre, au château de Portes, lieu
de repli de tous les prêtres et abbés des Cévennes. Sa
milice était chargée, entre autres, d'assurer le convoie-
ment des prélats vers l'imposante citadelle, dressée entre
le Gardon et le Luech. Pour les services rendus à la cause
royale, le marquis avait déjà touché du roi cinquante
mille livres. La guerre contre les camisards avait aussi
ses bons côtés.

La marquise de Portes était une amie intime de son
épouse, Claire. Huit lieues, seulement, séparaient les
deux demeures. Il fallait une journée pour rallier cette
distance par une route escarpée et malaisée. Tous les

Les compagnons de Maletaverne

deux ou trois mois, selon les saisons, les Serguille et les Portes se retrouvaient pour de joyeux repas de fête, agrémentés de jeux tels que la bassette ou le lansquenet. D'ordinaire, on y évoquait abondamment la vie à la Cour, faisant gorges chaudes des liaisons scandaleuses du roi et des princes, des discours moralisateurs de madame de Maintenon, mais, depuis quelque temps, la situation de guerre dans le Languedoc occupait grandement les esprits. Madame de Portes était une catholique militante et prenait grand plaisir à loger, dans ses communs, l'armée de curés et d'abbés qu'elle allait visiter chaque jour, en prodiguant mille apaisements.

Par ce matin d'été, le marquis de Serguille était occupé, avec ses jardiniers, à redresser les rosiers qu'un vent d'orage avait versés sur les allées. Il se lamentait avec colère des misères du ciel, jurant que l'année 1702, décidément, était une des pires qu'il lui ait été donné de vivre. Le jardinier et son aide recevaient au passage quelques coups de canne, lorsque, à trop remuer les rameaux, ils faisaient choir les pétales.

— Regarde, animal, comment tu œuvres ! Misérable idiot !

En esquivant les coups, les domestiques obligeaient leur maître à courir après eux, à se démener comme un diable. Très vite, la fatigue le gagna et, au moment où il perdait l'équilibre, ses mains rencontrèrent enfin un salutaire appui contre le dossier d'un banc. Il s'y arc-bouta, un instant, pour reprendre son souffle.

— Toutes mes belles roses défaites... Mon Dieu, quelle misère ! Faut-il que le démon soit maître en notre pays pour qu'il soit, ainsi, mis à rude épreuve !

Il tenait dans sa poche, plié en quatre, un parchemin dont la lecture l'avait mis de fort mauvaise humeur. Un

Les chemins de Basville

état de monsieur de Broglio, l'informant des revers subis par ses troupes au Limaret, à Saint-Martin-de-Corcenac et à Branoux, exprimait des doutes sur la méthode employée contre les réformés. Ceux-ci avaient pris l'habitude de harceler les troupes, de tuer une vingtaine de soldats et de s'évanouir aussitôt. Certes, le gouverneur indiquait aussi, dans son rapport détaillé, que ses hommes, dont le capitaine Poul, avaient réussi à mettre la main sur Esprit Séguier, Donadieu de La Vialle, Grieules de Saint-Daumis, tous chefs camisards, et que ces derniers seraient rompus vifs dans un proche délai.

Au bout de l'allée, le Luech roulait ses eaux boueuses dans un vacarme assourdissant. Le bassin aux truites était envahi de branches et de troncs charriés par la rivière. C'était un endroit où il aimait à goûter la fraîcheur du matin, en jetant quelques pincées de mie de pain pour faire monter en surface ses « petites coquines », comme il les appelait. Celles-ci étaient réservées pour sa bonne bouche, lorsqu'elles avaient atteint une taille convenable. Et nul ne se serait risqué à les braconner. Dans le pays, on avait encore en mémoire de quelle manière il avait fait mettre à mort un de ses domestiques pour en avoir levé quelques-unes, à l'épervier.

A la vue des dégâts de la nuit, le marquis préféra faire demi-tour. Il déporta son pas vers les marronniers et les châtaigniers centenaires qui peuplaient son parc. Ceux-ci avaient peu souffert des bourrasques. Et il s'en félicita en s'appuyant sur l'épaule d'un de ses domestiques. Biron était de ses plus fidèles. Il pouvait passer ses colères sur lui, le tabasser son aise sans qu'il rechignât le moins du monde. Une crème d'homme et de bon chrétien.

Les compagnons de Maletaverne

Soudain, les crépitements d'une salve de mousqueterie se firent entendre vers l'entrée du château. Il y eut un court silence, puis deux ou trois coups encore, isolés. Le marquis prêta une oreille inquiète. Il avait pourtant interdit à ses gardes de s'entraîner de bon matin sur des cibles, à une heure où Claire sommeillait encore dans la chambre du Sud. Un tel réveil, intempestif, avait le don de mettre la marquise de mauvaise humeur. Et c'était une épreuve que Benjamin de Serguille ne prisait guère. Afin de recouvrer ensuite, de l'« appétence spirituelle », comme elle disait, la marquise se goinfrait de chocolat, denrée fort chère et dont sa malheureuse bourse devait pâtir.

— Qui a osé ? s'écria le marquis en moulinant l'air de sa canne. Mon sergent va le payer de dix jours de cachot, maugréa-t-il.

Le château de Latreille était bien pourvu en cellules fortes. Des endroits nauséeux farcis de rats. Et ils ne manquaient point, les paysans du domaine qui en avaient déjà tâté la puanteur, pour des broutilles. Ce que le marquis redoutait le plus de ses gens, c'était la désobéissance. « Péché mortel par lequel se délite toute bonne société », disait-il.

Les tirs reprirent, incessants. Le marquis devint blême en comptant les coups, l'un après l'autre, et avec difficulté tellement ils étaient rapprochés. Ce n'est pas Dieu possible de recharger des fusils aussi vite ! se dit-il en allant prendre appui sur l'épaule de son Biron de jardinier.

— Oh, monsieur le Marquis, défendit-il, on ferait mieux de partir vers le Luech. Je connais un passage où…

— Que racontes-tu, imbécile ?

140

Les chemins de Basville

Le domestique tremblait, déjà, de tous ses membres. Ils se regardèrent un bref instant. Et Benjamin de Serguille lui fit signe d'avancer. Pourtant, ils songeaient à la même chose et la même peur les occupait. Mais le marquis était tellement sûr de ses hommes. De rudes soldats ! « Si rudes qu'une poignée de va-nu-pieds ne risque point de les émouvoir », avait-il coutume de clamer à qui voulait l'entendre.

Pourtant, Benjamin de Serguille ne fut pas long à mesurer son erreur, à découvrir l'étendue du désastre. Ses gardes gisaient sur la pelouse, face à l'entrée, baignant dans leur sang, éparpillés dans des positions diverses, là même où la mort les avait surpris. Cinq cadavres, dont le sergent, encombraient aussi le grand escalier.

— Qui tue ? s'écria le marquis.

Et avant que Serguille et Biron eussent atteint la rampe de pierre, un camisard vint à s'interposer. Il tenait un fusil à hauteur de hanche, le canon posé sur son avant-bras.

— C'est toi, canaille ? l'apostropha le marquis. Tu vas vite poser cette arme...

Sircey éclata de rire. Il portait une barbe noire, longue et fournie.

— Sircey de Chamborigaud ! s'écria le marquis. Toi, ici ? Que veux-tu de moi ?

— Des fusils, des pistolets, de la poudre, du plomb... et des bijoux, ajouta-t-il.

— Hérétique et voleur... renchérit le marquis. Toutes les qualités. Sais-tu où tu finiras, canaille, rompu vif, comme tes frères...

Dans le château, il régnait grand vacarme. Et, en songeant soudain à la marquise et à son fils, il tenta d'avancer. Mais Sircey dressa l'arme.

141

Les compagnons de Maletaverne

— A genoux ou je t'étends raide, papiste !

— Moi, à genoux ? Tu rêves, pauvre idiot.

— Alors, à Dieu vat !

A la seconde où Sircey appuya sur la détente, Biron se mit en travers de son maître et prit la décharge en pleine tête.

— Pape-diable ! hurla Sircey. Ton chien de garde a voulu t'épargner.

Le lieutenant de Jouany jeta son fusil à terre, de rage, et tira de sa botte un poignard. Le marquis tomba à la renverse sous le choc de la lame qui vint l'atteindre à la poitrine, ainsi qu'on estoque un bestiau, d'une poigne rude et appuyée.

A l'étage, La Rose arriva trop tard. Le fils du marquis, le jeune Victorin, avait déjà enjambé la croisée de la fenêtre, qui donnait directement sur le Luech. Et, avant de disparaître, le fuyard avait pris le temps d'ajuster le camisard et de lui tirer un coup de pistolet en pleine tête. Grattepanse mit du temps à dégager la porte obstruée par le corps de son compagnon. Et, lorsqu'il parvint enfin à la fenêtre, Victorin avait déjà disparu, emporté par le cours rapide de la rivière. Néanmoins, Grattepanse chercha désespérément à l'entrapercevoir dans les méandres du courant, prêt à lui tirer un coup de fusil. Il renonça, d'un cri rageur.

— On a laissé partir le rejeton ! fit-il à La Verrue.

— C'est la faute de La Rose.

Et il fit un signe de croix en fixant son visage ensanglanté.

Puis les coups de feu reprirent dans le château. Dans l'aile voisine, on se battait au corps à corps. Une poignée de gardes du marquis de Serguille défendaient chèrement leur peau. Ils n'étaient qu'une petite douzaine au

Les chemins de Basville

fond du couloir. Quatre d'entre eux faisaient feu, tandis que le restant rechargeait, prestement, les mousquets. Des corps de camisards jonchaient le passage, dans une fumée infernale et l'odeur âcre de la poudre.

— Tue ! Tue ! hurlaient les compagnons de Valleraugue en rasant les murs, alors que la mitraille giclait autour d'eux.

Dans cette atmosphère irrespirable, on ne voyait plus que les flammes des fusils. Julien Valleraugue s'était replié dans la bibliothèque, où Sircey l'avait rejoint.

— Il faut atteindre la chambre de la marquise, insistait le lieutenant de Jouany. C'est là que se trouvent les bijoux.

— Moi, ce qui m'intéresse, ce sont les armes entreposées dans la salle des gardes.

— Elle est dégagée, dit La Verrue. Y a plus qu'à charger la marchandise et déguerpir.

Sircey tenait son pistolet braqué sur Valleraugue.

— Je ne partirai pas sans les bijoux.

— Nous perdons trop de temps ! s'exclama le capitaine. Nous risquons de voir rappliquer les dragons. On aura bonne mine au bout d'une corde !

Sircey pointa le capitaine, à main tendue.

— Ordonne à tes hommes d'enlever la place où je te tue comme un chien.

Valleraugue sortit dans le couloir, puis rameuta quatre de ses meilleurs compagnons. La Verdure avait rechargé les fusils. Ils en prirent deux chacun, puis s'élancèrent contre le barrage. La Verdure et Grattepanse parvinrent à atteindre le buffet qui obstruait le passage et le renversèrent aussitôt. Valleraugue, qui tenait un fusil dans chaque main, serré contre sa hanche, fit feu sur les gardes qui s'écroulèrent.

Les compagnons de Maletaverne

Le capitaine demeura devant la porte de la marquise, sans même l'ouvrir. A l'intérieur, on entendait des cris et des pleurs de femmes. Puis Julien Valleraugue fit signe à Sircey d'entrer.

— A toi de jouer, maintenant.

Le chef camisard n'avait pas envie de participer à la curée. Sa mission ne se résumait-elle pas à faire main basse sur la réserve d'armes ? Cela lui suffisait grandement sans y ajouter d'autres exactions.

L'homme de main de Jouany poussa la porte d'un vigoureux coup de botte et pénétra dans la chambre avec deux de ses compagnons. L'affaire ne dura guère. A peine quelques cris de plus dans ce désordre, vite étouffés. Sircey en ressortit, le coffret à bijoux dans une main, le pistolet dans l'autre.

Alors, Julien Valleraugue voulut vérifier, comme par acquit de conscience, ce qu'il était advenu de la marquise. Elle gisait sur son lit, un poignard planté au cœur. La jeune camériste, elle aussi, avait payé son tribut. Ses petits pieds tressautaient encore dans le vide. Une main scélérate avait pendu la malheureuse au rideau de la fenêtre.

6

L'hiver 1703 fut l'un des plus pluvieux et venteux de la décennie. Dès janvier on connut même, dans la Vaunage, quelques terribles inondations qui affectèrent les plantations d'oliviers, de vignes et de mûriers. Et les haies de chênes verts, de buis et de micocouliers bordant les grands fossés par où l'eau des montagnes s'infiltre vers les basses plaines ne parvinrent pas à contenir les débordements de la nature. Le marquis de Lavèze passait le plus clair de son temps à visiter ses possessions, situées de part et d'autre du Gardon, de Vézénobres à Maruéjols. Ses mûriers, surtout, lui posaient grand souci. L'élevage du ver à soie était son principal revenu. Il ne pouvait guère compter sur les rentes royales, celles-ci lui avaient été réduites comme peau de chagrin depuis le jour où il avait ouvertement critiqué les missions bottées dans le Languedoc.

L'état de ses plantations soulevait donc de grandes inquiétudes. L'abondance d'eau et le ravinement avaient blessé les mûriers au point que ses paysans craignaient qu'ils ne pourrissent sur pied. Le marquis s'employa, sans relâche, à recenser les dégâts et, fort du diagnostic, employa une armée de journaliers à dix sous

Les compagnons de Maletaverne

par jour pour redresser et rechausser les arbustes, couper les bois meurtris et façonner des rigoles afin d'évacuer les eaux mortes. Ces travaux semblaient ruinés jour après jour. A peine une plantation se trouvait-elle assainie et réparée qu'une nouvelle catastrophe s'annonçait. Et les moyens à mettre en œuvre lui paraissaient dérisoires face aux forces conjuguées de la nature.

Néanmoins, malgré les aléas météorologiques, au château de Louradour le reste de la famille Lavèze coulait des heures paisibles. Gérald n'avait pas voulu inquiéter son entourage. C'était déjà bien suffisant de voir défiler des troupes armées sur ses chemins. Elles venaient souvent s'installer à demeure, réquisitionner ses appartements, piller le fourrage de ses écuries, l'avoine des greniers, martyriser ses gens.

Devant les ordres du gouverneur militaire, on ne pouvait que s'incliner, docilement. Ainsi fallait-il faire bonne figure aux contrôleurs venus quérir des dizaines de milliers de livres sur ordre de Lamoignon de Basville, intendant du Languedoc. La guerre ouverte contre les camisards exigeait des fortunes pour nourrir et équiper les armées, lever les compagnies de miquelets. A la cour, le roi jugeait que l'affaire ne relevait plus que de ses seigneurs et bourgeois. C'était donc à eux de prouver leur engagement contre la religion prétendue réformée.

Devant toutes ces horreurs, la marquise Lucille avait préféré se retirer dignement dans ses appartements, qu'elle ne quittait plus. La vue d'un simple officier des dragons suffisait à lui couvrir le visage d'urticaire. D'autant qu'elle craignait fort aussi pour sa fille, car les hommes, tout aussi gradés qu'ils fussent, avaient la réputation de traiter la gent féminine avec brutalité. A force de hanter les champs de bataille et d'affronter le

Les chemins de Basville

boulet sans un cillement, ils avaient fini par perdre toute éducation. La saison des pluies était donc inespérée. Elle lui offrait toutes les raisons du monde de s'isoler. Et elle appréhendait le moment où les beaux jours la chasseraient de son repaire douillet, seulement protégé par une cinquantaine de gardes et d'archers. L'assassinat de Claire et Benjamin de Serguille avait jeté le trouble dans tout le pays. Tant qu'il s'était agi de quelques malheureux abbés, on ne s'était guère ému dans les châteaux. Après tout, n'étaient-ils pas, eux aussi, des soldats du culte, tombés pour la grandeur du roi de France ?

La seule leçon à retenir de ces journées troubles était que nul ne se trouvait plus en sécurité sur ses terres. Désormais, les nobles aussi étaient visés, sans autre raison que leur appartenance à une haute lignée. Il suffisait d'une bande de camisards, armée jusqu'aux dents, pour que l'horreur fondît, sans autre défense que quelques gardes poltrons. Lucille, blême et tremblante, parlait de révolution sanglante en évoquant les événements. Et son mari, qui avait le sens de la nuance, de révolte. Où se logeait la différence ?

Pourtant, Gérald de Lavèze avait toutes les raisons du monde de craindre plus les armées du roi que les religionnaires. La marquise ignorait tout, sans doute, des forces en présence, des collusions qui s'étaient nouées par-delà les apparences. Parmi les camisards, qu'ils appartinssent aux armées de Jean Cavalier ou de Julien Valleraugue, le marquis jouissait d'une certaine estime. On le tenait pour un allié, simplement parce qu'il avait peu engagé ses milices contre les attroupés. De cela, sans doute, la marquise eût rougi de honte. Elle haïssait, viscéralement, les protestants. Sans raison aucune. La haine du huguenot était dans l'air du temps.

Les compagnons de Maletaverne

Gérald de Lavèze ne pouvait se résoudre à barrer d'un trait de plume des années de commerce fructueux avec les négociants en soie de Nîmes et de Lyon. En vérité, il avait assis sa fortune grâce aux protestants. C'était d'eux qu'il détenait ses ouvertures vers les Flandres, l'Angleterre, la Suisse. De tels engagements commerciaux avaient noué des amitiés fidèles. Et, tout compte fait, la révocation avait porté ombrage à ses affaires en poussant à l'exil tant et tant de grands marchands et en dispersant les réseaux commerciaux qu'il avait mis des années à bâtir.

La marquise Lucille ne comprenait rien aux affaires, et encore moins aux questions religieuses. Elle n'avait jamais eu à batailler pour trouver des ouvertures vers les ports de Rotterdam, de Londres ou d'Anvers. Elle était née Fulcrey, avait grandi dans l'ombre de grands seigneurs qui ne parlaient jamais d'argent et qui considéraient que le négoce était une honteuse occupation, tout juste bonne pour des bourgeois. Peut-être était-ce ce qui la différenciait des protestants et des banquiers juifs, le mépris de la fortune lorsqu'elle ne provenait pas du sol. Et les activités de son mari la désespéraient. Elle ne comprenait pas qu'il perdît son temps à intriguer, à Nîmes, à Lyon et à Marseille, dans les échevinages, qu'il se mêlât à des jurats et des capitouls, et qu'il déshonorât son rang et son sang à fréquenter les corporations bourgeoises.

La marquise avait un autre sujet de mécontentement, dont elle n'osait parler à son mari par crainte qu'il ne se moquât d'elle : les sentiments qui liaient sa fille au jeune Jassueix. Les tourtereaux se rencontraient souvent, trop souvent à son goût. Tandis que cette histoire d'amour naissante ravissait Gérald. Le marquis de

Les chemins de Basville

Lavèze avait une haute opinion de la famille régnant à La Sourde. Et cette impression s'était renforcée au moment où les troupes du gouverneur avaient envahi ses terres et où il avait trouvé, auprès du comte, un appui précieux. De plus l'impétuosité d'Aurèle plaisait au marquis. Il y trouvait, ressuscités, quelques traits marquants de sa jeunesse. Et il se félicitait grandement que sa fille fût attirée par ce style de caractère ; dans la vie, il n'existait rien, à ses yeux, de plus haïssable que l'hypocrisie et la fatuité des jeunes courtisans.

Les jours suivant l'Epiphanie, Aurèle se présenta devant l'entrée du château de Louradour. Les gardes n'eurent pas même le temps de vérifier son état qu'Isabeau bondit au-devant de lui. La petite marquise avait troqué ses robes de velours contre un justaucorps d'homme. En la voyant approcher, Aurèle de Jassueix s'écria, en lançant son chapeau en l'air :

— Tiens ! Voici mon joli mousquetaire...

Il se laissa glisser contre son cheval et l'enserra de ses bras. Les gardes se détournèrent, pudiquement.

— Je ne croyais pas que tu viendrais si vite. Et seul ! Quelle folie ! Ne sais-tu pas que les routes sont dangereuses ?

Aurèle riait encore de son audace. Avant de partir, n'avait-il pas confié à son père qu'un garçon amoureux ne risque que la disgrâce de sa bien-aimée ? Main dans la main, ils traversèrent le parc sous la pluie qui tombait dru. De son cabinet de travail, le marquis les observait avec ravissement, tout en effaçant la buée qui se dessinait sur la vitre. Son intendant se tenait derrière lui, dans son costume gris de cadis. Il portait, autour du cou, une croix d'argent qu'il tripotait souvent du bout des doigts. Lavèze se demandait s'il ne passait pas, ainsi, tout son temps à réciter des prières plutôt qu'à s'occuper des affaires du domaine.

— Voici de fort beaux enfants, dit l'intendant d'une voix grave et posée. Monsieur le Marquis a bien de la chance.

Gérald se retourna vivement, en s'appuyant sur une canne qui l'accompagnait partout, sans autre utilité que lui occuper la main.

— Oui, reconnut-il avec un bon sourire. Je suis gâté par le destin.

— Comptez-vous vous rendre à Montpellier ?

Le marquis parut surpris par la question. Il n'était pas dans ses habitudes de livrer ses intentions. Et, par ces temps peu sûrs, il était même recommandé de dissimuler ses desseins.

— Comment savez-vous cela, mon bon François ?

— On ne parle que de cela : la tenue des états du Languedoc.

Gérald hocha la tête, d'un air préoccupé.

— L'affaire a été ébruitée. C'est fâcheux.

— Je la tiens d'un proche de monseigneur Fléchier.

— Qui donc ?

— L'abbé de Beaujeu.

Gérald songea aussitôt que l'évêque de Nîmes n'avait pu lâcher cette information à la légère, surtout par le biais de Beaujeu, son confident et ami. Il y avait du calcul derrière tout cela. Et le marquis voulut en avoir le cœur net. Il prit l'intendant à part et l'emmena dans sa bibliothèque.

L'atmosphère était sombre. Seules les chandelles, brûlant de jour comme de nuit, donnaient à la pièce un peu de lumière. Lavèze avait ainsi souhaité que son refuge fût adapté à la réflexion, en y maintenant une pâle luminosité de chapelle. Pour y lire, il fallait traîner à sa

Les chemins de Basville

suite un grand chandelier, fort bien pourvu de treize
branches.

— Que savez-vous encore ?

— Je pensais que vous étiez au fait de ces choses,
rétorqua l'intendant.

— Ne vous occupez point de ce que je dois ou non
savoir.

François Bessette baissa la tête respectueusement. Si
le destin n'en avait décidé autrement, il eût été abbé ou
moine. Son goût pour la soutane le poussait à fréquenter
les ecclésiastiques et à se complaire dans leur entourage,
à partager leurs tourments spirituels, leurs inquiétudes,
leurs passions, leurs folies...

— On dit aussi que monsieur de Broglio doit être
relevé de ses fonctions. Et que...

Il se détourna ostensiblement. L'intendant détestait
les penchants de son maître pour la Réforme. Cent fois
il eût préféré qu'il fût, comme Ernis de Salamon, à la
tête de sa milice pour assiéger les repaires secrets des
camisards.

— Continuez, mon bon François, je vous en prie.

— Je ne voudrais pas qu'on imagi...

— On n'imagine rien. Je sais fort bien que vous êtes
partisan des dragonnades, même si elles doivent entraîner la mort de milliers d'innocents. C'est une affaire qui
relève de votre conscience, et je n'ai pas à la juger.

— La réunion des états du Languedoc doit décider de
l'envoi sur nos terres de gros contingents de soldats.
Bien plus nombreux qu'il ne s'en trouve aujourd'hui...

Le marquis le renvoya aussitôt. A la vérité, il en avait
plus appris de la bouche de François Bessette, un de ses
misérables serviteurs, que de ses pairs eux-mêmes. Et si
l'on avait jugé utile, en haut lieu, de lui cacher des

Les compagnons de Maletaverne

informations de la plus haute importance, sans doute était-ce simplement parce qu'on le soupçonnait d'être d'intelligence avec le camp adverse.

La petite marquise s'était fait aménager, dans les combles, une pièce bien à elle, un endroit secret où nul n'avait le droit de pénétrer. Lorsque, vers ses dix ans, elle fut prise de cette lubie, son père avait aussitôt accédé à son caprice. « Voici qui révèle un bel appétit d'indépendance ! » avait-il conclu, fièrement. Et le pacte s'en était trouvé respecté. Personne ne se risquait jamais à visiter la place, pas même les domestiques. Isabeau préférait y faire le ménage elle-même, plutôt que de la voir investie par les domestiques.

Son nid, comme elle disait, était un capharnaüm peuplé de vieux jouets, de fleurs séchées, de collections de papillons et d'insectes, d'herbiers, de cailloux précieux, de fossiles. Elle avait amassé là tout ce qu'elle avait glané, à droite et à gauche, lors de ses déplacements en bord de mer, à Sète ou Marseille, dans les montagnes du Bougès, du mont Lozère ou de l'Aigoual, sur le causse Méjean ou de Sauveterre. Il y avait aussi des livres d'histoire naturelle ; les saisons, la botanique, les animaux, l'agriculture… Tout ce qui la passionnait et vers quoi elle se sentait attirée plutôt que les mystères de l'esprit.

Elle y avait conduit Aurèle en lui faisant jurer de ne jamais révéler à personne l'étendue de ses trésors d'enfance. « Tu es le seul garçon autorisé à venir ici ! » lui avait-elle confié comme un pacte. Et s'il fut amusé, dans la première minute, par sa réaction de petite fille gâtée, par la suite il en mesura la gravité. C'était une preuve de confiance et d'amour, pour elle qui n'avait

Les chemins de Basville

encore accordé confiance et amour à personne, pas même à ses chers parents. Mouillés jusqu'aux os, ils se réfugièrent sur une bergère qui occupait le milieu de la pièce. Isabeau arracha d'autorité les bottes de son grand voyageur d'homme, le délivra de son justaucorps de cuir, de sa chemise. Elle aimait à poser sa tête sur sa poitrine juvénile et écouter battre son cœur.

— Toi aussi tu es mouillée, à ce que je vois, dit Aurèle avec malice.

Elle était sans pudeur devant lui. Aussi ôta-t-elle prestement sa tenue de cheval. Dessous, elle portait une longue chemise de soie blanche, agrémentée de fines broderies. Puis elle dénoua ses jarretières et roula ses bas de soie de la paume de la main, avec précaution. Comme la pièce était froide et humide, elle alla chercher une couverture en fourrure d'ours, dont ils se recouvrirent. La chaleur les envahit rapidement, serrés l'un contre l'autre dans le silence du château. On entendait juste l'eau battre les vitres et les bourrasques de vent chanter dans les mâchicoulis.

— J'ai rêvé de toi, la nuit dernière. Tu étais venu me délivrer dans une forteresse où l'on me retenait prisonnière. Tu portais une armure étincelante. Tellement étincelante que les gardiens, pris de terreur, s'enfuyaient devant toi. J'étais au fond d'un cachot, sur une mauvaise paille peuplée de cafards, de scarabées et de blattes. Alors, tu es venu me prendre dans tes bras et tu m'as emportée sur le chemin de ronde. Il y avait de plus en plus de gardes. Et les flèches sifflaient autour de nous. Nous semblions cernés, pris au piège. Alors tu es monté sur un des créneaux. A l'instant où tu allais bondir dans le vide, je me suis réveillée.

Les compagnons de Maletaverne

— Peut-être un jour est-ce toi qui viendras me délivrer. Qui sait ?

— Je fais souvent des rêves stupides. La marquise dit que je lis trop de livres où l'on raconte des histoires impossibles.

— Je crois que tu as un esprit fantasque. La preuve ? Regarde donc toutes ces choses que tu as rangées ici...

Et, d'un geste, il désigna les étagères où Isabeau cachait ses trésors.

— Peut-être te faudra-t-il renoncer à cet endroit ? dit Aurèle.

Il parut réfléchir. C'était une contenance qu'il se donnait ; sa proposition, il l'avait ruminée depuis des jours et des jours.

— Voudrais-tu m'accompagner à La Sourde ? Nous deux, seuls, dans le désert. Je te montrerai des choses dont tu n'as pas idée. As-tu déjà dormi à la belle étoile ?

— Oh, se défendit Isabeau, je crois que mon père ne voudrait pas. C'est bien trop dangereux pour une petite marquise comme moi.

— Je serais là pour te protéger.

— Comme dans mon rêve ?

— Mieux encore. Et sans armure.

Et Aurèle l'écrasa contre lui, ses lèvres butinant son visage, ses mains, sa poitrine...

Des coups brefs retentirent contre l'huis qu'Isabeau avait pris soin de fermer à double tour.

— Madame vous attend au salon, dit une voix de femme autoritaire, derrière la porte.

C'était la camériste que la marquise avait envoyée. Cette dernière nourrissait les plus grandes craintes à savoir ses deux tourtereaux isolés, ainsi, sous les combles. Pourtant elle avait fait jurer un soir à Aurèle, dans

Les chemins de Basville

une singulière conversation, de respecter sa fille. Lucille avait été assez explicite pour que le soupirant en fût averti dans les grandes largeurs. Aurèle avait pris, en la circonstance, un air fautif de petit garçon.

— Ne me dites pas que vous avez...

— Non, madame...

— J'en suis fort aise. Mais nul n'est à l'abri d'un désir plus fort qu'on ne le croit. Vous me comprenez, n'est-ce pas ?

— Parfaitement.

— Pourtant, vous me paraissez bien coquin. Et si vous ne pouvez contenir votre sang, alors choisissez une de ces petites, fort délurées... Elle vous en délivrera...

— Madame, je n'ai pas attendu votre conseil.

— Mon Dieu ! Vous êtes pourtant si jeune. Ne vous a-t-on pas appris la continence ? Quel fut donc votre précepteur ?

— Oh, madame, avait rétorqué Aurèle sur le même ton persifleur, ne sont-ce point là des élans propres à la jeunesse ?

Et, comble du paradoxe, la marquise vint à rougir d'une telle audace. Le garçon était, à la vérité, fort bien de sa personne, vigoureux et impétueux. Elle ne pouvait s'empêcher de penser qu'elle en eût été sans doute amoureuse si la quarantaine passée n'en faisait pas déjà une vieille marquise.

Isabeau ne pouvait désobéir à sa mère. Et son soupirant ne désirait guère trahir les bonnes grâces de ses hôtes. Ils se rhabillèrent en hâte et descendirent au salon. Un feu d'enfer ronflait dans la cheminée. Et la marquise, frileuse de nature, s'en était rapprochée. Elle faisait de la broderie. Cela représentait une scène bucolique, comme on les aimait en ce temps-là. Aurèle parut

Les compagnons de Maletaverne

s'y intéresser par politesse et exprima quelques compliments. De tels discours amusaient le marquis de Lavèze, à deux pas.

— Notre jeune chevalier préfère vivre vos scènes plutôt que les reproduire. N'êtes-vous point chasseur ? A ce qu'il me semble, le sanglier n'a qu'à bien se tenir.

— Monsieur de Jassueix, avez-vous déjà affronté un de ces monstres ? interrogea la marquise.

Sa question était aussi convenue que les civilités débitées quelques secondes auparavant. Lucille de Lavèze savait parfaitement que le jeune Jassueix était un chasseur de sangliers, et qu'il passait des jours et des nuits au guet et à la traque, dans les forêts les plus sauvages des Cévennes.

— Bien des fois. Et souvent avec grand danger. Mais tout le plaisir de la chasse ne réside-t-il pas dans le duel, lorsqu'il nous faut attaquer à l'arbalète et finir le travail à la lance ou au poignard ?

Le jeune homme énonça les détails de ses aventures d'un ton enjoué qui ravissait Isabeau. Elle l'observait avec les yeux brillants de la passion. Il avait oublié de nouer ses longs cheveux bruns à l'arrière et, dans les mouvements de la conversation, sa belle crinière se déployait sur ses larges épaules. En l'observant, Isabeau songeait à ses fiers héros de la Table ronde, dont elle avait lu les exploits dans Chrétien de Troyes.

Profitant de ce que madame de Lavèze s'était remise à son ouvrage, Aurèle se rapprocha du marquis. Ce dernier conservait toujours, à portée de main, une théière dont il faisait grand emploi. Il avait acquis cette habitude en visitant les manufacturiers anglais, buveurs de thé devant l'Eternel. Il en offrit une tasse à son invité. Aurèle accepta par politesse, car il n'aimait guère les

Les chemins de Basville

tisanes. Il but sans plaisir, comme il eût fait d'un grand verre d'eau chaude.

— Je voudrais vous entretenir d'une question préoccupante, dit soudain le jeune homme.

Gérald le prit par l'épaule et l'attira dans sa bibliothèque. Sans doute vient-il me mander la main de ma fille, subodora-t-il. Et la perspective d'une telle conversation, par trop hâtive, n'allait pas sans l'ennuyer, car il avait d'autres soucis en tête, au moment où la Cévenne sombrait dans le chaos.

— Il s'agit de mon père, dit Aurèle énigmatique.

— De votre père ? sursauta le marquis. Dites-moi vite quelles sont vos craintes. Je nourris pour lui une grande amitié. Et je serais malheureux de le savoir dans l'affliction.

Aurèle se mit à tourner en rond autour du bureau sur lequel trônaient de gros volumes reliés en fleur de cuir. Il s'agissait des sophistes, auxquels le marquis se consacrait avec passion. Le jeune homme éprouvait des difficultés à se livrer, tant son cher père l'avait habitué à garder pour lui ses tourments, à souffrir en silence. Il éprouvait une sorte de sentiment de trahison à l'encontre de l'homme qu'il admirait le plus au monde et qui lui avait tout appris. Mais les troubles de sa conscience étaient plus forts que les préjugés de l'éducation, et il avait fini par admettre que son silence, en pareille situation, serait une faute.

— Je crains pour sa liberté, jeta-t-il soudain d'une voix étranglée.

Et il se reprit :

— Pour sa liberté et sa vie...

Le marquis l'obligea à venir s'asseoir près de lui.

Les compagnons de Maletaverne

— Vous pouvez parler sans crainte. Je suis son allié, bien plus que vous ne l'imaginez.

— Des placets ont été adressés au roi, dont les auteurs furent messieurs de Salamon et de Serguille. On l'accuse de soutenir les protestants, de les cacher ou de les soustraire à la justice royale. Ou, pire encore, de faire distribuer des opuscules imprimés en Suisse et en Hollande. On aurait obtenu des aveux d'un de nos serviteurs. Ce malheureux aurait confessé détenir de mon père un de ces écrits. C'est un piètre mensonge. Mon père ne se soucie guère des affaires de religion.

— De quel opuscule proscrit s'agit-il ?

— Les *Lettres pastorales*, d'un certain Jurieu. Connaissez-vous cette chose ? Est-elle aussi satanique qu'on le prétend ?

Le marquis tapota les genoux de son voisin, avec une sorte de lassitude. Puis il se dressa dans le pâle éclairage des bougeoirs. Il promenait ainsi, dans cette pénombre, un air fantomatique qui donnait à la situation une gravité théâtrale.

— Pierre Jurieu a professé à l'Académie protestante de Sedan avant la révocation. Ensuite, il s'est exilé à Rotterdam. Ses écrits sont des traités de théologie contre l'Eglise romaine, ses papes, ses saints, ses moines et ses reliques. Dans les dernières livraisons, il y évoque le martyre des huguenots. Ainsi, toute l'Europe connaît par le détail comment le roi de France traite ses sujets. Et sans doute est-ce le plus insupportable pour le plus grand monarque de l'univers que de se voir, de la sorte, décrit sous le mauvais éclairage. Voilà un soleil bien terni par les dragonnades, les proscriptions, les bannissements, les déportations. A ce titre, les *Lettres* de Jurieu

Les chemins de Basville

sont de terribles brûlots, qui tuent ceux qui les possèdent aussi sûrement que la peste ou le choléra.

— Je vois, monsieur le marquis, que vous êtes au fait de toutes ces choses. Prenez garde qu'elles ne viennent à vous nuire aussi...

Gérald de Lavèze prit la réflexion en bonne part, même si elle contenait son poids d'insolence. Il comprenait fort bien que le jeune garçon fût affecté par l'idée que les écrits pussent nuire à son père qui n'y entendait visiblement rien, alors que lui les connaissait si bien et n'en avait jamais été inquiété.

— Je comprends vos craintes, reprit le marquis, mais votre père bénéficie de solides appuis, jusque dans les rangs des conseillers du roi.

— Par ces temps de fanatisme, qui peut être assuré de jouir de la moindre protection ? Une simple lettre de placet suffit à entraîner la disgrâce.

— En tout cas, je vais me rapprocher de lui, je vous l'assure, dit le marquis. Et nous trouverons ensemble le moyen de faire face.

Lavèze se voulait rassurant mais ne l'était pas autant qu'il le laissait croire. On pouvait craindre le pire. La réunion des états du Languedoc allait sans doute jeter encore un peu plus d'huile sur le feu, renforcer le dispositif de répression dans les Cévennes et conforter les boutefeux tels qu'Ernis de Salamon. Qu'adviendrait-il du comte de Jassueix face à une escalade des fanatismes ? On ne trouverait plus à passer un cheveu entre les ordonnances royales des uns et les appels à la sédition des autres. Tout esprit apaisant et conciliateur serait balayé comme fétu de paille.

— Que me conseilleriez-vous ? demanda Aurèle avant de prendre congé.

Les compagnons de Maletaverne

— Vous rejoindrez votre père, dès demain, et lui apporterez une lettre que je vous confierai. Il s'agit d'un précieux document qu'il vous faudrait détruire au cas où vous viendriez à tomber sur une patrouille royale. Sur ce point, il me faut votre assurance.

— Vous l'avez ! répliqua le jeune comte sans une once d'hésitation.

Le gouverneur militaire de Broglio s'était installé dans une auberge d'Anduze, au Logis des trois rois, face à la place de l'Horloge, où il avait passé une mauvaise nuit à ruminer ses malheurs. Des rumeurs persistantes annonçaient sa chute prochaine. L'évêque Fléchier lui-même avait jugé utile de l'en avertir au cours d'une brève entrevue, l'avant-veille à Nîmes. Ce n'était pourtant pas dans les habitudes du prélat de se faire l'avocat d'un militaire. Mais Broglio appartenait surtout à une noble famille piémontaise, assez connue et appréciée dans le royaume de France pour qu'il condescendît à faire une entorse à ses principes.

Le goût de monseigneur Fléchier le portait plutôt vers les belles-lettres et la diplomatie, dans lesquelles il excellait avec bonheur. C'était de tradition, du reste, que celles-ci fussent assorties. Par exemple, on se souviendrait longtemps de l'homélie que le prélat avait prononcée dans sa jeunesse pour féliciter Mazarin d'avoir conclu le traité des Pyrénées. Le fin lettré avait assidûment fréquenté l'hôtel de Rambouillet, où se réunissaient prosateurs et casuistes de haut rang. Hélas, l'évêque de Nîmes eût mieux aimé pour ses vieux jours autre chose que cette horrible guerre civile dans les Cévennes...

Les chemins de Basville

«Vous allez être relevé d'une bien vilaine affaire, avait-il dit au chef militaire du Languedoc, avec un sourire malicieux Ne regrettez rien, surtout. La tâche de votre successeur sera aussi périlleuse qu'elle l'aura été pour vous, monsieur le gouverneur.

— Ne mesurez-vous pas ma détresse, monseigneur ? Je perds la confiance de Sa Majesté. N'est-ce point le pire tourment pour un grand chef militaire, comme moi, que de voir s'éteindre ses rêves de gloire ? Devant moi, le ciel est bien sombre. Et je ne pourrais chasser les funestes nuages que par un coup d'éclat, si soudain et brillant qu'il me rendrait d'un coup la confiance royale et mes glorieuses ambitions.»

Esprit Fléchier avait levé les bras au ciel, décontenancé.

«Ne tentez rien, mon fils. En état de désespérance, on ne conquiert que des débâcles.»

Avant de se quitter, Fléchier avait béni cet homme, tombé lui aussi dans le guêpier, puis l'avait accompagné jusqu'à la salle de l'hôtel-Dieu.

«N'ayez crainte, un jour vous serez maréchal de France, quels que soient vos exploits, avait-il ajouté en lui tapotant les mains. Je ne connais pas de roi plus généreux que le nôtre...»

Il y avait de l'ironie dans cette prophétie : Esprit Fléchier avait attendu, en vain, le titre de cardinal qu'on lui avait fait miroiter à Versailles.

Au petit matin, Broglio avait fait quérir son capitaine parmi les compagnies de dragons installées dans la caserne de la rue principale d'Anduze. Poul vint jusque dans sa chambre, encombrée de victuailles et de bouteilles. Le gouverneur s'était consolé à sa façon, en mangeant et buvant plus que de coutume. Le capitaine avait trouvé son chef dans l'hébétude, ce qui n'était pas

Les compagnons de Maletaverne

coutumier. D'ordinaire, le gouverneur possédait de l'énergie à revendre, un plan chassant l'autre. Force lui était de constater que sa campagne consistant à infiltrer les Cévennes par troupes dispersées se révélait être un échec cuisant. Il avaient perdu beaucoup d'hommes dans les déplacements incessants exigés par sa stratégie. On ne comptait plus les embuscades désastreuses, les humiliants revers, les opérations ratées. Certes, on pouvait mettre à son actif la capture d'une dizaine de chefs camisards, qui avaient été, ensuite, rompus vifs. A côté, il s'en était dressé le double, encore plus zélés et audacieux, formant des bandes rebelles pour brûler et piller les églises, les couvents, les abbayes, tuer les prêtres, les seigneurs, les bourgeois. A Versailles, on avait jugé que sa stratégie consistant à harceler par petites fractions d'hommes les troupes des religionnaires avait été impuissante à rétablir l'ordre. A ce stade, ce n'était plus une affaire d'hommes, de compagnies, de régiments, mais de chef.

— J'attends vos ordres, dit le capitaine à la porte de la chambre.

Broglio lui fit signe d'avancer.

— Nous allons tout risquer sur un coup d'éclat. Notre honneur, notre gloire, notre grandeur...

Un sourire nerveux s'imprima sur le visage de Poul. Ce géant, qui avait réalisé des prouesses lors des campagnes d'Italie, soupçonna que le gouverneur n'était plus en état de diriger quoi que ce soit. La guerre dans les Cévennes les avait usés l'un et l'autre, avait corrodé leurs rêves de puissance. Et le capitaine, s'il eût été indiscipliné, aurait fini par expliquer sans doute à son chef que ce genre de guerre-là n'était pas son fort, qu'il n'y avait qu'une sorte de combat qu'il savait livrer, celui

Les chemins de Basville

de compagnies et de sections alignées au coude à coude, sur un théâtre d'opérations suffisamment dégagé pour y faire manœuvrer les hommes. Canons contre canons, mitrailles contre mitrailles, sabres contre sabres, c'était la seule tactique qu'il entendait, et dans laquelle il excellait. Une guerre où l'on voyait venir à soi le visage de son ennemi, et non point ces hordes dépenaillées, surgissant comme l'éclair et, aussitôt, se fondant dans une nature hostile. Mais, sur ses opinions, le capitaine Poul garda le silence. On lui avait enseigné à obéir et non à barguigner.

— Comme il vous plaira, monsieur le gouverneur.

Victor de Broglio s'employa à remettre ses cuissardes de cuir en tapant du talon contre le bois de lit. Une poussière blanche les recouvrait. Il en effaça une partie avec le drap. En le voyant s'escrimer, Poul se précipita pour l'aider d'une poigne énergique. Le gouverneur récupéra ses pistolets posés sur un guéridon en renversant, au passage, quelques bouteilles vides. Le capitaine l'aida à enfiler sa vareuse de toile bleu et or ; elle aussi était poudrée et fatiguée. Une misérable déchirure se voyait au côté, de deux mains au moins. Ce détail importait peu au gouverneur militaire. Au contraire, il ajoutait du pathétique à la situation. Avant de quitter la chambre, il en fit la remarque à son capitaine.

— Voyez, Poul, dans quel état je suis... Mon uniforme tombe en lambeaux. Voici un bien vilain présage.

Et, d'un geste décidé, il posa son chapeau emplumé sur sa tête.

— Contre les canailles il nous faudrait, à nous aussi, des habits discrets. Alors qu'avec nos tuniques, on nous voit arriver à trois lieues à la ronde. Savez-vous que j'ai

Les compagnons de Maletaverne

mené quelques opérations en tenue de camisard, c'est-à-dire en braie et chemise... expliqua Poul.

Broglio ne l'écoutait pas. Il ne songeait plus qu'à sa mission, la dernière, sans doute, avant qu'on ne le relève. Le capitaine se tut aussitôt, affecté de se voir traité avec peu de considération. Après tout, j'ai été jusqu'à ce jour un fidèle officier, un soldat consciencieux, songeait-il, amer. Combien de fois ai-je suppléé à des ordres qui tardaient à venir, alors que monsieur le gouverneur militaire coulait des jours paisibles à Sète ?

— Une estafette m'a fait savoir, ce matin même, qu'une bande de camisards traînait du côté de Tornac. Je voudrais pouvoir disposer de deux compagnies de dragons. Et nous allons mettre en pièces ces brigands. Je veux porter un tel coup contre les scélérats que Sa Majesté regrettera sa décision. Revue de détail dans une demi-heure ! ordonna-t-il en poussant son capitaine dans l'escalier.

Les troupes, mises en mouvement dans la précipitation, écumèrent le pays de Tornac, de Saint-Hippolyte-du-Fort, de Sauve, de Sommières, traversant et retraversant le Vidourle sans succès. De village en village, de ferme en ferme, les soldats obtenaient toujours la même réponse craintive des habitants. On ne savait rien. On n'avait rien vu, rien entendu. Rien de rien... Et chaque fois, par crainte des représailles, les femmes et les enfants s'enfuyaient dans les plantations voisines d'oliviers et de vignes. Seuls les hommes trouvaient encore un peu de courage pour répondre à la troupe et abreuver les chevaux.

Ainsi, tout le jour, Poul chevaucha aux côtés de son chef, sans un mot, jusqu'à la montée du soir. A l'heure crépusculaire, le capitaine était plus taciturne qu'à

Les chemins de Basville

l'ordinaire. Cette étrange guerre, où l'on ne voyait pas l'ennemi, ne lui disait rien qui vaille.

Soudain, à Val-de-Bane, l'avant-garde des troupes signala un mouvement d'hommes au mas Gafarel. Aussitôt informé, le gouverneur donna l'ordre d'attaquer, sans autre préparation. Le capitaine Poul marqua un temps d'hésitation.

— Nous sommes en nombre réduit depuis que vous avez ordonné aux fusiliers de se replier sur Saint-Hippolyte, jugea-t-il.

— Sacrebleu, nous n'allons pas reculer devant une bande de gueux ! s'écria Broglio.

— Qui sait combien ils sont ? Il se peut qu'une armée se cache sur la colline dans les oliviers, prête à fondre sur nous. Prudence. Prudence, monsieur le gouverneur ! prévint le capitaine.

— Quoi ? Poul ! Vous avez peur ?

— Commandez et je marche, répliqua le capitaine en dressant son sabre vers le mas Gafarel, dont la silhouette sombre se découpait sur la colline.

Une centaine de cavaliers s'infiltra dans les champs d'oliviers, tandis que Broglio avait décidé de suivre l'affaire de à partir de la route de Bernis, seulement protégée par une poignée d'hommes. A peine la troupe fut-elle engagée qu'on entendit de fortes salves de mousquets et de fusils. Puis des cris, des hurlements, des jurons.

Le gouverneur avait mis pied à terre. Le ciel était assombri à ce moment de la bataille. Mais, sur la colline, on ne voyait plus que les gerbes de feu de la mousqueterie. Et, au bout de quelques minutes, un mouvement sembla s'amorcer vers le mas. C'était de bon augure pour le commandant. Si les camisards se replient sur

Les compagnons de Maletaverne

la ferme, c'est qu'ils se trouvent en difficulté, jugea-t-il. Les fusillades se poursuivirent sur la crête avec une vigueur qui laissait, au contraire, penser que les rebelles étaient plus nombreux que prévu. Inquiet, le gouverneur voulut aller voir de plus près, mais son aide de camp l'en dissuada.

— N'en faites rien, monsieur. Votre personne est trop précieuse pour la risquer ainsi à la mitraille.

Victor de Broglio ne se fit pas prier longtemps. Ce n'était pourtant pas, chez lui, un manque de courage, car il avait prouvé en maintes occasions que la mort ne le rebutait guère. Mais quel désastre si une bande de camisards pouvait s'enorgueillir d'avoir blessé ou tué le gouverneur militaire du Languedoc !

Plusieurs chevaux s'en revinrent, sans cavaliers ; et quelques autres traînant à l'étrivière des soldats écharpés. Les explosions se fixèrent sur la crête de Val-de-Bane. Alors, le gouverneur comprit que l'attaque surprise n'apportait pas les résultats escomptés. Contrevenant aux conseils de son aide de camp, il se remit en selle. Aussitôt, dix dragons, qui étaient restés en réserve, se portèrent à l'avant pour former un bouclier de protection.

Le chemin montait vers le mas, en pente douce. A la lueur de la lune, Broglio décompta une trentaine de cadavres, dragons et rebelles réunis dans le même sang. Ici, au cœur des oliveraies, on s'était battus au corps à corps, sabres contre fourches. Désormais, l'endroit ressemblait à un champ de bataille comme il en avait tellement connu dans sa vie d'officier au service du roi, avec ses morts pêle-mêle, ses blessés poursuivis par le râle de l'agonie, ses chevaux brisés par la mitraille et la peur gravée dans le regard des survivants.

Les chemins de Basville

Le reste de la compagnie, une cinquantaine d'hommes, tout au plus, s'était replié dans l'enceinte du mas Gafarel. Le sergent Lafouette vint annoncer au gouverneur que la bande était défaite et que les derniers rebelles avaient fui vers les bois de chênes verts et de micocouliers. Il désigna les hautes collines voisines.

— Où est Poul ? demanda le commandant.

Le sergent baissait la tête.

— Ils l'ont tué, dit son voisin.

— Conduisez-moi à lui.

— C'est que...

— Quoi ? demanda Broglio.

— Ils lui ont coupé la tête et l'ont emmenée avec eux, ajouta le sergent.

Les dragons passèrent les dernières heures à reconnaître leurs morts et à aligner soldats d'un côté, camisards de l'autre, pour qu'ils ne fussent plus confondus, à même la terre, dans la tragédie qui les avait emportés. Et avant de décider le repli des troupes, le gouverneur ordonna qu'on fît brûler le mas avec les rebelles à l'intérieur.

Gérald de Lavèze fit usage de ses appuis pour participer à la fameuse séance des états du Languedoc, dont on avait voulu l'écarter. Elle avait pour cadre l'hôtel des Trésoriers, rue Jacques-Cœur. S'y trouvaient rassemblés tout ce que le Languedoc comptait de seigneurs et commensaux issus des baronnies, des comtés, des vigueries, des doyennés, ainsi que des diocèses représentés par vingt-deux évêques. On vint y écouter les dernières décisions du roi de France. A Versailles, on avait pris acte de l'échec de Broglio. Une estimation rapide faisait état

Les compagnons de Maletaverne

de cinq mille fanatiques toujours en état de combattre, malgré la guerre qu'on avait menée durant de longs mois. Le bilan était terrible : quarante églises brûlées, deux à trois cents abandonnées et dont le sort était tout aussi incertain, deux cents martyrs, plus de cent lieux du pays sans exercice de culte... Un tel constat n'avait pas manqué d'irriter le roi, pour qui le royaume ne devait souffrir aucun désordre.

Les débats furent dirigés par Nicolas de Lamoignon, seigneur de Basville, gouverneur du Languedoc. Peu d'hommes possédaient, autant que lui, de quartiers de noblesse accrochés à leur blason : marquis de La Mothe, comte de Launay-Courson et de Montrévaux, baron de Bohardi, seigneur de Chavannes, conseiller d'Etat ordinaire, bailli d'épée et gouverneur du comté de Limours. Dans le pays, on l'avait surnommé « roi du Languedoc » et, parmi les huguenots, « tigre », « cruel intendant »... Certains pasteurs n'hésitaient pas à le comparer à Antiochus, l'oppresseur du peuple juif. Cependant, fin et cultivé, monsieur de Lamoignon n'était pas l'ogre qu'on aimait à décrire. C'était un administrateur zélé, attaché à son roi, et pour qui l'affaire des Cévennes n'était qu'une révolte de plus à mater. Il passait l'essentiel de son temps à égrener des sentences terribles contre les agitateurs huguenots et envoyait ceux-ci, sans regret, au bagne, aux galères, à la mort. Lassé, souvent, par sa besogne, il se replongeait enfin, le cœur léger, dans les *Odes* d'Horace et se délectait à rédiger de brillants commentaires qui faisaient autorité chez les humanistes.

Basville n'avait pas toujours été favorable à la répression contre les protestants. En son temps, et à un moment de l'histoire où la question faisait encore débat, il avait critiqué les clauses iniques de la révocation,

Les chemins de Basville

jugeant que l'acte lui-même serait une erreur politique dont l'autorité royale aurait à pâtir un jour. Un acte rétrograde. N'allait-il pas réveiller les querelles sanglantes et les démêlés infâmes d'un temps révolu ? Mais un serviteur du roi ne saurait longtemps s'abandonner à ses états d'âme, fussent-ils l'expression même de la raison suprême. Les longues années passées à gouverner dans le bas Languedoc lui avaient façonné une rude carapace, dans laquelle il s'était enfermé corps et âme. Sans doute eût-il préféré être le dignitaire d'un autre siècle dans ses moments de doute et de colère, lorsqu'il lui arrivait d'exposer ses vues novatrices sur l'avenir de son pays : le projet d'un canal reliant Beaucaire aux étangs d'Aigues-Mortes ou la reconstruction du port de Sète...

L'intendant royal écouta avec patience chacune des requêtes. Partout, on souhaitait l'arrivée de forces policées en nombre, avec à leur tête un grand commandant capable de dominer la situation, de promulguer des sentences spéciales contre les chefs camisards, l'application rigoureuse de l'édit de Fontainebleau dont certains seigneurs paraissaient, en Cévennes, s'accommoder par des contre-mesures laxistes.

Sur le dernier point, Ernis de Salamon insista avec force pour que l'autorité royale fît un mauvais sort à certains nobles, voyant dans leur égarement la raison principale de l'échec des dragonnades. Sous sa longue perruque ondulée qui lui retombait jusque sur les épaules, monsieur de Lamoignon demeura impassible. Il attendait que toute cette bile fût déversée pour conclure la séance avec un discours, dont chaque mot, chaque idée, chaque décision, était mûrement pesé et réfléchi. Jamais il ne prit la liberté d'interrompre l'un des intervenants, comme si la messe était dite et que

Les compagnons de Maletaverne

les résolutions, dont il était le messager et l'exécutant, tomberaient à leur heure, quelles que fussent les opinions des uns et des autres.

Dans cette affaire, Gérald de Lavèze jugea qu'il valait mieux conserver le silence plutôt que se risquer à défendre une application mesurée de l'édit de Fontainebleau, à privilégier le dialogue à l'affrontement. De telles idées eussent détonné dans l'ambiance générale, versée à la bravade et à la guerre. Même les évêques, ceux de Mende, de Nîmes, d'Uzès et d'Alès, formaient de tels vœux, en y mettant un peu d'eau bénite pour accorder leur conscience avec le sang des réprimés.

Puis on se donna une heure de récréation, dans les jardins de l'hôtel Jacques-Cœur, où l'on alla admirer, en pâmoison, les sculptures à la gloire du Roi-Soleil. En ce jour de janvier, la température était clémente depuis que les pluies avaient cessé. Des laquais s'en vinrent faire tinter leur cloche pour rappeler les dignitaires du Languedoc à leurs obligations. Chacun reprit sa place avec solennité. Lamoignon prisait une semblable pompe puisqu'il était lui aussi un monarque en son petit royaume, le digne représentant du roi. Les conseillers royaux ne lui avaient-ils point inspiré les résolutions dont il allait faire état ?

Il fut le dernier à entrer en scène, en chaise à porteurs, puis à se hisser au perchoir. De là il dominait la situation. Avant de commencer son discours, il promena un regard d'homme rusé sur chacun des représentants. On les avait mélangés à dessein, pour qu'aucun ne se crût supérieur à son voisin. En cela, l'assistance ressemblait à la cour de France. Une assemblée de courtisans à la botte du prince.

Le comte de Basville, comme il aimait à se faire nommer parfois, par dérision, expliqua avec force précisions

Les chemins de Basville

la situation dans le Languedoc. Un pays livré au chaos, à la chiennerie, au crime fratricide. Il en brossa, de la sorte, un portrait sans complaisance, farci de terribles exemples, évitant au passage de nommer aucun des chefs fanatiques qui en dirigeaient l'insurrection. N'était-ce point leur faire trop d'honneur ? Puis il en vint à évoquer le courroux de Sa Majesté lorsqu'on lui avait rendu compte des difficultés rencontrées par Philippe V, roi d'Espagne, à se déplacer dans la plaine, de Montpellier à Nîmes, du seul fait des fanatiques. A ce moment, la colère royale avait été décisive. « Comment se peut-il que mon royaume soit à la merci des brigands et des attroupés ? »

Cette navrante anecdote poussa l'assistance à exprimer de fortes réprobations. Nombre de seigneurs croyaient encore que le roi se désintéressait des affaires de la Cévenne, au regard de celles qui l'occupaient tout entier : les guerres en Italie contre les Impériaux, la succession d'Espagne... Et, dans la foulée, l'intendant royal demanda aux dignitaires de lui voter des crédits pour assurer la défense du pays. Les mains se dressèrent, unanimes. Lamoignon reprit son souffle. Il n'en espérait pas moins, malgré les tiédeurs de certains, dont on lui avait dressé la liste. Ceux-ci furent emportés, aussi, dans le mouvement, à voter sans rechigner. Alors, le gouverneur reprit son masque habituel, de hauteur et de marbre, et énuméra, longuement, la liste des charges auxquelles les états du Languedoc devraient faire face.

L'autorité royale s'apprêtait donc à utiliser les grands moyens pour terrasser l'hydre hérétique. Les milices bourgeoises, les régiments de fusiliers et les quelques compagnies de dragons qui s'étaient trouvées engagées n'avaient pas suffi à faire reculer la révolte des cami-

Les compagnons de Maletaverne

sards. Alors, on allait doter la région de forces supérieures en nombre, plus de dix mille hommes, quinze
nouvelles compagnies, dont les dragons du Nouveau-
Languedoc, de Firmaçon, les régiments de La Fare, de
Marcilly, de Tournon. A cette énumération, les dignitaires s'étaient levés de leurs sièges et applaudissaient à
tout rompre. Puis Lamoignon révéla enfin le nom de
celui qui allait commander cette armée. Il s'agissait d'un
grand commandant, plus roué et expérimenté que son
prédécesseur : le maréchal de Montrevel.

DEUXIÈME PARTIE

Le faucon de Fontmort

7

Aurèle remonta vers le désert à bride abattue. Dans un étui de cuir, solidement attaché à son baudrier, il portait le message du marquis de Lavèze destiné à son père. La neige l'accueillit sur les hauteurs de Portes. Il prit un peu de repos dans un relais de poste, non loin de Peyremale. Il se fit servir un remontant, une mauvaise eau-de-vie, histoire de se réchauffer. Mais Aurèle ne s'attarda guère, refusant de répondre aux questions des visiteurs qui s'y trouvaient réunis à cause du mauvais temps. L'endroit pullulait d'espions, d'indicateurs, de coupe-bourses. Son cheval ayant pris le picotin nécessaire, il décida de repartir. Auparavant, Aurèle dégagea de sa sacoche de selle une pelisse qu'il avait pris soin d'emporter, fort heureusement, car le froid était glacial et pénétrant. Et, pire encore, l'humidité ajoutait au désagrément. Mais Aurèle était habitué à vivre au grand air, à cheminer par tous les temps dans des lieux fort inhospitaliers. Rien de tout cela ne l'inquiétait, sinon le risque de tomber, à tout moment, sur une bande de camisards qui l'eût dépouillé de sa monture et exécuté comme un chien. Cela arrivait fréquemment par ces

Les compagnons de Maletaverne

temps de troubles. Aussi tenait-il à portée de main deux pistolets bien armés et prêts à surgir de leur étui.

Vers Chamborigaud, l'horizon était bouché par un épais brouillard au point de n'y voir goutte à plus de dix pas. Le cheval avançait sur les bordures herbeuses, évitant les mauvais pavements. Aurèle somnolait, engourdi par le rythme monotone de la marche. Parfois sa tête piquait un peu vers l'encolure, et chaque fois il se ressaisissait d'un coup de reins énergique.

A l'approche de Génolhac, le cheval s'arrêta net. Le cavalier dut saisir le pommeau de sa selle pour ne pas tomber. S'agissait-il d'un mauvais rêve ? A moins qu'il ne fût entré en enfer sans s'en apercevoir... La jument était venue buter à la croisée d'un chemin. Sur le calvaire, des misérables avaient ligoté un bonhomme. Cela devait faire des lustres qu'on l'avait installé, les bras attachés à la croix de pierre. Le visage était déjà effacé par la décomposition. Sous les chairs noircies, on devinait l'ossature du crâne, ivoirée par endroits, au front et aux tempes, là où la peau était peu épaisse... Les yeux du malheureux et une partie du visage avaient été dévorés par les corbeaux. Le bruit les avait fait fuir dans les chênes voisins. Maintenant que le silence était retombé, les charognards s'en revenaient, les uns après les autres, d'un vol lourd. Aurèle claqua dans ses mains pour leur faire abandonner la partie, mais c'était peine perdue. Les corbeaux avaient faim. Et ce cadavre décomposé était une aubaine, un garde-manger providentiel.

Le jeune comte descendit de son cheval et, avec la pointe de son sabre, dégagea les nippes grises qui recouvraient la dépouille. Un parchemin était épinglé au revers du manteau de baline. Aurèle l'arracha d'un geste sec. « Sieur Madrerie, de Chamborigaud, converti et

Le faucon de Fontmort

traître à la Réforme, exécuté ce jour du 2 janvier 1703 par les compagnons de Jean Cavalier. » De rage, Aurèle chiffonna le document et le jeta dans les genêts. Puis il rajusta son chapeau de cuir après en avoir épousseté la neige qui s'était agglomérée dans les replis. Machinalement, sa main vint effleurer la crosse d'un des pistolets. Il avait fort envie de tirer sur un des charognards qui cernaient le calvaire. Mais, dans cette région, un coup de feu risquait d'attirer l'attention. Et, pour l'heure, mieux valait disparaître dans l'épaisse brume qui stagnait sur le plateau.

En traversant les bois de chênes verts, Aurèle comprit qu'il était tout près d'atteindre Génolhac. Il n'était pas dans ses intentions de s'attarder dans la cité. C'était une perte de temps, car il voulait atteindre La Sourde avant la nuit. Prenant un raccourci pour remonter, à flanc de montagne, vers le belvédère des Bouzèdes, il entra dans une cour de ferme. A sa vue, des enfants s'éparpillèrent comme des moineaux pour aller se réfugier dans la bergerie. Un vieil homme en sortit, armé d'une fourche. Il portait un feutre écru dont les bords évasés lui cachaient la moitié du visage.

— Qui v'là ?

Aurèle sauta de sa monture, qu'il fit avancer à la bride jusqu'au clédal qui enfermait la cour du mas. Il ouvrit le portail à claire-voie. Le bonhomme s'avança, menaçant.

— Oh là ! s'écria le petit comte. Je viens en paix.

Aurèle s'approcha prudemment. Et quand il fut à la hauteur du vieil homme, il vit la peur sur le visage de celui-ci. Le jeune cavalier risqua un sourire pour amadouer son voisin. Mais le berger avait vécu trop de misère et de malheur pour sourire à son tour.

— T'es des leurs, toi aussi ?

Les compagnons de Maletaverne

Le comte Aurèle ne répondit pas. Il n'était d'aucune faction. Et la guerre qui sévissait dans les Cévennes n'éveillait en lui que répulsion et écœurement.

— De qui parles-tu ?

— De Jouany et de ses fous.

— Je suis Aurèle de Jassueix de La Sourde.

Le berger se recula et releva la fourche.

— J'suis un bon catholique, moi. Les histoires de parpaillots, c'est pas mon affaire.

— Que crains-tu ?

Le paysan lui fit signe d'approcher de sa bergerie. Derrière une petite fenêtre ouverte à tous vents, il distingua la lueur d'une lampe à huile. Puis un visage de femme qui scrutait la scène.

— Ils ont enrôlé mon fils, ces salauds. Pour leur sale armée de huguenots. Tous des parjures et des tueurs de curés, maugréa le bonhomme. Quel déshonneur, mon Dieu. Y finira sur le rouet, comme tous ces chiens. Et ce s'ra la honte pour nous, pauv' gens. Mon Pierre n'a rien d'mandé à personne. Un bon p'tit. Un bon p'tit, répétait-il en se lamentant.

Le berger avait un chagrin sec. La peau tannée de son visage, crevassée et burinée par les rigueurs de la vie au grand air sur ces montagnes arides, n'exsudait plus une seule larme. Elle était un buvard absorbant les pleurs. De la paume de la main, il se frottait les yeux, comme s'il avait mal dans cette chair qui ne pouvait plus rendre aucune souffrance.

— Qui est Jouany ? demanda Aurèle.

— Quoi ? s'étonna le berger en relevant la tête. Tu n'connais pas l'Jouany ? Alors t'es pas d'ici, toi... Cette canaille a une réputation qui a dépassé l'doyenné de Sénéchas.

178

Le faucon de Fontmort

Le petit comte distingua nettement ses grands yeux bleus. C'était la seule vie qui émergeait dans sa figure.

— Tu vas m'instruire de cela ?

— L'Jouany a pris la ville...

— Quelle ville ?

— Génolhac, pardi. Et il a pendu tous les catholiques aux portes de leurs maisons, et les bourgeois et les marchands qui n'ont pas eu le temps de partir... Les fusiliers de la caserne ont été tués aussi. Ce diable de *camiso* a fait ça avec un bon millier d'hommes. Et depuis, c'est lui qui fait la loi dans la cité, avec son acolyte Sircey et une autre bande qu'on a surnommée, dans le pays, les compagnons de Maletaverne. Ce s'rait un certain Julien Valleraugue qui serait à sa tête.

— Julien Valleraugue... répéta Aurèle. Lui, j'en ai entendu parler. Ses hommes ont tué le vicaire général Pelletan.

— Voilà ! confirma le berger en hochant la tête. Et depuis, on vit dans la peur. On vit dans la douleur. Et personne n'peut rien pour nous. On est laissés à la merci d'ces gens, alors qu'j'ai toujours payé mon dû à l'église, au collecteur.

Le petit comte de Jassueix sortit sa bourse et versa dix sols dans les mains tendues du vieil homme.

— Oh ! mon bon seigneur, que m'vaut ?

— Pour paiement de tes indications. Elles me sont précieuses, bien au-delà de ce que tu peux imaginer.

Aurèle parvint à La Sourde au milieu de la nuit. En franchissant le Tarnon, il avait évité de justesse une armée de religionnaires qui montaient vers Florac en chantant des cantiques.

Les compagnons de Maletaverne

— Ce ne sont pas nos ennemis, répliqua le comte Thibaut.

— Comment, père, peux-tu dire une chose pareille ? Partout, on tue, on massacre. Ce sont des fous de Dieu.

— Mais, mon garçon, les fous de Dieu, comme tu dis, sont des deux côtés. Il se trouve des fanatiques de tous les bords. Et nous, pauvres humains, nous voici au milieu de la mêlée, incapables de discerner le bon du mauvais. On voudrait apaiser les esprits, mais la guerre fait rage. Et nul ne veut entendre la vraie parole de Dieu, celle qui ordonne aux chrétiens de ne point juger, de ne point tuer. On ne fait que cela, juger et tuer au nom de Dieu. Les catholiques et les protestants sont unis par la même souffrance, alors qu'ils sont pétris de la même chair et que le même sang coule dans leurs veines. Qui en a fait des ennemis irréconciliables, sinon le roi de France, pour je ne sais quel dessein ?

L'atmosphère au sein du château était sinistre. Le comte avait exigé qu'on éteignît toute lumière, comme pour mieux se fondre dans le paysage hivernal. Les gardes et les archers étaient disséminés à tous les étages, logeant dans les alcôves afin de mieux protéger les résidants. Nombre de villageois des environs avaient demandé la protection de leur prince. Et monsieur de Jassueix la leur avait accordée, comme l'exigeait sa charge. Dans les communs, femmes et enfants étaient entassés sur des grabats, priant pour que Dieu leur vienne en aide. Il y avait là, dans cette petite cour des miracles, des catholiques et des protestants, à qui leur maître avait conseillé de faire taire leurs divergences. C'était la condition de son hospitalité, qu'on se haussât par-dessus les haines et les peurs.

Thibaut de Jassueix allait d'une pièce à l'autre en portant un chandelier. Il dormait peu, vérifiant à toute

180

Le faucon de Fontmort

heure que ses hommes étaient en alerte, car il craignait le pire depuis qu'Ernis de Salamon avait juré sa perte, sa descente aux enfers.

Aurèle le suivit jusqu'à son cabinet, où dormait Aaron, étendu sur une bergère. Au bruit, le jeune homme rejeta vivement la couverture de fourrure sous laquelle il s'était pelotonné. Et après les effusions des retrouvailles, le comte Thibaut invita ses fils à partager avec lui un peu d'eau-de-vie qu'il tenait cachée derrière les livres de sa bibliothèque, à cause de la comtesse qui faisait la chasse à toutes ces mauvaises habitudes.

— Comme se porte ta belle ? demanda Aaron en se frottant les yeux.

Thibaut avait retrouvé, devant ses fils, la moue goguenarde qui lui était habituelle. Pour quelques minutes, il échappait à la tragédie qui faisait de lui un loup en cage. Il se sentait prisonnier dans ses propres murs, s'interdisant par devoir envers les siens de bouger le petit doigt. Sans la comtesse et Aaron, il eût déjà pris le maquis avec une poignée de ses gardes, les plus dévoués à sa personne, ceux qui dormaient en travers de sa porte, la main sur le pistolet.

— Oui, relança le comte, nous aimerions avoir des nouvelles de la petite marquise.

Aurèle se sentait coupable d'évoquer son bonheur après avoir vu tant de misère sur son chemin. C'était une bien vilaine époque pour vivre une telle histoire d'amour. Il hocha la tête.

— Elle a belle figure. Et, à ce que je puis en juger, ses sentiments sont solides comme le roc. Pour un peu, elle m'aurait accompagné. Mais j'ai refusé de mettre sa vie en péril. A Louradour, je la sais en sûreté. Et c'est un apaisement qui me met du baume au cœur.

Les compagnons de Maletaverne

— Enfin un garçon heureux ! s'écria le comte en versant une nouvelle rasade de gnôle.

Ils choquèrent leurs verres et burent en silence, dans la pâle lueur du chandelier que Thibaut avait posé sur un guéridon. Les flammes vacillaient dans le courant d'air. Au-dehors, on entendait le vent chanter. Il gelait dur depuis quatre jours. Et, dès que la température venait à chuter, la neige tombait de plus belle.

C'est alors qu'Aurèle se décida à tendre l'étui de cuir à son père. Un cachet de cire verte en obturait l'embout. Le comte tira sa dague de son étui et passa la lame effilée sous la flamme pour ôter le sceau qui portait les armes des Lavèze.

— C'est une lettre du marquis, précisa le jeune homme. Il me l'a confiée pour vous. Je ne sais ce qu'elle contient, mais il m'a recommandé de vous la remettre en main propre.

Le comte Thibaut approcha le parchemin de son candélabre. Par discrétion, ses fils s'éloignèrent vers la bergère, dans un réduit où la lumière ne parvenait pas.

Cher comte, mon ami des jours sombres,

Je connais par ouï-dire les menaces qui pèsent sur vous et j'en suis bien affecté. J'ai peur et je souffre à l'idée que ces fous viennent à lever la main sur votre personne. Mais la crainte et l'angoisse, tout aussi naturelles qu'elles fussent, ne vous sont d'aucun secours. Et une appréhension n'a jamais évité le pire.

Monsieur de Salamon, qui est un fort méchant homme, vindicatif et haineux, a décidé votre perte. Dans une situation ordinaire, ces sentiments n'eussent inspiré qu'un grand mépris. Mais, en l'état présent de notre Cévenne, il faut vous

Le faucon de Fontmort

en alarmer, car il trouvera sans nul doute auprès de Sa Majesté, tôt ou tard, une oreille compatissante. On vous juge trop partisan des huguenots. J'ai deviné que l'accusation est une vilenie, alors que votre nature vous porte à considérer l'affaire de nos guerres sous l'angle de la pure et belle humanité. Vous aimez vos gens, comme j'aime les miens. Vous êtes animé par un pur sentiment de justice, même s'il faut parfois, pour en atteindre l'idéal, user de la force et de la coercition. Pour l'heure, l'injustice gagne nos montagnes, où l'on se tue et se martyrise sans raison. Vous et moi, hélas, n'y pouvons rien. Et nos discours, dans le palais épiscopal de Mende, n'ont été d'aucune utilité. Au contraire, nous y avons éveillé, contre nous, une opposition encore plus féroce qu'elle ne l'était auparavant.

Je ne saurais trop vous conseiller, mon ami, de quitter au plus vite vos terres, avec votre famille, de gagner en toute hâte le pays de Vaud où les partisans du roi de France n'ont aucune autorité. Après votre départ, je saurai éviter, sans doute, que la main royale ne vînt à détruire votre domaine, à disperser vos biens, à quereller vos alliés. Sinon, sachez que j'aurais tenté quand même l'impossible...

La route de l'exil vous sera longue et douloureuse. Mais n'oubliez point que je serai par l'esprit à vos côtés, à prier pour la réussite de votre entreprise. Je possède en cette contrée des amis sûrs qui viendront vous secourir une fois la frontière traversée. Vous vous avancerez jusqu'à Neuchâtel et, une fois parvenu à la Porte dorée, à l'enseigne de la taverne du Ver Luisant, vous demanderez Fulcran Reynolds. Ce sera votre protecteur. Je lui adresse à ce moment une dépêche secrète pour que notre homme prenne ses dispositions à votre égard...

Que Dieu vous garde, mon ami.

Le marquis de Lavèze.

Les compagnons de Maletaverne

Thibaut amena la lettre aussitôt parcourue sur la flamme du chandelier et la porta, embrasée, jusqu'à la cheminée où il la jeta parmi les cendres froides. Puis le comte demanda à ses fils de se rapprocher de lui.

— Mes chers enfants, nous allons être obligés de nous séparer dès la pointe du jour, fit-il en se raclant la gorge. Nous chargerons un coche tiré par six chevaux et, avec votre mère, vous prendrez la route pour la Suisse. Vous franchirez la frontière, après Genève, et vous vous rendrez à Neuchâtel. On vous y attendra pour préparer votre exil. Six gardes et deux cochers vous accompagneront dans le voyage.

Aaron se dressa sur son siège avec vigueur.

— Père, nous en sommes réduits à cette extrémité ? Comment en sommes-nous arrivés là ? Croyez-vous que nos gens accepteront de bonne grâce cette destitution ? On ne peut ainsi effacer le sang de notre famille, après tant de siècles passés au service du royaume. Ce serait une infamie.

— Je le crains. Les gens d'armes royaux ne vont point tarder à venir frapper à notre porte. Monsieur de Salamon pourra être fier de son ouvrage. Peut-être un jour lui ferai-je payer sa traîtrise. Mais, pour l'heure, le droit est de son côté. Et nul ne sait aujourd'hui, mes pauvres enfants, quand le vent viendra à tourner.

Aurèle était resté impassible. Il fixait son père avec insistance. Seule une petite larme brillait dans son regard.

— Et vous, mon père, que comptez-vous faire ?

— Moi ?

Le comte parut embarrassé. D'une main, il éloigna le chandelier, dont la lumière désormais l'incommodait. Ce n'était pas dans sa nature, les démonstrations affectives.

Le faucon de Fontmort

— J'entends vous mettre en sûreté au plus vite. Surtout votre mère, qui n'entend rien à toutes ces histoires de catholiques et de protestants. Vous lui serez d'un grand secours. Et vous essaierez d'atténuer, autant que possible, sa peine. Car je crains, hélas, qu'elle ne vive fort mal cette réclusion dans un pays qui n'est pas le nôtre et où nous ne possédons, pour l'instant, aucun ami...

Thibaut de Jassueix traînait sur les mots, comme s'il était essoufflé. Visiblement, l'émotion lui nouait la gorge. Peut-être était-ce plus de la colère rentrée que de la peine.

Aurèle se tenait debout en face de lui, une main glissée sous la courroie de son baudrier. Le cheveu en bataille, encore ruisselant de neige fondue, il n'entendait pas se laisser ainsi dicter sa conduite. Si l'obéissance au père était un des fondements de son éducation, la situation lui inspirait, visiblement, une autre voie. Comment se résoudre à vivre loin d'Isabeau, de son bel et grand amour, durant des années peut-être ?

— Et vous, mon père, répéta-t-il d'une voix ferme, que comptez-vous faire ? Vous n'avez pas répondu à ma question.

Thibaut de Jassueix se leva à son tour et alla s'appuyer contre la commode où il entassait ses livres de comptes. C'était un de ses endroits favoris, où il se tenait lors de ses rêvasseries. En face de lui, la fenêtre sur les montagnes blanchies par la neige. Les vastes espaces étaient tout son domaine, où le temps semblait arrêté. Et jadis, lorsqu'il avait été adoubé par son père pour régir le comté, il s'était juré de ne jamais l'abandonner ni le trahir. Un prince meurt sur son trône, droit et altier, quelle que soit l'adversité. Tel est le sens suprême de l'honneur, songeait-il en caressant des yeux les crêtes enneigées qui se dessinaient devant lui, dans la nuit immense et froide.

Les compagnons de Maletaverne

— Moi ? s'étonna-t-il. Mon choix est fait. Je reste.

— Vous restez ? Vous nous abandonnez ? s'écria Aaron.

— Non, je vous sauve, pour que notre lignée s'en revienne, un jour, reprendre son dû.

— Un jour ! s'éleva Aurèle. Quelle folie ! Peut-être jamais...

— Allons ! fit Thibaut d'une voix apaisée. Ce roi vieillissant qui prépare notre disgrâce, tout régnant et souverain qu'il soit, devra répondre lui aussi devant son juge...

— Quel juge ?

— Dieu.

— Vous n'y croyez pas, père. Je le sais, dit Aurèle en martelant du poing le bois sombre du bureau.

— La mort est la raison suprême. Ainsi qu'une tempête qui s'efface, le silence retombera sur nos terres. Et la justice triomphera de nouveau. Telle est l'histoire des hommes, par-delà la vanité des vanités... Celle des rois et des gueux.

Au matin, le comte conduisit Armandine et sa camériste dans le coche que les serviteurs avaient préparé. Des malles étaient entassées à l'arrière, ligotées par des lanières de cuir. La comtesse avait tenu à ce que sa garde-robe pût la suivre dans l'aventure. C'était une des conditions du départ. Alors, Thibaut avait cédé de bonne grâce, bien que le caprice pût paraître dérisoire au vu des événements. Mais sans doute la comtesse ne se rendait-elle pas compte de la gravité de la situation. Ainsi croyait-elle quitter le château de La Sourde seulement pour quelques mois. Aurèle et Aaron avaient préféré suivre l'attelage avec leurs montures. Cela leur donnait, semblait-il, plus d'aisance et de liberté que de s'installer dans le coche, parmi les coussins et les chaudes couvertures.

Le faucon de Fontmort

D'un geste d'autorité, le comte fit signe aux cochers de prendre le départ, afin de raccourcir les effusions inutiles. Ensuite, il remonta dans son cabinet de travail d'un pas décidé. Il avait fort à faire. Mettre en lieu sûr ses trésors personnels : des livres précieux, des tableaux de maître, des bijoux, des actes notariés, des titres seigneuriaux, des mémoires et relations de ses illustres ancêtres, des livres de raison, des livres de comptes, tout ce dont il aurait besoin, un jour, pour recouvrer sa gloire et son honneur de seigneur de Jassueix, descendant d'un officier de la garde d'Henri IV, diplomate et grand conseiller d'Etat ; il ne doutait plus, désormais, que son roi vînt à effacer sa lignée des quartiers de noblesse. Le comte de Jassueix possédait une cache sûre, sur les hauteurs de Saint-André-de-Lancize, dans un ancien mas qui avait appartenu aux hospitaliers, au lieu-dit Fournel. Il lui suffirait d'y conduire les précieuses archives, avec l'aide de deux ou trois de ses gardes, et de les emmurer en cet endroit, laissant à la végétation le soin de parfaire l'ouvrage.

A peine dix lieues avaient été parcourues vers Pont-Saint-Esprit, où devait s'établir la première halte pour changer les chevaux, lorsque Aurèle fit signe à son frère de le rejoindre à l'arrière du convoi. Les deux garçons laissèrent le coche prendre un peu d'avance. Ce qu'ils avaient à se dire ne souffrait aucune indiscrétion.

— Mon frère, je vais devoir te quitter, dit Aurèle.

Il tenait la tête basse, le bord de son grand chapeau cachant le désarroi dans son regard. Aaron vint placer sa monture en travers du chemin, pour l'obliger à s'arrêter. Il ne pouvait se résoudre à caracoler auprès de lui comme si de rien n'était.

Les compagnons de Maletaverne

— Quelle mouche t'a piqué ? Aurais-tu oublié la promesse faite à notre père ?

— Au contraire, releva Aurèle. Il y aurait de la lâcheté dans ma fuite. Je le laisserais, seul, assumer son destin. Après tout, il y va de l'avenir de notre lignée, et cette charge ne doit point incomber à lui seul. Je veux partager son fardeau.

Aaron fit tourner son cheval dans le sens de la marche. Sur la route gelée, le bruit des sabots résonnait avec fracas. Et, en allant fort en avant, en s'arrêtant et en repartant, ils communiquaient tous deux de la nervosité à leur monture.

— J'ai pesé les avantages et les inconvénients. Et ma décision est prise, ajouta Aurèle en talonnant son cheval.

Désormais, il lui importait de quitter le convoi avant que celui-ci n'atteigne le Rhône. Mais, pour ce faire, il n'attendait plus que le consentement de son frère. Et cet accord tardait à venir. Aurèle avait longtemps balancé entre son désir de fuir subrepticement, comme un voleur, et la nécessité d'une honnête conversation. A la fin de sa réflexion, il avait opté pour la seconde solution, celle que lui imposait la raison, subodorant sans doute qu'il finirait par emporter l'adhésion de son frère à ce choix difficile.

— Je crois comprendre ta décision, dit enfin Aaron. Tu ne veux pas t'éloigner d'Isabeau. Voilà la véritable raison. Mais elle doit s'effacer devant l'autorité de notre père. Ce serait faire preuve d'égoïsme et diviser ainsi ce qui a toujours fait notre force, l'union sacrée autour de notre nom.

Ils se jetèrent ensemble aux pieds de leur cheval.

— Grand Dieu, je te jure que non. Pourtant j'aime Isabeau. Mais je la sais en sûreté. Et cela me suffit. Il y a un temps pour tout, pour la guerre et pour l'amour. Et ce moment présent est celui de la guerre, hélas. Elle seule m'occupe l'esprit, alors que je désirerais tant pou-

Le faucon de Fontmort

voir aimer. Voici devant moi, béant, un paradis perdu. Et j'en souffre mille morts. Mais bien plus que l'amour, bien plus que la passion, je veux être aux côtés de notre père pour défendre notre sang.

— Notre père n'a pas besoin de toi. Il se défendra fort bien seul, et d'autant mieux qu'il nous saura en Suisse, libres et affranchis des charges qui pèsent sur nos têtes. Je l'imagine fort bien prenant les bois à la tête de ses fidèles gardes, allant et venant comme un roi déchu sur ses terres qu'il connaît comme sa poche. Il n'est point né, l'homme qui aura raison de son courage et de sa vaillance.

Aurèle avait tiré du fourreau son sabre et frappait les bancs de fougères qui bordaient le chemin.

— Le roi lui-même, ses ministres et ses soldats ont juré notre perte, continua Aaron. Qui peut espérer longtemps braver une telle force ? Oh, mon frère, que de naïves espérances ! Il ne sera plus pour nous un seul chemin sûr, une seule amitié, un seul refuge. Tout sera ligué contre nous, avec l'assurance du bon droit. L'anathème est jeté et la terre tremble sous nos pas, jusqu'à ce que nous soyons jetés au précipice. Et nos alliés d'hier viendront cracher sur nos dépouilles en vouant nos âmes aux gémonies...

Le jeune comte frappait et frappait les fougères, les ramures basses des chênaies, les ronces, les genêts, comme si la terre entière était réduite à l'adversité.

— ... Tu veux en découdre à ses côtés, âme belliqueuse. Tu veux ajouter ton sabre au sien. Pourtant, il ne t'a rien demandé, sinon d'aller vers des contrées paisibles ?

Aurèle replongea son sabre au fourreau, rasséréné enfin. Puis il vint prendre son frère par les épaules et approcha son visage du sien, front contre front, comme

Les compagnons de Maletaverne

ils faisaient autrefois, du temps de leur petite enfance, pour se consoler l'un l'autre.

— Je ne pourrai me résoudre à vivre loin de lui, murmura-t-il, le sachant prisonnier, blessé ou martyrisé. Ou pire encore. Non. Toute mon âme s'y refuse.

— Que pensera notre mère lorsque j'irai lui apprendre que tu nous as abandonnés ?

— Tu combleras au centuple mon absence. Tu lui seras d'une bien plus grande consolation que je n'aurais pu l'être moi-même... Après tout, n'es-tu pas l'enfant élu de son cœur, celui par lequel elle jure sa préférence. Et crois-moi, Aaron, je n'en ai jamais pris ombrage... Tant il est vrai, aussi, que j'occupe une semblable place dans le cœur de notre père...

— Et je n'en prends point ombrage non plus ! rétorqua Aaron en éclatant de rire. Cela s'explique par la différence de nos caractères.

Aurèle poussa un soupir en sentant que son frère fléchissait dans sa détermination. Enfin il acceptait l'issue d'une séparation, sans barguigner plus que nécessaire.

— A cet instant, il me semble que nos vies se brisent, dit Aaron. Et comme cette page est lourde à tourner, car j'ai grande nostalgie du temps heureux où nous allions chasser le sanglier dans les gorges du Tarnon ! Te reverrai-je jamais, mon frère ? Toi, si impétueux, et moi, si raisonné, trop peut-être, pourquoi faut-il que la destinée nous sépare ? Le ciel est cruel. A moins qu'il ne veuille nous mettre à l'épreuve. Que faut-il en penser ? Je prierai, chaque jour, pour que nous nous retrouvions sur cette terre qui nous a vus grandir. A l'instant de nous séparer, j'ai le cœur qui saigne. L'exil me sera dur à vivre sans toi, sans ce visage tant aimé, sans cette hardiesse qui me faisait craindre pour ta vie chaque fois

Le faucon de Fontmort

que tu te précipitais, dague en avant, sur une de nos proies pour lui porter le coup de grâce.

La main d'Aurèle, jetant à terre le chapeau de son frère, se mit à frictionner vivement la chevelure bouclée. C'était aussi un geste familier de leur enfance. Et ils communiaient, de la sorte, en petits gestes insignifiants qui avaient marqué leurs jeux, dans les pleurs et dans les rires.

— Je veux être aux côtés de notre père aux heures tragiques qui s'annoncent, conclut Aurèle. Tel est mon choix et tel est mon destin. Et quand la paix sera revenue sur nos terres, alors tu reconduiras notre blason sur les tours de La Sourde et tu rétabliras l'autorité dans notre comté. Tel sera ton destin. Peut-être ne serons-nous, père et moi, plus de ce monde... Mais qu'importe, l'essentiel n'est-il pas que notre nom survive sur ce territoire que nos ancêtres ont anobli par leur bravoure et leur vaillance ?

Les deux frères s'étreignirent, dans le vent glacé qui faisait tourbillonner les feuilles mortes autour d'eux. Ils firent encore quelques pas, côte à côte, sans parler. Ils s'embrassèrent, et leurs mains tardaient à se détacher. Aurèle siffla son cheval et remonta en selle.

Un vigoureux coup d'éperon étouffa son chagrin. Aurèle de Jassueix redescendit, à bride abattue, vers les gorges profondes de l'Ardèche. Il ne ressentait plus rien, ni angoisse ni peur, sinon le sentiment de réaliser enfin ce que lui dictait sa conscience d'homme libre.

A la tête de ses hommes, Thibaut était monté d'un trait jusqu'au Fournel pour y cacher ses précieuses archives. L'opération n'avait pas demandé plus d'une journée.

Les compagnons de Maletaverne

Cinq malles de cuir avaient été entreposées dans une cave voûtée, à l'entrée si étroite qu'on ne pouvait s'y croiser. Puis le comte de Jassueix avait fait maçonner l'issue avec des lauzes.

En redescendant vers Saint-André-de-Lancize, son attention fut attirée par une colonne de fumée. Elle s'élevait vers le ciel, épaisse et droite. Le comte chercha dans sa sacoche de selle la lunette de longue-vue dont il ne se séparait jamais. D'ordinaire, elle lui servait à épier les faucons qui occupaient les hauteurs de Fontmort. Le comte Thibaut était fasciné par ces grands oiseaux, qui accompagnaient les allées et venues des troupeaux. Un temps, même, il avait été attiré par la fauconnerie. Mais cette chasse exigeait de tels trésors de patience et d'application qu'il avait abandonné son projet, rendant la liberté à son faucon antenaire qu'un maître fauconnier avait dressé à grands frais. Souvent, en errant vers Fontmort, il lui arrivait de retrouver son rapace, facilement reconnaissable à l'aiglure qui marquait son plumage de taches rousses et striées. Et, chaque fois, il éprouvait une fierté singulière tant il se sentait proche, de cœur et d'âme, de cet oiseau étrange et secret qui avait hanté ses rêves et poursuivait ses chasses en solitaire sur les hauteurs des Cévennes.

Thibaut orienta sa lunette vers le village. Et il distingua nettement, tellement l'air était pur et glacé, une ferme qui était la proie des flammes. Alentour, on s'agitait comme dans une fourmilière. Sur la route en lacet, le comte Thibaut repéra une compagnie de fusiliers, reconnaissables à leur uniforme rouge et bleu. Certains occupaient le chemin, en petits groupes inactifs, d'autres encerclaient la ferme. Et tout laissait à penser que les religionnaires avaient préféré mourir brûlés dans l'incendie plutôt que se rendre. Peut-être ne leur avait-

Le faucon de Fontmort

on pas laissé le choix ? Le comte de Jassueix posa la longue-vue à côté de lui, sur un rocher qui surplombait la vallée. Puis, écartant la neige qui recouvrait la pierre, il prit son assise pour réfléchir.

— Magnien ? fit-il à un de ses gardes. La soldatesque occupe Saint-André. On y tue et brûle nos gens.

Le sergent inclina la tête. Il portait de fières bacchantes sur des joues rosies par le froid. C'était un des fidèles du comte, d'autant plus fidèle qu'il appartenait à une famille de protestants et qu'il savait gré à son maître de tant d'esprit de tolérance.

— Ça vient à nous petit à petit, monsieur le Comte. Comme le ver dans la charogne. Tant qu'on ne nous aura point curé jusqu'à l'os, ça continuera.

Le comte Thibaut grimaça de la comparaison. Ce n'était pas dans ses vues qu'on considérât son comté comme une chair putride. Cela signifiait-il alors qu'il n'y avait plus rien à faire, sinon rendre les armes ?

— Je ne souhaite pas tomber sur ces gens ! fit-il. Et vous non plus, je suppose ?

Ses hommes se regardèrent avec des mines défaites.

— On ne fera pas de différence. On nous tirera comme des lapins.

— J'ai bien compris, ajouta le sergent Magnien. Vous n'avez pas besoin de m'expliquer la chose.

— Le mieux pour nous est de contourner Saint-André par le col des Abeilles. Nous nous cacherons dans ce désert de neige, comme des marmottes.

— Et après ? questionna le sergent.

Les gardes fixaient le comte, suspendus à ses lèvres. Ils venaient de comprendre combien leur situation était précaire, eux qui avaient été de brillants sujets de La Sourde, de fiers et zélés serviteurs, craints et obéis par

Les compagnons de Maletaverne

tout le comté où régnait, désormais, une armée hostile. On ne pouvait rencontrer situation plus absurde que celle-ci, qui voulait que par la grâce d'une ordonnance, ils fussent réduits à l'état de proscrits et de réprouvés.

Le comte Thibaut sentit le désarroi chez ses hommes. Et il les fit, aussitôt, se rapprocher de lui. Autour du rocher où il s'était juché comme sur un trône de fortune, immense et ridicule, ses gardes ne formaient plus qu'un petit cercle, une douzaine tout au plus. C'était tout ce dont il disposait, désormais, à son service. A sa manière, et sans le désirer le moins du monde, il avait rejoint les Valleraugue et les Cavalier, les chefs camisards contre lesquels il s'était refusé à lever les armes afin d'éviter la guerre civile.

— Mes compagnons, je vous dois la vérité. Le roi a lancé un arrêt contre moi... Après ma chute, Ernis de Salamon régnera sur mon comté.

Les hommes gardaient le visage silencieux et fermé, incliné vers le sol. Thibaut fut impressionné par ce silence, seulement troublé par le vent qui régnait sur les hauteurs, alors qu'il s'attendait à de vives réactions. Dans la seconde, il pensa que ses hommes allaient lui demander leur congé. Après tout, il ne pouvait raisonnablement leur en vouloir puisque, déjà, il se considérait comme déchargé de ses titres nobiliaires.

— Je suis disposé à vous rendre votre liberté, dit-il d'une voix blessée.

Les gardes fixaient le sergent. C'était de lui qu'ils attendaient une réponse. A la vérité, Magnien hésitait à s'engager pour ses hommes. Mais les regards silencieux, tout emplis d'une colère rentrée, l'éclairèrent suffisamment pour qu'il se crût autorisé à répondre.

Le faucon de Fontmort

— Comte Thibaut, nous resterons avec vous jusqu'au bout. Parce que vous avez toujours été juste et bon avec nous, dit-il, la gorge nouée.

Le comte de Jassueix se dressa en s'époussetant les fesses.

— Nous allons rentrer à La Sourde. Et là, j'aviserai.

— Au château, mon maître ? s'inquiéta l'un des hommes. Mais autant se rendre maintenant. On viendra vous y prendre comme un renard dans sa tanière.

— N'ayez pas peur. Il ne vous arrivera rien.

— Nous ne craignons pas la mort, s'éleva Magnien.

— Cette affaire me concerne, seul. Mais, pour l'heure, il ne faut pas qu'on nous prenne sur ces hauteurs. En mon château, cela m'est indifférent, ajouta Thibaut.

Quand il fut assuré de leur fidélité, le comte donna l'accolade à chacun de ses hommes. Ceux-ci eurent le plus grand mal à dissimuler les larmes qui embuaient leur regard. Ils avaient compris que le dénouement était proche, et que le retour à La Sourde serait une ultime parade d'honneur. Le comte n'était pas un adepte des effusions sentimentales. Et, comme pour le départ de sa femme, il trancha la question en se remettant en selle, vivement.

Le col des Abeilles était fort enneigé en cette saison, au point qu'on ne parvenait plus à reconnaître le sentier qui suivait la crête. Les chevaux avançaient, lentement, dans la neige fraîche qui était tombée durant une bonne partie de la nuit. De surcroît, le vent avait accumulé, en certains endroits, de dangereuses congères. Le sergent Magnien préconisa d'éviter le col, par les forêts de pins. L'avancée n'y était guère aisée non plus, car le flanc de la montagne était abrupt et glissant. Les cavaliers s'épuisaient à tenir leurs montures en serrant la botte, veillant

Les compagnons de Maletaverne

à ce qu'elles ne dévalent pas dans des défilés dangereux. Magnien ouvrait la marche avec mille précautions, taillant au sabre les ramures basses des pins sylvestres comme il eût fait à la tête d'un peloton de hussards. Ainsi faisait-il choir les paquets de neige accumulés sur les branches afin de faciliter la marche de ses hommes. Le comte tempêtait de cet inégal combat contre les éléments. Et il lui tardait d'atteindre enfin le plateau, où la neige serait moins abondante.

A la montée du soir, le groupe n'avait pas encore atteint les rives du Tarnon, bien que, sur le plateau de Fontmort, il se fût hâté, tirant de son équipage tout ce qu'il avait dans le ventre. Et, fourbus, les hommes se résignèrent à bivouaquer dans un des lieux les plus hostiles et sauvages des Cévennes, là même où les bandes de camisards se réfugiaient pour échapper à leurs poursuivants, sachant qu'en cet endroit de désolation et d'aridité le soldat le mieux constitué ne pourrait séjourner sans risquer la soif, la faim et la désespérance. Heureusement, les gardes avaient fait provision de gibier, à l'arbalète là où un coup de fusil eût attiré l'attention. Et ils choisirent le creux d'une combe pour allumer un feu et y faire cuire la pitance embrochée sur leurs sabres. Les chevaux étaient à bout, eux aussi. Le sergent Magnien ordonna la distribution du dernier sac d'avoine. Sous le vent glacial et piquant, les gardes s'assoupirent près du foyer. L'une des sentinelles, à tour de rôle, l'alimentait avec du bois mort.

Le comte s'était retiré à l'écart, enveloppé dans son manteau de fourrure, le dos calé contre un rocher. Il pensait à ses fils qu'il ne reverrait peut-être plus jamais, à sa chère Armandine qui avait feint, au moment du départ, de ne pas comprendre la gravité de la situation.

Le faucon de Fontmort

Et, se dit-il, à la pointe du jour je serai plus seul que jamais, après avoir donné congé à mes fidèles gardes et remis à chacun une bourse pleine...

Seul comme un dieu nu, Thibaut s'en retourna à son domaine par d'incroyables détours. En quittant ses derniers compagnons, il avait juste emporté un pistolet, un peu de poudre et de plomb pour assurer sa défense et tirer le petit gibier qui se présenterait sur sa route. C'est dire qu'il s'apprêtait à s'en remettre au bon vouloir du destin.

Trois jours plus tard, sous une pluie d'enfer, le comte de Jassueix franchit enfin le portail de son château. Du pommeau de l'épée, il repoussa la lourde porte sur sa clenche, sans prendre soin de tirer les verrous. Il amena son cheval dans l'écurie, lui prépara une litière, garnit son râtelier. Puis il entreprit de lui bouchonner le cuir, énergiquement, avec de l'eau-de-vie.

— Mon pauvre Mustapha, murmura Thibaut en l'étrillant, tu es tout ce qu'il me reste. Et je crois aussi que nous allons devoir nous séparer.

Le cheval remuait les oreilles. Il avait l'habitude de ce que son maître vînt à lui parler avec un ton affectueux dont il n'usait pas avec les humains. Son bai brun était un animal courageux, une fière monture, sans la nervosité caractérielle qui sied à cette race. Il avait affronté maints sangliers sans que Mustapha lui fît jamais défaut, comme si le cheval et le cavalier, partageant peur et risque, se communiquaient leur force et leur courage par d'étranges canaux sensoriels. Avant Mustapha, il avait connu pareille monture sur un champ de bataille. L'odeur âcre de la poudre brûlée surexcitait l'animal, qui courait à la charge avec un entrain suicidaire. Le

Les compagnons de Maletaverne

jeune officier de hussard que Thibaut était alors devait
réfréner ses galops endiablés. Un matin, devant Stras-
bourg, l'élan du cheval fut coupé, à jamais, par un boulet de canon. Et Thibaut dut l'achever lui-même, en lui
tirant un coup de pistolet dans la tête.

— N'aie crainte, mon bon Mustapha, le prévint-il. Je
ne te laisserai pas entre leurs mains. Je te rendrai la
liberté. Plutôt te tuer que te voir tomber entre les mains
de ces barbares.

Tout en parlant à voix haute, le comte lui caressait
les naseaux, effleurant des doigts ses grands yeux noirs
injectés de sang, par où s'exprimait la beauté de sa race.
Avant de quitter les écuries, le comte vérifia qu'elles
étaient verrouillées de l'intérieur. Et il monta à son
appartement par l'escalier étroit des domestiques, un
falot à la main. Thibaut avait besoin de prendre du
repos. Les longues journées d'errance dans les montagnes, dans le froid et la neige, l'avaient épuisé. Il aimait
l'atmosphère feutrée de son cabinet de travail, l'odeur
des livres et des parchemins, celle de l'encre et de la
poudre de buis qui servait à la sécher. Ici, se dit-il, je
passerai mes dernières heures de liberté. Et après, à
Dieu vat !

En allumant une à une les chandelles, Thibaut découvrit, atterré, que son domaine avait été visité. Les
rideaux des fenêtres avaient été ôtés, piétinés, déchirés,
les fauteuils retournés et éventrés à coups d'épée ou de
dague, les tiroirs de son bureau versés sur les tapis, dans
le désordre. Ces canailles seraient-elles déjà venues pour
me chercher ? songea-t-il en entassant les objets dans
un coin de la pièce. En visitant la pièce voisine, sa bibliothèque, il trouva le même désordre. Des mains barbares
avaient vidé les rayonnages. Et tous les livres étaient, de

Le faucon de Fontmort

la sorte, répandus alentour. On avait mis, dans ce chambardement, beaucoup de rage impuissante. Aux murs, les seules toiles qu'il avait omis de mettre en sûreté, représentant des paysages paisibles, étaient lacérées d'une croix. Ainsi avait-on voulu signer le forfait. En ramassant l'un des ouvrages, relié plein cuir, il distingua, sur la page de garde, la trace d'une semelle fort bien calquée par la boue qui s'y était déposée comme sur un buvard. On ne pouvait espérer meilleure signature que celle-ci ; c'était l'empreinte d'une botte d'officier des dragons, fine et racée. « Ils sont venus me signifier mon arrêt et ne m'ont point trouvé », dit-il à haute voix. C'était sa manière de tromper la solitude que de parler ainsi, comme si quelqu'un pouvait l'entendre. Le froid, la nuit, l'humidité, la faim, tout concourait à ce que ses dernières heures fussent les plus tristes qu'il lui avait été donné de vivre. Mais cela avait peu d'importance au regard de ses gens. Les villages qu'il avait traversés cet après-midi même étaient déserts. Les habitants avaient fui les hordes guerrières qui chassaient le huguenot comme on traque le gibier, en meute. Et les croisées de chemins, les fontaines, les lavoirs, les fours banaux portaient les traces des exactions. C'était un religionnaire pendu, une vieille femme égorgée, un enfant décapité. Ailleurs, la même et atroce réplique : de malheureux convertis brûlés dans leur église, une femme égorgée portant l'image de la Sainte Vierge épinglée sur sa poitrine, un enfant étouffé à la chaîne d'un encensoir...

Thibaut se servit une grande rasade d'eau-de-vie et s'enroula dans son manteau. Il s'endormit aussitôt et traversa la nuit d'un seul trait. Sans rêve ni cauchemar. Une nuit comme il n'en avait pas connu depuis long-

Les compagnons de Maletaverne

temps. En se réveillant, il songea que cela devait être ainsi, l'état de la mort : un sommeil sans histoire. Thibaut avait trop vu mourir, autour de lui, des hommes et des bêtes, pour croire à l'au-delà. Mais la question lui était devenue tellement personnelle qu'il n'osait en parler à qui que ce fût. Armandine était trop croyante pour qu'il s'en entretînt avec elle. La comtesse était animée d'une foi si ingénue qu'elle confinait à l'imagerie. Elle croyait que les âmes, après la mort, erraient par-delà les nuages, dans la blancheur d'un jour éternel. Le paradis était un grand jardin à la française avec ses allées bien tenues, ses fontaines jaillissantes, ses arbres gorgés de fruits sucrés et de fleurs odorantes. Et, là, on retrouverait toutes les personnes qu'on avait connues, sur la terre, pour poursuivre de futiles conversations.

Thibaut de Jassueix se rendit aux cabinets d'aisances et fit un brin de toilette. L'eau glacée finit de le réveiller et chassa ses états d'âme. Il avait une faim de loup. Il descendit à la cave et y dénicha un jambon qui séchait au courant d'air. A la dague, il se tailla trois tranches épaisses et, tout en mangeant, alla faire quelques pas dans son parc. Les traces fraîches dans la neige révélaient qu'une cinquantaine d'hommes avaient investi son domaine. A cheval, à pied, on avait manœuvré au pied du château, examiné les moindres recoins. Et, lorsque les portes avaient opposé de la résistance, des bras énergiques en étaient venus à bout, à coups de bélier et de hache. Ainsi, la salle des gardes, les cuisines, les souilles et les caves avaient été visitées, sans grand pillage. Seul son appartement avait subi la colère des dragons. Malgré tout, Thibaut se félicita que son château n'eût point été brûlé, comme ce fut le cas chez Saint-Ambrois. Lui aussi, il avait amené sa famille à

Le faucon de Fontmort

l'exil et s'était enfui de France lorsqu'il n'y avait eu rien d'autre à faire. Pourquoi ne ferais-je point la même chose ? s'interrogea le comte. Si mon château doit être brûlé, il le sera quand même. Mais il n'est pire lâcheté que la fuite, se dit-il. Elle pourrait être prise pour un aveu. Et quel aveu ? Comme si, à quelque moment, j'avais soutenu et aidé la Réforme, alors qu'il n'en est rien. Je n'ai fait que protéger mes gens, tous mes gens, comme un bon pasteur à la tête de son troupeau doit le guider, le conduire sur le droit chemin, le sermonner si nécessaire...

Le comte retourna dans son cabinet pour y mettre un peu d'ordre. Mais il se laissa vite gagner par la mélancolie et ne put résister au désir d'écrire à la comtesse. Il lui fit donc une longue lettre, pleine de langueur et de passion, des sentiments qu'il avait peu maniés durant ses années de bonheur tranquille et que l'éloignement ravivait. L'ouvrage terminé, Thibaut fut pris, soudain, d'un fou rire à l'idée qu'il ne possédait plus le moindre serviteur pour la porter aux messageries. L'habitude de jouir, à portée de voix, d'une domesticité avait créé en lui une confortable accoutumance à l'accomplissement de ses moindres désirs.

Au milieu de l'après-midi, un peloton de dragons envahit sa demeure. De sa fenêtre, le comte put observer les grandes manœuvres. Les soldats vinrent se poster autour du château, en petit nombre. Un bruit de pas s'accéléra au rez-de-chaussée, dans l'escalier. Et, enfin, il vit paraître devant lui l'artisan de son infortune : Ernis de Salamon. Celui-ci tenait un pistolet à la main, mais n'osa pas l'élever vers son captif. Derrière lui surgit le lieutenant Francart, l'homme qui avait dirigé la prise de Maletaverne quelques mois plus tôt.

Les compagnons de Maletaverne

— Je vous attendais, messieurs ! s'écria Thibaut de Jassueix.

Le lieutenant vit que le comte était sans arme et fit signe à Salamon de rengainer la sienne. Mais ce dernier s'y refusa, craignant, sans doute, quelque réaction désespérée.

— Monsieur de Salamon souhaiterait fort que je me rebelle. Ainsi pourrait-il justifier son coup de grâce... ajouta le comte en direction du lieutenant, confus.

Le baron se mit à blêmir.

— Vous me faites un vilain procès d'intention.

— Venant d'un vilain homme, cela ne surprendrait personne.

— Monsieur le lieutenant des dragons, je vous prie d'arrêter ce relaps sur-le-champ ! ordonna Ernis d'une voix forte pour couper court à toute discussion.

Il tenait son arme vers le sol, plaquée contre sa cuisse. Une écharpe de soie blanche était nouée à son col, sur son justaucorps noir. Le fidèle Gargousier était juste derrière lui, un mousqueton en travers du poitrail. Il avança vers le comte, mais le lieutenant l'arrêta d'un geste énergique.

— Cela est mon affaire, dit-il.

— En effet, admit le comte Thibaut, je m'en remets au lieutenant et à nul autre.

Francart déroula le parchemin sur lequel était contresigné l'arrêt du roi. Puis il le lut d'une voix hésitante. L'ordre venait de Daguesseau lui-même, c'est-à-dire des officines royales. Dans l'instant, le comte imagina que son ennemi avait dû déployer des trésors de perfidie pour parvenir à ses fins. L'arrêt était peu explicite. On y reprochait au comte de Jassueix d'avoir entretenu l'hérésie sur ses terres et de s'être rendu coupable en protégeant les criminels de Maletaverne. C'eût été peine perdue que d'opposer des

202

Le faucon de Fontmort

arguments. L'état de guerre qui régnait dans les Cévennes rendait la perspective d'un juste procès fort aléatoire.

— Je dois vous conduire à la tour de Constance, ajouta le lieutenant Francart.

— Ainsi, répliqua le comte, monsieur de Salamon pourra se rendre maître de mes terres, de mes gens et de mon château sans coup férir.

— En effet. Vos pairs vous ont déchu. Mais cela ne vous fera guère de peine, puisque vous aviez déjà renoncé à exercer vos privilèges, rétorqua Salamon.

Durant ces événements, le comte avait conservé son chapeau sur la tête, fièrement. Une telle insolence courrouçait le baron. Et il vint à faire voltiger le couvre-chef avec la pointe de son sabre.

— Un relaps doit se décoiffer devant son seigneur ! fit-il, sarcastique.

— Un jour peut-être, releva Thibaut, je vous le ferai ôter à mon tour.

Ernis de Salamon riait, en chœur avec son grand Gargousier. Seul le lieutenant se tenait coi. Il était intimidé par la prestance de ce seigneur déchu. Les événements terribles qui se déroulaient dans les Cévennes lui inspiraient crainte et défiance. Il avait vu tomber plus grand que le baron : Poul décapité comme un chien, et le gouverneur de Broglio remercié comme le dernier des domestiques...

— Je crains que vous ne perdiez non seulement votre chapeau, mais votre tête aussi, menaça le baron.

— Mes fils se souviendront de vous, misérable !

— Ah ! je vois que vous les avez mis en sécurité, nota le baron. Ils sont relaps, eux aussi. L'ignoriez-vous ?

— Je ne vois point leurs noms cités dans l'arrêt royal.

Les compagnons de Maletaverne

— Cela est indifférent. La guerre ouvre des droits et des actes qui ne sont point toujours consignés, mon cher relaps, persifla Salamon.

Le comte Thibaut fit alors signe au lieutenant de le conduire dans sa voiture. Il passa au pas de charge devant le baron, sans le regarder. Au moment de s'engouffrer dans le cabriolet, le comte eut un moment d'hésitation.

— M'accorderiez-vous une dernière faveur ? demanda-t-il à Francart.

— Laquelle, monsieur ?

— Celle de me rendre aux écuries.

— Pour quoi faire, grand Dieu ?

Le comte Thibaut ne répondit pas. Alors Francart fit appeler le sergent Lafouette et deux autres soldats.

— Accompagnez le comte de Jassueix aux écuries, ordonna-t-il.

— Je ne suis plus comte, monsieur le lieutenant des dragons, ricana Thibaut. N'avez-vous pas entendu ? Relaps, simple relaps.

Francart inclina la tête et lui fit signe d'aller. Le lieutenant n'avait guère prisé la scène du chapeau et la manière, sans doute, dont on traitait certains seigneurs dans les Cévennes. Ces luttes fratricides ne faisaient, à ses yeux, qu'ajouter au désordre et à la débâcle.

Thibaut fit ouvrir les écuries et s'approcha de son cheval qui était couché sur sa litière de bruyère. Il siffla entre ses dents et Mustapha se dressa aussitôt sur ses pattes.

— Donnez-moi votre pistolet, dit-il au sergent.

Le dragon le regarda, atterré.

— Quoi ? Vous n'allez pas le...

— Je ne veux pas qu'il tombe entre les mains d'un mauvais maître.

Le faucon de Fontmort

Lafouette tendit son arme, à contrecœur. Le comte vint coller son front contre celui de son cheval.

— J'aurais tellement voulu que ça finisse autrement entre nous, mon pauvre Mustapha, murmura-t-il.

Le comte sentait mollir ses forces. Le pistolet pendait au bout de sa main. Il appréhendait l'instant où il lui faudrait l'élever à hauteur de son cheval et tirer, sans réfléchir, ainsi qu'on se brûle la cervelle, dans une froide et absurde détermination.

— Attendez, monsieur ! s'exclama le sergent.

Le coup partit dans une gerbe d'étincelles contre le pavé. Mustapha se cabra de toute sa hauteur. Et les soldats se reculèrent, apeurés, tandis que le comte Thibaut s'était affaissé sur les genoux. L'un des soldats voulut calmer l'animal, mais celui-ci se dressa, les sabots martelant le vide. Seul Thibaut parvint à le calmer et il l'amena jusqu'à la porte des écuries. Soudain, il lui décocha une vive claque sur la croupe.

— Allez, Mustapha ! hurla-t-il de rage. Sauve-toi, vite !

L'animal traversa le parc au trot, devant les soldats médusés. Son maître courut derrière lui, jusqu'à hauteur du cabriolet où le lieutenant patientait, au milieu de ses hommes. Le comte Thibaut éclata de rire en voyant son cheval dévaler, à vive allure, les champs, et disparaître enfin dans la forêt de châtaigniers.

8

Avant de prendre le commandement des armées du Languedoc, Nicolas-Auguste de La Baume, marquis de Montrevel, s'était offert un voyage d'agrément. Le roi venait de le faire maréchal de France. En même temps, Sa Majesté lui confiait l'insigne honneur de réduire la révolte des camisards. Evidemment, il s'était fait fort de parvenir à ses fins en quelques mois, avec douze mille hommes, et de réussir d'une manière éclatante là où son prédécesseur avait échoué lamentablement.

Pour ajouter à sa mission un peu de divertissement, il avait fait armer une tartane, et de Paris — où il avait pris ses ordres — il avait remonté la Seine jusqu'à Montereau, puis l'Yonne jusqu'à Auxerre. Ensuite, il était redescendu par la Saône et le Rhône. Son voyage fluvial s'était interrompu à Pont-Saint-Esprit où l'attendaient ses régiments de dragons, sur l'esplanade dominant les nouvelles forteresses de Vauban. En ces lieux, le maréchal passa ses troupes en revue, perché sur un cheval blanc caparaçonné de rouge et d'or, et s'étonna de ne pas trouver les compagnies de miquelets qu'on lui avait promises. Sa colère s'amenuisa lorsque son aide de camp, le sergent Julien, vint lui

Le faucon de Fontmort

annoncer que celles-ci attendaient à Nîmes depuis une semaine.

Après avoir réuni ses officiers et dicté ses ordres, le maréchal de Montrevel se retira dans la maison royale mise à sa disposition pour la nuit. Des fenêtres de la demeure Renaissance, on jouissait d'une belle vue sur le Rhône, dans l'enfilade des avant-becs fortifiés du pont contre lesquels venaient se briser les eaux tumultueuses du fleuve. Il s'y fit servir un grand repas, fort assaisonné comme il les aimait et accompagné de vin d'ermitage. L'aide de camp fut invité à partager son dîner, selon son bon plaisir. Les deux hommes échangèrent quelques vues sur Versailles, brocardèrent quelques conseillers du roi, tels Ponchartrain, Torcy, Beauvillier, passèrent en revue les qualités et défauts des chefs militaires : le vieux marquis de Chamlay, l'infatigable Vauban, le médiocre Catinat et le présomptueux Villars... Dans la conversation, et le vin aidant, il s'était établi une connivence entre les deux militaires. Pourtant, eu égard à son titre, Montrevel eût dû éprouver pour son aide de camp de la condescendance. Mais tel n'était pas le cas. Avant de quitter Paris, le brigadier Julien avait hérité du titre de maréchal de camp. Huguenot de naissance, et petit-fils de pasteur, Julien avait commencé sa carrière dans l'armée de Guillaume d'Orange. Repenti, Sa Majesté le fit chevalier de Saint Louis dix ans plus tard, au grand dam des courtisans, car cet insigne honneur ne pouvait s'obtenir qu'après vingt ans de service, au moins. Montrevel ne pouvait que s'enorgueillir de posséder à ses côtés un tel arriviste, tant il était vrai qu'on ne pouvait dénicher meilleur pourfendeur de huguenots que chez les repentis.

Les compagnons de Maletaverne

Quelques jours plus tard, le 15 février 1703 exactement, le maréchal de Montrevel, dans son uniforme d'apparat, fit une entrée triomphale à Nîmes. La foule se pressait sur son passage, poussant des vivats et des hourras tels qu'on en réservait aux généraux romains le lendemain des victoires. Certes, de telles acclamations étaient un peu précoces. Le nouveau gouverneur militaire du Languedoc n'avait rien fait pour mériter des lauriers. Mais ces marques le touchaient au cœur, lui qui, la veille encore, était un parfait inconnu.

On avait jeté son dévolu sur cet homme par un excès émotionnel dont les peuples, parfois, s'emparent sans rime ni raison. Il y avait là, tout le long des rues où défilaient les régiments de Montrevel, des bourgeois et des petites gens mélangés, tous ceux qui avaient éprouvé une sainte peur des fanatiques. De partout, on disait que le maréchal allait remettre le pays en ordre, châtier les hérétiques, libérer les Cévennes et la Vaunage. L'échec de monsieur de Broglio avait été ressenti comme un abaissement de l'autorité royale, une humiliation de l'église tout entière. La foule n'attendait plus que cela, l'arrivée d'un chef paré de toutes les vertus de hardiesse, de roublardise et de savoir-faire. On avait trop longtemps subi des revers. Après tout, l'armée des camisards, qu'était-ce au juste ? Deux mille hommes, tout au plus. Et on ne comprenait pas qu'un si petit nombre pût tenir tête à l'armée la plus puissante du monde...

A la porte de la Couronne, le char dans lequel Montrevel était installé s'immobilisa devant les consuls de Nîmes. Il attendit que ses écuyers eussent déroulé le marchepied pour se résoudre, enfin, à descendre. Un cordon de dragons et de fusiliers tenait la foule à distance, coude contre coude. Dans leur robe écarlate et

Le faucon de Fontmort

coiffés d'un chaperon, les consuls s'inclinèrent devant le maréchal. Ce dernier passa devant eux sans s'attarder. Puis il se dirigea vers les petites rues qui conduisaient à la cathédrale. Les écuyers suivaient le gouverneur en tenant sa monture à la bride. Les applaudissements et hourras reprirent de plus belle. Il y avait foule sur le pas de porte des maisons, aux balcons et sur les murets des jardins. Les façades des maisons nobles pavoisaient l'emblème fleurdelisé des rois de France. Par quelques moulinets de chapeau, le maréchal montra qu'il était sensible aux honneurs. A la vérité, il n'avait jamais douté de sa gloire. Il arborait une belle figure de militaire, et les gazetiers et chroniqueurs du pays avaient abondamment glosé sur le nouveau héros. On avait rappelé à qui voulait l'entendre que Montrevel s'était distingué au siège de Lille et au passage du Rhin.

Sa démarche était aussi imposante et maniérée que pouvait l'être celle de Louis XIV, qu'il imitait effrontément. Du reste, il avait orné son austère tenue de maréchal de France de quelques colifichets, rubans et babioles afin d'être tout à fait dans le ton de Versailles. Pour ce faire, Montrevel n'avait point eu à forcer le trait parce qu'il n'aimait rien de plus au monde que le clinquant, le chatoyant, la magnificence et l'exubérance. En l'apercevant, certains nobles à l'esprit caustique se demandaient s'il avait porté, sous les boulets ennemis, un tel accoutrement...

Les consuls suivaient, d'un pas mesuré, le maréchal, la tête inclinée et le regard marqué par une certaine gravité. Une telle démonstration n'était pas de leur goût, alors que la guerre civile faisait rage aux portes de la ville et qu'il ne se passait pas une semaine sans qu'on en vînt à supplicier et rompre vif des rebelles. Ceux-ci

Les compagnons de Maletaverne

montaient à la roue la mine fière et frondeuse. Et de telles postures héroïques ne manquaient pas d'éblouir nombre de convertis.

Sur le parvis de la cathédrale, les seigneurs du Languedoc formaient une haie d'honneur pour accueillir le nouveau gouverneur dont on leur avait tellement vanté les mérites. Les marquises et comtesses se pressaient aux premiers rangs pour voir la figure du héros. Elles s'amusaient de sa tenue, devisaient de sa belle figure, imposante, mais fort marquée, tout de même, par l'âge. Montrevel avait usé et abusé de poudre de riz, pour blanchir sa peau et effacer quelques rides profondes. Ses joues épaissies étaient vermillon à souhait, histoire de leur donner le brin d'éclat qui leur manquait à l'état naturel. Là encore, il fit quelques moulinets avec son large chapeau à plumes, comme il l'avait fait avec la populace, à croire que les seigneurs du Languedoc ne valaient, à ses yeux, guère plus que la canaille. Du moins était-ce ainsi qu'il jugeait la situation autour de lui. Dans l'entourage du roi, avant de prendre ses ordres, il ne s'était point privé d'apporter un jugement sévère sur l'impuissance des milices bourgeoises. « Autant de seigneurs et aussi peu d'autorité, quelle honte ! s'était-il écrié. Au point qu'il nous faut distraire, désormais, une grande armée pour une si petite affaire... »

Monseigneur Fléchier, évêque de Nîmes, apparut enfin. Aussitôt, le maréchal s'agenouilla devant lui, puis baisa son anneau. Le mouvement fut prompt, car le gouverneur n'aimait point s'attarder dans la génuflexion. Il était peu religieux. Ses mœurs en témoignaient ; la galanterie, le jeu, les dettes lui avaient taillé une réputation sulfureuse, dont il aimait penser que quelques hauts faits d'armes suffiraient à la blanchir.

Le faucon de Fontmort

Puis le maréchal s'avança, seul, dans l'allée de la cathédrale, jusqu'à un prie-Dieu qu'on avait installé devant le maître-autel. Il s'abandonna à une prière, tandis que les seigneurs du Languedoc et les notables de Nîmes entraient à leur tour dans la cathédrale. Ils y possédaient leurs loges, leurs stalles, leurs chaises. Le mouvement s'opéra selon un ballet bien réglé, dans un impressionnant silence. L'évêque Fléchier s'installa lui aussi sur sa chaise curule, juchée sur une estrade recouverte de pourpre et d'or. L'abbé de Beaujeu fut chargé d'une messe qu'il administra au pas de charge, tant l'invité commençait à s'impatienter sur son prie-Dieu.

La cérémonie terminée, Montrevel se fit conduire dans le palais épiscopal. Les appartements d'Esprit Fléchier étaient si vastes qu'ils occupaient la moitié de la rue de la Poissonnerie. Fort bien meublées et tendues de tapisseries, les pièces s'enchaînaient les unes aux autres, seulement séparées par de petites alcôves ou de minuscules antichambres. Monseigneur Fléchier y avait amassé nombre d'objets de valeur, tableaux de maître, sculptures, bronzes... Sans compter les collections rares de sa bibliothèque.

En traversant les salons, Montrevel jugea qu'il ne trouverait lieu plus confortable dans tout Nîmes. Et il demanda à l'évêque l'autorisation de s'y installer. Requête de pure forme, en vérité. Le maréchal de France venait de faire son choix et ce n'était pas un évêque de province, fût-il Esprit Fléchier, qui pourrait l'en dissuader. Il s'adjugea l'angle du palais, un bel appartement de six pièces qui donnait à la fois sur la rue de la Poissonnerie et la place aux Herbes. L'évêque s'inclina de bonne grâce. Et, avant de se retirer, Fléchier demanda au maréchal comment il comptait s'y prendre pour éteindre la rébellion.

Les compagnons de Maletaverne

— Eteindre, reprit Montrevel, c'est le mot qui convient à merveille. Oui, vous pouvez compter sur moi, je vais éteindre ce feu de paille au plus vite.

L'évêque de Nîmes le fixait avec un regard pétillant de malice. Ce présomptueux peut-il ignorer que d'autres s'y sont cassé le nez avant lui ? Et de belle façon ! songeait-il. Posséderait-il des qualités supérieures, par hasard ? Je le vois tel qu'en lui-même, porteur de toutes les vanités propres aux courtisans qui veulent éblouir leur roi.

— Je prierai pour la réussite de votre entreprise, dit Fléchier en joignant les mains.

Cette pieuse attention l'autorisa à incliner la tête vers le sol. Et le maréchal, qui l'examinait avec attention, sentit un peu de dérision dans le propos. Pourquoi Dieu consentirait-il à protéger un sacrificateur de chrétiens ? Il haussa les épaules et se détourna vers la fenêtre.

— Dieu n'est pas avec nous.

— Dieu ou le roi, n'est-ce point la même chose ?

— Vous êtes trop clairvoyant, monseigneur, pour ignorer que Sa Majesté s'entête à faire massacrer les protestants afin de conserver les bonnes grâces de madame de Maintenon... Cette grenouille de bénitier conseille bien mal notre roi. Alors qu'il fut mécréant en son temps, je veux dire du temps où il collectionnait les maîtresses, le voici, désormais, saisi par la peur des enfers.

Fléchier releva la tête, courroucé.

— La question est trop grave pour que vous l'évoquiez, monsieur, avec autant de légèreté. Combattre le huguenot est œuvre pie.

— En vérité, monseigneur, je ne sais où est la bonne cause. Celle des catholiques ou celle des protestants... Et laquelle Dieu exauce par-devers nous, pauvres misérables.

212

Le faucon de Fontmort

— Comment pourriez-vous en douter ? Et si tel est le cas, mon fils, je crains que vous ne soyez dans cette guerre d'aucune utilité.

— Oh, détrompez-vous, monseigneur, la guerre est mon affaire. Et pour tuer un homme, il ne suffit pas qu'il soit proscrit. Simplement mon ennemi. L'affaire est simple. Les protestants sont les ennemis du roi, alors je massacre les protestants. Et si, par mégarde, l'opinion de Sa Majesté venait à varier, alors je tuerais de même les bons catholiques.

— Prenez-vous, néanmoins, plaisir à cette besogne ? interrogea l'évêque, qui paraissait décontenancé par la vision simplette de Montrevel.

Le maréchal se donna un instant de réflexion, comme s'il n'avait jamais eu à se poser la question dans sa vie.

— Je crois que non, avoua-t-il.

— Vous n'êtes donc point comme mes curés qui s'en vont renifler l'odeur des chairs brûlées au pied des bûchers. Comme cela est intéressant... Car je ne puis admettre que les serviteurs de Dieu se repaissent de ce spectacle.

— Pourtant, monseigneur, vos homélies contre les religionnaires font autant de victimes que le sabre de mes dragons.

— Certes, il nous faut éteindre le mal. Mais sans passion. Et nous garder de la vengeance, qui est un péché mortel. Jour et nuit, et tel est mon tourment, je demande à Dieu qu'il pardonne à mes curés vengeurs. Il y a en eux plus d'ignorance que de méchanceté.

Montrevel montra alors, par quelques mouvements d'impatience, qu'il désirait prendre un peu de repos, tandis que Fléchier avait besoin d'évoquer avec l'envoyé du roi les doutes qui l'assaillaient. Mais l'officier n'était

Les compagnons de Maletaverne

pas disposé pour la casuistique. L'ambition, l'appétence pour les honneurs, la gloire suffisaient à le combler de certitude.

Le maréchal raccompagna l'évêque jusqu'à la porte de l'appartement, puis s'agenouilla pour baiser l'anneau, comme il l'avait fait devant la cathédrale. Ce mouvement de piété soumise fit à l'évêque l'effet d'une brûlure. Et, aussitôt, Fléchier retira sa main gantée.

— Que Dieu nous vienne en aide ! murmura-t-il avant de s'effacer.

Aurèle de Jassueix parvint à La Sourde le lendemain de l'arrestation de son père. Dans le froid et la désolation, il découvrit le château dévasté, pillé, les portes et les fenêtres éventrées. En parcourant les allées du parc, en observant les traces dans la neige, il ne fut pas long à comprendre qu'un bataillon de fusiliers ou de dragons, ou peut-être les deux, était venu assiéger le domaine et y avait causé de grands dégâts. Cette découverte laissa le jeune comte perplexe. Après tout, se dit-il pour se rassurer, les traces de pillage ne signifient pas qu'ils ont arrêté mon père. Souvent les soldats se vengent de la sorte, ravageant et saccageant par dépit tout ce qui se présente à eux.

Aurèle avait une grande admiration pour son père. Il le savait habile et courageux, mais surtout rusé. Et le jeune homme ne pouvait croire qu'il était tombé stupidement entre les mains de ses ennemis. Sans doute avait-il vu les soldats approcher et réussi à prendre la fuite. Instinctivement, il se mit à ausculter les montagnes alentour, en pivotant sur lui-même, avec une attention soutenue, aussi loin que pouvait porter son regard,

214

Le faucon de Fontmort

comme s'il sentait, par on ne sait quel prodige, la présence de son père quelque part dans quelque austère défilé ou dans une des caches creusées à même les à-pics sombres. A moins qu'il ne se soit réfugié chez un de nos paysans, subodora Aurèle. Le comte Thibaut connaissait quelques sujets fidèles et dévoués, des gens à qui il avait rendu des services inestimables, devenus à jamais des affidés prêts à se sacrifier pour sa personne

Quand il eut fait le tour du château, examiné les moindres recoins, inspecté les empreintes fraîches dans la neige, Aurèle pénétra dans les cuisines et les salles des gardes. Tout y était en désordre, comme si la demeure avait été abandonnée à la hâte et livrée à ses ennemis, sans défense. Dans l'écurie, il trouva un pistolet et les marques d'un coup de feu sur le pavage. En approchant le nez de la pierre, il y flaira l'odeur âcre de la poudre brûlée. Le comte Aurèle ramassa l'arme et l'examina attentivement. Sur le pontet, un numéro était gravé, ainsi qu'un écusson de la compagnie de dragons de Firmaçon. L'angoisse s'empara d'Aurèle. Pourquoi avait-on tiré un coup de feu dans les écuries ? N'était-ce pas, précisément, à l'instant où son père avait tenté de s'enfuir ? Il glissa l'arme sous son baudrier et monta à l'étage.

Le cabinet de travail était dans un désordre indescriptible, tout comme la bibliothèque. Et, à la vue de ces nouveaux pillages, sa peur redoubla. Se pourrait-il, grand Dieu, que j'arrive trop tard ? Comment ai-je pu être assez stupide pour obéir à ses ordres, alors que j'aurais dû rester à ses côtés pour lui prêter main-forte ?

— Oh, misère ! s'écria-t-il dans un mouvement de désespoir, le front collé à une tapisserie en lambeaux. S'il lui est arrivé malheur, jamais je ne me le pardonne-

Les compagnons de Maletaverne

rai. Comment un fils peut-il s'éloigner de son père au moment où l'orage fond sur lui ? On ne peut trouver plus grande lâcheté ! Lui qui, si souvent, m'a sauvé la vie devant la charge d'un sanglier... Et, cette fois, je n'ai pas su prendre la pleine mesure du péril qui le guettait.

Aurèle se remémora les derniers instants de leur séparation. Thibaut avait fait un geste de la main, un petit geste, et il avait tourné les talons aussitôt pour ne plus voir le coche qui s'éloignait. A cette seconde, pensa Aurèle, notre père a su qu'il ne nous reverrait plus jamais dans ce monde...

L'appartement de la comtesse avait échappé aux saccages. On n'avait pas jugé utile de le visiter, les militaires sachant sans doute qu'elle avait quitté les lieux avec armes et bagages. Aurèle récupéra un petit camée qu'elle avait oublié dans un de ses tiroirs de commode et le porta contre son cœur.

— Je vous jure, mère, murmura-t-il les yeux clos, que je ferai tout pour sauver notre père. Et qu'importe si je dois perdre la vie dans cette noble mission, qu'importe si je ne dois plus vous revoir...

A l'instant où Aurèle de Jassueix s'apprêtait à quitter La Sourde, son attention fut attirée par le galop d'un cheval. Aussitôt, il soupçonna quelque traquenard. Après tout, l'officier chargé d'arrêter le comte avait fort bien pu laisser un espion à proximité du château pour lui signaler les moindres mouvements. Le jeune homme s'empara aussitôt de son pistolet et tendit le chien sur l'amorce. Ainsi était-il prêt à faire feu, décidé à ne pas se laisser prendre vif, quoi qu'il advînt. Par l'entrebâillement d'une chatière, dans la salle des gardes, il aperçut le cheval de son père.

Le faucon de Fontmort

— Oh, Mustapha ! s'écria-t-il en sortant dans le parc. Calme ! Calme !

Le cheval dressa les oreilles et s'approcha de son petit maître, rassuré par le timbre familier de sa voix.

— Oh, mon beau Mustapha... Tu leur as échappé, toi !

Aurèle lui flatta le garrot pour l'apaiser, car l'animal paraissait fort excité d'avoir galopé jour et nuit, abandonné à lui-même. En le voyant ainsi, délivré de ses harnachements, il comprit que son père avait libéré son cheval à dessein, pour que les militaires ne s'en emparent pas. Désormais, il ne faisait aucun doute pour lui que le comte Thibaut était aux mains de ses ennemis, pieds et poings liés. Et nul ne savait ce qu'ils en feraient. Un captif dans une de ces forteresses où l'on enfermait les proscrits à vie ? A moins qu'ils n'en fissent une cible au bord d'un chemin ou dans une cour de casernement...

Aurèle erra deux jours durant, de village en village, cherchant des renseignements sur le mouvement des troupes. Mais, chaque fois, on fuyait devant lui. La terreur s'était emparée des villageois. On ne dénombrait plus les bourgades cévenoles en feu : Saint-Jean-des-Anels, Mons, Salingre, Bégude-d'Auzon, Saint-Privat-des-Vieux, Alson, Chamborigaud... En ce dernier lieu, il trouva une cité en émoi, prise sous la double terreur des camisards et des dragons de Firmaçon. On lui désigna un charnier, où se trouvaient mêlés, tête-bêche, protestants et catholiques, unis dans la mort. Les combattants des deux factions ennemies s'y étaient livrés à des exactions épouvantables, tuant et massacrant femmes, enfants, vieillards. Les survivants avaient fui le village, se dispersant dans les montagnes voisines, laissant les

217

Les compagnons de Maletaverne

demeures aux pillards. Sur les chemins, Aurèle avait
croisé nombre de ces fuyards épouvantés dans le plus
triste équipage. Ils avaient emporté tout ce qui leur restait : quelques hardes, de maigres provisions, une vache,
une chèvre, et la désolation à leurs basques. Le froid et
la neige ajoutaient à cette misère. La faim s'était emparée des Cévennes. On y avait tué nombre de troupeaux
de moutons et de chèvres. Et souvent, pire encore, on
se voyait condamné pour survivre à manger les chiens.
Il ne restait plus que des défilés de gens hâves, allant au
hasard, poussés par la peur sur des chemins incertains.

Le petit comte se dirigea vers Génolhac. Avant
d'entrer dans la ville, il chercha la bergerie des Bouzèdes
où un petit vieux lui avait donné de si précieuses indications. Mais, à son emplacement, il ne restait plus
qu'un tas de pierres calcinées. Aurèle fit un signe de
croix, machinalement, comme pour conjurer la peur qui
venait de l'assaillir. Se pourrait-il qu'il fût, le malheureux, sous les décombres, avec la jeune femme et les
enfants qui vivaient sous son toit ? Il n'osa approcher
par peur d'y découvrir ce qu'il soupçonnait. L'odeur de
la chair humaine brûlée, il l'avait désormais dans le nez.
Et, sur ce sujet, il ne pouvait se tromper. Le comte
Aurèle tourna bride et fondit au grand galop sur la route
qui descendait vers la cité, en pente vive.

La neige avait fondu, en cet endroit, et les rigoles
chantaient à plein au débouché de la montagne. En passant le pont, il ralentit sa monture, vérifiant que ses deux
pistolets étaient à portée de main. Un petit groupe de
camisards, reconnaissables à leur peau de mouton
retournée sur la chemise blanche et aux chapeaux noirs
évasés, en forme de cloche, guettait à proximité d'une
poterne. A son approche, l'un d'eux se détacha du

Le faucon de Fontmort

groupe, l'air rogue. Il portait un fusil à pierre en travers de la poitrine, si lourd et si long qu'il paraissait plutôt en être encombré. L'image fit sourire le jeune cavalier. Tant de maladresse alliée à tant de folie ne pouvait que produire de telles caricatures de soldats. Pourtant, c'était là toute la fameuse armée qui faisait trembler celle du roi de France, et dont les chefs s'avéraient être de sacrés stratèges : Jean Cavalier, Roland Laporte, Abraham Mazel, Nicolas Jouany, Julien Valleraugue...

— Dieu garde ! s'écria le bonhomme en levant son fusil comme il eût fait d'un bouclier.

Surpris, le cheval du comte se cabra devant lui. Et Mustapha, qui suivait derrière, à la bride, fit un mouvement de côté, un peu menaçant, qui excita les autres camisards.

— On n'entre pas, ajouta l'un des types.

Il portait un fusil en appui sur son avant-bras. Aurèle éloigna les mains de son torse pour montrer qu'il n'avait aucune intention belliqueuse. Mais on distinguait, comme le nez dans la figure, les crosses des deux pistolets accrochés au baudrier.

— Donne tes armes ! fit l'un des gardiens en les désignant de la main.

— Je voudrais parler à Nicolas Jouany, dit le jeune comte sans se départir de son courage.

Il en fallait de l'audace pour se présenter ainsi en habit de seigneur, autant dire de papiste, devant les rebelles, pour qui tuer était devenu monnaie courante. Un regard de travers, un mot plus élevé que l'autre, une attitude frondeuse, et l'on se retrouvait troué de plomb.

— Justement, tu nous donnes tes armes et nous t'y conduirons. Ne sais-tu pas que sa tête est mise à prix ?

Les compagnons de Maletaverne

insista le camisard qui tenait toujours son fusil pointé sur lui.

— Je suis Aurèle de Jassueix, dit le jeune homme. Les armées du roi ont arrêté mon père. Vous le connaissez, sans doute ?

Les types se mirent à rire. L'un d'eux, qui somnolait sur le muret de pierre du pont, se redressa :

— Si les aristocrates se font la guerre, alors nous ne tarderons pas à libérer notre Cévenne.

Les rires reprirent de plus belle. Et Aurèle comprit aussitôt qu'il venait de sauver sa vie en décrivant sa mésaventure. Car le barbet qui le tenait en ligne de mire, le canon de son fusil si bien posé sur son avant-bras, s'apprêtait à l'exécuter proprement. « Dieu garde ! » était, de toute évidence, un appel au mot de passe, au sésame pour franchir la porte de Génolhac. Et leur chef, Nicolas Jouany, avait recommandé de tuer sans distinction quiconque essaierait de franchir le barrage sans ce code.

— Je le connais, le comte Thibaut, dit l'un des vieux barbets, adossé au mur de la poterne. C'est pas un ennemi, pour sûr. Et je vois pas pourquoi on ferait des misères à ce garçon.

Il s'avança en claudiquant. Il tirait la jambe de côté à cause d'une volée de plomb qui lui avait fait sauter son genou au mas Gafarel. Ses compagnons avaient dû le traîner sur deux lieues au moins, dans les cades et les chênes-kermès, après l'avoir bâillonné pour étouffer ses cris de douleur, qui eussent immanquablement attiré les dragons de Poul. Le bonhomme tenait une outre de vin. C'était son travail, visiblement, que de rincer les gosiers des attroupés. Et, plus loin, un jeune garçon, huit à dix ans peut-être, portait en bandoulière un tambour de

Le faucon de Fontmort

fusilier trop grand et volumineux pour lui. Néanmoins, il était fier de sa trouvaille et fier aussi de l'usage qu'on en faisait. Ce tambour servait à accompagner les catholiques à la pendaison, en rythmant leur marche de coups de baguette cadencés. Puis, à l'instant où la corde se tendait sur les malheureux, gigotant dans le vide comme des pantins désarticulés, il accélérait le rythme en un roulement sinistre. Nicolas Jouany trouvait le spectacle fort à son goût. Dans sa folie de chef maniaque, il avait décidé de nommer ce tambourineur d'occasion le Petit Ezéchiel...

En voyant le boiteux s'approcher, Aurèle sauta de son cheval. Les autres firent cercle autour de lui, comme s'ils voulaient l'intimider. Mais aucune crainte n'apparaissait sur son visage. Il songeait à son père, et cette pensée lui donnait tous les courages et toutes les audaces.

— Tu es bien le petit Aurélien, toi ?

Dans son enfance, on avait pris l'habitude de le nommer ainsi. Et le vieil homme vint l'examiner de plus près.

— C'est bien un Jassueix. Oui, bon Dieu, oui...

Le camisard qui l'avait tenu un instant au bout de son canon écarta ses compagnons d'un geste d'autorité.

— Pourquoi tu veux voir le chef ?

— J'ai mes raisons, répliqua Aurèle.

— Alors, je vais t'y conduire. Mais, avant, tu vas me confier tes pistolets.

Aurèle hésitait à se séparer de ses armes. Et le vieux lui fit un clin d'œil.

— Crains rien, l'ami ! Renardeau te fera point de mal. Renardeau sait faire la différence entre un gros cochon de papiste et un noble garçon de notre Cévenne, bon Dieu, oui.

Les compagnons de Maletaverne

Alors, le petit comte tendit ses deux pistolets, crosses en avant. Renardeau le fixa dans les yeux avant de s'en emparer.

— Si tu mens, je le verrai tout de suite, dit-il en les saisissant.

Le rebelle les conserva ainsi pendant quelques secondes, canons pointés sur Aurèle, pour montrer au jeune homme qu'il pouvait l'exécuter à tout moment. Puis ses mains s'abaissèrent. Et Renardeau eut un sourire grimacier. Alors ses hommes se reculèrent de quelques pas.

Nicolas Jouany avait installé son quartier général dans la maison du viguier. Alentour, il régnait une puanteur de chair brûlée. Le chef des camisards avait fait élever des bûchers sur les hauteurs de la cité, à l'emplacement de l'ancien temple que les milices de Salamon avaient fait raser en 1689. Tous les notables et bourgeois de la cité y étaient montés, l'un après l'autre, la sentence épinglée au col. Ainsi, plus de cent personnes, hommes, femmes et enfants, furent suppliciées par les flammes. L'odeur produite par les bûchers stagnait donc sur la ville depuis ces jours terribles. Ni le froid ni les vents ne parvenaient à en effacer le sinistre fumet.

Après la prise de Génolhac, au début de février, aux cris de « Feu et sang ! », « Courage, mes frères, la ville est gagnée ! », « Bannissons-en l'idolâtrie ! », Jouany avait dressé, méticuleusement, la liste de ses victimes. Il avait fait nommer, à la hâte, parmi ses compagnons, des juges pour instruire un simulacre de procès. L'affaire fut expédiée en quelques jours. La terreur engendrée par ces faits d'armes chassa hors de la ville les derniers habitants. Ainsi, ne demeuraient plus à Génolhac que les familles de huguenots. Avant les mas-

Le faucon de Fontmort

sacres, la population comptait trois quarts de protestants et un quart de catholiques. Les deux partis se toléraient en bonne intelligence ; une situation qui n'avait jamais eu l'heur de plaire à Jouany. Et au moment où monsieur de Broglio fut relevé de ses fonctions et que les troupes se trouvèrent désorganisées, Jouany rassembla son armée dans les montagnes du Bougès et fondit sur la ville. La compagnie de fusiliers qui occupait la caserne fut mise en pièces, sans grande résistance, et les bâtiments, brûlés.

Renardeau conduisit Aurèle à l'étage, où s'était installé le chef des camisards. Les escaliers et les couloirs étaient peuplés d'hommes. Blessés ou harassés, ils s'étaient réfugiés en cet endroit relativement confortable, loin du froid et du vent qui sévissaient au-dehors, de sorte que le jeune comte dut enjamber cette troupe pour parvenir aux bureaux. Son passage entraînait grognements et insultes. Seul Renardeau s'autorisait à piétiner les hommes, sans vergogne, et à leur tirer des coups de botte quand l'attroupement entravait son passage.

Aurèle trouva Jouany derrière un bureau encombré de paperasses. Il portait un uniforme écarlate, une écharpe en peau de renard autour du col et une barrette d'ecclésiastique sur la tête.

— Dieu garde ! s'écria Renardeau.

Le chef des camisards dressa une tête hirsute. La présence de l'inconnu vêtu de cuir, l'épée au baudrier, le tira de son hébétude.

— Qui m'amènes-tu là ? Un chevalier que nous aurions oublié de passer à l'estrapade ?

Et il rugit d'un rire rauque. Le jeune comte de Jassueix ne s'en émut guère. Rien ne pourrait être pire, dorénavant, que l'accueil au barrage de Génolhac.

Les compagnons de Maletaverne

Désormais, il était sûr de son fait, assuré que Nicolas Jouany serait bienveillant avec lui lorsqu'il connaîtrait enfin le détail de sa mésaventure.

— Serviteur de Dieu, dit Renardeau fort respectueusement en s'inclinant même d'une manière un peu ridicule, cet homme prétend être le fils de Jassueix de La Sourde.

Aurèle se força à contenir une envie de rire. C'était plus qu'il ne pouvait supporter, que ce Jouany se fît appeler par ses hommes « serviteur de Dieu ». Dans la pièce voisine, un rire de femme retentit, guttural et nerveux. Sircey, le lieutenant du chef camisard, entra à son tour avec une belle fille rousse. Elle portait la crinière en désordre et s'était drapée d'un châle de soie de fort belle facture. La fille vint se coller à Jouany, en enroulant ses bras autour de son cou.

— Sircey, emmène donc la Bichon, j'ai à faire, ordonna le chef.

Le couple se retira en maugréant. Aurèle comprit que ces gens étaient repus d'alcool.

— J'ai ouï dire que ton père n'était pas contre nous, dit Jouany en se levant de son siège.

Il titubait sur ses jambes malhabiles. Aussi cherchat-il un appui pour ne pas s'affaisser. Renardeau vint lui prêter généreusement son épaule robuste.

— J'ai ouï dire, répéta Jouany, que ton père cachait nos frères.

— Ni cachés ni pourfendus, ajouta Aurèle. Mon père a toujours été juste avec ses gens. Et les affaires de religion ne l'ont jamais intéressé.

— Cent mille catholiques ne valent pas un protestant. Et dix mille convertis, encore moins qu'un catholique mort.

Le faucon de Fontmort

C'était la seule mathématique que Nicolas Jouany entendait, celle qui servait à estimer le poids des âmes. Il leva son doigt en l'air et le regarda fixement.

— Et encore, te dis-je, il y a protestant et protestant. Ceux qui ont choisi l'exil valent moins qu'un de mes camisards. A quoi servent-ils, là-bas, les pieds au chaud ? A rien. Des fois, ça vient nous dicter des ordres. Mais, Seigneur, nous savons ce que nous devons faire ! Dieu me parle. Il me dit : « Délivre-moi des idolâtres, par le glaive, le feu, le sang... Tue donc un papiste avant que le soleil ne se couche, et tu auras mérité ton paradis. » A l'heure du trépas, mon ami, j'irai directement à la droite du Père.

— La vie d'un homme est sacrée, rétorqua Aurèle. Et je me fiche de ce qu'il pense, pourvu qu'il soit dans le droit chemin.

— Ah, tu l'as dit, « pourvu qu'il soit dans le droit chemin », mais ceux que nous punissons ont trahi leur Dieu, ils ont vendu son Eglise, parjuré sa parole, flétri les Saintes Ecritures.

Jouany ponctuait ses propos de gestes énergiques, comme s'il fouettait le ciel à chaque syllabe. Et le jeune comte l'observait d'un air détaché, en pensant : cet homme est fanatique. Et rien ne pourra le faire revenir à la raison, à présent qu'il possède la puissance, qu'il édicte sa justice, qu'il a pouvoir de vie ou de mort sur ses sujets.

Puis le chef camisard retourna à son siège, lassé par son discours. Il y mettait toujours autant de conviction, mais peu de sincérité, et encore moins de loyauté. Cela se sentait dans son propos, bien qu'il s'en défendît. Par-delà sa religion, le chef camisard poursuivait des desseins personnels, et la prise de Génolhac en faisait

Les compagnons de Maletaverne

partie. Depuis des années, il rêvait de diriger la cité, d'y appliquer sa loi, d'y régler des comptes avec certaines familles, dont des protestantes...

— Je sais où est ton père, dit-il à brûle-pourpoint avec un petit sourire énigmatique. Car Nicolas Jouany sait tout. Il possède des espions partout, à Alès, à Florac, à Anduze, à Nîmes, et jusqu'à Aigues-Mortes.

— Est-il vivant au moins ?

Jouany fit signe au jeune comte d'approcher jusqu'à son bureau.

— Salamon l'a fait conduire à la tour de Constance à Aigues-Mortes. Il est parmi nos frères, dans la salle haute.

Aurèle reçut cette révélation comme un coup de poing à l'estomac. Il se recula dans un sursaut de colère. Jouany vit, dans son regard, un éclair de haine et il en ressentit de la satisfaction. C'était la haine, surtout l'exécration, qui forgeait sa puissance. C'était d'elle, et d'elle seule, qu'il tirait cette masse de bras armés. Tous ses hommes, du plus humble au plus fort, du plus benêt au plus rusé, étaient venus à lui pour venger un frère, un père, une mère, un enfant. Tous avaient eu maille à partir avec l'autorité royale, pour la foi, pour l'insoumission, pour la désobéissance. Et Nicolas Jouany, en mentor providentiel, leur apportait, sur un plateau, le moyen d'exercer leur ressentiment.

— Je veux le tirer de là, dit Aurèle. J'ai de l'argent, de quoi lever une armée. Et vous me donnerez les moyens de...

— Nous voulons tous tirer nos frères de là, l'ami, l'interrompit Jouany. Thibaut de Jassueix, comme Abraham Mazel et ses compagnons qui croupissent sur la paille.

Le faucon de Fontmort

— Qui est prêt à me suivre ?

Le chef camisard laissa retomber sa tête sur sa poitrine. Il voulait donner l'impression de réfléchir. Mais, au fond, il se fichait bien du destin de Thibaut de Jassueix, comme de celui d'Abraham Mazel. Seule lui importait sa puissance à Génolhac. Et pour qu'elle pût se poursuivre en toute tranquillité, il lui fallait disposer à demeure d'un millier d'hommes. Il avait compris que le nouveau gouverneur militaire, le maréchal de Montrevel, ne tarderait pas à venir l'assiéger.

— Moi ? Je suis trop vieux, admit-il avec un air de dépit.

Sa lippe afficha du dégoût. Descendre dans la Vaunage, s'adjoindre les appuis de Jean Cavalier et risquer une attaque de la bastide d'Aigues-Mortes relevait de la pure folie. S'il devait périr dans cette guerre, c'était là, dans les murs de sa chère cité, où il avait inscrit ses plus belles victoires contre le roi de France.

— Trop vieux, répéta-t-il. Et mon destin s'écrit ici, au cœur des Cévennes. Mais je connais un homme courageux que tu pourrais convaincre. Un certain Julien Valleraugue. Un camisard de chez toi. Il vient de Maletaverne.

— Oui, j'en ai entendu parler, reconnut Aurèle. Et crois-tu qu'il pourrait...

— Il a de la religion. C'est un pur parpaillot. Mais cinq mille livres lui seraient d'un grand secours...

— Je veux que tu me le fasses rencontrer, ce Julien Valleraugue, s'enflamma Aurèle.

Les deux hommes se serrèrent la main, comme si le marché, tout risqué qu'il fût, venait de se conclure. Jouany appela Sircey et lui demanda d'aller quérir le chef des camisards de Maletaverne.

Les compagnons de Maletaverne

— Tu sais où il est, toi ? s'inquiéta Sircey.

— Dans les montagnes du Bougès, rétorqua Jouany.

— Alors, il sera parmi nous dans trois jours, répondit le lieutenant.

Le maître de Génolhac proposa au petit comte de l'installer dans le quartier général. Une des pièces de la maison du viguier servait d'archives. Il l'y conduisit en lui jurant que l'endroit serait propice au repos. Aurèle trouva les lieux sinistres, avec ses murs grèges et ses étagères poussiéreuses. Une petite lucarne donnait sur la rue Basse, d'où montait une odeur d'égout et de mort. Le sang avait tellement coulé dans la bourgade qu'elle était imprégnée pour longtemps du fléau qui l'avait saisie.

Avant de prendre congé, Jouany tapota l'épaule du jeune homme :

— Si tu veux, l'ami, je te prête ma Bichon. Cette diablesse a le feu au cul. Tu t'amuseras un peu. En attendant que Valleraugue vienne nous rejoindre. Et prends garde à tes génitoires, bon Dieu, car elle a de la religion autant dans le cul que dans l'âme. Je suis le serviteur de Dieu, et elle, la servante des couilles. Elle a réveillé le vieux notaire Salvat à la luxure, malgré ses quatre-vingts ans passés. C'est d'lui que nous tenons ces bonnes bouteilles, ces liqueurs divines. Et après qu'il a eu besogné notre Bichon, Sircey l'a émasculé, proprement...

Jouany hoqueta de rire en revoyant la scène : un pauvre vieillard aux fesses fripées comme une pomme desséchée, courant en tous sens, dans les cris, et perdant son sang à gros bouillons.

Le petit comte attendit dix jours le retour de Julien Valleraugue. Dix longues journées à se morfondre dans

Le faucon de Fontmort

un réduit puant la punaise et le vieux bois. Patiemment, il guettait la nuit pour se risquer dans la cité. Et afin de n'être point ennuyé par les patrouilles qui sillonnaient les rues, il s'était habillé en camisard : chemise blanche, manteau en peau de mouton et chapeau noir. Immanquablement, ses pas le conduisaient chaque soir à la taverne du Sanglier, chez Maime, pour s'y faire servir un repas et un pichet de vin chaud. Il évitait les hauteurs de Génolhac où brûlaient encore de terribles bûchers. La vicairie avait été transformée en prison et, au fur et à mesure que tombaient les sentences, les condamnés à mort montaient au supplice en psalmodiant des prières. L'appétit de cet ogre était insatiable ; il lui fallait toujours plus de sang versé, de suppliciés, de martyrs de la foi. Et Aurèle était empêtré, plus que jamais, dans ses contradictions. Comment ai-je pu demander secours à ce tyran ? se disait-il. Ne suis-je pas, désormais, le complice de ses crimes ? Mais la vie de mon père passe avant la justice. Pour obtenir sa liberté, je suis disposé à toutes les compromissions. Ernis de Salamon n'est-il pas un ogre, lui aussi, qui conduit les missions bottées dans les villages des réformés et dirige, de la pointe de son sabre, les massacres des petites gens ?

Aurèle se souvenait des paroles de son père prononcées lors des adieux : « Les fous de Dieu sont des deux côtés de la barrière... » Et maintenant qu'il se trouvait au milieu de la mêlée, au cœur de la tourmente, ces paroles recouvraient toute leur signification. Je dois me cantonner à une seule vérité, celle qui ouvrira les portes de la tour de Constance, quels que soient mes alliés. Il n'est ni bons ni méchants dans un seul camp, sinon dans tous, pensa-t-il.

Les compagnons de Maletaverne

Aurèle occupa une matinée à écrire une lettre à sa chère Isabeau, dont il était sans nouvelles. Il songeait souvent à elle en allant se promener sur les berges de la rivière, parmi les bois de chênes verts. Et ses nuits étaient tourmentées par son corps nu posé dans un écrin de fourrure. C'était au château de Louradour qu'il l'avait aimée le plus intensément, une fois que leurs corps avaient apprivoisé le plaisir. Tout était si simple, avec la saveur acide de l'éternité.

Sa lettre terminée, il alla la confier à un colporteur qui descendait vers le sud. Elle racontait son infortune, ses projets et sa funeste alliance avec les camisards. Tant de révélations écrites noir sur blanc, lancées au gré du hasard, n'était-ce point une folie ? Le colporteur pouvait être fouillé par une patrouille de dragons et le pot aux roses mis à jour. Mais Aurèle ne pouvait se résoudre à laisser plus longtemps son amante dans l'ignorance, tant il avait besoin de partager avec elle ses doutes et ses espérances. Il lui promettait aussi de passer la voir, en son château, dès que ses pas le conduiraient vers la Vaunage.

Un soir, on vint frapper à son repaire. Deux coups brefs de crosse de pistolet. Il sauta de son grabat de fortune pour aller ouvrir. Une longue silhouette se dessina dans l'encadrement, immobile et silencieuse. Aurèle chercha sa lampe à huile et, dans la précipitation, la renversa sur le plancher. Le couloir était faiblement éclairé. On ne voyait que l'ombre noire et sinistre dans l'obscurité. Le jeune homme s'empara vivement de son pistolet, glissé sous sa pelisse roulée qui lui servait d'oreiller.

— Qui va là ? s'écria-t-il.

L'homme ne répondit pas. Il attendait, sans crainte aucune, que son client sortît de sa tanière.

Le faucon de Fontmort

— C'est toi, Aurélien ? demanda une voix grave.

— Aurèle de Jassueix, rectifia le petit comte.

— Je suis Julien Valleraugue.

— De Maletaverne ?

— De Maletaverne et d'ailleurs, ajouta-t-il.

Un jeune homme en aube blanche de pénitent s'était approché aussi. Il portait, à bout de bras, une lanterne. Enfin, les deux hommes purent se dévisager à loisir. Plus tard, dans le bureau de Jouany, Aurèle sut qui était ce pénitent blanc, un singulier prédicant qu'on appelait Samuelet et dont on prisait la manière de scander les Psaumes de Clément Marot.

— Tu n'appartiens pas à notre cause, alors tout nous sépare, dit Julien Valleraugue.

Aurèle baissa la tête. Se peut-il que j'aie attendu dix jours dans cette cité morte pour des nèfles ? pensa-t-il. Le chef camisard ne le quittait pas des yeux.

— Je connais ton père. C'est un seigneur honorable. Je connais ta famille. Je sais ce qu'elle a fait, au temps du bon roi Henri, pour la Réforme. Mais toi, je ne te connais pas. Je ne sais pas de quoi tu es capable. Sans doute es-tu trop jeune encore pour avoir fait tes preuves ? Mais l'avenir se dessine sous tes yeux. Et ce que tu feras, à cet instant, sera lourd de conséquences. Tes actes décideront de l'avenir de ton titre, de ta seigneurie. Louis XIV, ce vieux roi fou et bigot qui a décidé de massacrer son peuple pour racheter ses turpitudes passées, ne te pardonnera jamais de m'avoir serré la main. Pourtant, tout roi qu'il est encore, il devra rendre compte devant Dieu de ses fautes. Et son âme maudite ira pourrir en enfer. Je ne puis croire que tous ses courtisans le suivront jusque dans la géhenne. Il s'en trouvera, demain, pour exiger que le roi de France s'agenouille,

Les compagnons de Maletaverne

repentant de ses fautes, devant les pasteurs de retour d'exil... Ce prodige viendra, enfin, lorsque le Gardon ne charriera plus le sang des martyrs.

— Je ne crois qu'à la raison qui ramènera la paix dans ce pays, au jour où les catholiques et les protestants retrouveront les voies de la sagesse.

— Jamais ! s'insurgea Julien Valleraugue. Jamais nous ne retrouverons la paix tant qu'un seul papiste viendra lever nos impôts, humilier nos enfants, humer nos marmites, détruire nos temples et prêcher en chaire ses sermons hypocrites. Tandis que les idolâtres prônent le pardon dans les églises à coups d'aspergès, leurs diables bottés brûlent nos villages, tuent nos gens, pendent et rouent vifs nos compagnons. Où est la parole du Seigneur dans ces actes barbares ? Leur suffit-il de nous déclarer hérétiques pour apaiser leurs consciences ? Par quel signe Dieu a-t-il manifesté que les catholiques étaient les seuls dépositaires de la vraie foi ?

— A Maletaverne, j'ai vu, de mes propres yeux, les deux crimes, ajouta Aurèle. Celui des camisards contre le vicaire général et celui des fusiliers et dragons du roi contre les réformés. Le même sang coulait dans les ruelles. Et le Gardon charrie, indifféremment, le sang mêlé de nos frères des Cévennes. Voilà une bien grande misère. Et mon père, tout compte fait, n'a jamais tenu un autre langage.

— Et voilà la récompense de son prêche. La tour de Constance d'où nous devons le tirer, l'un et l'autre, dit Julien Valleraugue.

Alors qu'il croyait avoir perdu la partie, le petit comte reprit espoir.

— Vous seriez disposé pour cette mission ?

Le faucon de Fontmort

— Bien entendu, répondit le capitaine. Pour sauver ton père et mes frères. Mais, pour ce faire, il nous faut faire provision d'armes, disposer de quelques embarcations, acheter des complicités. Une telle entreprise nécessitera de l'argent, beaucoup d'argent.

— Cinq mille livres, lança Aurèle.

Le capitaine ôta son chapeau, qu'il avait conservé sur la tête, selon son habitude, et le jeta sur un fauteuil.

— Il nous faut quitter la cité au plus vite, confia-t-il.

— Pourquoi donc ? Rien ne presse. Et ce lieu est idéal pour constituer une troupe aguerrie.

— Notre jeune comte est un brin stupide, plaisanta Valleraugue.

— Comment dois-je le prendre ?

— Comme un conseil d'ami. Les dragons de Montrevel ne vont pas tarder à attaquer. Et la raison voudrait qu'on abandonne Génolhac pour préserver notre armée. Mais ce fou de Jouany ne veut rien entendre.

— Alors, où doit-on se replier ?

Julien Valleraugue se dressa d'un bond, comme le félin qu'il était, infatigable.

— Là où on nous attendra le moins. A Nîmes.

Le maréchal de camp Julien rassembla le 26 février, avant l'aube, trois mille miquelets dans les collines voisines de Génolhac. A la première heure du jour, les soldats attaquèrent la cité. Cette troupe d'élite était composée de montagnards habitués à cheminer et à guerroyer dans les reliefs les plus accidentés, aisément reconnaissables à leurs bonnets pointus. Entraînés à manier la dague et la carabine, les soldats semaient la terreur sur leur passage, tant ils avaient acquis une répu-

Les compagnons de Maletaverne

tation d'hommes sanguinaires. En prenant ses fonctions, Montrevel avait insisté pour disposer de telles compagnies afin de libérer les cités ennemies par des combats au corps à corps. Jusqu'alors, les missions bottées se cantonnaient à assiéger les bandes rebelles sur les grands chemins, à attaquer les fermes et tanières où se cachaient les camisards, ainsi que les villages qui étaient supposés les accueillir. Tant de combats douteux laissaient sur le terrain peu de rebelles. En quelques jours, les troupes ennemies pouvaient se reconstituer et reprendre le jeu du chat et de la souris. Dans cette stratégie de harcèlement, son prédécesseur, monsieur de Broglio, avait couru à l'échec. Désormais, l'idée s'était répandue, au sein des plus hautes autorités, qu'il fallait attaquer de front les attroupés, les encercler et les détruire dans leurs positions fortes. La prise de Génolhac faisait partie de ce plan audacieux. « Nous irons les déloger rue après rue, maison après maison, avait clamé Montrevel à ses commandants. Et nous ne ferons pas de quartier. Tout individu saisi l'arme à la main sera de facto considéré comme un rebelle et exécuté. »

Ecrasée sous le nombre, Génolhac tomba entre les mains du brigadier Julien, en quelques heures, malgré une défense acharnée des compagnons de Jouany. Les miquelets infiltrèrent, une à une, les ruelles, se dispersèrent dans les maisons et égorgèrent à la dague, sans discernement, tout ce qui de près ou de loin ressemblait à un camisard, aux cris de : « Tue ! Tue ! » Et pour accomplir la besogne, les soldats s'encourageaient au son des trompes. Cette musique sinistre causa une telle terreur dans les rangs des attroupés que les derniers combattants tentèrent une fuite désespérée. Cependant, le maréchal de camp Julien avait pris

Le faucon de Fontmort

soin de poster des carabiniers aux points stratégiques de la ville. Ils firent un carnage épouvantable sur les fuyards.

Sentant la situation perdue, Nicolas Jouany prit lâchement la fuite, après avoir recommandé à ses hommes de résister en occupant les hauteurs de la cité. Pour justifier sa retraite, il annonça qu'il courait à Chamborigaud pour quérir des renforts. Les assiégés attendirent, en vain, la fameuse aide. Lorsqu'ils prirent conscience que leur chef les avait abandonnés à leur sort, il était trop tard. Génolhac était encerclé et ses défenseurs pris dans la nasse.

A la fin de la bataille, une centaine d'hommes seulement se rendit aux miquelets. Au son des trompes sauvages, on acheva la besogne dans des flots de sang. Les miquelets avaient bien mérité leur réputation d'égorgeurs, d'autant que, le vin aidant, la troupe s'acharna sur les familles de protestants qui s'étaient cachées dans les caves. Jusqu'à la nuit, on réserva le même sort aux femmes et aux enfants, dont le seul crime, dans l'affaire, était d'avoir accepté l'autorité de Nicolas Jouany. Certes, le maréchal de camp Julien eût pu épargner ces innocentes familles. Il se trouva même quelques sergents pour apitoyer leur commandant. Ce dernier hésita longtemps avant de lancer un « Tuez-les tous » de sinistre mémoire. A la vérité, le second de Montrevel avait voulu faire un exemple et montrer aux révoltés des Cévennes le sort qui les attendait s'ils persistaient dans la voie de l'hérésie.

Le soir, dans la maison du viguier, là même où Jouany avait planté son quartier général, il rédigea une dépêche à l'intention de Montrevel, qui se trouvait à Alès avec six compagnies de dragons. « Génolhac est libérée, ce

235

Les compagnons de Maletaverne

jour, sans résistance sérieuse. La canaille a été passée au fil de l'épée. Désormais, les braves gens peuvent retourner dans leurs maisons et vaquer à leurs occupations. Que Dieu nous rende grâce. » Suivaient ensuite les détails de l'opération. Il s'y trouvait recensé le nombre des « fanatiques » qui garnissaient, désormais, les charniers à proximité du cimetière, le nom des principaux adjoints de Jouany, la liste des familles protestantes qui avaient été massacrées. Le rapport était tellement détaillé et circonstancié, selon une froide mathématique, que ce savoir-faire servit d'exemple, plus tard, lorsque Montrevel rassembla ses commandants pour les préparer aux futurs combats.

De sa montagne du Bougès, Nicolas Jouany put mesurer la vanité de son entreprise : avoir voulu régner en seigneur et maître sur l'une des cités stratégiques des Cévennes. Et lorsque Sircey vint à lui reprocher son attitude, le fameux chef menaça de lui faire sauter la cervelle.

— C'est déjà bien assez d'avoir vécu un tel désastre sans entendre des balivernes. Si nous étions restés auprès de nos hommes, nous serions morts à cette heure. Et, du moins, Montrevel ne pourra pas s'enorgueillir d'avoir pris, mort ou vif, Nicolas Jouany. L'essentiel n'est-il pas de préserver la tête de la rébellion ? Une armée, Sircey, on peut toujours la recomposer, tandis que des têtes, il n'en est guère de plus valeureuses que la mienne.

— Qui voudra se ranger à nos côtés, désormais ? déplora Sircey. Nous avons montré tellement de lâcheté dans l'affaire qu'il ne se trouvera plus un idiot pour nous suivre.

— S'il le faut, nous enrôlerons de force, répliqua Jouany. Cela ne nous a-t-il point réussi jusqu'à présent ?

Le faucon de Fontmort

Plus Montrevel fera de martyrs et plus vite nos rangs se garniront... Cet homme est une providence, jura-t-il en serrant les poings. Dans sa retraite hâtive, Jouany avait perdu sa barrette de curé. Et son bel uniforme écarlate était en haillons. Dans la nuit tombée, avec les incendies aux quatre coins de Génolhac, le chef camisard songea à ce que lui avait dit, la veille, le capitaine Valleraugue. Et il en éprouva du dépit, car il ne possédait plus d'armée. A peine une douzaine d'hommes. Ses fidèles d'entre les fidèles. Mais, pire, il lui était insupportable de penser que le capitaine des compagnons de Maletaverne avait eu raison, une fois encore.

9

Sentinelle majestueuse entre le bassin du Gardon et la vallée du Luech, le château de Portes était un fleuron de l'art médiéval, une forteresse inattaquable avec ses tours rondes sur lesquelles venaient ricocher les pierres de bombarde. Quand, à la Renaissance, le royaume fut pacifié, libéré de ses hordes étrangères, et que Portes perdit, de fait, son rôle de défense, on ajouta au bastion austère un bâtiment d'agrément pour les plaisirs et les commodités. Le lieu présenta alors l'avantage d'allier à la solidité des fortifications la grâce des demeures seigneuriales. On pouvait s'y réfugier et y séjourner dans un grand confort.

Aux premiers jours de la guerre de religion dans les Cévennes, la propriétaire des lieux, la marquise de Portes, proposa aux dignitaires de l'Eglise catholique d'y replier les brebis que les hérétiques venaient égorger jusque dans leur curie. L'entreprise eut l'agrément des conseillers du roi. Après l'assassinat des vicaires généraux de Maletaverne et du Pont-de-Montvert, les seigneurs cévenols précipitèrent le mouvement. Tous les ecclésiastiques souhaitant protection y furent acheminés sous bonne garde. La marquise leur octroya les salles des communs où, jadis, les pèlerins de Saint-Gilles faisaient halte et où,

238

Le faucon de Fontmort

aussi, les paysans du voisinage venaient se cacher pour échapper aux bandes de routiers et d'écorcheurs.

Il y avait là, à demeure, dans les salles voûtées, humides et froides, plus de deux cents curés rassemblés et unis par la même peur, celle de tomber aux mains des camisards. La maîtresse des lieux leur avait assuré qu'ils ne risquaient rien derrière les remparts de Portes, puisque plus de cinq cents fusiliers restaient à demeure, dans les cahutes voisines et les bretèches suspendues en surplomb des murailles. Toutefois, la marquise se sentait plus que jamais chargée d'âmes, et quelles âmes, celles des serviteurs de Dieu. Aussi avait-elle érigé un règlement strict, obligeant les prêtres à demeurer cloîtrés dans les salles ordinaires et à ne sortir qu'une fois par jour dans le petit parc intérieur, où pourrissaient les antiques bombardes, catapultes et trébuchets. Les règles sévères auxquelles les réfugiés de Portes devaient se soumettre ne pouvaient se justifier seulement par la crainte des fanatiques ; la marquise voulait surtout éloigner de ses appartements les petits curés des Cévennes pour lesquels elle n'éprouvait, en vérité, que de l'indifférence. De surcroît, leur présence dans les autres quartiers du château eût été d'une grande incommodité pour ses plaisirs.

Au début de ces événements tragiques, l'évêque de Mende dut intercéder pour qu'on desserrât un peu la contrainte imposée à ses abbés. Pour montrer sa bonne volonté, la marquise se résolut à faire changer, une fois par mois, la litière de paille qui leur servait de couche, à tolérer la présence de braseros et à faire dresser une petite chapelle de fortune à proximité des salles communes. Certes, monseigneur de La Rouvère trouva les allégements bien timides et s'en plaignit auprès du roi de France. Mais, à Versailles, la maîtresse de Portes

Les compagnons de Maletaverne

possédait plus d'appuis qu'elle n'en avait besoin, et on lui trouva mille bonnes raisons de se défier d'une telle promiscuité.

Un jour de mai 1703, la marquise tint table ouverte pour les nobles, seigneurs et commensaux du voisinage. Une belle fête de printemps, comme elle avait l'habitude d'en organiser. Et la guerre, qui battait son plein alentour, n'était pas de nature à l'en dissuader. Au contraire, madame de Portes y voyait une raison supplémentaire de montrer qu'elle n'en était en rien affectée. A Florac, à Alès, à Nîmes, on pendait, brûlait, rouait les hérétiques, sans discontinuer. Le maréchal de Montrevel se montrait aussi opiniâtre que talentueux dans l'art du châtiment. Et, plus on martyrisait le protestant, plus les seigneuries reprenaient espoir. Pour un peu, elles se fussent crues guéries de cette peste, protégées par la vaccination des âmes. La guerre du marquis de La Baume ne se résumait pas à des opérations punitives, elle empoisonnait les esprits par une propagande éhontée. Chaque semaine, parmi le petit monde des seigneurs cévenols, on surveillait l'instant où les chefs camisards en viendraient enfin à signer leur reddition. Cela ne pouvait plus être qu'une question de jours, d'heures... Mais un nouveau combat meurtrier, à Ganges, Vézenobres, Collet-de-Dèze, montrait que l'épidémie était loin d'être circonscrite.

Marie-Felice de Portes avait convié à la table d'honneur Ernis de Salamon. Pour tout dire, l'homme lui inspirait autant de crainte que d'admiration. Elle ne pouvait s'empêcher d'observer ses grosses mains baguées en imaginant qu'elles avaient étranglé plus de religionnaires que celles d'aucun autre seigneur du voisinage. Mais ce qui la fascinait encore plus, c'était son regard, ténébreux et noir. Sans doute était-il, avec sa

Le faucon de Fontmort

grande épée et ses pistolets d'arçon, sa rhingrave de soie noire, son écharpe blanche que l'on disait souvent maculée du sang de ses victimes, un des derniers chevaliers héroïques, un héraut d'armes qui eût mérité de s'asseoir à la Table ronde du roi Arthur. Pourtant, de Salamon était aussi éloigné de cette chevalerie qu'un spadassin de Richelieu. On confondait aisément sa bravoure avec la cruauté, dont il était coutumier. L'homme ne se déplaçait jamais sans ses gardes. Et, dans les combats, il s'exposait bien peu, estimant ses os plus précieux que ceux de n'importe lequel de ses lieutenants. Sans Gargousier, son chien fidèle, il eût péri cent fois.

— On m'a fait une offense en me refusant la captivité du traître de La Sourde. Il eût été plus en sûreté dans mes geôles de Peyremale qu'à la tour de Constance. Mais monsieur de La Baume en a jugé autrement.

— Il s'agit bien, si je ne me trompe, Ernis, de ce Thibaut de Jassueix ?

Le regard de la marquise de Portes brillait d'une curiosité malsaine.

— Du relaps ! s'écria-t-il.

Il tordait ses poings serrés sur la nappe de lin blanc brodée de fil d'or.

— Et qu'en auriez-vous fait, de ce malheureux, mon cher Ernis ?

Les musiciens jouaient une chaconne. La musique emplissait tout l'espace de la salle de réception, gagnait en sonorité sous les plafonds à caissons. Sur les boiseries, on avait peint des scènes antiques peuplées de cariatides, d'Apollon, de Vénus et de Diane. De scène en scène se trouvaient vénérées les fêtes de l'amour, de la chasse et de la guerre. Une viole de gambe dominait, de sa voix grave, la chaconne qui s'éternisait en langueur.

Les compagnons de Maletaverne

La marquise semblait sous l'emprise de la musique. Et la réponse de monsieur de Salamon lui importait peu. Dans ses conversations, elle avait acquis l'habitude de poser des questions auxquelles elle n'attendait aucune réponse, comme il sied souvent chez les gens supérieurs.

— Vous me disiez, mon bon ami ?

Et le chevalier en colère répétait à l'envi sa haine contre ce Jassueix qui avait osé lui tenir tête jusque dans la captivité. Mais l'attention de la marquise s'était déjà évaporée dans la beauté du timbre de la viole qui paraissait ne chanter que pour elle. Elle était la seule, ici, dans son château, à en goûter la voix pathétique. L'instrument lui distillait toute la douleur du monde, qui avait tourmenté son existence dans ses amours perdues, ses rêves brisés, ses espoirs déçus. Son dépit, ce n'était rien de plus que le regard d'un roi qui s'était posé sur elle sans s'attarder. Et jamais, sans doute, n'y aurait-il plus grande affliction que cette attente vaine.

— O, marquise, insista Ernis de Salamon, je voudrais vous faire connaître une bien belle figure...

La chaconne venait de s'achever. D'un mouvement de tête, madame de Portes montra qu'elle était satisfaite, et qu'il n'était rien de plus grand et noble au monde que la passion douloureuse. Souvent, elle se faisait jouer, jusque dans sa chambre, des madrigaux de Monteverdi qui la faisaient sangloter ou, pire encore, dans le genre des douleurs secrètes, ceux de Gesualdo.

— Mon ami, y a-t-il ici quelqu'un que je ne connais point ? soupira la marquise. Attendez voir. Ce sera un jeu bien divertissant.

Salamon caressa, du bout des doigts, le bord relevé de son chapeau. C'était la seule fantaisie qu'il s'autorisait, ce haut plumet qui s'agitait à chacun des mouve-

Le faucon de Fontmort

ments. Et s'il le conservait ainsi, sur sa tête, c'était pour mieux parfaire sa physionomie de grand connétable, auquel on le comparait parfois, par ironie.

La marquise promena un regard amusé sur les tablées qui s'étiraient en forme de fer à cheval, au milieu de son salon. Elle sélectionna les belles figures dont lui avait parlé Ernis. Ils n'étaient pas si nombreux, les visages avenants. C'était plutôt un mélange de vieux barbons, de courtisanes édentées, tous aussi disgracieux les uns que les autres. Elle en éprouva un petit pincement au cœur en songeant à sa jeunesse. Elle ressemblait à une de ces vieilles marquises. Et si l'on vantait sa prestance, ce n'était que par pure courtisanerie. Elle avait dissimulé les dégâts de son âge par des mouches bien appliquées, avec une touche de vermillon trop appuyée sur les pommettes. Cette préciosité ajoutait à son teint blafard le désarroi de son âge. Enfin, son regard s'attarda au bout d'une des tables. Un jeune homme de belle prestance paraissait s'ennuyer devant une vicomtesse qui l'abreuvait de gestes et de mimiques.

— Ah ! sourit Salamon, je vois que vous n'avez rien perdu de votre perspicacité.

— Comment ai-je pu inviter à ma table quelqu'un que je ne connais pas ? A moins qu'il ne s'agisse d'un fâcheux. Qu'importe ! Il a belle figure, comme vous dites. C'est assez pour que je lui pardonne. Pourtant, ajouta la marquise, ce jeune garçon a l'air de s'ennuyer. Quel gâchis ! Il emportera un sinistre souvenir de mes fêtes.

Ernis de Salamon poussa l'espièglerie à rire des interrogations de son hôtesse. Pour une fois qu'il parvenait à capter durablement l'attention de la marquise, l'occasion était trop belle. Soudain le visage de madame de Portes s'assombrit, comme durant les parties de lansquenet, à

243

Les compagnons de Maletaverne

l'instant où elle risquait de perdre. A ce jeu, comme à tant d'autres qu'elle affectionnait, la vie n'étant pour elle, en définitive, qu'une longue partie de jeu de hasard, on se prenait de pitié devant sa déconvenue et l'adversaire préférait se retirer plutôt que triompher.

— Oh voyez, mon méchant Ernis, comme je suis. Lasse. Lasse devant vos ris.

— Madame, madame, ne le prenez pas en mauvaise part. Je vais vous le chercher, ce jeune homme. Et vous serez fort surprise du résultat.

La marquise de Portes recula son siège pour desserrer l'étreinte de la table, auprès de laquelle elle se sentait prisonnière et si peu à son avantage. Malgré son âge, elle avait conservé une taille fine et un buste bien dessiné à force d'être corseté. Un tulle grivelé recouvrait sa poitrine, qu'elle portait encore haute.

Le baron de Salamon revint avec son protégé. Le mouvement attira regards et chuchotements de l'assemblée. Et, dans l'instant, on cessa de mâchouiller son cuissot de gibier, d'entrechoquer son verre de vin clairet. Remise à son avantage, la marquise se leva de sa chaise. Elle voulait faire partager son étonnement à l'assistance, les résultats de sa perspicacité.

— Mes amis, je m'étonnais de ne pas connaître tous mes invités. Cela est fâcheux pour une maîtresse de cérémonie. Mais, après tout, le cercle est tellement vaste. Le cercle des fidèles et des connaisseurs...

On se mit à rire. La marquise Marie-Felice de Portes adorait qu'on rît de ses propos, même lorsqu'il n'y avait aucune matière. C'était une sorte de politesse rendue à un noble cœur. Une coquetterie.

— Notre méchant Ernis a soulevé un doute dans mon esprit. Sans doute connaissez-vous mieux que moi cette

Le faucon de Fontmort

belle figure que voici ? Et je suis marrie de tant d'ignorance. A moins que je ne commence à perdre la mémoire.
Un cri grave de dénégation s'éleva aussitôt. La marquise avait la réputation de bénéficier d'une belle intelligence, entretenue par l'usage de la lecture, de la
comédie et du chant, parfois. De la comédie, surtout. Il
lui arrivait d'apprendre quelques rôles et de jouer avec
ses invités de petites scènes de galanterie où affleuraient
les mots d'esprit plutôt que la profondeur des sentiments. On y moquait les turpitudes d'un mari trompé,
la crasse ignorance d'une servante, la trouble timidité
d'un amoureux transi.
— Me direz-vous enfin, Ernis ?
Elle mima le caprice avec un air convenu.
— J'ai l'honneur de vous présenter mon jeune ami et
protégé...
Le jeune homme promena sur l'assistance un air
attristé.
— Victorin de Serguille, ajouta le baron.
— Oh, mon Dieu ! Suis-je bête, déplora la marquise
de Portes.
Elle venait de se souvenir de la tragédie que sa famille
avait traversée. Elle en voulut aussitôt à son ami Salamon de posséder aussi peu de tact.
— Venez donc, mon petit. Venez.
Et elle l'entraîna vers son boudoir, la mine défaite. Le
baron de Salamon les suivit au pas de charge.
— Vous êtes un idiot, Ernis, un triple idiot. Avant ces
agapes, j'eusse voulu vous parler, jeune homme, pour
vous dire tout le bien que je pensais de votre famille, si
horriblement martyrisée par les sauvages... Mon Dieu,
pourquoi faut-il que la vie soit si cruelle... Comme si le
Seigneur voulait nous mettre à l'épreuve, sans cesse,

Les compagnons de Maletaverne

alors que notre besoin de consolation est tellement immense... Oui, me dis-je, nous croyons en vous, Seigneur, et n'ajoutez pas à notre certitude le chagrin, car il ne vous rendra pas plus aimé que nous ne vous aimons déjà.

La marquise saisit le jeune homme dans ses bras, comme elle eût fait d'un enfant, en s'attardant dans cette étreinte. Victorin avait les larmes au bord des yeux et s'en voulut d'autant de sensiblerie. Cela n'était pas dans sa nature. Et Ernis en éprouva aussi de la pitié. A ses yeux, c'était tout ce que pouvaient apporter les femmes aux hommes : de l'émotion à fleur de peau. D'ordinaire, il raillait cela. Mais, cette fois, il demeura sur sa hauteur, la moue sur le visage.

— Le jeune marquis de Serguille est un de nos fidèles alliés. Son malheur ne doit point demeurer impuni. A cela, notre Dieu ne peut rien. C'est à nous, pauvres mortels, de décider ce qui est une juste réparation.

— Oh ! Ernis, vous me faites craindre le pire. Qu'avez-vous manigancé ?

La marquise de Portes avait été de tous les complots contre les protestants, dès lors que la question était l'affaire majeure du royaume. Avant la révocation, peu lui importait de recevoir messieurs de Brainville ou de Foncroy. Au contraire, les manœuvres de Guillaume d'Orange l'intriguaient beaucoup et elle passait nombre d'heures à discuter des alliances du stathouder de Hollande. Mais, après la promulgation de l'édit de Fontainebleau, la marquise de Portes radicalisa sa position. Cependant, elle n'eut pas besoin de chasser Brainville et Foncroy de son cercle, puisque les seigneurs protestants prirent promptement le chemin de l'exil. La marquise se mit à maudire la huguenoterie avec un zèle qui étonna

Le faucon de Fontmort

son entourage. Ainsi, le cercle se rompit en deux clans opposés. Gérald de Lavèze, par exemple, trouva que son amie en faisait trop et qu'une telle hostilité était indigne d'elle. Peu à peu, les modérés se retirèrent de Portes pour n'y plus jamais paraître tant que les salons abriteraient bretteurs et pourfendeurs de parpaillots. La marquise feignit d'en être affectée, mais seulement parce que Lavèze était un habile concurrent au jeu de bassette. Pour le reste, madame de Portes était plutôt satisfaite de voir s'éloigner des amitiés compromettantes.

Ernis de Salamon alla vérifier que les portes étaient closes et s'en revint avec un air mystérieux. La marquise sembla s'amuser qu'un tel homme, à la stature de chevalier teutonique, avec ses grosses bacchantes qui donnaient à son visage une autorité effrayante, pût s'inquiéter d'une indiscrétion de domestiques.

— Vous pouvez parler, Ernis, en toute tranquillité. Ma citadelle est imprenable. Et, pour tout vous dire, une bataille sous nos murs, si elle pouvait s'y dérouler, me serait d'une grande distraction.

— Notre jeune marquis de Serguille va prendre la tête d'une belle bande de camisards.

Marie-Felice de Portes pouffa de rire.

— Ne vous méprenez point, madame, dit Victorin de Serguille. Il s'agit d'une armée de bons et loyaux catholiques décidés à en découdre avec les attroupés. J'en prendrai effectivement la tête. Et notre mission consistera à utiliser la stratégie de nos adversaires. C'est pourquoi nous nommerons notre armée *camisards blancs*. Notre doctrine est simple : nous répondrons au meurtre par le meurtre, à l'incendie par l'incendie...

— Mon jeune marquis, ne croyez-vous point que cette guerre est l'affaire du maréchal de Montrevel ?

Les compagnons de Maletaverne

A ce que l'on dit, ses dragons font des merveilles. Et l'heure n'est pas si lointaine où notre pays sera débarrassé des méchants. Je dispose de nouvelles encourageantes sur...

— Madame, je n'en crois rien, reprit Victorin. Montrevel échouera comme Broglio, parce que le roi n'a pas encore pris la pleine mesure du danger qui nous menace. Cette affaire des Cévennes amuse les gens de cour. Versailles est loin de nous, si loin. Il faudra encore des années de terreur pour que Sa Majesté s'alarme.

Ernis de Salamon approuvait par des hochements de tête. Il était l'un des instigateurs de cette nouvelle armée, composée d'anciens catholiques fervents et dont le signe de reconnaissance serait une croix d'étoffe blanche au chapeau.

— Pour armer nos hommes, nous avons besoin d'argent, dit le jeune marquis, de beaucoup d'argent.

Un petit sourire se dessina sur le visage de madame de Portes. Elle se tourna vers le baron de Salamon et toucha du bout des doigts sa rhingrave de soie.

— Vous comptez sur moi pour vous apporter des subsides ? De l'argent pour acquérir des armes ? Mais les petits curés que j'abrite me coûtent déjà une fortune.

Ernis se mit à rire. Il n'éprouvait que mépris pour les ecclésiastiques en villégiature à Portes.

— Vous n'avez qu'à les chasser, bon Dieu, ces paresseux. Ces déserteurs de la foi ne méritent que le fouet. Qu'ils aillent donc reprendre leurs paroisses, nous leur apporterons de l'aide. Depuis que nous les maintenons en quarantaine dans vos murs, la Cévenne est gagnée par la mécréance. On voit refleurir les vieilles pratiques de sorcellerie que l'on croyait éteintes. Partout, on célèbre des messes noires. J'y ai vu, de mes propres yeux, la

Le faucon de Fontmort

consécration du pentacle sous l'hostie. Ma milice a prestement mis un terme à l'affaire. Le parchemin que j'ai récupéré était donc frappé du triangle de Salomon à l'intérieur duquel on avait écrit le nom de Dieu en langues hébraïque et grecque. Voilà où nous en sommes, madame. Nous devons reprendre le terrain perdu, ramener par la force et la peur nos sujets à la vraie parole de Dieu. Mais, pour ce faire, il nous faut des curés à leur poste, devant le maître-autel et non dans vos caves où ils croupissent.

La marquise Marie-Felice prit un air songeur. Elle n'était pas décidée à chasser ses invités, auxquels elle avait promis aide et protection. Le maréchal de Montrevel lui-même avait transmis une dépêche par laquelle il l'invitait, plus que jamais, à assurer l'hospitalité aux malheureux ecclésiastiques, quoi qu'il lui en coûtât.

— Pour mes curés, fit-elle, je tiens mes ordres du gouverneur militaire. Et agir comme vous me le demandez serait trahir mon roi.

Ernis de Salamon sentit qu'il n'obtiendrait pas un appui inconditionnel. Depuis de nombreux mois, il avait compris que ses ennemis n'étaient pas seulement les camisards, mais aussi les seigneurs, dans son propre camp, qui eussent dû, selon lui, se ranger derrière sa personne sans hésitation. Parmi eux, il comptait Montrevel, Lamoignon de Basville, Lavèze, Trincy et tant d'autres qui voyaient d'un mauvais œil l'initiative des camisards blancs.

— Déjà que je n'ai pas approuvé la manière dont on a éliminé monsieur de Jassueix... risqua madame de Portes.

— Cela est nouveau, marquise ! dit Ernis de Salamon en haussant le ton.

Les compagnons de Maletaverne

— Je n'ai guère de sympathie pour Thibaut, vous le savez fort bien, se reprit-elle. Et sans doute fallait-il le punir. Mais point de cette façon. Il s'agit d'un de nos seigneurs. Et cela est une faute de l'avoir mis aux fers dans la tour de Constance parmi les coupe-bourses, les relaps et les coquins.

— Cet homme est un criminel, intervint Victorin. Je le tiens pour personnellement responsable de l'assassinat de mon père. Il a couvé en son sein les barbets qui ont accompli ce forfait. Leur chef, un certain Julien Valleraugue, était un de ses protégés. Et pour preuve, son fils, le comte Aurèle, s'est allié à ce scélérat. Depuis lors, ce misérable Jassueix écume, aux côtés du chef camisard, la Vaunage, où l'on brûle les églises et tue les paroissiens.

La marquise accueillit la nouvelle avec consternation.

— Cela prouve que notre intransigeance aide les huguenots, dit-elle. Le jeune Aurèle se venge ainsi du sort réservé à son père. Et, peu à peu, nous perdons nos alliés dans la bataille alors que celle-ci exigerait une union parfaite de toutes nos forces vives.

— Oh, madame ! s'écria Ernis de Salamon, je vous trouve bien conciliante avec les Jassueix. Alors que la preuve est faite de leur infamie !

— Je connais la haine insatiable que vous nourrissez contre cette famille. Mais sans doute est-il trop tard pour arrêter la machinerie infernale que nous avons lancée les uns et les autres, et qui exige toujours plus de haine, de sang et d'injustices.

La marquise se transporta dans son boudoir et en revint avec une grosse aumônière de cuir. En l'élevant devant les visages des deux hommes, elle fit tinter les pièces d'or qu'elle contenait.

— Voilà pour vos armes ! dit-elle.

Le faucon de Fontmort

A peine Ernis de Salamon eut-il quitté Portes, avec son protégé et dix mille livres, que la marquise s'employa aussitôt à écrire à Beauvillier, conseiller du roi, pour l'informer de la fameuse affaire des camisards blancs. Il ne se pouvait qu'elle eût connaissance d'une telle initiative sans en référer à Sa Majesté, craignant sans doute un jour d'en devoir rendre des comptes. Elle avait compris, même si les affaires de politique n'étaient pas sa préoccupation, que le roi ne pouvait tolérer une armée séditieuse dans son dos, sur laquelle il n'avait aucune autorité et levée avec l'argent de quelques seigneurs. Certes, dans sa missive, madame de Portes avait omis de préciser qu'elle avait apporté sa contribution par une coquette somme. A vrai dire, cela lui importait peu qu'on le découvrît un jour puisque le don s'était conclu sans papier.

Son devoir accompli, la marquise alla s'attarder quelques minutes dans la chapelle pour y prier la Vierge et lui demander pardon de n'avoir pas eu le courage de résister au bretteur de Peyremale. Elle en sortit la conscience en paix et rejoignit ses derniers invités.

Dans ses salons, on était occupé à des jeux de cartes. C'était l'occupation favorite des habitués du château. Et le cercle ne tenait sa raison d'être que du seul plaisir de rassembler tous les joueurs invétérés du pays. De belles sommes d'argent passaient de main en main, sans un mot plus haut que l'autre. On s'accommodait de perdre dans la dignité. Et les tricheries elles-mêmes étaient comparables à des mots d'esprit dont on aimait ensuite se gausser. Bien des barons, bien des vicomtesses se firent allégrement plumer, dans la bonne humeur.

La marquise avait l'esprit trop contrarié pour s'asseoir à l'une de ces tables. Aussi traversa-t-elle ses salons avec

Les compagnons de Maletaverne

un sourire indifférent aux lèvres, allant de droite à gauche, saluant, congratulant sans s'attarder. Chaque fois qu'on voulait lui présenter un siège, elle le refusait d'un geste las. Ses proches amies, dont la vicomtesse de Vaubrécourt et la baronne de Méjeanne, abandonnèrent leur poste pour s'inquiéter de son humeur.

— Voudriez-vous m'accompagner jusque chez mes curés ? leur demanda-t-elle.

La perspective de descendre dans les communs ne les enchantait guère, mais il eût été inconvenant de refuser une telle invite. Les dames se firent précéder de deux laquais qui leur ouvraient les portes, écartaient les rideaux, prévenaient les dangers dans les passages incommodes. A l'instant de s'engager dans le passage voûté, deux ou trois chauves-souris les frôlèrent. Seule madame de Portes résista à la frayeur. Les trois ou quatre dames qui l'accompagnaient battirent en retraite dans un frôlement de soie.

— Ce ne sont que de mignonnes pipistrelles ! s'écria la maîtresse des lieux. Allons, mesdames, un peu de courage.

Enfin, la marquise les incita à avancer avec elle, les mains posées sur leurs hautes chevelures où elles craignaient que les chauves-souris ne vinssent se prendre les pattes.

— Ne sont-ce pas des créatures diaboliques ? demanda la vicomtesse de Vaubrécourt. J'ai ouï dire qu'elles sortaient, à la nuit tombée, des cryptes où l'on avait emmuré des âmes damnées.

— Oh, releva la marquise de Portes, ici même, il n'y a point d'âmes damnées. Et pourtant les pipistrelles pullulent.

Les dames éclatèrent de rire.

Le faucon de Fontmort

— Ici même, reprit la baronne de Méjeanne, on ne se damne qu'au jeu !

— Et un peu au libertinage, ajouta une autre dame qui portait son mantelet relevé sur la tête.

A leur entrée dans l'immense cave voûtée, les ecclésiastiques se dressèrent à l'unisson. Une odeur de paille pourrie, de suées et d'urines mélangées occupait l'espace de confinement. Cela faisait des mois que les curés des Cévennes croupissaient dans l'endroit. La promiscuité avait ôté aux hommes toute dignité, dans cet univers peuplé de cancrelats et de cafards. Beaucoup d'entre eux avaient perdu, déjà, le goût de leur mission sacerdotale. Dans la marmite infâme au fond de laquelle les prêtres étaient reclus comme des âmes perdues, la sauvagerie, la mesquinerie, la férocité avaient reconquis les esprits qui, pour s'affermir dans l'élévation, ont besoin de la solitude, de l'isolement et du recueillement.

— Mes chers invités, combien l'épreuve est grande pour vous ! reconnut la marquise de Portes. Mais, hélas, je ne peux vous donner plus. Chaque jour, je prie pour que la paix revienne dans vos paroisses...

Le reste de son discours se perdit dans le silence de la cave. Les regards étaient lourds de reproches. La marquise se recula, saisie par une répulsion qu'elle ne pouvait dissimuler. Ses voisines n'attendaient plus que son signal pour refluer vers la sortie.

— Nous sommes comme des prisonniers ! s'écria l'un des jeunes prêtres.

— Mes frères n'espèrent qu'une chose, ajouta un autre abbé qui était resté près d'une meurtrière d'où descendait un peu d'air, recouvrer le droit de partir. Quel que soit notre sort. Ce sera mieux qu'une attente

Les compagnons de Maletaverne

mortelle dans laquelle nos âmes se consument. Rendez-nous notre liberté, je vous en conjure, madame. Même si nous devons périr sous les coups des scélérats.

Le jeune prêtre qui venait de s'exprimer ainsi n'était autre que l'abbé Aristide, le secrétaire du vicaire général Pelletan. Lui, il avait vu la mort de près. Et il ne la craignait plus. Pourtant, jour après jour, il ne cessait de s'interroger. Pourquoi les hérétiques l'avaient-ils épargné ? Ne méritait-il pas de mourir près de son confesseur ? De partager son martyre ? Que pouvait signifier une telle providence ? Et si Dieu en avait décidé ainsi, en arrêtant la main des bourreaux, c'était pour mieux le charger d'une mission. Dès lors que cette pensée avait hanté son esprit, il ne comprenait pas pourquoi on le tenait ainsi, en quarantaine. Au-dehors, il y avait tant à faire. Et, surtout, reprendre la mission sacerdotale du vicaire Pelletan, rebâtir l'église de Maletaverne et y ramener, une à une, les âmes perdues, quitte à pactiser avec les protestants, la parole du Christ étant plus élevée que celle d'un roi et ne variant jamais. Ce qui est immortel ne varie pas selon les moments. La vérité est éternelle, se disait-il en lisant saint Augustin, un petit livre qu'il tenait accroché sur son cœur.

Madame de Portes lui fit signe de l'accompagner. D'un geste de la main, il releva la longue chevelure noire qui lui couvrait le visage.

— Il n'y a pas que les protestants qui nous martyrisent, dit-il une fois parvenu dans la cour du château, dans la pleine lumière du soleil de printemps.

— Que voulez-vous dire ? interrogea la marquise.

— Les poux, les blattes et les scolopendres nous dévorent la chair. J'en porte les stigmates sur tout le corps. Sans oublier les rats qui viennent nous visiter et dont les

Le faucon de Fontmort

morsures sont douloureuses. Voilà notre enfer, madame. Celui que je connus à Maletaverne, celui-ci, fit-il en dressant l'index, me fut plein d'enseignement...

La maîtresse des lieux éprouva en entendant ce récit une telle horreur qu'elle ne put s'empêcher de tressaillir.

— C'est vous, mon père, qui avez échappé aux hérétiques ?

— Eux, ils m'ont laissé aller en toute liberté, alors que vous m'en empêchez. Qu'ai-je à craindre ? Je suis déjà mort. Et j'ai porté le péché jusqu'aux enfers...

— Quelle déraison, mon Dieu ! soupira madame de Vaubrécourt.

— Et là, j'y ai vu comme je vous vois, marquise, le père Pelletan brûler sur le gril pour tous ses crimes...

— De quels crimes parlez-vous ? insista madame de Portes.

— De tous les frères qu'il a tourmentés, au nom de Dieu et sans que Notre Seigneur lui ait jamais accordé ce commandement... O vérité, lumière de mon cœur, du fond de ce gouffre, je me suis souvenu de vous. J'ai entendu votre voix qui me disait de revenir sur la terre. « J'ai mal vécu par ma faute, j'ai été la cause de ma mort. En vous je revis ! Parlez-moi, instruisez-moi. Je crois en vos livres, et leurs paroles ont de profonds mystères[1]. »

Aristide s'était avancé sur l'allée qui menait au chemin de ronde. Il portait les mains jointes au-dessus de sa tête, le regard livide. Des soldats qui montaient la garde se rapprochèrent pour l'entendre. Puis ils rirent, comme les légionnaires romains sur les pas du Christ. L'un d'eux voulut le bousculer. Mais le prêtre ne chuta pas au premier mouvement. Une force étrange semblait le porter

1. Saint Augustin, *Confessions*, livre XII.

Les compagnons de Maletaverne

dans l'équilibre précaire du jour. Madame de Portes fit
signe aux gardes de s'éloigner. Toute cynique qu'elle fût
dans les moments où elle paraissait devant sa cour, la
marquise ne supportait pas qu'on se gaussât ainsi d'un
petit prêtre, d'autant qu'il avait produit sur elle une si
forte impression qu'elle en était bouleversée.

— Laissez-le aller ! ordonna-t-elle. Il est libre de partir. Et que Dieu le garde !

Avant de quitter Aurèle de Jassueix aux portes d'Alès,
Julien Valleraugue lui avait donné rendez-vous à la foire
de Beaucaire du 22 juillet. Sans autre explication. Le
chef camisard était l'homme le plus secret et le plus
imprévisible qu'on pouvait trouver.

« Et si je dois te contacter auparavant, mon cher petit
comte, un de mes espions te le fera savoir. Le mot de
reconnaissance sera : "La sagesse rend le sage plus fort."

— Mais comment saura-t-il me dénicher ? interrogea
Aurèle. En attendant ce jour, je ne vous serai pas comp-
table de mes faits et gestes...

— Où que tu sois, mes espions te trouveront, répondit
Valleraugue en ramenant le bord de son chapeau sur ses
sourcils. Et si d'aventure tu venais à me trahir, tu
n'aurais pas assez d'yeux pour voir la lame passer sur ta
gorge comme un éclair. »

Pourquoi la foire de Beaucaire ? Aurèle n'avait pas de
réponse. Désormais, son avenir était entre les mains
d'un aventurier. Il s'était placé sous ses ordres et se
voyait condamné à attendre, tandis que son père se lan-
guissait dans les fers à la tour de Constance. Dans les
premiers jours de leur escapade, il avait imaginé que son
nouvel et étrange allié courait vers des troupes fraîches
qu'il suffirait d'armer, promptement, pour attaquer la

Le faucon de Fontmort

forteresse d'Aigues-Mortes. Mais Valleraugue l'en avait vite dissuadé par des éclats de rire.

« Il faut de la patience en toute chose. Attaquer la tour relève d'une préparation diabolique. J'y mettrai tout mon cœur, je te le jure.

— Ne tardez pas trop, quand même, car je crains pour la vie de mon père.

— En cette forteresse, le rassura Julien Valleraugue, on peut couler une vie sans embûche, si ce n'est le désagrément d'être dans les fers. Mais cela n'est rien pour des hommes comme nous. Car les fers, nous les portons depuis l'enfance, dans la chair et dans l'esprit. Et nul ne nous en délivrera que notre vaillance.

— Mon père est un noble. Il est né libre. Et je crains que sa disgrâce ne le mine de l'intérieur.

— Le comte Thibaut n'est point homme à perdre espoir. Et sans doute connaîtra-t-il, d'ici peu, le projet qui nous occupe... »

Fuyant les routes de Basville, tout entière sous la surveillance des armées de Montrevel, le jeune comte se rapprocha de Nîmes. Il avait imaginé se fondre dans la population pour prendre un peu de recul, sans autre souci que manger, boire et dormir. Mais le désir de revoir Isabeau, dont il était sans nouvelles depuis l'hiver, le tenaillait au ventre. Se découvrir ainsi, n'était-ce pas prendre un risque inutile ? La Vaunage était un immense filet que le marquis de La Baume avait posé, dans l'espoir d'y faire des prises mirobolantes. Mais la passion ne se connaît point de limites et engendre toutes les hardiesses.

Aussi décida-t-il, comme on se jette à l'eau, de prendre la direction de Saint-Jean-de-Gardonnenque[1]. Pour

1. Saint-Jean-du-Gard.

257

Les compagnons de Maletaverne

ménager ses montures, il chevauchait tantôt sa jument, tantôt Mustapha. Cette méthode l'autorisait à franchir les distances à bride abattue. Maintes fois, il dut contourner quelques convois militaires, se cacher dans les chênes verts ou traverser des passages difficiles dans le lit des rivières. Toutefois, Aurèle évitait de cheminer la nuit, s'étant rendu compte que l'attention des troupes était alors plus soutenue. Les mas et les bastides, il les fuyait comme la peste ; on ne savait jamais à quelle faction ils appartenaient. Montrevel et son maréchal de camp Julien avaient essaimé des espions à tous les points stratégiques. Le moindre attroupement ou mouvement suspect entraînait dans l'heure l'arrivée des dragons. Ils fondaient comme des voltigeurs, aguerris à l'encerclement. Le lieu le plus paisible et le plus hospitalier pouvait devenir en un instant le pire piège qui fût.

Ainsi aborda-t-il, au terme d'un prudent périple, la seigneurie de Lavèze. Les vignes, les plantations de mûriers, les oliveraies, tout cela fleurait bon Louradour et la belle Isabeau. Et il en ressentit un tel mélange de joie et de mélancolie qu'il ne put réprimer quelques larmes.

A la tombée du jour, Aurèle se rapprocha du château de Louradour. Il prit soin d'en examiner les environs avec la lunette de son père, la même longue-vue qui servait, jadis, au comte Thibaut pour surveiller son faucon favori sur les hauteurs du causse Méjean. Le domaine lui sembla aussi paisible que possible, et cette constatation l'incita à s'en rapprocher.

Durant l'hiver, Isabeau lui avait montré, à l'arrière du domaine, un ancien repaire de chasse qui servait à abriter la meute de chiens. Peu enclin à la chasse aux loups ou aux renards, Gérald de Lavèze s'était débarrassé des habitudes ancestrales. Le marquis avait troqué ses équi-

Le faucon de Fontmort

pages contre des plaisirs plus féconds : la musique, la lecture, la philosophie, et surtout une passion nourrie pour les prosateurs grecs et latins. Il courait les chartreuses, abbayes et monastères pour y dénicher quelques ouvrages rares acquis à bas prix. Les textes religieux cachaient souvent des écrits anciens proscrits par les moines et que les copistes du Moyen Age avaient essayé de faire disparaître. A force de patience, Gérald mit à jour maints palimpsestes, dont certains textes de Cicéron que l'on croyait perdus à jamais. Régulièrement, Lavèze se rendait à Paris pour faire connaître ses trouvailles. Et, dans les cercles savants de la capitale, on louait son travail pour la cause des humanistes.

Dans le pavillon de chasse désaffecté, Aurèle entrava ses deux chevaux. L'une des ouvertures donnait directement sur le parc. Il le traversa au pas de course, jusqu'à venir buter contre les douves. Chaque soir, le maître des lieux faisait relever la passerelle qui enjambait les eaux mortes. En découvrant cette nouvelle difficulté, le jeune homme se mit à maugréer à mi-voix. Il ne se voyait guère plonger dans le marigot pour atteindre les premières meurtrières. Après tout, cela ne ressemblait à rien d'agir de la sorte dans un domaine ami. Il se dirigea vers l'entrée. Une bretèche protégeait l'accès. Cinq à six gardes faisaient les cent pas. On distinguait leurs silhouettes noires dans un cercle de lumière pâle distillée par des lumignons. Mais il n'eut guère le temps de s'interroger plus longtemps que déjà une sentinelle vint à se jeter sur lui, rudement, si rudement qu'il tomba à terre sous le poids du bonhomme protégé par un corset de fer.

— Je viens voir monsieur de Lavèze ! cria-t-il en se débattant.

Les compagnons de Maletaverne

La sentinelle avait appliqué sur sa gorge la pointe d'une dague.

— En maraudant autour du château ? fit-il, incrédule.

Après lui avoir ôté ses pistolets et son poignard, le bonhomme le conduisit dans la salle des gardes. Le sergent l'accueillit fraîchement.

— Tu prétends être un Jassueix, mais qu'est-ce qui me le prouve ?

— Donnez-moi du papier et de quoi écrire, demanda Aurèle. Et ensuite vous porterez ce message à votre maître.

Le sergent aux gardes l'examina attentivement. Le visiteur portait de belles bottes en cuir, un justaucorps de bonne coupe. Ces détails l'incitèrent à lui tendre du papier chiffon et une écritoire. Le comte Aurèle griffonna nerveusement quelques mots, puis appliqua le sceau qu'il portait à l'annulaire. Le sergent reconnut l'écusson des Jassueix.

— Il se peut que tu dises vrai, l'ami. Alors tu vas attendre ici, bien sagement, la réponse de monsieur de Lavèze.

Celle-ci ne tarda pas à venir. Et le sergent lui-même accompagna Aurèle aux appartements du marquis. Ce dernier était occupé à déchiffrer de vieux documents à la loupe. Aussitôt, il se détacha du lutrin consacré à cette occupation.

— Oh, mon Dieu ! s'écria-t-il en saisissant le jeune homme dans ses bras. Je me suis fait un sang d'encre. Mais tout est pour le mieux. Vous voici en bonne santé. Comme je suis heureux ! Mille fois, j'ai imaginé le pire.

Puis le marquis remarqua la présence, à deux pas, de son sergent aux gardes. Et aussitôt il se détacha d'Aurèle.

260

Le faucon de Fontmort

— Sergent ? Allez voir madame Beauséjour dans les appartements de la marquise et dites-lui de prévenir ma fille que monsieur de Jassueix est dans nos murs.

Le garde s'exécuta promptement. Monsieur de Lavèze courut sur ses talons pour fermer la porte de la bibliothèque.

— Que craignez-vous ? Vous n'êtes point sûr de vos gens ? lui demanda Aurèle.

— Par ces temps, deux précautions valent mieux qu'une. Surtout, mon jeune ami, que votre tête est mise à prix.

Le petit comte ne put s'empêcher d'éclater de rire.

— Celle de mon père ne leur suffit donc pas...

— A priori, non. Surtout qu'on vous accuse d'avoir rallié les réformés.

Le marquis de Lavèze fixait son jeune visiteur droit dans les yeux. Il avait besoin de vérifier si ce que l'on racontait à Nîmes, dans les antichambres de Montrevel, était vrai. Les deux hommes s'observèrent avec gravité. Ni l'un ni l'autre ne baissèrent les yeux. Puis le marquis hocha la tête.

— Je vois que c'est la vérité. Mais je ne vous en blâme pas, se défendit-il. Cependant, rien ne m'empêchera de songer que vous avez choisi le pire moment pour vous convertir. Cela ne manque ni de panache ni de courage. Mais il eût mieux valu que vous vous tinssiez en dehors de cette histoire.

Le jeune comte se recula pour aller se placer directement sous la lumière du grand chandelier.

— Vous n'y êtes pas du tout, dit-il. Je suis toujours catholique. Tel que j'ai été reçu en baptême.

— Mais alors, que faites-vous avec les camisards ? Ce n'est point votre place. Gardez tous vos atouts pour intercéder auprès du maréchal. C'est l'abc de la diplomatie.

Les compagnons de Maletaverne

Car je ne puis croire que votre cher père demeure à la tour de Constance très longtemps. Nos requêtes finiront par faire fléchir monsieur de La Baume. Et, tôt ou tard, ce dernier comprendra l'étendue de son erreur. Mais, pour cela, il faudrait, mon garçon, que vous nous aidiez. Aurèle releva la tête brusquement. Un masque de colère forçait les traits de son visage.

— Que d'illusions, mon Dieu ! L'ordre vient du roi. Et le méchant procès que l'on fait à mon père a été instruit par Ernis de Salamon. Il n'y a aucun espoir du côté de votre diplomatie parce que ma famille est proscrite, que le nom même des Jassueix est banni.

Le marquis de Lavèze avait écrit une dizaine de lettres à monsieur de La Baume pour lui demander de reconsidérer sa position. Elles étaient restées sans réponse. Ce silence était même des plus inconvenants pour un noble de son rang. On le traitait avec le plus grand mépris, comme si on avait déjà jugé, dans les officines du maréchal de Montrevel, que l'intervention relevait de la lèse-majesté. Le gouverneur militaire n'avait-il pas obtenu du roi lui-même les pleins pouvoirs pour traîner sur la claie qui bon lui semblait, quels que fussent le titre, le rang, le mérite du relaps. La guerre des Cévennes avait durci l'autorité royale, inspiré des règles d'exception. Celles-ci avaient emporté les Jassueix dans la tourmente, sans appel ni commisération.

— Je n'ose croire que vous ayez raison, mon jeune ami, mais…

— Mais, tout bien considéré, ma vie est en danger, elle aussi, insista Aurèle.

— Je me félicite que votre famille soit à l'abri en Suisse. Et j'ai, à ce propos, de bonnes nouvelles à vous transmettre.

Le faucon de Fontmort

Le marquis entraîna son visiteur dans le cabinet de travail. Il en fit le tour pour vérifier que les portes étaient bien fermées.

— Je connais la question qui vous brûle les lèvres, ajouta Aurèle avec malice.

Gérald de Lavèze eut un sourire de contentement. N'avait-il pas démontré sa loyauté dans l'affaire ? Et sans doute n'eût-il pas compris que son voisin ne fît pas de même.

— J'ai rallié les camisards de Maletaverne pour tenter d'entrer dans la tour d'Aigues-Mortes...

— Oh, mon Dieu...

— ... afin d'y libérer mon père.

— Et après ? Avez-vous songé à la suite de votre aventure ?

— Nous fuirons ensemble à Neuchâtel pour y rejoindre notre famille.

— Quelle folie ! Croyez-vous que votre père, tel que je le connais, accepterait ainsi la fuite et le désaveu public ? Sinon il l'aurait déjà fait. Oh, non. Il ne consentira jamais à sortir ainsi de son cachot. Plutôt par la grande porte, je le crois, avec un honneur recouvré, conclut-il.

Aurèle avait hâte de quitter la conversation qui ne le menait nulle part. Certes, le jeune visiteur comprenait aisément que son hôte pût tenir des propos teintés de frilosité. Monsieur de Lavèze avait gros à perdre en soutenant les projets de son voisin, surtout depuis que celui-ci avait rejoint les troupes de Valleraugue. Sans doute la position des Lavèze était-elle plus forte en haut lieu que ne l'avait été celle des Jassueix. Et l'on y regarderait à deux fois avant de prononcer un nouvel anathème. Avec la disgrâce de Thibaut, on avait surtout voulu faire un

Les compagnons de Maletaverne

exemple et endiguer, par la peur, toute autre velléité chez les seigneurs cévenols.

— Monsieur de Lavèze, ajouta Aurèle, vous avez beaucoup fait pour notre famille. Et je vous en remercie profondément. Mais je comprends, désormais, que vous n'approuviez pas ma démarche. Déjà, il est généreux de votre part que vous ne m'en blâmiez pas.

Le marquis se sentit gêné par les derniers mots. Il se racla la gorge d'émotion.

— Pour moi, vous êtes comme un fils. Et tout ce qu'il pourrait advenir de vous me blesserait dans ma chair. Les doutes que j'exprime là, ne les prenez pas en mauvaise part. Simplement, je crains que vous n'y laissiez votre vie. Vous n'êtes point armé pour une si grande aventure. La tour de Constance est une citadelle imprenable. Ce Julien Valleraugue, auquel vous avez lié votre destin, abuse de votre confiance.

A cet instant de la conversation, la porte s'ouvrit brutalement et Isabeau fondit dans les bras de son amant, versant des cris et des larmes sans retenue. Le père sortit aussitôt dans le couloir, le visage marqué par l'inquiétude. Rien n'était à ses yeux plus beau et plus noble que cet amour, mais il en appréhendait le devenir plus que tout au monde.

Au bout du couloir, il croisa la silhouette austère de son intendant. Depuis que la guerre contre les réformés s'accentuait dans le pays, François Bessette portait en sautoir une croix volumineuse en argent massif. Avec sa moustache taillée en pointe et son justaucorps noir, ajusté à ras de cou, il évoquait un inquisiteur espagnol. « Vous ressemblez de plus en plus à un Torquemada ! » avait dit son maître un jour que Bessette tenait des propos hystériques contre les protestants.

Le faucon de Fontmort

— Vous avez de la visite, monsieur le marquis ?

Gérald ne put réprimer un mouvement de surprise. Se pouvait-il que son intendant eût aperçu le visage d'Aurèle ? Que le sergent aux gardes se fût abandonné à quelque confidence ? Tout est perdu, alors, songea le marquis. Le fanatique ne tardera point à alerter les dragons pour qu'on vienne arrêter Aurèle...

— Pourquoi me posez-vous cette question ? se reprit Gérald.

Il fixait son intendant droit dans les yeux. L'homme baissa la tête.

— Ma question est sans malice.

— Devrai-je vous encourager encore une fois, mon bon François, à aller vous occuper de nos affaires ? Et de nulle autre qui ne relèverait point de vos fonctions.

— Bien, monsieur ! Bien, monsieur ! bredouilla Bessette.

— Je dispose encore d'assez d'autorité pour vous apprendre la bonne conduite. Par ces heures troubles, il est des couteaux aiguisés qui ne demandent qu'à trancher des gorges trop indiscrètes.

Et, d'un geste appuyé, le marquis fit glisser son pouce sur la sienne. Monsieur Bessette prit aussitôt la poudre d'escampette par l'escalier de service. Gérald soupira profondément. Il détestait ces assauts d'autorité, mais comment paralyser l'indiscrétion d'un tel fanatique sinon par de franches menaces ? Désormais, s'il arrivait malheur à Aurèle, on ne pourrait s'en prendre qu'à l'intendant et armer la main vengeresse d'un spadassin.

Isabeau et Aurèle montèrent au grenier. A peine dévêtus, ils se jetèrent sur la bergère où, déjà, ils avaient pris l'habitude de se serrer l'un contre l'autre et de s'abandonner à mille caresses.

Les compagnons de Maletaverne

— Je voudrais bien faire l'amour avec toi, dit Aurèle en prenant dans ses mains les petits seins fermes d'Isabeau.

— Oui. Oh oui, murmura-t-elle tout contre son oreille. Je le voudrais bien aussi, mais...

— Mais quoi ?

— J'ai peur d'attraper un enfant.

— Je sais comment éviter le désagrément, la rassura Aurèle.

— Ah oui ? Et qui donc t'a appris ça ?

Le jeune comte ne répondit pas. Il enfouit son visage contre la poitrine d'Isabeau pour humer l'odeur de sa chair.

— Je te le dirai un jour...

Après qu'il se fut perdu en elle dans une fureur trouble, Aurèle se releva pour chercher, en hâte, un petit mouchoir de dentelle. Et, délicatement, il vint éponger les larmes de sang qu'elle tenait écrasées entre ses cuisses. Puis il courut l'embrasser avec la même fureur qu'il avait mise à la prendre, comme s'il voulait se faire pardonner son audace. Isabeau avait conservé les yeux clos pour ne pas voir cette débâcle autour d'elle et en elle. Et, à force de caresses, de baisers, il la rendit enfin à la réalité. Les odeurs de la nuit montaient par la fenêtre ouverte. Ils respiraient fort ce doux printemps de ciel clair et de lune fauve.

— Je ne te savais pas si prompt, rit-elle.

Il était allongé tout contre elle, et la main d'Isabeau caressait en douceur son sexe, aussi attendri qu'il fût, désormais, et amolli. Elle jouait, avec insistance, à rouler son pouce sur la pointe humide et se délectait de sa finesse de soie.

— Si prompt ? Que veux-tu dire ? Que notre plaisir n'a pas atteint ce que tu imaginais dans tes rêves ? Mais cela viendra, peu à peu...

Le faucon de Fontmort

— Oui, si prompt, répéta-t-elle. Je ne te désirerais pas aussi possédé. Ne suis-je pas le double de toi-même ? Alors, je ne comprends pas que tu viennes buter contre mon ventre ainsi qu'un lutteur.

La lente et insistante caresse avait fini par réveiller le jeune amant.

— Tu es roide.

— Oui, admit-il.

— Roide et doux à la fois. A la condition que l'esprit domine l'instinct, tu me rendras aussi heureuse que tu le fus à l'instant où tu jetas ta semence sur mon ventre.

Le jeune comte revint en elle, sans fureur, avec la sollicitude qu'elle venait de lui réclamer. Puis il attendit qu'elle l'autorisât à manœuvrer dans les profondeurs de sa chair.

— Tu possèdes un éperon généreux, murmura-t-elle. A la condition, toutefois, d'en dominer la fougue. Car j'ai envie, suggéra-t-elle du bout des lèvres, qu'il prépare mon plaisir avec lenteur.

Puis Isabeau sentit enfin la jouissance gagner tout son corps, sans qu'elle pût en mesurer la vague qu'elle eût tant voulu dominer pour ne point se noyer dans cette petite mort qu'elle appréhendait encore. Alors elle vint s'arcbouter contre lui et réclama, à l'instant, qu'il cédât aussi.

— J'aurais tant voulu que tu ne t'éloignasses pas, fit-elle en lui caressant du bout des doigts les lèvres, suspendues au-dessus d'elle.

— Je ne pouvais pas. Le comprendras-tu ?

— Oui, mon amant ! Oui. Je ne t'en veux pas. Tu es si beau à cet instant. Si beau. Et si grand. Fort comme un chevalier. Je ne penserai plus qu'à lui désormais, jour et nuit. Comme il est sublime ! fit-elle en s'en emparant

Les compagnons de Maletaverne

à pleine main, barbouillant, de ses doigts fins, la semence qu'il exsudait encore.

Aurèle s'était renversé sur le dos pour qu'Isabeau fût mieux à même de le caresser. Elle rapprocha le chandelier, dont la brise du dehors agitait la flamme.

— Je veux le voir. Oh, mon Dieu ! Comme cela est attrayant ! Cette douceur m'émeut. Le sens-tu, mon amant, comme je suis émue ?

Dame Lucille, comme l'appelaient ses cameristes, fit inviter dans ses appartements le jeune Aurèle. On avait l'habitude de dîner fort tard, surtout depuis que les jours allongeaient. Les serviteurs se mirent en quatre pour agrémenter le repas ; des perdrix aux petits pois, arrosées d'un vin clairet fraîchi au puits.

— Avez-vous noté ? dit Isabeau à son amant qu'elle vouvoyait devant ses parents. C'est là un mets rare et exquis.

Un sourire béat éclairait le visage de la marquise. La table des Lavèze n'était-elle pas la mieux fournie du pays, bien plus assortie encore que celle de madame de Portes ? Gérald était très gourmand et fort attiré par les vins, dont il faisait collection. « La cave est aussi bien tenue que la bibliothèque », ironisait Lucille, pour qui ces choses, les vins et les livres, semblaient superflues dans l'existence. Gérald ne relevait jamais le propos. Lucille était la fille d'un riche hobereau et avait été élevée dans le mépris des arts et des lettres. Chez les Fulcrey, les activités autres que celles de la terre étaient honnies. On l'avait préparée au mariage, à la broderie et à l'art des plaisirs futiles. C'était tout.

Le faucon de Fontmort

— Les petits pois sont fort prisés du roi. Il paraît qu'on en fait des orgies à Versailles. Moi, je les aime aussi. Surtout avec les macreuses. Ce ne sont que de petits os à sucer, certes. Mais les sucs qu'elles exsudent sont précieux au palais.

Le marquis roula une œillade amusée dans la direction d'Isabeau.

— Si le roi Louis les aime, alors il serait mal venu de ne les priser point, dit la jeune fille.

— Ah, Gérald, je sens bien là, chez notre fille, tout l'esprit que vous portez aux choses de ce monde. Mais, ma chère enfant, défiez-vous-en, car il pourrait un jour vous jouer un vilain tour, ajouta-t-elle en fixant Isabeau qui se retenait de pouffer de rire.

Aurèle hésitait à mordre dans sa perdrix à belles dents. A cet art, Lucille montrait mille délicatesses inutiles. Cela en gâte le goût, songea-t-il en l'observant. Chez moi, on dévore ces oiseaux comme ils se présentent, sans façon. Et qu'importe si le jus nous coule sur les doigts... Isabeau en prit un quartier et l'attaqua avec vigueur, si haut sur son assiette que sa mère en détourna les yeux de dégoût. Le petit pied agile de la belle petite marquise vint se poser sur celui de son amant. C'était une manière bien à elle, effrontée, de lui faire comprendre, enfin, qu'il pouvait se déboutonner tout à son aise.

Gérald était éloigné de ces manœuvres, si éloigné par l'esprit qu'il mangeait sans appétit. La question de l'attitude de François Bessette le chagrinait fort. Se pourrait-il qu'il passe outre à mes menaces ? Tout est possible chez les fanatiques.

— Avant l'aube, dit-il soudain à Aurèle, vous devrez avoir quitté notre maison.

Les compagnons de Maletaverne

— Oh, mon père ! s'écria Isabeau en renversant son verre. Comment pouvez-vous être si grossier ?

L'un des serveurs accourut pour nettoyer le désastre. Isabeau le repoussa vivement.

— Laissez donc ! Je suis en colère. Oh, ma chère mère, pouvez-vous me venir en aide ? Ne voyez-vous pas qu'on fait acte de goujaterie ? Je voudrais vous dire, à tous deux, que j'aime Aurèle d'un amour profond. Et que j'éprouverais une grande joie à le garder quelques jours dans notre maison.

— N'ayez crainte, monsieur, je n'ai pas l'intention de m'attarder chez vous.

Gérald prit la main de son voisin et la serra fortement.

— Je ne peux justifier les causes de ma conduite, dit-il en direction d'Isabeau, mais celle-ci n'est dictée que par la volonté de protéger notre ami. Il y a grand danger à le garder à Louradour.

— Oui, ajouta Aurèle. Je comprends parfaitement. Et je vous demande, ma chère Isabeau, de n'en point tenir rigueur à votre père. Il a raison. Mille fois raison.

— Comment pouvez-vous parler ainsi ? Je vous veux ici même. Cela est infernal ! A peine êtes-vous arrivé que vous désirez déjà repartir. Cela est trop cruel.

Isabeau se dressa d'un bond et quitta la table. Gérald se prit la tête dans les mains. Il aimait trop sa fille pour n'en pas ressentir du désagrément.

— Ou alors, je le suis. Où qu'il aille. Même en enfer…

Puis elle claqua la porte, si vivement que Gérald se leva aussitôt pour la rejoindre. Au milieu du salon, il hésita encore. Il fit signe à Aurèle de le suivre.

— On lui doit la vérité, lui confia le marquis en le prenant par l'épaule. Avant l'aube, je veux vous voir loin de Louradour. Je crains qu'on ne vienne vous chercher

Le faucon de Fontmort

ici même. Montrevel possède des espions partout. Et j'ai des doutes concernant mon intendant. François Bessette ne jure que par l'abbé de Beaujeu.

Bien qu'il en éprouvât de l'amertume, la raison exigeait de se tenir éloigné de Louradour. Aurèle accepta aussitôt la suggestion. Elle était la sagesse même. Tous deux avaient compris que, pour chasser la colère d'Isabeau, il fallait la mettre dans la confidence. Ce qu'ils firent dans la minute.

— Je ne vivrai plus de vous savoir en danger, se lamenta la jeune marquise tandis que son amant la tenait serrée contre lui. Je souhaiterais tellement être auprès de vous plutôt qu'attendre, ici, dans la crainte et la désolation.

Elle se détacha d'Aurèle et vint se rencogner contre son père qui roulait des yeux attendris.

— Père ? Je vous prie, laissez-moi aller...

Monsieur de Lavèze fit un signe discret à son voisin pour l'inciter à faire montre d'un peu plus de résolution.

— Non, trancha le jeune homme. Je ne le peux. Et vos larmes n'y changeront rien. Votre présence à mes côtés ne ferait qu'éveiller des soupçons. Mon affaire exige de la discrétion. Et je doute que mes alliés acceptent de vous voir auprès de moi. Brisez là vos caprices. Si vous me vouez autant d'amour que vous le dites, alors vous trouverez le courage de m'attendre.

Isabeau resta pétrifiée sur place. Cette parole lui fit l'effet d'un coup de grâce. Pourquoi le chantage autour du sentiment ? Je me sentais prête à tous les sacrifices, se dit-elle. Et l'on vient me demander d'en taire les excès, de faire preuve de tempérance, alors que l'amour ne se peut exprimer que dans l'exaltation et la folie...

Les compagnons de Maletaverne

Le jeune comte prit Isabeau à part, l'entraîna vers une alcôve. Gérald demeura à bonne distance pour ne pas gêner leur ultime conversation. Désormais, il était assuré qu'Aurèle obtiendrait raison bien plus sûrement que son autorité paternelle chancelante.

— Te souviens-tu de Lancelot au moment où il demande à la reine Guenièvre de retourner à Kamaalot ? Et la détresse dans laquelle il se trouve de devoir lui dicter ce que son cœur refuse ? Je suis dans les mêmes dispositions, fit-il en tenant appuyé son front contre le sien.

— Et ce que lui répondit la reine Guenièvre… ajouta Isabeau. « Si vous préférez que je reste avec vous, je resterai ; si vous voulez que je m'en aille, je m'en irai. »

TROISIÈME PARTIE

Les princes du Gardon

10

— Ah, l'infâme canaille ! La maudite engeance, l'exécrable vermine... s'écriait monsieur de Montrevel en arpentant son appartement de l'évêché.

Les fenêtres ouvertes sur la place aux Herbes faisaient entrer les cris et les rumeurs de la foule qui grouillait au marché. C'était jour d'affaires et de marchandages en tous genres. L'ambiance de fête qui régnait à Nîmes détonnait avec les événements tragiques de la Vaunage. Les troupes régulières piétinaient devant l'ennemi. Et les embuscades récentes, que dragons et fusiliers avaient essuyées sur les chemins de Basville, ne laissaient place à guère d'illusions sur les difficultés de sa mission. Il enrageait devant son impuissance à retourner la situation. Pourtant, le Conseil royal n'attendait plus qu'un mot, un signe de son maréchal en campagne pour courir annoncer la bonne nouvelle à Louis XIV. Or celle-ci tardait à arriver. Et pour cause... Chaque jour apportait son lot de défaites.

A deux pas de son quartier de commandement, sur un siège voluptueux, entourée de coussins de soie, madame de Soustelle bâillait d'aise. Elle avait passé une nuit de plaisir avec son chevalier servant et en portait

275

Les compagnons de Maletaverne

encore les traces sous les yeux. Pourtant, son amant n'était pas le lion vaillant et généreux qu'elle avait imaginé. Qu'importe, cela lui agréait fort qu'il fût un brin accommodant et voyeur, son maréchal... Lorsqu'il était repu de sa belle colombe et qu'elle réclamait encore et encore des hommages, il lui envoyait son jeune aide de camp pour terminer l'affaire. Dans ces moments, le gouverneur militaire allait s'asseoir à deux pas, regagnant sans doute quelque vigueur à contempler les débauches. Parfois, cela l'étonnait lui-même qu'elle fût si passionnée à l'ouvrage, des heures et des heures durant, sans fatigue ni rémission. Pourtant, madame de Soustelle n'était pas de première jeunesse. Mais il semblait que l'âge avait fortifié son désir des hommes, sur lesquels, du reste, elle n'était pas exigeante, pourvu qu'ils fussent vigoureux et avides.

— Je prise l'abondance et le débordement des sens, avouait-elle sans rougir. Le sublime plaisir ne me vient qu'à force de le titiller, avec excès et outrance. Telle la nature m'a faite. Nous n'y pouvons rien, ni vous ni moi. Et à quoi bon s'encombrer de principes ? La vie est si brève, hélas, et nul ne nous promet un paradis où la débauche des sens sera la vertu cardinale.

Le maréchal feignait de s'en offusquer. L'homme avait connu nombre de maîtresses, de toutes sortes, et même parmi le petit peuple. Et si l'amour et le jeu avaient accaparé son temps, l'avancée dans l'âge avait fini par réveiller une ambition trop longtemps négligée.

— Mon amour pour vous, ma colombe, est si fort que je pardonne par avance tous vos écarts.

— Allons, monsieur le Marquis, ne jouez pas les hypocrites. Vous êtes généreux à l'ouvrage, mais vite éreinté.

Les princes du Gardon

— Si vous connaissiez, ma jolie, tous les malheurs qui s'abattent sur ma charge, vous seriez bien plus indulgente que vous ne l'êtes.

— Voyez, mon beau monsieur, je ne vous en veux guère, puisque je cède allégrement à vos lubies. Croyez-vous qu'il me plaît, ainsi, de subir les assauts du petit idiot ? Un cireur de bottes. Un palefrenier. Un portefaix...

— Allons, reconnaissez qu'il a de l'allant...

— Mais c'est du vôtre que je suis amoureuse. Et, en cédant à ses manœuvres, c'est à vous que je songe. A vous seulement. J'enrage que vous ne puissiez échanger votre lassitude contre son bel élan.

A deux pas, monseigneur Fléchier s'amusait des écarts de son voisin. Les rumeurs et ragots qu'on lui rapportait ne l'offusquaient guère. L'évêque de Nîmes possédait trop d'esprit pour s'attacher à un tel homme, qu'il méprisait dans son for intérieur. Il avait désapprouvé la nomination royale et s'en était ouvert à l'intendant Basville. Désormais, tout ce qui pouvait confirmer ses craintes ajoutait à son bonheur. « Il est parfois flatteur de découvrir qu'un roi peut se tromper, aussi puissant et divin qu'il soit », disait-il à son conseiller, l'abbé de Beaujeu.

Quittant son cabinet de travail au pas de charge et corrigeant sa mise dans le miroir vénitien du vestibule, le gouverneur militaire se dirigea dans la salle du Chapitre, où l'attendaient ses invités. Il les avait convoqués pour dix heures pétantes et s'était donné un petit quart d'heure de retard, histoire de montrer sa supériorité. Dès son arrivée, monseigneur Fléchier s'approcha de lui. Il tenait à la main un rouleau de parchemin frappé d'un sceau rouge. Le maréchal de Montrevel baisa

Les compagnons de Maletaverne

l'anneau, comme il le faisait chaque fois qu'ils se retrouvaient, dans un bref échange de regards. Chez le gouverneur, il y avait de l'agacement, et chez l'évêque, de la malice. Rien, désormais, n'eût pu intervertir les rôles, les sentiments, les simagrées, ni en modifier le cours. L'abbé de Beaujeu se tenait à l'écart, fin et racé, le teint blême et le crâne rasé. Monsieur de Saudricourt, le gouverneur de Nîmes, se dressa à son tour et vint nonchalamment s'incliner devant l'officier du roi. Les consuls de la ville s'approchèrent aussi, à tour de rôle. Ceux-ci faisaient partie des décors. On les consultait, de temps à autre, quand on en avait le loisir. Mais la tournure des événements incitait plutôt le gouverneur militaire à écourter les palabres avec les autorités communales.

— J'ai décidé de porter un coup décisif à la rébellion et d'en finir, une bonne fois pour toutes, avec la maudite engeance, l'exécrable vermine. Pour ce faire, mes amis, fit-il en portant le pied en avant comme le faisait le roi devant ses courtisans, les mains dégagées de part et d'autre de sa poitrine ornée d'un plastron, il nous faut préparer une opération comme il ne s'en est encore jamais vu dans le royaume... Notre grand ouvrage va exiger de nos troupes un engagement de titans...

Montrevel aimait à faire des effets de manche, à agiter la dentelle qui lui couvrait les poignets.

— Un grand ouvrage ! reprit l'évêque de Nîmes, voilà un bien étrange vocable pour une si terrible mission.

— Je préconise le dépeuplement de trente et une paroisses coupables. Ainsi atteindrons-nous le cœur de la ferveur huguenote, le cœur qui alimente toute la rébellion par son sang vicié et pourri. Tous les villages compris dans un triangle formé par le mont Lozère au nord, le mont Aigoual à l'ouest et la contrée d'Alès à

Les princes du Gardon

l'est seront rasés, les populations chassées, déportées
Nos régiments détruiront les maisons, une à une, pierre
par pierre, à la pioche, au pic et à la pelle. Ainsi seront
effacés les nids des protestants pour les siècles à venir.
Fléchier écoutait les explications du gouverneur, la
tête inclinée sur le côté. Parfois, il levait les yeux sur son
voisin, monsieur de Saudricourt, pour épier ses réactions. Mais rien ne transparaissait sur ce visage de marbre. Puis il interrompit l'orateur au moment où sa voix
se mit à fléchir un peu.

— Vous avez mandé au roi l'autorisation de prendre
des otages parmi les nouveaux convertis et d'en exécuter
deux chaque fois qu'un ancien catholique sera tué.

— En effet, rétorqua Montrevel, courroucé. Je vois
que vous êtes bien informé, monseigneur.

— Je le suis, continua Fléchier en agitant le rouleau
de parchemin qui contenait une communication de
Chamillart sur le sujet. Et Sa Majesté a refusé votre
décision inique. Comment avez-vous pu imaginer, monsieur le Gouverneur militaire, de punir les convertis
pour les actes des hérétiques ? Ce serait unir dans la
même peine les hommes qui ont choisi la sagesse et ceux
qui persistent dans l'erreur.

— Je n'ai jamais fait de différence entre les convertis
et les hérétiques, reconnut Montrevel. Tant de fois nous
avons vu les abjurés trahir leur serment et rejoindre la
cause de leurs frères. La contrainte n'a point fait d'eux
de bons catholiques. L'hérésie est une maladie qui ne
se guérit jamais. Sinon par la mort.

— Toutefois, dois-je vous le répéter, notre roi a refusé
cette horreur.

— Mais j'ai pris acte du refus de Sa Majesté. Et je
m'y conformerai avec discipline.

Les compagnons de Maletaverne

Fléchier se rassit aussitôt, abandonnant à Beaujeu le parchemin dont il n'avait point eu à faire usage. Dans celui-ci, Chamillart lui conseillait de veiller à ce que le maréchal de Montrevel s'en tînt à l'abandon de l'option des otages.

— Pour le grand ouvrage dont vous venez de nous entretenir, le dépeuplement des paroisses, questionna monsieur de Saudricourt, le roi vous a-t-il autorisé ?

Montrevel offrit un visage triomphant.

— Bien entendu, sinon croyez-vous que je viendrais vous en entretenir ?

— Et qu'en pense monsieur de Basville ? ajouta Fléchier.

— Nous avons établi ce plan ensemble, en plein accord. Et nous en avons défini les contours, étudié les inconvénients, les avantages... Certains villages seront épargnés. Je puis vous en donner la liste.

Il énuméra le nom des fameuses cités qui échapperaient aux pics et aux haches des miquelets et des dragons : Barre-des-Cévennes, Collet-de-Dèze, Génolhac, Saint-Germain-de-Calberte, Pont-de-Montvert, Saint-Roman, Saint-Etienne-Vallée-Française, le Pompidou, Vébron. La liste sembla réjouir l'évêque de Nîmes. Elle préservait des lieux chers à son cœur.

— Tout le reste est terre maudite, ajouta Montrevel, et doit être effacé de nos cartes.

— Que deviendront les cités préservées ? On y verra croître les populations...

— Bourgs murés ! s'exclama Montrevel. Nul rebelle, nul proscrit ne pourra s'y établir, à moins de montrer patte blanche. Les populations huguenotes seront dirigées sous bonne escorte vers la cité de Carcassonne, les casernes de Béziers, les hôpitaux de Montpellier. Ceux

Les princes du Gardon

qui refuseront de se soumettre seront traités en ennemis du royaume. Dès aujourd'hui, je vais faire placarder aux portes des églises mon ordonnance et prévenir quiconque enfreindra mes ordres de ce qu'il encourt. « Nous livrerons au pillage et à la destruction et ferons enlever tous les habitants des lieux où lesdits rebelles auront été reçus. Leurs biens seront ensuite confisqués, à moins que les troupes établies le plus près des lieux où ils auront passé ou demeuré n'aient été averties assez à temps pour trouver ces scélérats », lut-il fièrement, satisfait de la harangue ainsi préparée à l'usage des villageois du désert. Voici le style que je veux donner à ma campagne, tout de menace, afin de forcer les divisions parmi le peuple des Cévennes.

L'évêque fit signe à son conseiller de s'approcher de lui et le chargea d'annoncer au gouverneur militaire que la séance était close. Montrevel se retira aussitôt dans ses appartements pour y rejoindre madame de Soustelle. En traversant l'antichambre, il fracassa de rage plusieurs vases de Saxe et en piétina les débris avec furie. Le maréchal avait encore sur le cœur l'intervention de l'évêque. Qui avait donc décidé de lui communiquer l'affaire des otages ? Et ainsi de le placer sous la surveillance d'une Eglise par trop timorée ? Que veulent-ils donc ? Que j'échoue, moi aussi, comme Broglio ? Que je me couvre de déshonneur ? Que croient-ils ? On ne compte plus les convertis que j'ai passés par les armes. Et la méthode a produit ses effets. Quelle misère que je ne puisse m'en glorifier auprès de Sa Majesté ! Elle comprendrait alors qu'il n'est d'autre solution à la rébellion des Cévennes que de répondre au sang par le sang, au crime par le crime, au feu par le feu...

Fléchier descendit aussitôt à la chapelle de l'évêché, suivi de Saudricourt.

Les compagnons de Maletaverne

— Que pensez-vous du grand ouvrage ? demanda le gouverneur de Nîmes.

— Je vais prier pour la réussite de cette mission bottée. Et vous aussi, je présume ?

Le gouverneur se mit à rire.

— La prière est une chose, et la réalité une autre...

— Je vous sens désabusé, monsieur, mais comment ne le serait-on point ? L'affaire est impossible. Et je gage que les troupes seront vite épuisées à la besogne. Il faut que Montrevel ignore tout de nos villages pour croire que des pics et des haches peuvent venir à bout des demeures de pierre en calcaire, granit et lauze. Le temps nous manque, hélas. Et notre gouverneur militaire s'escrime contre lui comme un beau diable. De plus, je crains que les populations, ainsi chassées, ne remplissent encore plus les rangs de nos ennemis. Les camisards recueilleront les fruits du pillage.

— Pourtant, que faire ? s'interrogea Saudricourt.

Beaujeu les avait précédés dans la chapelle. Il courait aux chandeliers pour ranimer les flammes et préparer les prie-Dieu pour la prière.

— Ce qu'il nous faudrait, dit l'évêque avant de franchir la porte, c'est un gouverneur militaire qui sache faire la différence entre les convertis et les hérétiques, entre le bon grain et l'ivraie. Nous pouvons palabrer avec ces gens, négocier peut-être avec les chefs camisards. Qui sait, préparer la fin des hostilités ? Notre guerre, telle qu'elle est engagée, ne mènera à rien, sinon à plus de malheurs et de souffrances.

— Croyez-vous que le roi s'interroge déjà sur Montrevel, juste après l'avoir nommé ?

Fléchier eut un sourire malicieux. Il vint prendre la main de son voisin, le fixa d'un air entendu.

Les princes du Gardon

— Peut-on vous confier un secret ? J'ai grande confiance en vous.

Le gouverneur de Nîmes acquiesça de la tête.

— Sa Majesté a évoqué l'éventualité d'un remplacement de Montrevel.

— A qui songe-t-il ?

— Au Grand Prieur, le chevalier de Vendôme. Ne faut-il point à ce poste un des nôtres, fort aguerri aux sermons et aux entrelacs diplomatiques ?

Pour échapper aux espions de Montrevel, Aurèle de Jassueix s'était laissé pousser la barbe. Il avait choisi de la porter à l'espagnole, comme un de ses ancêtres à la prise de pouvoir d'Henri de Navarre, et régulièrement taillée d'exquise façon, en pointe. Il ressemblait au duc de Guise dans son justaucorps sombre, agrémenté de boutons brillants comme des diamants. Son chapeau était ample, si ample que les bords cachaient son visage. Un plumet blanc y apportait une touche de fantaisie. Un faussaire lui avait fabriqué un sauf-conduit au nom du chevalier de La Tournelle, et ainsi pouvait-il franchir sans encombre portes et barrages des cités. A la vérité, les sergents aux gardes se fiaient plus à sa bonne mine, à sa moustache de Grand Condé, à son langage châtié qu'au parchemin exhibé à tout propos. Et quand la maréchaussée se montrait par trop tatillonne, il distribuait quelques sols avec une aisance de grand seigneur.

Aurèle pénétra ainsi dans Nîmes, à l'estomac. Pourtant, l'instant choisi eût pu tourner à la catastrophe s'il n'avait fait preuve d'un sang-froid remarquable. Au moment même où il tendait son sauf-conduit,

Les compagnons de Maletaverne

un capitaine faisait une visite d'inspection. Le sergent chargé du contrôle au barrage reçut les remontrances au garde-à-vous.

— J'ai constaté, s'écria le capitaine, que vos brigades sont dans une inaction continuelle, à bayer aux corneilles devant le passant peu intimidé. Il vous faut les mettre en mouvement, afin que chaque brigade parcoure son détroit...

Et l'officier frappa du plat de l'épée l'épaule de son sergent, qui recula de peur.

— Je veux que chaque individu soit fouillé, dépouillé de ses armes, s'il en possède. Entendez-vous ? Nîmes grouille de soldats de courte épée, de tristes larrons, de coupe-bourses. A quoi servent nos gibets ? Croyez-vous que nous les avons dressés pour amuser le manant ? Il me faut, chaque jour, une dizaine de scélérats à pendre, afin de montrer à la populace de quoi il retourne dans ce pays de si mauvaise race.

Le capitaine fit tourner sa monture d'un vigoureux coup d'éperon et tomba nez à nez avec le petit comte. Celui-ci ôta son chapeau et l'agita dans un moulinet pour le saluer. L'officier lui jeta un regard soupçonneux.

— Qui est-il ?

Le sergent répondit qu'il venait de le contrôler. C'eût été apporter de l'eau au moulin du capitaine que d'affirmer le contraire. Aurèle posa son couvre-chef sur la fonte d'où dépassait la crosse d'un pistolet.

— Je suis le chevalier de La Tournelle, fit-il.

L'officier parut chercher où il avait déjà entendu ce nom-là.

— Un ami de madame de Portes, ajouta-t-il. J'ai dirigé ses milices dans Villefort et Chamborigaud.

— Passez votre chemin, ordonna le capitaine.

Les princes du Gardon

Aurèle fit engager sa jument sur le barrage, avec tout le calme et la sérénité qu'il pouvait tirer de lui. Dans son dos, il sentait le regard insistant de l'officier. Et, à chaque seconde, il s'attendait à entendre l'ordre funeste qui eût mis un terme définitif à son aventure. Mais les gardes le saluèrent, au fur et à mesure qu'il passait devant eux. Aurèle répondait à leur salut avec la même célérité. Une fois la porte Auguste franchie, il pressa le mouvement. C'était joué. Le jeune comte poussa alors un grand soupir et sortit de son escarcelle un mouchoir avec lequel il épongea la sueur qui couvrait son visage. Il songea à son père et se dit que Thibaut de Jassueix eût ressenti de la fierté à voir ainsi son fils passer entre les mailles du filet. Peut-être un jour lui narrerai-je la chose ? Et nous rirons, tous deux, de la singulière manière dont j'ai berné un officier de Montrevel...

Avant son départ de Louradour, Lavèze lui avait donné quelques bonnes adresses à Nîmes, où il avait formé l'idée de se cacher parmi la foule. Il remonta la rue des Lombards. A cette heure, elle dégorgeait une foule bigarrée. Son cheval devait se frayer un passage parmi les étals des bouquetières, des regrattiers, des rôtisseurs, des marchands de vin. Les porteurs d'eau et de chandelles, les portefaix et porte-balles allaient leur petit bonhomme de chemin, rétifs aux commandements que les cavaliers pressés leur lançaient pour faire place. Aurèle avait le souci de ne point se faire remarquer par des gestes ou des mouvements intempestifs. La rue était infestée d'espions. Il alla se placer dans le sillage d'une chaise à porteurs. Le seigneur qui se déplaçait ainsi faisait de petits gestes nonchalants pour saluer les gens qui s'écartaient docilement de l'équipage. Deux gardes à l'avant et deux à l'arrière surveillaient la foule, et au besoin l'écartaient d'un coup

Les compagnons de Maletaverne

de verge. Ainsi, Aurèle avançait au rythme des porteurs éreintés, dans leur livrée pourpre et or.

Rue de Bernis, le petit comte descendit de son cheval. C'était le quartier des marchands de soie. Les échoppes, largement ouvertes sur la rue, déballaient des montagnes de coupons multicolores. Il y avait là toute la corporation des artisans : piqueurs, cardeurs et peigneurs de laine, sergiers et cadissiers, pareurs de drap et faiseurs d'aiguilles pour les bas. Petites mains et gros bras rivalisaient dans l'exercice de leur art, devant les curieux qui se promenaient entre les métiers et les ouvrages.

Aurèle emprunta le passage de l'hôtel de Bernis. Une forte odeur de latrines collait aux murs. Son pas résonnait fort sur les gros galets qui pavaient le long couloir sombre. Au milieu, un filet d'eau saumâtre dégoulinait sur des amas de détritus. Et, sur les bancs de pierre qui bordaient le passage, des indigents somnolaient, des femmes en haillons mendiaient à même le sol, au milieu de l'ordure. Jassueix laissa tomber quelques pièces que des enfants coururent ramasser en se chipotant. Une vieille femme édentée, le visage creusé par la gale et le cheveu jaune, vint s'accrocher à la selle du cheval. Aurèle la repoussa d'un geste énergique et évita de justesse les griffes qu'elle lui lança au visage. Voyant qu'elle ne parviendrait pas à l'atteindre, elle cracha vigoureusement, en portant son corps en avant. « Crève donc, sale papiste ! »

Le jeune homme jugea, non sans plaisir, que son déguisement était des plus réussis, à en croire, du moins, cette folle brisée par la misère. Dans la cour intérieure de l'hôtel, cernée d'arcades, il lui fallut montrer patte blanche à des gardes. Ceux-ci prirent son cheval et allèrent l'attacher à un anneau fiché dans le mur. Aurèle donna quelques sols pour qu'on prît soin de sa jument,

Les princes du Gardon

qu'on lui distribuât du picotin et de l'eau. Puis il remonta l'allée des arcades, sous lesquelles grésillaient des lampes à huile. Il y faisait si sombre en plein jour qu'il fallait en maintenir l'éclairage. Aurèle trouva enfin la porte qu'il cherchait. Une plaque de cuivre portait gravé, en caractères déliés, le nom de son hôte : « Urbain Pierrefeux, cambiste ».

Du pommeau de son épée, il frappa à la porte. Celle-ci s'entrouvrit, prudemment, sur un valet en pourpoint gris.

— Annoncez le chevalier de La Tournelle, dit-il.

On le laissa s'avancer dans un vestibule sombre. L'ornement était passé de mode. Les tapisseries étaient décolorées, usées par le temps au point qu'on ne pouvait guère en deviner les figures. Des scènes pastorales, sans doute, peuplées de satyres et d'unicornes. En attendant le retour du laquais, il s'amusa à chercher la belle ingénue dans un fouillis d'arbres et de fourrés entremêlés, car elle ne pouvait que s'y cacher, l'Eve des premiers jours de l'humanité, ne sachant encore le sort que Dieu lui réserverait.

A son retour, le valet de pied trouva son visiteur juché sur un tabouret, le doigt pointé vers des horizons assombris. Sur le ciel, on avait cousu des nuages en forme de gueules, soufflant des vents infernaux.

— Monsieur le Chevalier, lança le domestique, si vous voulez bien vous avancer…

La salle était faiblement éclairée par des fenêtres obturées de grillages. Sur un pan, tout n'était que rayonnages et tiroirs, du sol au plafond. Et, au milieu de la pièce, trônait une énorme table, longue et large, cernée de fauteuils. On y avait disposé trois chandeliers à multiples branches. Un seul était allumé. Près de lui, dans le cercle de lumière jaune, se tenait un vieil homme

Les compagnons de Maletaverne

portant un bonnet de soie noire. Il était vêtu d'une chasuble de même couleur, aux formes amples.

A l'approche de son visiteur, il dressa la tête. Aurèle découvrit un visage décharné, les yeux agrandis par des besicles rondes.

— Venez donc, mon bon ami. Venez. N'ayez crainte. Les amis de monsieur de Lavèze sont mes amis.

— En vérité, je me nomme...

— Chut ! Pour moi vous êtes le chevalier de La Tournelle. Cela suffit. L'usage des noms d'emprunt est courant dans notre milieu. L'argent circule, ainsi, incognito. Croyez-vous que nous serions encore de ce monde si nous n'avions pas quelques astuces ? Regardez bien.

Et, d'un doigt à peine dressé, il désigna ses tiroirs.

— Tous mes clients sont ainsi répertoriés, des Flandres à Mantoue, de l'Angleterre à l'Espagne. On y joue des fortunes aux bienfaisants commerces de la soie et des épices, des vins et des alcools, des tabacs et des cacaos, du sucre et du sel... Et aussi des idées, parfois. Les guerres, les traités, les gouvernements se bâtissent avec des fortunes. L'argent épouse les causes et rarement les renie. Comprenez-vous ?

— Oh, monsieur le cambiste, je viens d'un monde où l'on ne cultive que nos terres. On y produit de quoi nourrir nos gens, de la viande et des châtaignes, du seigle et du sarrasin...

— L'argent ensemence l'argent. Il s'agit de générer de bons placements, d'émettre et de négocier opportunément des lettres de change. Et cette denrée-là, mon ami, circule bien mieux que toute autre marchandise.

— Monsieur, je n'entends rien à ces choses. Et je vous avouerai que je n'en ai guère le goût.

288

Les princes du Gardon

Le vieil homme se mit à ricaner, en hoquetant. Un petit rire nerveux.

— Ecoutez-moi, je vous prie ! Tout traitant qui afferme des droits du Trésor doit en avancer l'argent frais. Pour ce faire, il suffit de constituer une compagnie. Celle-ci est formée d'associés. Une cinquantaine suffit par compagnie. Ce sont nos intéressés et nos cautions, ainsi nommés, qui deviennent garants sur leurs biens propres de l'exécution du traité.

— Cela est bien compliqué, fit Aurèle en bâillant déjà.

— Nous empruntons donc auprès de nos clients, bourgeois et rentiers, en émettant des billets au porteur signés et garantis par l'ensemble des cautions. Savez-vous que la circulation de ces billets dépasse plusieurs centaines de millions de livres ? Ainsi faisons-nous fructifier l'argent, ouvrant la porte à toutes opérations de commerce sur les continents de l'Ancien et du Nouveau Monde. L'une de nos plus grosses compagnies est celle des Indes orientales, qui finance ses activités par la vente d'actions. On y spécule sur les épices, en particulier le poivre. La mienne s'occupe du commerce de la soie. J'achète aux manufacturiers, comme votre ami Lavèze qui possède une dizaine de moulins dans les environs de notre bonne cité de Nîmes, et, ensuite, je revends à tous les princes de l'Europe dans mes comptoirs à Amsterdam, Londres, Venise, Florence, Paris, Salamanque...

Urbain Pierrefeux sentit que son visiteur tombait de fatigue, aussi abandonna-t-il aussitôt sa conversation favorite, le commerce de l'argent, pour aller à l'essentiel. Il se rapprocha en traînant des pieds. Il avait de grandes difficultés à se mouvoir. Aussi vivait-il exclusivement, désormais, dans l'hôtel de Bernis, au milieu de son empire,

Les compagnons de Maletaverne

qu'il faisait fonctionner dans toutes les Bourses d'Europe, dont la plus importante, Amsterdam. De son réduit de Nîmes, il avait la haute main sur ses courtiers et agents de change circulant sans cesse entre les grandes places financières, avec pour seule valeur d'échange le florin d'or. Lorsque le cambiste fut à côté du chevalier de La Tournelle, il vint lui prendre la main. C'était une manière de faire comprendre qu'on pouvait compter sur lui, sans réserve.

— Votre père est à la tour de Constance et vous, mon jeune ami, vous êtes recherché par les méchants catholiques qui nous persécutent.

— Je ne suis pas protestant, se défendit Aurèle. Mais je suis traité comme le plus dangereux d'entre vos prédicants.

— Il suffit que vous nous veniez en aide pour qu'on vous juge de la sorte. Et, après tout, n'a-t-il pas raison, ce misérable roi de France, de vous faire des tracasseries ? Vous êtes dangereux, mon ami, à fréquenter les réformés. Ainsi, par vos désobéissances, lui montrez-vous, à ce monarque, que la conscience universelle ne lui appartient pas, bien qu'il prétende régner sur le monde et diriger le soleil.

Pierrefeux se mit à ricaner, comme il l'avait fait la première fois, un rire grinçant de porte, un peu sinistre et forcé au demeurant.

— Ici, dans mes murs, vous pourrez séjourner le temps qu'il vous plaira. Entrez et sortez avec précaution. Ne parlez que de choses futiles. Mêlez-vous à la foule. Ecoutez, analysez et faites comme les sots, feignez de n'en rien comprendre.

Le cambiste mena le jeune homme dans l'appartement des visiteurs. C'étaient juste deux ou trois pièces

Les princes du Gardon

avec toutes les commodités. Il y avait là de quoi prendre du repos, un bon bain, lire et écrire. Le mobilier était d'un style massif et rustique. Aurèle en fit rapidement le tour et, pris de fatigue, se laissa tomber sur le lit. Il dormit douze heures d'affilée. A son réveil, il commanda un bain. Deux servantes vinrent remplir une baignoire en étain. Il s'y attarda une bonne heure et trouva, dans le boudoir, un repas qu'un valet venait de lui apporter. Il dévora ses côtelettes d'agneau et ses haricots avec appétit. Puis il alla s'installer dans le bureau attenant à sa chambre. Là, le petit comte rédigea plusieurs lettres, une pour Isabeau et une autre pour rassurer son protecteur, le marquis de Lavèze. Enfin, il écrivit un message codé pour Julien Valleraugue, dans lequel il voulait qu'on lui confirmât son rendez-vous de Beaucaire.

Son ouvrage terminé, Aurèle alla porter les missives à son hôte. Urbain Pierrefeux était dans sa banque, entouré d'une dizaine de ses agents de change. Le jeune homme se retira aussitôt pour ne point perturber la réunion de travail.

Plus tard, un laquais vint à le demander.

— Monsieur le chevalier de La Tournelle, je vois que vous avez recouvré une bonne mine et je m'en réjouis, dit Pierrefeux.

— Votre traitement m'est salutaire. Et je ne saurai jamais comment vous en remercier.

— Brisez là, mon jeune ami.

— J'ai quelques lettres à faire parvenir. Savez-vous comment...

— Donnez donc.

Le cambiste examina le nom des destinataires et glissa les lettres dans un étui de cuir. Puis il en cacheta l'enveloppe avec un peu de cire et y grava son sceau.

291

Les compagnons de Maletaverne

— Pour celle-ci, à destination de Julien Valleraugue, l'affaire sera plus compliquée. Mais je puis vous garantir qu'elle lui parviendra sans encombre.

— Je vois que vous avez vos entrées dans les sociétés secrètes.

Urbain Pierrefeux se mit à rire. Et, de la main, il retourna le col de sa chasuble. Elle y portait à l'envers la croix huguenote, dessinée selon celle de Malte fleur-delisée, de laquelle pendait une colombe stylisée représentant le Saint-Esprit.

— Je vois que vous le cachez bien, ce signe de reconnaissance qui pourrait vous valoir le gibet.

— N'ayez crainte. Elle me protège, répondit-il.

— Maintenant, je vais prendre un peu l'air.

Le cambiste ajusta ses besicles, les retira, les remit, comme s'il brûlait d'impatience de révéler quelque chose qui lui tenait à cœur. Aurèle sentit son embarras et devança ses désirs.

— Auriez-vous besoin de me parler, par hasard ? Je suis tout à vous, dit-il.

Le vieil homme se racla la gorge.

— J'ai un service à vous demander. Mais je comprendrais aisément que vous ne puissiez me le rendre.

— Dites. Et je m'exécuterai, fit Aurèle, la main sur le cœur.

— Vous rendre à la poterne de La Salamandre d'or, précisément place de la Salamandre. C'est à deux pas d'ici, à côté des arènes romaines. Vous y demanderez à voir, discrètement, monsieur Ribotte. Et, lorsque vous paraîtrez devant lui, vous lui remettrez en main propre cette lettre.

A cette heure de la nuit, la place de la Salamandre était encombrée d'une foule bigarrée. On y accomplis-

Les princes du Gardon

sait le plus vieux métier du monde. Et pour traverser la salle de la poterne, il dut jouer des coudes. Le seul énoncé du nom de Ribotte lui ouvrit la porte de l'arrière-salle. Et à peine y pénétra-t-il qu'il fut saisi par deux solides gaillards et délesté de ses pistolets.

— Je veux voir monsieur Ribotte ! s'écria Aurèle en se débattant.

— Et pourquoi veux-tu le voir ? dit un des hommes qui se tenait au milieu de la pièce, les jambes écartées, la dague au poing.

L'énergumène portait une forte tignasse sombre et une balafre sur la joue.

— Je dois lui remettre un pli en main propre.

— De qui donc ?

— Je ne peux pas vous le dire.

Le rideau du fond s'écarta légèrement et une tête s'y présenta, hagarde. Une chandelle, seule, diffusait un peu de lumière. En s'inclinant un peu, Aurèle distingua un autre homme, assis sur une barrique de vin. Il semblait plus jeune que son voisin et portait un large chapeau à plumet. L'une de ses jambes se balançait mollement dans le vide et, parfois, le talon de sa botte venait à frapper contre la barrique, ce qui produisait un son sinistre.

— Viens voir ici.

— Fais attention ! prévint son voisin. Il est peut-être armé.

— Je suis monsieur Ribotte, dit-il.

— Je suis chargé de vous remettre cette lettre en main propre.

— Donne voir.

Et le garçon s'en empara promptement. Son voisin alla allumer une autre chandelle, puis referma le rideau sur les gardes.

293

Les compagnons de Maletaverne

— Qui es-tu ?

— Chevalier de La Tournelle.

— Connais pas, dit le jeune homme qui s'était emparé de l'étui de cuir et en défaisait l'ouverture avec son poignard.

— Ça vient du grand argentier, dit-il à son voisin qui était resté planté au milieu de la pièce, toujours les jambes écartées et les mains posées sur les hanches. C'est la nouvelle que nous attendions.

L'homme prit soin de lire le parchemin, puis de le relire, attentivement. Il poussa un grand soupir de contentement et dressa le regard vers son visiteur.

— Je ne connais pas de La Tournelle. Aussi, tu ferais bien de me dire comment tu t'appelles si tu veux sortir vivant d'ici.

— Ce serait bien mal récompenser un messager, fit Aurèle.

L'homme qui était resté debout éclata de rire.

— Il y a beaucoup d'inconscience chez ce jeune homme. Sait-il seulement devant qui il se trouve ?

Le jeune homme au chapeau lui fit signe de s'asseoir.

— Le grand argentier n'a pas confié une telle lettre au premier venu. Sais-tu ce qu'elle contient ? De quoi mettre le royaume dans tout ses états ! A feu et à sang !

— Ne l'est-il point déjà ?

— Tu n'as rien vu encore. Toutes les nations civilisées d'Europe vont s'allier pour nous débarrasser du tyran.

Le jeune homme ponctuait ses dires de vigoureux coups de talon contre le bois de la barrique.

— Je me nomme Aurèle de Jassueix, fit le comte d'une petite voix.

Les deux hommes se regardèrent ; un silence se fit dans la pièce qui sentait la vieille cave.

Les princes du Gardon

— Ton père est à Aigues-Mortes, n'est-ce pas, avec notre frère Mazel ? Alors, je puis te serrer la main, même si tu n'es pas l'un des nôtres. Ta famille a soutenu les protestants, comme Brainville et Foncroy. Mais plutôt que se laisser prendre par Poul et l'infâme Salamon...

Il cracha au sol, avec vigueur, pour appuyer l'aversion que ces deux hommes lui inspiraient.

— ... l'un a perdu sa tête. Que le diable le martyrise pour l'éternité ! Quant à l'autre, ça ne saurait tarder... Je disais, mon cher Jassueix, que plutôt que se laisser prendre, il aurait mieux fait de se rendre en Suisse pour y préparer la chute du tyran. A Constance, il ne nous sert point.

— Je prépare son évasion avec Julien Valleraugue. Nous allons attaquer la tour au moment opportun.

— Ah, la belle affaire ! Notre Julien est fou. Il projette sans doute de tirer Mazel des fers, fit l'homme qui était resté debout.

— Je me nomme Jean Cavalier, dit le jeune homme qui se laissa glisser de son siège de fortune.

— C'est vous, Jean Cavalier, le fédérateur des camisards ? Vous, ici ? s'exclama Aurèle. Vous, l'homme le plus recherché des Cévennes, celui par qui les armées du roi s'en viennent trébucher dans nos montagnes ?

— Oui ! Et je dispose de dix mille hommes prêts à mourir pour libérer notre Cévenne de la tyrannie des papistes. Je suis le prince du Gardon, le descendant des parfaits, le vengeur des cathares. Et mon voisin, Roland Laporte, mon fidèle lieutenant. Serre-lui donc la main car il le mérite.

— Je ne soupçonnais pas un seul instant qu'Urbain Pierrefeux eût de tels amis.

— C'est notre banquier. Et plus encore...

Les compagnons de Maletaverne

— Ainsi, les florins d'Amsterdam servent à acheter des armes et des vivres pour tes troupes, ajouta Aurèle.

— Chez nos voisins protestants, la lutte des Cévenois, comme ils disent, est observée à la loupe. Et il n'est pas loin le temps où les armées et leurs grands capitaines, fidèles à la mémoire de Guillaume d'Orange, vont déferler sur la France. Voilà la grande nouvelle ! s'écria Jean Cavalier.

Le chef des camisards allait d'un bord à l'autre de la cave où il s'était retranché, alors que les troupes de Montrevel le cherchaient dans le désert, au fond des grottes, dans les défilés obscurs du Tarnon ou dans les bastides du Gardon. Il était là, au cœur de Nîmes, au milieu de ses ennemis, avec pour toute protection quelques gardes et sa morgue insolente de héros vénéré par la population du Languedoc.

— A Londres, Armand de Bourbon, marquis de Miremont, poursuivit Jean Cavalier, affûte ses armes à la tête d'un grand régiment. Nous attendons son émissaire, David Flotard. De même, du côté des Pays-Bas viendra Jean Peytaud, capitaine d'un régiment hollandais. De même, Villette le Genevois et Nicolas Clignet, de Leyde. Tous porteurs de grandes nouvelles. Des vaisseaux anglais et hollandais vont croiser prochainement au large d'Agde et nous apporter de l'argent, des armes, des munitions et des officiers pour nous seconder dans la conquête. Nous disposons de l'appui éclairé de l'amiral Shovell, mandaté par la reine d'Angleterre. Et, dans le Rouergue, nos frères préparent le soulèvement avec La Bourlie. Voilà la grande affaire qui nous occupe. Range-toi à nos côtés. Il y a plus urgent que la tour de Constance. Elle sera rasée à son heure et ses prisonniers

Les princes du Gardon

célébrés comme des héros. Et, si Dieu le veut, tu seras de la fête.

Roland Laporte acquiesçait d'un mouvement de tête à chacune des assertions de son frère d'armes. Les bras croisés sur sa large poitrine, il buvait les propos de Cavalier avec délectation. Sur le manche de sa dague, en corne de vache, de nombreuses entailles avaient été faites, toutes répertoriant des hauts faits d'armes contre la soldatesque de Montrevel, dont la décimation de deux bataillons du régiment du Dauphiné qui revenaient de La Salle. Le chef camisard avait bien choisi le lieu de l'embuscade, dans l'étroit défilé menant au col de Marcou. C'était une de ses spécialités, les attaques surprises. Montrevel, en découvrant l'ampleur du désastre, avait compris que sa guerre ne serait pas aussi foudroyante et expéditive qu'il l'avait espéré.

A la différence, Jean Cavalier était un homme de la plaine, amoureux de sa Vaunage où il comptait de forts appuis parmi la population. Il était habile et malin, selon la tradition française des voleurs de grand chemin, auxquels il empruntait les ruses. Il n'hésitait pas à faire endosser à ses hommes les uniformes des dragons ou des grenadiers pour mieux surprendre l'ennemi, à poser des pièges dans les drailles pour y attirer les patrouilles dans une nasse à sa convenance et les massacrer sans vergogne. Les actions héroïques du grand chef camisard avaient fini par faire le tour des Cévennes, et partout on s'amusait de ses exploits, on les contait dans les veillées, on les sanctifiait dans les rassemblements entre deux lectures de psaumes. Pour le peuple cévenol, Cavalier était devenu un demi-dieu. Sans doute était-ce passer un peu vite sur ses exactions : des assassinats en grand nombre, des châtiments cruels, des tortures

Les compagnons de Maletaverne

inutiles. Mais elles rivalisaient à peine avec celles des chefs de l'armée régulière. Le maréchal de camp Julien, que l'on nommait aussi Julien l'Apostat — parce qu'il avait été protestant, jadis, avant de renier sa foi —, passait des familles entières au fil de l'épée, brûlait des pasteurs sur des bûchers de fortune, pendait toute personne qui, de près ou de loin, portait le signe de reconnaissance des camisards.

Jean Cavalier triturait son large chapeau avec énervement. Il était visible que cet homme ne tenait guère en place. A peine se posait-il à un endroit, aussi sûr que possible, que déjà il ressentait le besoin de le quitter, au plus vite. Son impétuosité lui avait sauvé la vie à maintes reprises. On comptait par dizaines les traquenards déjoués à une heure près, pour ne pas dire à un fil.

— As-tu choisi, chevalier ? ricana-t-il. Je ne te laisserai pas le loisir de réfléchir longtemps.

Aurèle se tenait la tête dans les mains. A vrai dire, rien ne pouvait infléchir sa décision.

— J'irai à la tour de Constance avec Valleraugue. Tel est mon destin. Comment dévier de ma route ? Je ne serai jamais complètement des vôtres, même si je partage votre combat. Jamais un protestant. Mais jamais un papiste non plus.

Jean Cavalier hocha la tête.

— Tu as du sang de noble dans les veines. Rien ne t'oblige à partager notre enfer terrestre. Pourtant, tu es maudit parmi les tiens, seul et abandonné. Et nulle possibilité de rachat en vue. Quel triste destin ! Si Montrevel te prend, il te mènera au bûcher. Et tu n'auras aucun Dieu magnanime et compatissant à implorer à l'instant de rendre l'âme. Il n'y a pire tourment que de mourir abandonné par son propre dieu.

Les princes du Gardon

— J'ai juré de libérer mon père des fers d'Aigues-Mortes. Si je dois mourir, que ce soit dans cette noble entreprise.

— Parfait ! soupira Cavalier.

Le chef camisard fit signe à Roland de préparer son départ. Catinat et ses gardes attendaient, dans le couloir, les derniers ordres.

— Je vais à la tour Magne, fit Jean Cavalier. Le ciel est clair à cette heure, rempli d'étoiles et d'âmes errantes. Et de là, sur ces belles hauteurs, je verrai mon désert. Car j'en ai déjà la nostalgie. Ses odeurs, ses silences, la caresse du vent, tout me manque.

— Je vous y accompagne, annonça Aurèle.

Le banquier ne s'occupa guère des activités d'Aurèle de Jassueix durant son séjour à Nîmes, surtout depuis qu'il lui avait confié la fameuse mission. Une confiance absolue s'était instaurée entre eux. Tout juste vérifiait-il que ses domestiques pourvoyaient à ses commodités en servant des repas frugaux et en changeant régulièrement l'eau du bain. Le chevalier de La Tournelle entrait, sortait, comme bon lui semblait, sans jamais devoir essuyer la moindre question.

Le soir, Urbain Pierrefeux s'enfermait dans son petit bureau pour y rédiger un livre de raison. C'était une de ses manies favorites que de consigner par écrit, jour après jour, ce qui s'offrait à ses yeux. Le journal contenait tout autant des faits mineurs, tels que les gelées détruisant les vignes ou des considérations sur le commerce de la soie, que des événements marquants, le supplice d'un prédicant ou l'arrivée d'un nouveau gouverneur.

Les compagnons de Maletaverne

L'homme vivait seul depuis que son épouse l'avait quitté pour le cimetière, où il se rendait une fois par mois. Ses deux fils vivaient à Amsterdam. Le premier exerçait à la Bourse comme agent de change et le second à l'Oost Indische Compagnie. Ainsi trompait-il sa solitude, par de longues promenades dans Nîmes et par ces travaux d'écriture qui lui prenaient quelques heures de son précieux temps. Le livre de raison était, à ses yeux, le seul lien avec son monde intérieur. S'y trouvaient relatés ses états d'âme, ses désespérances, ses joies parfois, et les opinions périlleuses qui le dévoraient.

Ce soir-là, le cambiste se fit servir un thé, boisson dont il raffolait, et s'enferma dans son petit cabinet, priant ses domestiques, comme à l'accoutumée, de ne point le déranger. Puis il alla au coffre et en sortit un gros livre qu'il ouvrit sur son lutrin. D'un vif coup d'œil, il jugea qu'il disposait d'assez de chandelle, d'encre et de plumes. Car il avait l'écriture nerveuse et détériorait aisément les pointes. Il choisit une page blanche et écrivit au sommet la date : « 14 juillet 1703 ».

Le chevalier de La Tournelle a rencontré le prince du Gardon, sur mon initiative. J'ai pris là un risque considérable. D'autant que le pli qu'il devait lui remettre était de la plus haute importance. Mais j'avais chargé un de mes domestiques de le suivre, avec l'ordre de l'exécuter à la moindre défaillance. On n'est jamais assez prudent en ces temps de terreur. Désormais, je m'en veux un peu de l'avoir ainsi malhabilement soupçonné, et par là même Gérald de Lavèze. Si mon client de la Vaunage avait jugé opportun de me le recommander, pourquoi une telle défiance ? Pourquoi la crainte ? Pourquoi le doute ? Hélas, la guerre scélérate, conduite contre les protestants aux époques diverses de notre histoire, a fait de nous des êtres soupçonneux et craintifs. Nous ne désirons, pourtant, qu'honorer notre dieu et servir notre foi, en toute quiétude.

A Nîmes, la Réforme s'est imposée chez nos frères par de terribles convulsions. Aux anathèmes se sont ajoutés les crimes les plus horribles, les profanations. Le pavé de notre belle cité en porte encore les traces, comme ce fameux jour de la Saint-Michel de l'an de grâce 1567 où une dispute entre une bouquetière et des soldats a été le prétexte d'un massacre. On a vu des catholiques incendier le temple de la Calade et, en représailles, nos frères mettre à sac la cathédrale Saint-Castor. Ces temps barbares sont revenus. Il n'est que de monter à la tour Magne, ou sur les plus hauts degrés des arènes, pour voir les feux s'allumer dans les montagnes. On y brûle autant d'églises que de bastides.

Ce jour, je suis allé au gibet que notre gouverneur a fait bâtir, en forte maçonnerie. L'appareil est bien perfectionné pour supplicier et occire, dans le même temps, plusieurs condamnés. Je devrais dire condamnées, au féminin, car ce supplice d'ordinaire est réservé à nos sœurs et la roue à nos frères. Mais monsieur de Montrevel et son acolyte Julien l'Apostat ont inventé des tourments plus raffinés, comme de couper les poings des camisards et d'en exhiber les moignons à la foule, avant de les conduire aux bûchers. Durant ces derniers mois, le présidial de Nîmes a prononcé trente-cinq sentences de mort contre des protestants. Et j'ai vu, ce matin même, un de nos frères monter au supplice en haranguant la foule. « Mes frères ! Je meurs la conscience en paix. N'ayez pas peur. Je vois le ciel s'ouvrir devant moi comme une délivrance. L'Eternel combat à nos côtés... » Et dans l'assistance, à l'instant où le bourreau vint bouter le feu à ses fagots entassés, s'éleva une clameur : « Dieu te soit compagnie ! » D'où tire-t-on autant de courage ? De l'orgueil ? Du mépris ?

Les compagnons de Maletaverne

Ou de la foi en un dieu juste et bon... Il y avait parmi la foule quelques curés haineux qui chantaient des cantiques. Ils pleuraient de joie à l'écoute des souffrances. La ville est en état de siège. Les troupes y circulent en ordre dispersé, y visitent les demeures, pillent les maisons de nos frères. Ces horreurs s'accomplissent avec la bénédiction des consuls. Nos juges et nos scribes de la basoche ont oublié leur mission régalienne pour se corrompre dans l'iniquité, la forfaiture et la concussion. Les tavernes sont emplies d'espions, surtout les jours de marché. On y répand des rumeurs alarmistes sur Cavalier et nos frères.

Un paysan de Saint-Hippolyte est venu me conter comment les camisards lui ont volé cinq charrues avec leurs ferrements, cinq serpes pour tailler les vignes et émonder les arbres... Sans compter quarante-six livres de lard et sept livres de graisse fondue. J'ai dit à mon bonhomme qu'il n'y avait, sans doute, pire crime que cette razzia. Qui osera dire comment les dragons pillent nos bastides, violent nos femmes et martyrisent nos enfants ? Cela, sans doute, est affaire négligeable, comme de dépeupler les villages du désert, chasser ses habitants, déporter nos gens vers les villes fortes.

Un apothicaire de la place aux Herbes est venu, à son tour, témoigner des horreurs commises par les protestants. « Ces gredins m'ont volé des sirops purgatifs, des acides pectoraux, des cérats, des emplâtres, des onguents, des huiles et des eaux distillées... » L'énumération force le rire de l'assistance. On ne sait si elle approuve ou se moque, tant les ricanements sont affaires suspectes. Je répète que c'est là, encore, un crime terrible. Et l'on m'observe, en dessous, ne sachant que croire. Suis-je un authentique papiste ou un provocateur ? Les espions s'en viennent m'interroger et je dois mon salut au boniment que je leur sers.

302

Les princes du Gardon

Les marchés abondent de marchandises. Et la foule se repaît de ce spectacle, la bourse vide. Elle tourne et retourne autour des étals, parfois marchande des bouts de gras. Le vin, l'huile, les pourceaux et les châtaignes blanches sont des marchandises ruineuses. Seuls les bourgeois et les nobles peuvent s'offrir ces denrées. Parfois, cette injustice crée mille disputes et rixes. Et celles-ci finissent avec l'arrivée de la soldatesque, par enchantement. Nous avons le triste privilège de loger dans nos murs l'affreux Montrevel. Ce seigneur ne se risque dans nos ruelles tortueuses que sous bonne garde. J'ai vu maintes fois, dans les regards de nos gens, de la colère et de la haine. Pourtant, se souvient-on encore comment il fut acclamé, l'horrible maréchal ? Par des vivats et des hourras. Désormais, la même population ne lui réserve plus que courroux et exaspération. Tel est le Méridional, versatile et changeant. Et je ne gage point que l'arrivée d'un nouvel émissaire du roi ne retourne, encore une fois, les foules velléitaires. En définitive, je n'éprouve d'admiration que pour les cités hautes, celles qui souffrent le martyre et luttent dans nos montagnes, où les seigneurs, eux-mêmes, ont partie liée avec leurs sujets...

Au début de l'été 1703, les « cadets de la croix » — ou les camisards blancs — virent leurs rangs croître bien au-delà de toute espérance à Saint-Florent, près d'Alès, où ils avaient élu domicile pour préparer les batailles futures. On vit s'enrôler aux côtés de quelques seigneurs et bourgeois, pressés d'en découdre avec les protestants, une armée loqueteuse de paysans fanatisés et de pillards. Tandis que Victorin de Serguille préparait au combat les recrues et que ses lieutenants collectaient chez les convertis l'obole à la cause rédemptrice, Ernis de Salamon jouait les émissaires auprès des autorités.

A Nîmes, il avait obtenu l'appui réservé de Montrevel. Mais, à Montpellier, l'intendant Lamoignon de Basville avait vivement rejeté son projet. « Nous n'avons point besoin d'ajouter un fanatisme à un autre. Laissez donc agir nos troupes royales. Elles sont en nombre suffisant pour réduire l'hérésie. » Monsieur de Salamon ne se découragea pas pour autant. Il fit les mêmes visites chez les évêques, espérant obtenir d'eux l'absolution pour les crimes qui se préparaient. Monseigneur de La Rouvère tint à peu près le même langage que monsieur de Basville. Par contre, ceux d'Alès et de Nîmes bénirent la croisade avec enthousiasme, et surtout celui d'Uzès, monseigneur Poncet de La Rivière.

De retour à Saint-Florent, Ernis de Salamon rassembla les capitaines et les mena sur la rive du Gardon. Là, le curé de la bourgade vint les baptiser une seconde fois.

— Le second baptême, s'écria le baron de Salamon, fait de vous des créatures de Dieu exceptionnelles, parées de toutes les vertus, quelles que soient les violences et les cruautés que vous devrez ordonner ! Sachez que notre mission sera accomplie pour la grandeur de Dieu. L'eau sacrée du Gardon vous protège de la géhenne. N'ayez crainte. Fourbissez vos armes. Aiguisez vos épées. Ne faites pas de quartier. Ne cherchez point à trier l'innocent du coupable. Il n'en est point. Les enfants eux-mêmes portent le germe de l'hérésie et, s'il le faut, arrachons-les des entrailles de leurs mères. Sus à l'ennemi. Tue ! Tue ! Que des torrents de sang lavent nos Cévennes de l'infâme huguenoterie !

Des épées étincelantes et des canons de fusil hérissèrent la troupe qui avait pris pied sur la berge de la rivière

Les princes du Gardon

au cours tranquille. Ce n'était qu'une clameur vive qui se répercutait en écho : « Tue ! Tue ! » Puis les camisards blancs s'en revinrent à Saint-Florent, en procession, le curé en tête, portant la croix passée au blanc d'Espagne. Et, sur les chapeaux des guerriers, le même emblème de tissu était cousu, signe de ralliement à l'ordre nouveau.

Dans ses commandements, Ernis de Salamon avait prescrit une messe obligatoire. On devait se purifier avant de passer à l'action. Les curés des six ou sept paroisses environnantes, dont celle de Sainte-Cécile-d'Andorge, se relayaient dans leurs églises pour offrir à la nouvelle compagnie des cadets de la croix les offices dont ils avaient besoin pour que les consciences fussent en règle avec Dieu.

L'une des premières attaques se concentra sur Branoux. Le curé de Sainte-Cécile, en tête, menait la compagnie, flanqué des capitaines juchés sur leurs chevaux. Ernis de Salamon et Victorin de Serguille chevauchaient côte à côte. La troupe, deux cents hommes environ, suivait dans un ordre précaire. On leur avait appris des cantiques qu'ils chantaient en s'égosillant. Dans la poussière blanche se dressait, à l'avant, une croix soutenue par des porte-verges.

A l'entrée du village, les hommes s'arrêtèrent devant la croix. Le curé escalada le monticule de terre qui la soutenait, puis on fit silence autour de lui.

— Mes frères, nous allons délivrer le village du démon qui le hante, extirper l'hérésie qui gronde dans le ventre de la bête. Car l'heure du jugement est arrivée.

L'un des cadets poussa un coup de trompe, grave et lugubre. Puis ses voisins firent résonner les tambours. Et le prêtre exécuta au-dessus des têtes un signe de croix et ânonna l'action de grâces, reprise en chœur :

Les compagnons de Maletaverne

Esprit saint, purifiez mon âme.
Esprit de force, rendez-moi courageux...

Les cadets prirent la cité par surprise, maison après maison. Le curé devançait la troupe, l'aspergès à la main, s'arrêtant devant les demeures des protestants pour les désigner aux guerriers. Aussitôt, les cadets s'enfournaient dans les cuisines, les chambres, les remises et ramenaient, à la pointe du glaive, les familles terrorisées.

En moins d'une heure, Branoux fut passé au peigne fin. Quelques récalcitrants furent égorgés sur place et les corps cloués aux portes. Tel était le châtiment de rébellion. Seuls quelques hommes agiles parvinrent à fuir dans les chênes verts, les cades et les genêts. Les capitaines avaient recommandé de ne pas faire usage de la poudre, à cause du vacarme qui eût apeuré les gens qu'on n'avait pas encore visités. Donc, on les laissa s'éloigner sans les poursuivre. « Laissez, mes frères... clama Victorin de Serguille. Ils seront nos meilleurs propagandistes. D'ici une semaine la terreur se répandra dans tout le pays. N'est-ce point ce que nous voulons ? Ramener par la peur les huguenots à Dieu ! »

Ernis de Salamon était resté sur le parvis de l'église, sur une chaise curule qu'il avait fait amener. Il trônait en grand seigneur, s'apprêtant à rendre la justice, son épée à la main, la pointe fichée en terre. Gargousier se tenait à ses côtés. Il sifflotait l'Ave Maria pour passer le temps. Et, aux pieds du grand capitaine, ses gardes personnels tenaient mousquets et fusils.

La compagnie conduisit plus de cinquante protestants, hommes, femmes et enfants, devant l'église. Serguille ordonna qu'on les fît mettre en rang, puis à genoux. Pour

Les princes du Gardon

faire ployer les têtes, les cadets firent mouliner leurs sabres sur la file soumise. Quelques chapeaux sautèrent en l'air avec des mèches de cheveux. Le curé monta sur le parvis et Salamon lui fit signe de commencer.

La question posée était toujours la même, lancinante et obsessionnelle. Il fallait se convertir à Dieu, baiser le crucifix, réciter en latin le sermon de fidélité, ou mourir. On passait à droite ou à gauche. Gargousier faisait agenouiller les insoumis, la tête sur un billot de bois, et frappait de sa lourde épée. Les têtes dévalaient le parvis une à une, comme des boules de bilboquet, tandis que les guerriers chantaient en chœur l'Ave Maria.

Lorsque le jugement fut appliqué, le curé invita les cadets à l'office qu'il célébra dans l'église. Seule une cinquantaine de camisards blancs, insensibles à la liturgie, poursuivirent leur besogne : pillage et razzia sur les biens des réformés. Et, avant la fin de l'office, tout fut terminé. Des colonnes de fumée grise s'élevaient sur Branoux, assombrissant le ciel d'été. En effet, Victorin de Serguille avait recommandé de brûler les demeures des protestants, l'une après l'autre, et de chasser les convertis. Ensuite, les capitaines avaient recommandé aux habitants de Branoux anciens catholiques de s'emparer des jardins, bois et champs des proscrits, et de les exploiter à leurs propres fins.

Au soir, pour récompenser ses hommes, Ernis de Salamon fit dresser une table sur la place. Les villageois y apportèrent des victuailles et des tonnelets de vin. La tuerie se poursuivit tard encore, maintenant à l'encontre des convertis qui s'étaient refusés à quitter leur village. Des assassinats et des viols en grand nombre ensorcelèrent Branoux, jusqu'à plus soif. Le sommet de l'horreur fut atteint lorsque les cadets découvrirent une malheureuse

Les compagnons de Maletaverne

femme enceinte. Gargousier extirpa, de ses entrailles, le futur petit huguenot qu'elle portait.

La scène déconcerta Victorin. Cela lui était indifférent qu'on décapite, à la file, les réformés. C'était la sentence que l'on venait appliquer en terre reconquise à la sainteté. Dieu, lui-même, réclamait des sacrifices purificateurs, tandis que la prière et l'eau bénite rachetaient les immolations. Mais qu'on en vînt à s'acharner ainsi sur une malheureuse femme enceinte soulevait sa réprobation.

— L'immonde poussait dans son ventre, justifia Ernis de Salamon.

— Pourtant, le fruit était innocent, se rebella Victorin.

— Qu'en sais-tu ? rétorqua le baron, qui portait sur sa chemise de soie blanche les traces sanglantes de ses crimes. La marâtre en aurait fait un petit camisard, comme les autres, un égorgeur de curés, un sacrificateur de bons catholiques. Ainsi, nous fauchons l'ivraie avant qu'elle ne répande sa malfaisante graine.

11

C'était jour de Sainte-Madeleine, un certain 22 juillet. La veille, un orage avait couru le long du Rhône, puis s'était perdu dans les montagnes de l'Ardèche. A Beaucaire, on avait beaucoup prié pour que le ciel s'apaise enfin et que la fête commence sous les meilleurs auspices. Les cierges de Notre-Dame-des-Pommiers y étaient-ils pour quelque chose ? Toujours est-il que l'aube se leva sous des cieux cléments, malgré des floches de brume sur le fleuve, vite dissipées. Ici, on avait l'habitude de crier au miracle. Et les longues processions de pénitents blancs ouvrirent le bal des bourgeois et des manants, en scandant des prières à l'adresse du dieu des Affaires. C'était le jour béni et sacré de la foire des bateliers. Depuis que Louis XI l'avait décrété port franc, Beaucaire était devenu le centre d'une activité fébrile un mois durant. La population enflait sur les berges du Rhône, dix à vingt fois le nombre habituel, dans des baraquements de fortune, du pont de Tarascon à la porte Roquecourbe. Entre le fleuve et les ruines du château que Richelieu avait fait abattre, s'étendait une place faite de sable et d'alluvions. Dans cet espace de fortune, tous les marchands venaient offrir leurs marchandises aux visiteurs sur des étals alignés au cordeau. La multiplication des tentes en faisait une cité à part entière, irriguée par des ruelles étroites baptisées pour la circonstance : rue des Marseillais, des Beaujolais, des Bijoutiers, des Armuriers, des Bourreliers...

Le chevalier de La Tournelle avait passé la nuit à la Tour triangulaire, sous un porche, parmi les petites gens. Ne dormant que d'un œil par crainte que des larrons vinssent à lui voler son cheval, il avait observé, tout à loisir, un monde insoupçonné. Des ribaudes avaient allumé un feu sur la courtine, pour danser autour au son des fifres et des tambourins. La musique avait attiré nombre de curieux, porteurs d'outres de vin. Et l'ivresse avait gagné l'assistance. Au petit matin, le chevalier prit un chemin qui menait sur l'éperon rocheux dominant le Rhône. Des tartanes, des cotres et des gabares avaient empli le fleuve et formaient une armada de voiles et de mâts tandis que de petites barcasses allaient et venaient d'un bord à l'autre, de Tarascon à Beaucaire. Le pont formait barrage. Et l'on y craignait les contrôles des gardes.

Aurèle alla se poster à une échauguette que les pioches des soldats de Richelieu avaient négligée. L'endroit avait servi de latrines. Il y régnait une puanteur d'urine et d'étrons. Il s'employa à scruter longuement les rives du fleuve, en se demandant comment il parviendrait à dénicher Julien Valleraugue.

Des traînées rouges ensanglantaient l'horizon, dernières traces des orages de la veille. Dans les murs d'enceinte du château, l'herbe avait poussé dru ; une aubaine pour son cheval, qu'il ne put retenir plus longtemps. Aurèle de Jassueix alla s'y dégourdir un peu les jambes. Et

Les princes du Gardon

comme le soleil commençait à darder dans le ciel, il décida de descendre vers les pontons.

Les portefaix s'affairaient sur l'étroite jetée. Ils allaient en rang garnir les étals. Toutes les marchandises transitaient donc par le Rhône. Des panetons en osier garnis de fruits exotiques, des dattes, des oranges, des citrons, se croisaient avec des bailles, des jales et des seillots emplis de poissons en saumure. Les tonnelets d'huile et de vin roulaient sur les pontons et allaient s'entasser contre les sacs en jute contenant du café, du cacao et du sucre.

Aurèle remonta vers les baraquements où la foule se pressait déjà. Il traversa le quartier des drapiers, sans s'attarder. Sur les tréteaux dressés à la bonne fortune s'offraient aux regards des femmes des multitudes de coupons de lin, de soie, de dentelle et de rouennerie. On y montrait aussi, sur des chevalets, des parures bourgeoises de couleurs vives, robes et mantelets, pourpoints et justaucorps. Les jupons de soie et de coton, brodés ou simples, selon les bourses, amusaient des jouvencelles que les marchands chassaient à coups de toise.

L'attention du jeune homme fut attirée par un attroupement. Un jongleur amusait la galerie, en habit de Polichinelle. Sa voisine, en Pierrot, tenait sur ses épaules un petit singe triste. Puis un montreur de marionnettes exhiba ses marottes aux yeux avides des enfants. Il parlait un étrange charabia, ponctué de force gestes. Soudain, le bonhomme vint à lui faire un clin d'œil. Aurèle se détourna, agacé qu'on le prît ainsi à partie. Il n'avait pas l'esprit à ces jeux. Le saltimbanque se mit à le suivre, après avoir rangé ses marionnettes dans un grand sac. Le jeune comte se retourna, vivement.

Les compagnons de Maletaverne

L'homme au visage grimé d'un blanc de fard lui posa la main sur l'épaule.

— La sagesse ! fit-il en pointant un doigt en l'air.

Aurèle se souvint alors du mot de reconnaissance que Julien Valleraugue lui avait donné.

— « La sagesse rend le sage plus fort », dit-il.

Le baladin acquiesça d'un grand mouvement de tête. Un sourire grimaçant s'imprima sur son visage.

— Suis-moi, ordonna-t-il.

Ils cheminèrent côte à côte, sans un mot, et sans affecter le moins du monde de se reconnaître. Ils parvinrent ainsi à hauteur des armuriers. En, cet endroit de la foire, on vendait des armes de belle facture, parfois anciennes comme des arquebuses, des tromblons espagnols, des mousquets du temps de Louis XIII, des espingoles en cuivre, mais aussi de forts beaux fusils à pierre, des pistolets à rouet et d'arçon et leurs fourniments : des sacs de plombs et mitrailles, des tonnelets de poudre à mousquet et de chasse. Le magasin était gardé par des grenadiers en faction. Et, pour acquérir les marchandises, il fallait montrer patte blanche. Le baladin fit signe à son voisin de ne pas s'attarder. Pourtant Aurèle avait besoin de s'équiper. Ses poires à poudre étaient vides et il avait tiré ses derniers plombs contre des lapins et des sarcelles, dans les mûriers de la Vaunage.

— On arrête tous les clients. Même les braves chasseurs, expliqua le saltimbanque quand ils furent suffisamment éloignés du quartier. A moins de posséder une autorisation signée, en bonne et due forme, par Montrevel.

— Je n'ai point l'honneur d'être de ses amis, reconnut Aurèle.

312

Les princes du Gardon

— Ces scélérats ne sont pas fous. Ils ne vont pas nous livrer le bâton pour se faire battre. L'année passée, le quartier des armuriers a été dévalisé par nos frères. Cela n'a pas manqué de les intriguer. Tant de poudre et de plomb pour tirer quelques macreuses... Mais qu'importe, nous savons en fabriquer avec les parures des églises. Après tout, c'est justice : le plomb des idolâtres se retourne contre eux.

Julien Valleraugue avait pris ses quartiers dans une tartane. Cette découverte suscita un rire de connivence chez le jeune comte. En observant la foire de Beaucaire des hauteurs de la Tour triangulaire, il avait soupçonné que la meilleure cache pour un chef camisard restait encore le fleuve et le milieu des bateliers. Ce que j'ai pu deviner, n'importe qui pourrait le faire, se dit-il, avec un peu de perspicacité. Pourtant, la soldatesque était loin de se douter qu'un chef camisard tel que Valleraugue pût ainsi séjourner dans l'endroit le mieux surveillé du pays.

Aurèle fit descendre son cheval sur le pont, où il alla se mélanger aux mulets. Puis le montreur de marottes lui fit un petit signe en guise d'adieu. L'un des bateliers l'entraîna aussitôt dans la cale. Sur un rouleau de cordages et de voiles pliées, Julien Valleraugue trônait comme un capitaine. Il portait la tenue en toile bleue des bateliers du Rhône. Sa barbe noire formait un collier épais de loup de mer, au point qu'Aurèle eut quelque peine à le reconnaître.

— Je te salue, frère ! dit Valleraugue d'une voix enjouée.

Aurèle s'approcha pour lui serrer les mains. L'homme le reçut en lui tapotant les épaules.

Les compagnons de Maletaverne

— Nous allons lever l'ancre sans tarder, dit-il aussitôt. Le régiment de Firmaçon va assiéger Beaucaire. Et il n'y a que le fleuve que les dragons ne maîtrisent pas. Nous descendrons jusqu'à Arles. Mais, avant, change donc cette tenue de chevalier. Elle ne sied pas aux bons bateliers que nous sommes. Car nous pouvons tout craindre avant d'atteindre Sommières, où sont repliés nos hommes.

Le chevalier de La Tournelle troqua donc sa tunique. Les deux hommes remontèrent sur le pont de la tartane. Les frères étaient en train de hisser la voile. Sans précipitation. Cela pouvait paraître singulier qu'une pinasse vînt à lever l'ancre précipitamment. Aussi se faufila-t-elle, discrètement, parmi les gabares ancrées au quai. Sous une toile, Julien Valleraugue avait caché une dizaine de fusils prêts à faire feu. Il s'en approcha, par prudence. C'était un de ses traits de caractère que de ne pas vouloir se faire prendre vivant. Il avait vu comment les hommes de Julien l'Apostat traitaient les camisards : le supplice, la roue, la pendaison. Les corps exhibés ensuite comme des trophées aux portes des palais, jusqu'à décomposition.

Quand la tartane aborda, enfin, les premiers remous du Rhône, Julien Valleraugue distingua, à la lunette, des mouvements de cavalerie sur le quai. C'est pour nous, pensa-t-il. Et, pour ne pas effrayer son passager, il fit signe discrètement à son second de donner de la voile. L'esquif se mit à ballotter dangereusement. L'homme de barre avait quelques difficultés à maintenir la pinasse dans le courant. En cet endroit, il y avait de grands remous, et la tartane n'était point faite pour ce genre d'exercice. Aurèle se rendit compte du danger. Il tira à lui un fusil. Quelques plombs cinglèrent les flots autour

Les princes du Gardon

d'eux. Sur le quai, les dragons faisaient gronder des salves. On distinguait, nettement, les panaches de fumée des canons. Puis la course des cavaliers sur la berge. Ils arrêtaient le galop juste pour prendre le temps de tirer. Tous les hommes étaient à plat ventre sur le pont, dans l'espoir d'offrir le moins de prise à la mitraille. Le petit comte s'offrit le plaisir de répondre aux tirs des dragons, sans grand succès. La houle rendait les visées imprécises. Julien lui fit signe d'arrêter.

— Inutile de gaspiller la poudre ! fit-il.

Peu à peu, la tartane gagna de la distance sur la cavalerie, du fait des obstacles naturels de la berge.

— Tu as tiré sur ton roi ! fit Julien.

Aurèle parut attristé par la réflexion.

— C'est le premier pas qui compte. Désormais, tu es un rebelle, toi aussi.

— Je n'ai fait que me défendre, répliqua le petit comte.

— Et nous, grand Dieu, que faisons-nous d'autre ?

Aurèle hocha la tête. Le fusil lui brûlait les mains. Il le jeta sur la toile avec rage.

— Je ne sais pas si mon père approuverait mes actions. Tout est contraire aux principes qu'il m'a enseignés.

— Et quels sont ces principes ? questionna Valleraugue.

Il avait l'air de s'amuser des états d'âme du petit comte. Le chef camisard possédait assez d'expérience pour comprendre qu'un hobereau, tout bien intentionné qu'il soit, aurait toujours un fil à la patte.

— La loyauté envers son roi et...

Julien Valleraugue l'interrompit.

— Et qu'advient-il lorsque le roi trahit un des principes premiers de sa charge : celui de protéger et défendre

315

Les compagnons de Maletaverne

ses sujets. Il n'est pire vilenie pour un roi que celle qui consiste à dresser une partie de son peuple contre l'autre. Car Dieu, lui-même, ne fait pas de différence entre ses créatures.

— N'a-t-il point promis, lors du Jugement dernier, de séparer ceux qui ont fait le bien et le mal ? Et le roi de France s'adjuge cette justice divine. Sans doute est-ce là sa faute...

— ... de se prendre pour Dieu, ricana Julien Valleraugue. Les protestants n'ont point peur de la justice divine. Ils paraîtront devant Dieu la conscience en paix. N'ont-ils pas servi le royaume en bâtissant des manufactures, en développant le commerce ? N'ont-ils pas participé à la richesse de la France ? N'ont-ils pas, encore, respecté les Ecritures ? Tout autant que les catholiques qui ont chassé par fanatisme leurs frères de France et qui ont affaibli par leurs coupables persécutions l'économie du royaume.

Aurèle entra dans un long mutisme. Il alla se pelotonner contre le mât de la tartane. Valleraugue l'observa quelques minutes, sans parler. Et il poussa un long soupir. Sans doute le capitaine était-il touché par la grandeur d'âme du jeune comte, rassuré aussi qu'il fût déchiré par la tourmente qui s'était emparée du pays. C'était faire un grand pas, à ses yeux, que s'interroger sur les raisons des protestants et les principes des catholiques.

Le danger enfin écarté, le chef camisard se fit apporter par son navigateur une carte du bas pays. Il y étudia soigneusement le trajet par lequel il allait rejoindre ses hommes rassemblés à Sommières.

— Il y a péril à entrer au port d'Arles. Montrevel est capable de faire dépêcher, en hâte, un escadron de gre-

Les princes du Gardon

nadiers. Ce misérable ne reculera devant rien pour offrir à son roi la tête d'un chef camisard. Aussi nous prendrons le Petit Rhône jusqu'à Saint-Gilles où nous débarquerons en rase campagne, là où les roseaux forment une protection naturelle. Certes, il nous faudra patauger dans les marais sur une bonne lieue. Et, fort justement, personne ne pourra imaginer que nous avons choisi cette voie.

— Mais si par malheur l'on nous attend à cet endroit, alors il en sera terminé de nous, fit l'homme de barre. On ne pourra fuir promptement dans le marécage. Nos pas y seront ralentis et nos chevaux ne nous seront d'aucun secours.

— Oui, j'entends bien ! fit Valleraugue. Mais Dieu est de notre côté. Sinon, mon frère, ce ne sont pas trois mille camisards qui pourraient tenir tête à dix mille soldats. Sans l'aide de Dieu, nous aurions été défaits depuis longtemps.

Aurèle observait, tour à tour, les rebelles. Dans son for intérieur, il les enviait de posséder autant de foi en cette guerre.

— Votre combat est juste, dit-il en rajustant son pistolet qui avait glissé de sa ceinture de flanelle. Mais les moyens employés ne le sont pas toujours. J'ai vu comment Jouany a mis Génolhac à sac. Tant d'innocents ont péri. Et j'ai encore dans l'oreille le son du tambour qui accompagnait les catholiques au supplice. J'ai souvenir du petit Ezechiel formé à la triste besogne, malgré son jeune âge. Et Jouany se délectait du spectacle, sur un trône de fortune.

Julien laissait courir sa main dans le fil du fleuve. Et, parfois, il la ramenait à ses narines pour humer l'odeur de la vase. Il connaissait toutes les odeurs des rivières

Les compagnons de Maletaverne

par cœur, au point de les nommer les yeux bandés. Le Tarnon, par exemple, fleurait bon le parfum des combes souterraines et des vieilles caves où il traînait ses eaux. Quant au Gardon, il avait un goût de pierre à briquet, à force d'amenuiser le rude calcaire du Bougès.

— Je n'aime pas Nicolas Jouany. Mais il a porté un coup décisif à Montrevel. Même Julien l'Apostat s'est cassé les dents. Et, depuis, ces chefs militaires doutent de leur supériorité.

— Le maréchal de camp Julien, rétorqua Aurèle, a pris Génolhac en une journée...

— En laissant trois cents de ses hommes sur le tapis. Il leur a fallu, pour s'emparer de la ville, assiéger les demeures une par une.

— Nicolas Jouany a fui en promettant des renforts qui ne sont jamais arrivés, ajouta le petit comte.

— Il n'y avait pas d'autre solution que de se battre et mourir.

— Je vois que bien des idées nous séparent...

— Nous ne voyons pas les choses de la même façon. Cette terre est la nôtre. Et nous y sommes nés pour la défendre, coûte que coûte. Bientôt, nous rebâtirons nos temples. Nos frères y viendront en procession de tous les villages des Cévennes. Nous ne demandons rien d'autre que de pouvoir adorer notre dieu, en toute tranquillité. Notre alliance, mon ami, est de pure circonstance. Qu'importe. Car notre Jérusalem est généreuse. Elle est prête à accueillir tous les hommes de bonne volonté, seraient-ils nos ennemis d'hier. La seule force de notre conviction, héroïque et martyre, suffira à leur faire comprendre, un jour, que nous sommes dans la vérité de Dieu, contre les papes, les évêques, les curés corrompus.

Les princes du Gardon

A l'instant d'atteindre Arles, Valleraugue fit préparer les chevaux et les mules, afin de les débarquer sans retard, puis recharger les fusils. Une dizaine environ.

— Nous n'avons plus ni poudre ni plomb, reconnut-il. J'espérais faire une razzia à la foire de Beaucaire, mais les armureries étaient aussi protégées que la chambre du roi.

— Qu'allons-nous faire à Sommières ?

Julien fit une grimace. L'endroit était aux mains de Cavalier. Ce dernier avait remporté en cet endroit deux ou trois batailles décisives, qui lui avaient coûté beaucoup d'hommes et de munitions. L'essentiel des troupes de Montrevel se trouvaient alors massées dans le désert. Commandées par monsieur de La Planque, monsieur d'Etremand, elles s'y préparaient au « grand ouvrage » souhaité par Montrevel.

— Je te le dirai en temps utile, répondit Julien, énigmatique.

— Cela a-t-il un rapport avec la libération de mon père ? Je ne veux point guerroyer avec vous, sinon pour protéger ma vie.

Valleraugue n'était pas disposé à répondre. D'autant qu'il n'avait nul besoin d'un petit comte pour poursuivre son combat. La promesse des cinq mille livres, seule, était de nature à orienter ses choix. Mais la conjoncture n'était pas favorable à une attaque de la prison d'Aigues-Mortes. Pour l'heure, il fallait trouver des armes et des munitions en quantité. Et la stratégie consistant à gagner les bords de mer, à occuper des bases arrière, Sommières et Vauvert, faisait partie d'un plan mûrement préparé.

— Je n'ai jamais trahi une parole, fit-il enfin devant l'insistance de son voisin.

Les compagnons de Maletaverne

A la nuit tombante, la tartane aborda la rive, en s'enfonçant dans une forêt de roseaux où elle finit par donner de la gîte. Les bateliers firent débarquer les chevaux et les mulets, après les avoir encordés pour qu'ils ne se perdissent point dans les marais. Les hommes suivirent l'équipage, la vase à mi-cuisse, en portant les fusils en croix sur leurs épaules. Julien ordonna d'allumer les falots qu'il fallait maintenir au plus bas pour ne pas risquer d'être repéré. En deux heures de marche harassante, l'équipée parvint enfin au chemin de Saint-Gilles. Alors, les hommes montèrent en selle et poussèrent leurs montures au galop, vers Vauvert.

Comme l'avait subodoré Valleraugue, Julien l'Apostat fit avancer un escadron du régiment de la marine jusqu'à Arles. Point de tartane en vue. Echec complet. Au milieu de la nuit, les hommes s'en revinrent à Beaucaire, pour essuyer une des plus grosses colères de leur carrière.

— Savez-vous que j'ai raté l'un des grands capitaines qui commandent cette maudite engeance ? Valleraugue ! s'écria-t-il. O, mon Dieu ! J'aurais planté sa tête à la pointe d'une baïonnette pour la montrer à Montrevel.

— Il y avait avec eux un chevalier, dit un sergent. On l'a vu traverser la foire de Beaucaire, sans se douter que c'était l'un des leurs. Nous avons pris un saltimbanque qui l'accompagnait.

— Et vous l'avez interrogé ? demanda le maréchal de camp Julien.

— Assez rudement.

Les princes du Gardon

— Et alors ?

— Il a expiré dans nos bras. Sans un mot.

— Cette canaille n'est point faite comme nous.

Dans l'après-midi, tandis que l'on tentait de retrouver la tartane, les dragons de Julien eurent affaire à forte partie. Un petit groupe de camisards commandé par Sircey, chargé de protéger leur retraite, fit céder les enclos où étaient regroupés cinq milliers de moutons. Ceux-ci se répandirent dans les rues de Beaucaire et aux alentours, empêchant les soldats de faire mouvement. La panique fut telle que des soldats durent être mobilisés pour rassembler les troupeaux et les reconduire à leurs propriétaires.

Au petit matin, le brigadier Julien et ses hommes entrèrent dans Nîmes. Bredouille et dépité, le brigadier alla sonner à la porte des appartements de Montrevel. Ce dernier prenait une collation avec madame de Soustelle, près du balcon, bâillant d'aise à la perspective d'une journée paisible dans les jardins de l'évêché, à lire, papoter et faire l'amour.

— J'ai raté Valleraugue d'un poil ! dit le maréchal de camp Julien.

Madame de Soustelle, en petite tenue, courut chercher de quoi se couvrir. Le second de Montrevel ne put s'empêcher de sourire. Tandis que nous guerroyons comme des forcenés, le maréchal prend du bon temps. Se peut-il que cette situation s'éternise ?

Montrevel l'invita à s'asseoir et lui tendit quelques gâteries pour le faire patienter. Il y avait du thé, des oranges et des dattes, du porto dans lequel on battait un jaune d'œuf. C'était là un des remontants favoris de monsieur le marquis de La Baume. Le maréchal de camp dévora et but tout ce qu'on voulait bien lui

Les compagnons de Maletaverne

présenter. Il n'avait pas mangé depuis vingt-quatre heures au moins.

Quand le gouverneur militaire eut revêtu son uniforme, il invita son second à passer dans son cabinet. Là, le brigadier Julien lui exposa la mésaventure de Beaucaire, dans le détail.

— Monsieur, vous pouvez m'élever au grade de général des moutons ! persifla-t-il.

Montrevel ne parut guère apprécier l'ironie de son maréchal de camp. Il y avait fort à parier que la mésaventure gagnerait les salons de Versailles et qu'on en ferait des gorges chaudes.

— Aux côtés du chef camisard, il y avait un chevalier. Un garçon de bonne figure. Rien qui ressemble à ces scélérats.

— Attendez ! s'exclama le maréchal. J'ai vu passer cela dans les rapports de nos indicateurs.

Montrevel n'attachait que peu d'importance aux notes qu'on lui transmettait. Il les lisait distraitement, puis les entassait dans un registre ouvert à cet effet. Le gouverneur méprisait les espions, colporteurs de ragots, rumeurs et racontars en tous genres, puisés dans les tavernes ou auprès de gens peu fiables. « Si nous devions suivre toutes ces indications, on disperserait nos forces en vain. L'essentiel est de conduire une stratégie forte et de s'y tenir, contre vents et marées », répétait-il à ses lieutenants. De fait, la seule entreprise qu'il entendait conduire sans faille ni faiblesse était bien celle de son « grand ouvrage », la destruction des villages dans le fameux triangle qu'il avait dessiné d'un trait rouge sur sa carte.

Le gouverneur fouilla dans le fameux registre et finit par en tirer un feuillet qu'il relut en hâte.

Les princes du Gardon

— Voilà notre homme ! Un certain Jassueix. Aurèle de Jassueix. Nous avons conduit son père à la tour de Constance, sur ordre du roi. Et cet Aurèle doit être son fils. L'information m'est communiquée par monsieur de Salamon. Tel est, brigadier, l'homme que vous avez aperçu à Beaucaire. Désormais, il fait cause commune avec la maudite engeance. Comme quoi nous avons été bien inspirés d'éliminer cette famille ! Elle conspirait avec les camisards. Tout ce que je puis faire, c'est adresser sur-le-champ un ordre au gouverneur d'Aigues-Mortes pour qu'il durcisse la condition de ce traître. Il paraît que le choléra y fait des ravages. Et, si Dieu le veut, notre Jassueix rendra l'âme sans tarder. Quant au fuyard, nous finirons bien par le mener à la potence. Comme Rastelet, Corbessas, Vierne, Picholas, La Rode, Marcel et tant d'autres qui attendent leur châtiment.

Montrevel montra alors de l'agacement à subir la présence de son maréchal de camp. Celui-ci était tout entier sous le coup de la nouvelle. Que préparait donc un Jassueix aux côtés de Valleraugue ? Il martelait les tapis du gouverneur avec une nervosité qui donnait le tournis à son entourage. Madame de Soustelle guettait, dans le salon voisin, le retour de son amant avec impatience.

— J'ai grande envie d'acheminer mes hommes dans la Vaunage.

— Pourquoi donc ? Pour y chasser un traître à son royaume ? Nous avons mieux à faire.

— Je sens qu'il se trame quelque chose en cet endroit.

— Auriez-vous oublié, brigadier, que j'ai lancé une ordonnance pour le dépeuplement des villages de la montagne ? C'est là que la révolte des camisards a

Les compagnons de Maletaverne

commencé, c'est là que nous l'achèverons cet hiver. Rejoignez La Planque et d'Etremand. Et laissez Firmaçon dans la plaine. Cela suffira bien.

Montrevel eût été bien inspiré d'examiner de plus près les fameuses notes de ses espions, car il aurait trouvé celle de monsieur de Trincy qui l'informait qu'un débarquement d'armes se préparait au large de Sète. Le comte de Trincy avait obtenu cette indiscrétion d'un colporteur saisi à Alès et soumis à la question. Alors, il eût dirigé ses troupes dans la Vaunage et, sans doute, remporté la belle victoire qu'il souhaitait offrir au roi de France.

Bien que pressé par le temps, l'équipage conduit par Julien Valleraugue évita la route de Montpellier. Ainsi, les camisards contournèrent la cité où régnait Lamoignon de Basville par Saint-Hippolyte-du-Fort. Les gorges de l'Hérault fournissaient aux proscrits des caches faciles. Aussi leur permirent-elles de s'avancer jusqu'à la vallée de Gignac sans encombre, et ensuite, par la plaine, de cheminer à l'abri des marécages, parmi les forêts de roseaux. Le détour allongea le trajet de trois jours, ajouta de la fatigue aux hommes qui n'avaient guère pris de repos depuis la foire de Beaucaire.

A la tête d'une centaine d'hommes médiocrement armés, Julien Valleraugue était en proie à la pire des inquiétudes : celle de tomber sur une troupe royale. Jamais il ne s'était senti aussi vulnérable. Et il ne pouvait compter sur l'aide de Cavalier, qui occupait à cette heure les arrières de Saint-Jean-du-Gard. Le chef camisard avait préféré rester sur ses défenses, bien protégé par un millier d'hommes disséminés dans les mas et

Les princes du Gardon

bastides acquis à la cause des réformés. Il possédait encore assez d'armes et de munitions pour voir l'hiver venir, sans compter les réserves cachées dans les grottes des Cévennes.

A l'approche de la mer, Valleraugue fit installer ses hommes au moulin de Bessan, en protégeant les voies d'accès et en surveillant la route par les points les plus propices à l'observation. A Bessan, l'habitant vivait de la pêche et de menus trafics avec les bateaux qui croisaient au large du cap d'Agde. Puis, une fois dans la place, les camisards firent provision, dans les cabanes qui bordaient l'Hérault, de poisson séché et de vin. L'endroit était pestilentiel et cerné par des nuages de moustiques. A peine installés, les hommes avaient déjà hâte de quitter les lieux pour regagner les montagnes où ils se sentaient en sécurité. Et il fallait bien toute l'autorité de Grattepanse et La Violette pour faire taire les critiques qui occupaient les conversations.

— Qu'est-ce qu'on est venus foutre ici ? J'te l'demande ? s'insurgeait Fléau-des-Prêtres qui avait accroché à son chapeau autant de médaillons qu'il avait égorgé de curés. Les petites pièces en argent scintillaient au-dessus de son front et cliquetaient à chacun de ses mouvements. Cette bizarrerie avait l'art d'agacer Valleraugue. Mais il faisait mine de s'en accommoder. Tant de singularités et de manies n'étaient-elles pas dans les mœurs de ses combattants, superstitieux autant qu'on pouvait l'être lorsque la raison faisait défaut ?

— Not' chef sait ce qu'il fait ! rétorqua Grattepanse.

— Moi, la mer et les moustiques, ça m'met les nerfs à vif ! fit son voisin, La Violette, qui n'arrêtait pas de se gratter avec le dos de son poignard. Ces marais, bon Dieu, c'est à attraper la malemort.

Les compagnons de Maletaverne

— Y paraît que ça court à plein dans le village ? dit Franc-Cœur qui croquait un oignon.

— Quoi donc ? releva Sans-Quartier.

— La malemort, ajouta Franc-Cœur.

— J'ai vu passer une charrette, ajouta La Violette. Et, sous le drap, y avait des macchabées. Des femmes, des enfants. Des tout-petits, même. On les avait saupoudrés de chaux pour éviter la mouche.

Sans-Quartier se signa, machinalement. C'étaient les seules morts qu'il redoutait, par la peste ou le choléra.

— Là-haut, y a l'vent. Ça nous protège, dit Sans-Quartier.

Aurèle de Jassueix était monté au dernier étage du moulin pour regarder la mer. Depuis Saint-Gilles, il n'avait plus adressé la parole au capitaine. Ce dernier poursuivait obstinément son projet, et rien n'eût pu l'en faire dévier. Pour montrer sa différence avec les compagnons de Maletaverne, il avait repris sa tenue de chevalier de La Tournelle, au grand amusement de ses voisins. Le baudrier était plus encombrant et malaisé qu'une simple chemise de batelier. Et l'épée qui lui battait le flanc, à quoi pouvait-elle bien lui servir ? Sinon à l'agiter, comme une faux, pour trancher les roseaux, gros comme le pouce, qui obstruaient le passage. Les hommes, eux, avaient l'art de se faufiler parmi la végétation, sans bruit ni gesticulations, juste en écartant les obstacles de la pointe de leur fusil emmailloté de chiffons.

A la nuit, le capitaine fit appeler Aurèle et une dizaine de ses hommes, dont Grattepanse et La Verdure, ses lieutenants. Ils descendirent d'un pas rapide un étroit sentier qui menait au chemin d'Agde. Des barbes

Les princes du Gardon

les attendaient, entravés à un chêne, ainsi que deux car-
rioles attelées à une couple de chevaux lourds.

— Nous allons au cap, fit Valleraugue sans autre
explication.

Les hommes montèrent en selle. Grattepanse et La
Verdure prirent les rênes des chars. L'équipage s'engagea sur la route poudreuse, à petit trot. Le marais alentour était sombre. A peine voyait-on miroiter sous la
lune quelques grandes flaques d'eau morte. La route
blanche coupait la plaine d'un trait rectiligne.

A l'approche du cap, Julien et Aurèle prirent de
l'avance pour vérifier que l'endroit était dégagé. Ils visitèrent les alentours, prudemment, le fusil en travers de
la selle. A cent pas, la mer venait battre en sourdine la
longue plage vide. Ils firent manœuvrer leurs montures
jusqu'aux premiers rouleaux d'écume, puis s'en revinrent sur la crête.

Une heure durant, ils patientèrent à l'abri des pins
parasols qui bordaient la grève. Julien Valleraugue
s'était assis en tailleur, face à la mer, le regard fixé sur
la ligne d'horizon. Soudain, une lumière se mit à cligno-
ter distinctement. Et le capitaine des camisards se leva
précipitamment, saisi d'une excitation qui intrigua ses
voisins. Grattepanse bouta le feu aux branches de pin
que les hommes avaient amassées. Et la lumière vive du
foyer gagna l'espace autour d'eux, sinistre et menaçant.
C'était l'instant que le chef camisard redoutait le plus ;
désormais, tout devait se dérouler au plus vite, selon un
ordre savamment préparé.

De nouveau, un fanal cligna par trois fois sur la mer.
C'était le signal que Valleraugue attendait pour faire
avancer ses hommes sur la plage. Grattepanse et La Verdure firent reculer les tombereaux dans l'étroit passage

Les compagnons de Maletaverne

pavé où les pêcheurs faisaient glisser leurs barcasses à marée haute.

— C'est la frégate anglaise, le *Pembroke*, dit Julien Valleraugue.

Il pointa vers elle sa lunette de longue-vue. Déjà, trois embarcations se rapprochaient de la côte. Le capitaine hochait la tête.

— Voilà des fusils qui seront les bienvenus ! fit-il.

Lorsque les premières barques abordèrent le rivage, les camisards coururent à la rescousse pour s'emparer des caisses qu'elles contenaient. A la dernière navette, Valleraugue alla saluer un des officiers anglais qui commandaient l'opération. Celui-ci lui remit une sacoche, promptement. Et la barque reprit la mer, avec force coups de rame. On entendait juste, par-dessus la rumeur des vagues, le ahan lancinant des matelots.

— Que contient donc cette sacoche ? demanda Aurèle.

Valleraugue lui fit signe d'avancer. Le petit comte baissa la tête de dépit. Cela lui était devenu insupportable de n'être qu'un pion parmi d'autres. Mais lorsque le convoi eut repris le chemin de Bessan, Julien se rapprocha d'Aurèle.

— Les Anglais nous ont remis de l'argent, dit-il dans le vent qui lui fouettait le visage.

— Seulement de l'argent ?

— Te voilà bien curieux, jeune comte, ricana Valleraugue.

Le galop les éloigna l'un de l'autre, chacun occupant une lisière de la route. En se retournant, presque d'un commun accord, ils virent que le convoi avait du mal à suivre leur rythme. Alors ils ralentirent les montures.

— Des consignes pour Jean Cavalier, dit-il.

Les princes du Gardon

— L'Angleterre souhaite tellement que votre combat réussisse ?

— Lord Nottingham a la haute main sur cette affaire. Ses ordres, il les tient de la reine elle-même. Cavalier attend des armes, comme nous, mais aussi des chaussures et onze officiers anglais... ajouta-t-il.

— Des officiers anglais ! s'écria Aurèle. Et pourquoi donc ? Cela pourrait créer une grave affaire diplomatique...

— Pour nous apporter de précieux conseils, répondit le capitaine.

— Pour les Anglais, le jeu en vaut-il la chandelle ?

— Au point où ils en sont avec Louis XIV...

Comme les chariots se rapprochaient enfin, les cavaliers reprirent le galop. Le capitaine avait ordonné que cinq de ses hommes ferment le convoi pour protéger le précieux butin, au cas où une patrouille viendrait à l'attaquer. Avant d'atteindre le moulin, Valleraugue fit ralentir de nouveau son cheval.

— Je ne crois pas à une révolte généralisée qui serait de nature à renverser le roi, confia le capitaine. Et Jean Cavalier non plus. Les Anglais poursuivent d'autres buts que les nôtres. Mais, pour l'instant, nous tirons parti de la situation.

— Qu'espérez-vous alors ?

— La liberté de culte dans nos Cévennes et la reconstruction des temples. Tôt ou tard, le roi sera contraint à négocier. Et ce temps n'est pas si lointain...

Au moulin, le capitaine fit distribuer les fusils et le fourniment à ses hommes. Grattepanse dut user d'autorité pour calmer les enthousiasmes. Certains combattants avaient profité du repos pour s'abreuver de vin et forcer quelques femmes parmi la population

Les compagnons de Maletaverne

de Bessan. Aussi Julien Valleraugue ordonna-t-il le départ.

Il y avait trop de risques à s'attarder sur la zone côtière. Les frégates anglaises, qui croisaient au large de Sète, étaient vite repérées. Et la capitainerie du port sonnait l'alarme à coups de canon qui s'entendaient jusqu'à Montpellier. Le gouverneur du Languedoc disposait, à demeure, de deux mille hommes prêts à passer le bas pays au peigne fin.

Les cent hommes de Valleraugue se scindèrent en trois groupes, avec Sommières pour point de ralliement. Le capitaine et Aurèle prirent la tête d'un des détachements, qui chemina par la Vaunage. Le trajet était de tous le plus risqué, mais le plus court aussi. Julien Valleraugue avait hâte de remettre la sacoche anglaise à Jean Cavalier. Ils cheminèrent une nuit et une journée pleine, sans embûche.

Ce n'est qu'à proximité de Sommières, en remontant la berge du Vidourle, qu'ils tombèrent sur un détachement de miquelets. Des coups de feu furent essuyés. Le capitaine ordonna alors de se replier dans le village de Besse. En voyant arriver les camisards, la population prit peur et s'enfuit dans les vignes et les oliveraies. Grattepanse courut à la petite église. Une trentaine de fidèles s'y étaient enfermés. Il ordonna qu'on y mît le feu. Le curé se proposa au sacrifice en échange de la vie de ses paroissiens. La Violette feignit d'accepter le marché. Mais, lorsque les malheureux émergèrent de l'enceinte, ce fut un massacre, une tuerie sans nom.

Pendant ce temps, à l'entrée de Besse, Valleraugue avait disposé une dizaine de ses hommes en défense.

Les princes du Gardon

Le sergent qui commandait la patrouille de miquelets se présenta aux abords de la cité.

— Qui vive ? hurla Julien Valleraugue.

— France ! répondit le sergent.

Des clameurs s'élevèrent alors dans les rangs des camisards.

— Courage ! Enfants de Dieu, voici les enfants du diable ! Défendons-nous !

Les miquelets n'étaient pas en nombre suffisant pour cerner le village. Tout au plus espéraient-ils contenir leurs ennemis dans les murs, jusqu'à l'arrivée des renforts.

Aurèle s'était réfugié au deuxième étage d'une maison. De la lucarne il distinguait, dans la pâleur du soir, les soldats du roi qui rampaient le long des murets, s'insinuant dans les moindres recoins pour gagner du terrain sur l'ennemi. En face, les compagnons de Maletaverne possédaient assez de munitions pour tenir un siège à dix contre un. Mais leur chef avait compris que le temps jouait contre eux. Aussi recommanda-t-il à ses hommes de se poster dans les étages afin de mieux ajuster les assaillants.

Aurèle s'était assis à côté de la lucarne. Il écoutait, immobile, le vacarme assourdissant de la fusillade. Il ne pouvait se résoudre à tirer sur les miquelets. Pourtant, il eût pu en ajuster quelques-uns, sans peine. Mais cette décision lui répugnait. Seul le destin de son père lui importait et, présentement, tout l'en écartait. Si je suis pris ce soir, se dit-il, mon sort sera scellé avec celui de Valleraugue. Et il sera trop tard pour regretter de n'avoir pas fait le coup de feu avec mes voisins d'infortune.

Et ce qu'il craignait le plus dans ce combat étrange, auquel il se trouvait mêlé malgré lui, finit par advenir.

Les compagnons de Maletaverne

L'un des miquelets escalada les étages. Deux coups de feu retentirent, au-dessous du plancher où il s'était réfugié. Il entendit un corps tomber lourdement. Pourvu que ce soit lui ! se dit-il. Mon Dieu, faites que ce soit lui ! Machinalement, Aurèle se saisit de son pistolet et arma le chien, en l'enveloppant dans le revers de sa chemise pour en étouffer le déclic. Le petit comte bloqua sa respiration. Au-dessous, l'homme déambulait autour de sa victime. Ce pouvait être La Violette ou Franc-Cœur, qu'il avait laissés au sous-sol avant de gagner l'étage. Ou, pire, l'un des soldats du roi. Soudain, l'inconnu se décida à monter les dernières marches. Et Aurèle comprit que le miquelet n'avait pas été tué, comme il l'avait tant espéré. Alors, il se cala le dos au mur, faisant riper son buste contre la paroi crayeuse, lentement, jusqu'à ce que son angle de visée fût ouvert face à la cage d'escalier. Il attendit, le souffle coupé, le pistolet pointé à hauteur de la poitrine. En l'apercevant pelotonné dans le recoin de la pièce, le soldat leva son fusil, d'un mouvement si lent et emprunté qu'Aurèle jugea la situation insolente de facilité.

— Ne tire pas ! s'écria le petit comte.

— Scélérat ! grogna l'homme.

Mais Aurèle fut le plus rapide. L'homme s'écroula lentement, le fusil versant au-devant de lui dans un grand vacarme.

Jassueix demeura une longue minute à observer son ennemi. Une flaque de sang noir s'agrandissait à hauteur de sa poitrine. De la pointe de sa botte, Aurèle le retourna pour voir son visage. Il avait le type espagnol, la peau brunie, avec des favoris soigneusement taillés. Ses yeux noirs étaient grands ouverts. Il hésita à les fermer, comme il l'avait vu faire maintes fois. Ce n'est point

Les princes du Gardon

le rôle du tueur, pensa-t-il. Et, pour ne plus voir son regard vide, Aurèle le renversa dans sa position initiale. L'odeur de poudre brûlée lui soulevait le cœur. A moins que ce ne fût l'odeur fade du sang qui coulait sur le plancher. C'est mon premier mort, se dit-il, et je m'en souviendrai comme du premier sanglier que j'ai exécuté dans la montagne du Bougès.

L'envie de rejoindre les camisards le saisit, mais il hésita encore. C'était se joindre aux combats auxquels il n'avait pas voulu participer. Tirer sur d'autres soldats. Tuer, tuer de nouveau, sans fin. Tu n'as rien à te reprocher, se dit-il. Tu n'as fait que te défendre. C'était lui ou toi. Et si tu avais hésité, ne serait-ce qu'une seconde, tu serais à sa place, là, contre le mur de la lucarne, à fixer le vide.

Thibaut de Jassueix passait ses journées le visage collé à la meurtrière. Dans cette inconfortable position, il parvenait à apercevoir un morceau de ciel bleu et les couleurs changeantes de la lagune. C'était tout. Le reste n'était que silence, lamentations, prières, cris et souffrances. Les nuits, le comte était tout entier à ses rêveries. Armandine et ses fils étaient ses seuls confidents. Il leur parlait à mi-voix. Ainsi se rejouait-il, scène après scène, une longue vie de bonheur perdu. Souvent, il refaisait le trajet vers le Tarnon, flanqué d'Aaron et d'Aurèle, jusqu'au sanglier qu'il ne trouvait jamais, malgré de longues heures de guet. C'était la plus belle bête des Cévennes. Celle que les chasseurs n'auraient jamais et qu'il poursuivrait sans trêve, jusqu'à la mort. Parfois, il descendait dans ses écuries pour y caresser Mustapha. Mais son cheval lui était devenu rétif,

Les compagnons de Maletaverne

comme s'il lui reprochait d'avoir voulu l'abattre, un jour de folie. Pourtant, il lui avait rendu la liberté. Mais peut-être n'était-ce pas exactement ce qu'il souhaitait, son bai seigneurial... Et, la mort dans l'âme, il découvrait au matin que sa main n'avait caressé que la pierre lisse du cachot.

Les geôliers l'avaient enfermé dans la salle du bas, ronde et haute, dominée par une voûte ogivale. C'était une prison cathédrale que la tour de Constance ; un lieu où les captifs ne pouvaient oublier l'image expiatoire de Dieu. Une antichambre de l'enfer... Le proscrit de La Sourde était condamné à partager son quotidien avec une cinquantaine de malheureux, tous huguenots et voués à l'oubli.

Les prisonniers dormaient sur un lit de paille que les gardiens venaient changer une fois par mois. Il régnait une puanteur épouvantable. La fermentation des ordures et des excréments attirait la vermine. Les rats et les insectes se partageaient les emmurés, tout à leur discrétion. Aussi les hommes passaient-ils de longues heures à chasser les intrus, par des tours de veille.

La maladie se mit aussi de la partie, par les débâcles du corps préparant lentement, goutte à goutte, une fin prochaine. A la tour de Constance, on n'osait nommer ces fléaux, par peur ou par superstition. Tout au plus s'arrangeait-on pour rassembler les malades dans la partie consacrée à cet effet, traçant ainsi une séparation imaginaire entre les affligés et les autres. Et l'on guettait chez son voisin, jour après jour, avec une suspicion féroce, le moindre signe qui puisse trahir l'approche de la malemort.

Dans les premiers temps, le comte avait écouté le récit des emmurés, les récriminations contre le roi, les rêves

Les princes du Gardon

de liberté. Il avait même chanté avec eux quelques psaumes, ânonné d'interminables prières pour que le Dieu miséricordieux des protestants vînt briser les grilles du cachot. Thibaut voulut convaincre les malheureux que le Dieu des chrétiens ne pouvait en rien influer sur le destin de l'homme dans sa vie terrestre. Nous serons jugés selon nos actes. Et l'injustice que nous subissons présentement, disait-il, ne servira qu'à nous ouvrir les portes du paradis, seules. Et non point celles de la tour de Constance... De telles réflexions n'eurent pour conséquence que de le vouer encore un peu plus à la solitude. Ses voisins d'infortune le placèrent en quarantaine, trouvant qu'il n'était pas assez illuminé par la foi et que ses propos tenaient plus du discours des papistes que de celui d'un honnête prédicant. Cette seconde disgrâce, inattendue pour un seigneur cévenol déchu par désobéissance devant son roi, lui importait peu, en vérité. N'était-il pas préférable, au fond, de s'enfermer dans le silence pour y cultiver ses rêveries plutôt que singer la comédie devant un Dieu auquel il ne croyait guère ?

Le nez collé à sa meurtrière, le comte Thibaut cherchait l'air du dehors, pourtant putride, d'Aigues-Mortes. Il aimait flairer les odeurs de marais, de vase et de mer ensablée que le vent apportait à certaines heures. Pour lui, c'étaient les senteurs de la liberté. Et, le regard dressé vers le petit coin de ciel, il cherchait désespérément à apercevoir son faucon de Fontmort. Il était une infime partie de lui-même, libre et conquérante, abandonnée dans le désert, sur les hauteurs de son domaine. Parfois, il se surprenait à imiter le cri de son rapace. C'était sa prière à lui, personnelle et pugnace. Dans les moments de bonheur où il se

Les compagnons de Maletaverne

remettait à croire à sa liberté retrouvée, Thibaut se jurait de lui consacrer sa première visite, seul avec son cheval. Mais il savait bien en tournant autour de son cachot, enjambant ses compagnons de misère, que c'était un rêve fou, inutile et désespéré. Sans doute un jour mon âme finira-t-elle par s'envoler, mais pour quelle destination ? se disait-il. A moins qu'elle ne meure, elle aussi, avec la chute des corps.

Un soir d'août, un garde vint le chercher. Il l'entraîna vers le chemin de ronde qui dominait la prison. Puis, là, dans la salle des gardiens, on lui mit les fers aux pieds, comme on le faisait pour les forçats. Le comte Thibaut était trop fier pour parler avec ses geôliers. C'était la seule liberté qui lui restait : se murer dans le silence. Pourtant, il était bourrelé d'inquiétude. S'agissait-il de le soumettre à la question, de le livrer à l'estrapade ? A la tour de Constance, il n'était pas d'usage de tirer un prisonnier de sa geôle. Les grilles refermées, on ne pouvait craindre que l'oubli, un définitif oubli. Les prisonniers avaient coutume de dire que le seul moyen d'en sortir était de franchir la porte les pieds devant.

Alors que le comte n'avançait pas assez vite à cause de ses entraves, l'un des gardes lui asséna un coup de badine. Le maître de La Sourde s'arrêta de marcher pour mieux offrir sa poitrine aux coups.

— Arrête donc ! Tu ne vois pas que ces chiens de parpaillots n'aiment que ça, le supplice ! cria un deuxième garde.

Thibaut éclata de rire.

— Je vais lui faire passer sa suffisance ! fit le flagelleur en levant sa badine, de nouveau.

Le coup l'atteignit en plein visage. C'était une morsure salutaire. Une brûlure telle qu'il n'en avait pas

Les princes du Gardon

connu depuis longtemps. Et cela lui rappela les griffures des ronces, les égratignures des branches lorsqu'il caracolait avec Mustapha dans les chemins de Fontmort.

— T'sais p'têt' pas que c'est un comte. Un comte déchu avec sa suffisance, ajouta un troisième gardien.

Ce dernier le prit par l'encolure de la chemise et la tira à faire craquer les coutures.

— Le touche pas ! Il a peut-être la maladie. Tu sais pas que c'est malfaisant. Surtout quand les bubons éclatent et que ça verse la gourme.

— Ç'ui-là est pas près d'crever, releva le flagelleur.

— Comment tu sais ça ?

— Je le sens. Ça a le diable dans l'âme.

Le comte Thibaut fut le premier étonné de se retrouver chez le gouverneur d'Aigues-Mortes. On avait juste jeté sur ses épaules un manteau pour cacher l'état de ses guenilles. Mais la barbe qui lui encadrait le visage, fort pouilleuse comme on peut l'imaginer, lui prêtait un air de vieil ermite. Enfin, on le fit entrer dans la salle réservée aux officiers. Elle était déserte, à cette heure. Au loin, dans les couloirs, on entendait de sourdes conversations. Thibaut se rapprocha d'une fenêtre pour regarder la lagune, les barcasses échouées sur la grève, les masures des pêcheurs en roseaux. Et plus loin, Le Grau-du-Roi avec ses jetées de terre et de sable incendiées par le soleil couchant. Le comte avait déjà oublié les formes de la terre, ses beautés contemplatives, les glissements du jour, la majesté des crépuscules. Des larmes coulaient sur ses joues, des larmes qu'il ne pouvait plus contenir.

Lorsqu'il entra, le gouverneur trouva ainsi son prisonnier, les mains accrochées à la bordure de la fenêtre.

Les compagnons de Maletaverne

— Approchez ! ordonna l'homme dans son uniforme gris.

Ses boutons de nacre brillaient dans la lumière pâle du soir. Il portait une perruque blanche de viguier. Et sur sa poitrine pendait une chaîne dorée. En le voyant avancer en canard, à cause des entraves, le gouverneur de Ruffin appela ses gardes.

— Enlevez-lui les fers ! ordonna-t-il.

— Vous ne craignez pas que je prenne la fuite ? prévint le comte Thibaut.

Le gouverneur d'Aigues-Mortes ne répondit pas. Il allait et venait devant une longue table revêtue d'un drap blanc frappé de fleurs de lis. Il marchait ainsi, un peu voûté par l'âge, le pas butant sur les dalles disjointes.

— Vous avez trop d'honneur ! fit-il soudain.

— J'en ai certes plus que ceux qui m'ont conduit ici !

Monsieur de Ruffin balança la tête, de droite à gauche, pour montrer un peu d'agacement. Il croyait à la fonction éducative de l'enfermement. Un temps, il avait même espéré que ses geôles feraient plus pour les conversions que mille sermons. Et force lui était de constater l'inverse. Aussi, chacun de ses rapports au roi mentionnait, désormais, que la prison accroissait la rage et la fureur des huguenots contre la catholicité et renforçait leur foi plutôt que l'amenuiser.

— Rebelle vous êtes, rebelle vous resterez, malgré nos traitements, dit-il. Cela me rend triste.

— Qu'attendez-vous de moi ? Que je renie une religion que je ne vénère pas ?

— De la soumission, dit-il en levant les yeux sur son prisonnier.

— Je ne puis me soumettre à un roi qui massacre ses sujets au lieu de les réconcilier.

Les princes du Gardon

— Allez donc vous asseoir sur le siège ! ordonna-t-il. Je vais en faire tout autant, et ainsi pourrons-nous deviser d'égal à égal, pour le sursis qui nous est imparti. Ensuite, vous redeviendrez le forçat dont j'ai la garde. Thibaut de Jassueix hésita. Le gouverneur en ressentit un peu d'amertume.

— Si vous n'êtes point huguenot, d'où vient alors votre rébellion ? demanda-t-il. La raison exige que vous rentriez dans mes bonnes grâces afin que j'adoucisse votre sort. Mais non, vous me résistez comme un animal blessé. Savez-vous seulement que je pourrais vous porter le coup fatal, à ma guise, et que j'ai droit de vie et de mort sur vous, depuis que vous avez franchi les portes de la tour de Constance ?

— Vous n'avez pas le pouvoir d'adoucir mon sort. L'on m'a assigné à partager les souffrances du peuple cévenol, et j'en suis fier. Mais le choix n'est pas absurde. J'ai toujours été aux côtés de mon peuple. Et je crois l'avoir servi en bon seigneur, au point que l'on...

— Taisez-vous donc ! s'écria le gouverneur de Ruffin. Vous vous êtes fait complice des scélérats. Croyez-vous que j'ignore tout de vos actions ?

— Si j'étais ce que vous dites, monsieur le Gouverneur, j'aurais pris le chemin de l'exil pour mener la guerre contre mon roi. Je me serais rallié aux partisans de Guillaume d'Orange. Alors que je suis resté dans mes Cévennes pour aider mes gens, pour les protéger contre l'injustice. Et je ne forme aucune requête. Si tel est le bon plaisir de Sa Majesté de me voir croupir dans ses prisons, alors qu'il en soit ainsi. L'affaire relève de la mauvaise politique, des influences de madame de Maintenon, d'une rage à vouloir combattre

Les compagnons de Maletaverne

un peuple qui a apporté au royaume de grands esprits, des richesses et de la prospérité.

Monsieur de Ruffin sentit que la vigueur dans le ton ne changerait rien. Alors il se résigna à venir s'asseoir à côté de son prisonnier pour lui parler au plus près.

— Monsieur le Comte... fit-il.

— Je ne suis plus comte...

— Monsieur le comte de Jassueix, reprit-il, je ne sais si vous méritez ou non d'être dans ma prison, mais sachez que j'en suis affecté. Il est toujours fâcheux qu'un homme de votre lignée partage le sort de misérables relaps. Et je souhaiterais vivement que vous bénéficiiez d'un traitement de faveur.

— Voilà une pensée louable et chrétienne, releva Thibaut. Mais les désagréments de ma captivité ne sont rien à côté du déshonneur. Je n'aspire qu'à recouvrer mes titres et mes biens. C'est pourquoi vous pouvez ouvrir les portes de votre prison devant moi, je n'en sortirai pas en catimini.

Monsieur de Ruffin n'avait jamais connu pareille obstination dans toute sa vie de gouverneur et de geôlier en chef. C'était un avantage que d'assurer l'emprisonnement de gens méprisables. Aucun remords n'était ainsi suscité. Mais l'époque avait inventé une nouvelle race de prisonniers, sur laquelle ne subsistait qu'une seule tache, celle de déplaire au roi. Et, devant ces reclus, il était difficile de se fonder une opinion qui vaille.

— Vous possédez de précieux alliés, révéla le gouverneur d'Aigues-Mortes. Lavèze s'est rendu par deux fois à Versailles pour obtenir votre grâce. Seuls Ponchartrain et Beauvillier ont daigné l'écouter. Mais aussi, hélas, des ennemis obstinés et féroces, tels que

Les princes du Gardon

Salamon. Pour l'instant, votre destin est suspendu à
Montrevel. Cet homme est inflexible. Pourtant, je l'ai
connu, jadis, plus humain, complaisant même. Pour
l'heure, il veut obtenir des résultats par tous les
moyens. Le roi a les yeux rivés sur lui et le moindre
faux pas lui sera fatal.

— On ne peut détruire la foi lorsqu'elle est portée par
une si grande espérance, dit le comte Thibaut. Et la
guerre de Montrevel conduira aux pires extrémités, sans
profit. Elle sera une tache sur le règne du plus grand roi
du monde. Je ne voudrais pas être l'artisan de cette
monstruosité. Les princes ont l'esprit oublieux. Et, si le
vent tourne, Montrevel sera relégué aux oubliettes.
N'avez-vous point pensé qu'il serait fâcheux d'être le
complice d'un tel personnage ?

Le gouverneur se détourna vers la fenêtre où le cré-
puscule jetait ses derniers feux. Une odeur saline de
marée haute gagnait la salle où, peu à peu, les silhouettes
s'estompaient dans la pénombre. Monsieur de Ruffin
n'éprouvait pourtant pas le besoin de faire allumer les
chandeliers suspendus aux murs. La nuit était propice
aux confidences.

— Il m'a demandé d'aggraver vos conditions de
détention. La solution est simple. Je vous conduis dans
la basse-fosse. Et, là, l'humidité, l'air vicié hâteront
votre fin.

Le comte Thibaut se mit à hocher la tête.

— Il y a donc pire encore que la salle basse ? Je ne
pouvais soupçonner autant de raffinement...

— Mais, monsieur le Comte, ajouta le gouverneur, il
y a mieux que la salle basse...

— Vous voulez dire, la salle haute ?

Les compagnons de Maletaverne

— Parfaitement. L'endroit est sec. Et les vents y chassent les miasmes. Parfois, nous autorisons quelques promenades sous la lanterne.

— Montrevel ne l'entend point ainsi. Et vous obéirez à votre maréchal.

Monsieur de Ruffin se donnait un air songeur, comme pour se préparer à une belle démonstration.

— Pour vous, j'ai décidé la salle haute, dit-il soudain. Lavèze m'a convaincu que vous méritiez un traitement de faveur. Il n'est de vraie justice que lorsque la raison l'éclaire.

En descendant l'escalier de la maison, le petit comte trouva deux autres miquelets. L'un avait été égorgé et son sang formait, à l'endroit de la plaie, des bulles roses qui crevaient doucement. Au passage, il risqua un regard dans la pièce voisine. La Violette était affaissé contre une armoire éventrée, les jambes écartées dans une pose obscène. Son visage était défiguré par une décharge de plomb. Machinalement, Aurèle récupéra les armes : pistolets, fusils, dagues.

Au-dehors, le jeune homme se faufila sous un porche. Dans les ruelles, il y avait de fortes salves de mousqueterie, de la fumée de poudre brûlée qui empuantissait l'atmosphère et des corps étendus le long des maisons. Dans le passage, il rejoignit une dizaine de camisards occupés à recharger leurs armes. On lui expliqua que le premier assaut des miquelets avait été repoussé avec des pertes inimaginables. Franc-Cœur, qui portait une éraflure à la joue, sanguinolente, lui montra le mur de protection. Il y avait là une place jonchée de corps.

Les princes du Gardon

— Les idiots ont attaqué en rangs serrés, fit-il. Ça a été du tout cuit que d'tirer dans l'tas.

— La Violette est mort, fit Aurèle.

Franc-Cœur se signa, machinalement, comme il le faisait chaque fois qu'un frère tombait en martyr.

— Où est le capitaine ? demanda le petit comte.

— Au pont, répondit un autre camisard.

Les armes rechargées, ils décidèrent de rejoindre le gros de leurs troupes, qui occupait la rue principale. Ils traversèrent la place, puis la ruelle qui longeait le mur, pliés en deux sous les salves. Un de leurs compagnons reçut une balle en pleine tête et s'écroula comme une masse. Franc-Cœur récupéra son fusil. Enfin, le petit groupe atteignit la grande rue. De part et d'autre, les maisons étaient en flammes. Les incendies se trouvaient attisés par le vent, apportant de lourdes volutes de fumée dans leur direction, ainsi que des escarbilles.

La fusillade reprit de plus belle sur le Vidourle. Les derniers miquelets s'étaient réfugiés sur les berges. Et les camisards rampaient en petits groupes dans leur direction, se faufilant avec agilité parmi les roseaux, comme des rats. Aurèle parvint au muret du pont et osa une tête par-dessus le parapet. La rivière charriait des cadavres. Il en éprouva un haut-le-cœur et dut se rasseoir pour reprendre son souffle. Julien Valleraugue le souleva par son baudrier.

— Le petit chevalier a mal au cœur ?

Les hommes riaient autour de lui.

— Allez ! ajouta-t-il. C'est fini. On les a eus jusqu'au dernier. Même leur sergent.

Grattepanse montra la tête du miquelet embrochée sur un pic.

— N'a-t-y pas une bonne bouille ? fit-il.

Les compagnons de Maletaverne

Aurèle détourna le regard.

— Les hommes de Cavalier sont venus nous prêter main-forte. Maintenant, s'écria Julien Valleraugue, il est de temps de déguerpir...

Les camisards longèrent le Vidourle sur une lieue, puis approchèrent de Sommières. La campagne environnante était aux mains du grand chef rebelle. Tous les villages, les hameaux, les mas et bastides étaient occupés par ses hommes. Aurèle en dénombra plus d'un millier. C'était une estimation sommaire, mais il n'était pas loin de la vérité.

Pourtant, deux jours auparavant, à la tête de deux mille combattants, Jean Cavalier s'était emparé de Sommières, avec grande difficulté. La cité était réputée imprenable avec ses rues étroites, ses maisons hautes et son château fort. Comme Jouany à Génolhac, Cavalier usa de l'effet de surprise et les défenseurs de la cité, en petit nombre, coupés de tout appui, durent battre retraite ou mourir. Aux cris de « Sacrifice à Dieu ! », l'armée des camisards mit la cité en coupe réglée. On tria les bons protestants des méchants catholiques. Aux uns, on promit la restauration des temples et l'affranchissement, aux autres la géhenne. L'instant de quelques jours, le pouvoir changeait de camp. On se préparait à recevoir des débarquements de régiments amis à Sète, tant promis, tant attendus. C'était un de ces rares moments de la révolte des camisards où les huguenots crurent enfin que Jean Cavalier allait instaurer dans le Languedoc une république des âmes libres.

Dans les premières heures de la prise de Sommières, le chef camisard ordonna la destruction des quatre auberges réputées entretenir le vice et la débauche. Le Cheval blanc, le Logis du Luxembourg, le Grand Louis

Les princes du Gardon

et l'Aigle d'or furent incendiés aux cris de : « Vive Dieu ! », « Serve Dieu ! », « J'adore Dieu ! » Les notables papistes qui refusèrent d'abjurer devant le tribunal que Cavalier avait fait dresser à la hâte furent exécutés devant une foule revancharde.

Puis, abandonnant Sommières à ses hommes, Cavalier se retira dans une commanderie de l'ordre de Malte, à moins de trois lieues de là. Le commandeur, monsieur de Castellane, fit bonne figure aux envahisseurs, espérant ainsi sauver sa vie. Jean Cavalier n'était point homme à s'embarrasser de principes. Le vieil homme lui parut trop timoré et louvoyant. Aussi ordonna-t-il à l'un de ses compagnons de l'ajouter à la longue liste de ses victimes.

C'est précisément dans la commanderie que Julien Valleraugue fit transporter les armes récupérées à Agde. Il avait déjà abondamment équipé ses propres troupes. Trop, au goût de Cavalier, qui lui en fit le reproche.

— Je ne combats pas un roi pour venir m'agenouiller devant un tyranneau ! lança-t-il.

La réplique fusa comme un coup de fouet. Jean Cavalier, qui avait revêtu la tunique du commandeur et qui prenait plaisir à se faire servir dans l'argenterie du dignitaire de l'ordre de Malte, se dressa de son siège.

— Tu vas retirer ces mots, mon frère. Sinon, je ne parie guère sur ta vie...

Julien Valleraugue tenait son pistolet en appui à la saignée du coude. Et ses hommes, déjà, formaient une haie menaçante. Un silence s'installa, lourd et pesant. Quelle mouche avait donc pu piquer le chef des compagnons de Maletaverne ?

— Je n'ai pas peur de toi ! lança Valleraugue.

Les compagnons de Maletaverne

Aurèle de Jassueix se tenait à sa droite, la main posée sur le pommeau de son épée.

— Il y a dans nos fusils assez de poudre et de plomb pour te rendre à la raison ! ajouta-t-il.

Jean Cavalier semblait ridicule dans sa toge. Et l'apparat dont il s'était entouré, par une sorte de fantaisie dictée par la vantardise et la suffisance, avait agacé son voisin.

— J'ai risqué la vie de mes hommes pour t'apporter des armes, et voici comment tu m'accueilles ? Dans cette livrée de pacotille indigne d'un grand chef ! Nous avons mieux à faire que de ripailler dans de la vaisselle en argent.

Valleraugue s'empara de l'épée de son voisin qui pendait au baudrier. Et, dans un mouvement de moulinet, il balaya les ustensiles de la table. Cavalier fit signe à ses hommes de ne point bouger. Certes, l'outrage valait réparation. Mais, à la moindre réaction, la poudre et le plomb eussent décapité d'un coup la tête dirigeante des camisards. Une aubaine inespérée pour monsieur de Montrevel.

— Valleraugue, tu me paieras ça un jour. Devant mes hommes ! Un tel outrage !

— Pendant que tes hommes occupent la Vaunage, le gouverneur a commencé le dépeuplement de nos Cévennes. A quoi sert-il d'occuper Sommières, Vauvert, Saint-Gilles si nous subissons dans nos montagnes les pires revers qui soient ? Courons à l'ennemi, mes frères. Sans tarder.

— Mon pauvre Julien, tu n'as jamais rien compris à la guerre que nous menons. Les Anglais vont débarquer des troupes fort aguerries au combat avec des officiers, un plan de campagne...

Les princes du Gardon

— Mensonge ! Mensonge ! hurla Valleraugue qui était venu se placer devant Cavalier, frappant la table du plat de l'épée. De Montpellier à Marseille en passant par Sète, on a tiré le canon. Et les frégates anglaises ont pris la poudre d'escampette. Nous n'avons rien à attendre des Anglais. Hélas, mille fois hélas ! J'ai lu leurs messages aussi bien que toi. Mon Dieu ! Ils ne feront rien qui puisse embarrasser le roi de France. Et tout ce que nous avons obtenu, ce sont ces armes, dont tu te moques ! Ces milliers de fusils, ces tonnelets de poudre ! Quant aux régiments anglais, tu peux toujours attendre. Le *Tartare* et le *Pembroke* ont quitté le golfe du Lion, à cette heure, avec leurs régiments fantômes.

Valleraugue se recula, sans quitter des yeux Jean Cavalier qui le fixait, lui aussi, sans désemparer. Il se tenait dans une immobilité outragée, offrant au regard une lippe méprisante.

— Tu n'avais pas le droit de lire les messages de lord Nottingham. Ils m'étaient destinés, en personne. Et tu as trahi ma confiance.

— Tu n'as pas le droit, répliqua Julien Valleraugue, de tromper notre peuple sur les intentions des Anglais. Nous sommes seuls, frères, à nous battre. Seuls dans la tourmente et l'orage. Voilà la vérité. Trois mille camisards contre dix mille soldats du roi.

— Dire, ajouta Roland, qui se tenait un pas en arrière de Jean Cavalier, que nous t'avons aidé à sortir du guêpier de Besse.

— Tu as gagné deux mille fusils et cent tonnelets de poudre ! Voilà ma dette payée ! fit Julien Valleraugue.

Et, d'un geste, le chef des compagnons de Maletaverne ordonna à ses hommes de se retirer de la

Les compagnons de Maletaverne

commanderie, en bon ordre. Le repli s'effectua sans dégât. Cavalier était trop rusé pour se risquer à diviser son propre camp. Et Sircey, lui-même, profita de la confusion pour rejoindre Valleraugue. Pour une fois, il partageait ses vues.

— Maintenant, fit Julien à Aurèle de Jassueix, nous allons à Aigues-Mortes. Une tempête s'annonce ! Salutaire et providentielle...

12

Dans les premiers jours d'octobre 1703, le maréchal de Montrevel lança son « grand ouvrage ». Sept mille hommes furent mobilisés. Cette concentration de soldats était un événement en soi, une occasion inespérée d'en finir, enfin, avec la rébellion des Cévennes. Tous les partisans acharnés contre la Réforme, seigneurs et bourgeois, jubilaient devant l'engagement d'une telle armada. Au château de Portes, où étaient regroupés nombre de ces partisans, on festoyait à l'avance, jurant que la guerre atteignait un tournant et que l'affaire serait close avant l'hiver. Ernis de Salamon et le petit marquis de Serguille se proposaient même de porter main-forte aux démolisseurs des nids huguenots. Ils se sentaient floués, marris d'être tenus à l'écart de l'œuvre sacrée.

Tous les régiments de dragons du Languedoc, en rangs serrés, armés de pics, de pelles et de pioches, se déployèrent dans le fameux triangle maudit. Les miquelets, grenadiers et fusiliers, quant à eux, apportaient leur soutien, au cas où un village se montrerait rebelle.

Les populations concernées furent saisies par la surprise en découvrant sur les portes des églises la fameuse

Les compagnons de Maletaverne

ordonnance royale annonçant la fatale décision. Montrevel, dans une prose contournée et belliqueuse, y promettait le renoncement à la foi protestante ou la mort. A Maletaverne, une centaine de dragons attaqua les maisons huguenotes, une par une. Après l'évacuation par la force des habitants, les soldats les plus agiles montaient aux toitures pour en faire descendre, au pic, ardoises et lauzes. Et lorsqu'il ne restait plus que les murs, d'autres démolisseurs se mettaient de la partie pour desceller les moellons de granit. Il fallut une semaine pour détruire une dizaine de demeures. C'était un travail de titan, long et éreintant, pénible aussi. L'ouvrage se déroulait devant les populations excédées. Et lorsque les cris et injures fusaient en direction des armées royales, que le tumulte des prières, des anathèmes couvrait les coups de pioche, alors les sergents donnaient l'ordre aux gardes de charger la population. Elle se dispersait alentour, dans les bois, dans les champs, puis s'en revenait aussi vite.

Le maréchal de camp Julien visita Maletaverne aux alentours du 1ᵉʳ novembre. Il trouva que l'ouvrage avançait à grand peine. Et les sergents qu'il interrogea ensuite, dans la maison forte où il s'était installé pour la nuit, lui exprimèrent mille récriminations.

— Les hommes sont fatigués, fit Closelet, l'un des sous-officiers chargés de la destruction de Maletaverne. Et, pire encore, ils trouvent indignes d'être employés à cette besogne. Ce sont des militaires et non des maçons.

Julien hochait la tête. Ces paroles étaient sans surprise puisqu'elles résumaient à quelques détails près ce qu'il entendait partout où il avait poussé son inspection.

— Il nous faudrait user du feu. On pourrait l'y bouter, de maison en maison, avec des perches enduites de goudron, suggéra Closelet.

Les princes du Gardon

Une semaine plus tard, Julien trouva son gouverneur à Alès et lui fit part de l'état d'esprit qui régnait dans les troupes.

— Je ne puis donner l'ordre de brûler les villages sans l'accord du roi, reconnut Montrevel.

— Alors nous n'arriverons pas au résultat escompté avant l'hiver. A ce rythme, les démolitions ne seront pas terminées avant deux ou trois ans.

— Je veux que ce soit terminé avant l'hiver, tempêta le gouverneur. Il y va de mon honneur. Toutes les populations maudites des Cévennes doivent errer par monts et par vaux, sans toit ni nourriture. Ainsi, les rigueurs de l'hiver achèveront notre mission. A Noël, de ce peuple fier et hautain on ne distinguera plus qu'une armée de mendiants.

— Alors, insista le brigadier Julien, ordonnez qu'on brûle les villages.

— Je l'ordonne, que diable ! Je l'ordonne, répliqua Montrevel, excédé.

Cela faisait un mois qu'il n'avait revu madame de Soustelle. Et il se mourait d'ennui à l'idée qu'elle fût loin de lui, tout occupée à ses plaisirs. Certes, il lui adressait une lettre d'amour par jour. Et parfois de jolis quatrains, comme ceux qu'il écrivait à Versailles pour séduire des jouvencelles. Le maréchal était aussi passionné dans l'amour que dans la haine. C'était une grande œuvre aussi que celle des déclarations d'amour ou de guerre. Il y fallait mettre beaucoup de flamme pour atteindre son but. Souvent, il offrait à ses hommes de longues diatribes enflammées pour les inciter au combat ; des discours dont se raillait le brigadier Julien, qui avait compris — comme Poul en son temps — que l'affaire s'éterniserait.

Les compagnons de Maletaverne

L'ordre de Montrevel essaima des incendies dans tout le haut pays. On en voyait les résultats jusqu'à Nîmes. Et, dans son livre de raison, Urbain Pierrefeux nota qu'il allait tous les soirs à la tour Magne pour observer ces désolations. Pour lui, c'était le peuple cévenol tout entier qui se consumait dans les feux d'automne. Il n'était pourtant pas si loin, le temps où les incendies du désert annonçaient la chute des églises et de leurs idolâtres.

A Maletaverne, on fit brûler toutes les demeures de la grande rue. Il ne restait plus du village ancien qu'une église ouverte à tous vents sans toiture, et la maison forte, majestueuse au milieu des ruines, miraculeusement rescapée bien qu'elle eût été le théâtre d'événements sanglants. La population errait alentour, en proie à la colère et au désespoir. A la nuit tombée, elle se rassemblait dans les bois voisins pour assister à des offices célébrés par des pasteurs de circonstance. On y implorait le secours de Dieu, on y abjurait le pape et le roi de France. De tels regroupements apportaient aux protestants un peu de baume au cœur et démontraient que leur foi était vive, bien plus vive qu'avant la révocation.

Certes, les sergents s'employèrent à réprimer quelques-uns des rassemblements en tuant des femmes et des enfants, pour l'exemple. Alors, le peuple de huguenots se transportait en d'autres lieux, plus secrets encore, dans d'inextricables endroits protégés par la densité de la végétation et la rudesse du relief. Ainsi, les fidèles accomplissaient des heures de marche, sans se lasser, pour sanctifier leurs croyances lorsque les pasteurs l'exigeaient d'eux. Et de tels sacrifices donnaient encore plus de prix à leur engagement spirituel.

Là où les dragons de Montrevel sévissaient, il n'y avait plus que des villages déserts. Leurs habitants — chassés

Les princes du Gardon

pour les plus chanceux d'entre eux, arrêtés pour le plus grand nombre — étaient encordés l'un à l'autre, comme des forçats, ou entravés par des chaînes. Par longues files, et sous bonne garde, on les transportait vers la plaine, à marche forcée. Lorsqu'un enfant tombait de fatigue, il se trouvait toujours un miquelet pour trancher corde et gorge. La marche infernale ne devait souffrir aucun retard. Ainsi, les routes de Basville, du désert à la Vaunage, étaient jalonnées de pauvres victimes abandonnées sur les bas-côtés, gorges tranchées ou poitrines transpercées. Les longues cohortes des proscrits traversaient les villages devant des foules silencieuses. Les Cévennes se vidaient donc de leur sang, jour après jour, sans qu'on pût rien tenter pour arrêter l'hémorragie. « Mauvaise race ! », « Mauvais peuple ! » disait-on. « Châtiment mérité ! »

Et, dans le sillage de ces folies, les cadets de la croix erraient comme des loups, en hordes. Ils attaquaient les villages qui n'avaient point applaudi au supplice du peuple cévenol. Sur les places, Ernis de Salamon s'érigeait en procureur en chef de la foi catholique. Il dressait ses tribunaux sur les parvis des églises et poursuivait, lui aussi, son ouvrage, en décapitant à la suite les réfractaires. « Que de temps perdu à transporter ce mauvais peuple. Passons-le à la toise ! » s'écriait-il du haut de son cheval.

Et les loups joignaient le geste à la parole Ces compagnons étaient peu diserts. Ils avaient appris à tuer méthodiquement, comme on accomplit une besogne ordinaire, sans un mot, sans un regard de trop, à l'économie. Le temps était compté pour réaliser, par l'épée et le couteau, le dépeuplement radical que Dieu avait inspiré sur les berges du Gardon.

Les compagnons de Maletaverne

Le grand ouvrage de Montrevel fit plus pour emplir les rangs des camisards que mille sermons. Tout ce que le camp huguenot comptait d'hommes valides, jeunes et robustes rallia, d'octobre à novembre, les troupes de Jouany, Cavalier, Valleraugue et tant d'autres. Au début de l'hiver, il ne restait plus, dans les montagnes, que les femmes, les enfants, les vieillards, cachés dans des fermes éloignées, des refuges salutaires, des grottes sacrées.

A Nîmes, monseigneur Fléchier fit savoir à Montrevel qu'il désapprouvait ses méthodes. L'incendie des villages était contraire, selon lui, aux intentions du roi. Aussi un message royal lui recommanda-t-il d'abandonner cette pratique. L'intendant du Languedoc s'en mêla aussi. « Voilà d'étranges extrémités, qui se rapprochent fort de la Saint-Barthélemy », jugea-t-il. L'évêque de Nîmes, devant la férocité d'un tel homme, en était arrivé à la détestation. Il voyait en lui le fossoyeur des âmes maudites, que nulle politique ne parviendrait à reconduire un jour sur le chemin de Dieu.

— Acharnez-vous donc sur les fanatiques, mais non sur le peuple tout entier des Cévennes. Vous ne discernez plus le bon du mauvais dans les âmes qui supplient !

— Cette guerre m'a appris qu'il n'est rien à sauver. Tout doit être passé par le feu et le fer. De cette médication surgira la pureté.

— Oh mon Dieu ! soupira Fléchier, vous êtes devenu aussi fou que ceux que vous combattez. C'est un piège terrible. Notre-Seigneur ne vous inspire plus. Les seules messes auxquelles vous participez sont celles que célèbre votre maîtresse.

En sous-main, l'évêque de Nîmes incitait ses relations à envoyer au roi des lettres anonymes pour y dénoncer

Les princes du Gardon

les actions du gouverneur militaire. Il avait hâte de le voir tomber enfin, car il avait saisi que la guerre engagée ne conduirait qu'au désastre, comme celle de son prédécesseur. Certes, il fallait en finir au plus vite avec les camisards, mais point de telle façon que la diplomatie en fût absente.

On lui avait communiqué deux ou trois lettres de Jean Cavalier, dans lesquelles le chef camisard souhaitait discuter d'homme à homme avec Montrevel afin d'instaurer des relations nouvelles. « Si le roi ne vient accorder à ceux qui l'implorent la liberté de conscience, de nouveaux ravages vont se faire dans tout le pays... » écrivait-il. Fléchier discernait, dans cette prose, la lassitude d'un chef aux abois prêt à pactiser en échange de la liberté du culte. C'était une voie à ne pas négliger et, si Montrevel s'obstinait à ne la point voir, c'était afin d'atteindre la promesse faite à Louis XIV d'éteindre, avant l'hiver, le « feu de paille ».

Dans son entourage, l'évêque clamait que le gouverneur avait eu son utilité pour obliger les camisards à quitter leurs montagnes et à livrer combat en rase campagne, mais que la situation nouvelle exigeait d'autres qualités que militaires. Il soutenait fort la candidature d'un prochain gouverneur en la personne du chevalier de Vendôme. Mais Chamillart, le conseiller du roi, lui avait laissé entendre qu'un Grand Prieur n'avait rien à faire dans les Cévennes en ce moment de terreur et que la fonction exigeait un meneur d'hommes plus qu'un grand catholique.

Au début du mois de novembre, Julien Valleraugue avait rassemblé autour de lui ses meilleurs hommes.

Les compagnons de Maletaverne

Une cinquantaine environ. Puis il avait confié le reste de sa troupe à Sircey, qui s'était replié à Tornac pour y occuper une manufacture de soie. L'endroit était un des plus sûrs qui fût, maintenant qu'Anduze était tombée aux mains des religionnaires.

En partant pour Aigues-Mortes, le chef camisard avait prévenu ses hommes qu'il s'agissait de libérer les frères emmurés dans la tour de Constance. Grattepanse traînait les pieds. Cela ne lui disait rien qui vaille de risquer sa vie pour un aristocrate, fût-il un partisan de la bonne cause. De plus, les rapports étaient tendus avec le chevalier de La Tournelle — ainsi qu'on avait pris l'habitude de le nommer. Certains compagnons de Maletaverne avaient noté son peu d'empressement à courir contre l'ennemi.

— Crois-tu qu'il risquerait sa vie pour te sortir du guêpier ? demanda Grattepanse.

Valleraugue ne répondait pas. Pour lui, une parole restait une parole, bien plus que les cinq mille livres qu'Aurèle lui avait offertes.

— Je ne t'oblige pas à nous suivre, répondit Julien. Tu peux rejoindre Sircey, si le cœur t'en dit.

Aurèle se tenait à l'écart des conciliabules. Il avait compris que les hommes étaient peu enclins à partir à l'assaut de la forteresse.

— Mais, argumenta La Verdure, on va pas à Aigues-Mortes seulement pour l'aristocrate... On va sortir Mazel.

— Abraham Mazel ! s'écria Grattepanse. Je déteste cet homme. Me souviens comment qu'il a sacrifié nos frères après l'attaque de Saint-Laurent-de-Trèves. Souvenez-vous de ce qu'en a dit Gédéon Laporte...

— C'est de l'histoire ancienne, releva Valleraugue.

Les princes du Gardon

Le capitaine s'interdisait de commenter les événements passés, et encore plus de céder à la critique. Pour lui, tout camisard mort méritait le repos de l'âme, quelle que fût son action. Elle ne pouvait être que celle d'un juste. Et les crimes et les exactions commis, quelle que fût leur cruauté, ne pouvaient en rien égaler ceux des armées du roi. Quand Julien se surprenait à penser à toutes les figures qui avaient hanté ces deux dernières années d'âpres combats, il en éprouvait un tressaillement d'effroi. Se pouvait-il qu'ils fussent morts en martyrs pour rien ? Et, s'il avait vivement querellé Jean Cavalier à Sommières, dans la commanderie, c'était surtout eu égard à la mémoire de tous les frères tombés pour la liberté de culte. Bien qu'il fût un grand chef camisard, un stratège hors pair, Valleraugue ne supportait guère les facéties de Cavalier, son goût pour l'apparat, pour la mise en scène macabre.

Dans l'armée protestante, Julien Valleraugue passait pour un chef taciturne, solitaire, peu attiré par le crime gratuit et l'esprit de vengeance. En ordonnant la mort du curé Pelletan à Maletaverne, il avait surtout voulu abattre un symbole, adresser un fort signal à tous les attroupés des Cévennes. Pouvait-on se défendre contre les conversions forcées, les destructions de temples, les bûchers et les gibets sans porter atteinte à la vie de ses ennemis ? Chaque fois qu'il lui fallait raisonner autour de cette question, la même interrogation se faisait jour : Dieu approuve-t-il notre combat ? Dieu, qui a ordonné « Tu ne tueras point »... Samuelet, jour après jour, apportait la réponse à son angoisse. C'est pourquoi il ne s'en séparait guère, comme s'il voulait garder auprès de lui, dans ses moments de doute et de folie, une bible ouverte.

Les compagnons de Maletaverne

L'équipée se glissa, par des nuits de brouillard intense, jusqu'au Grau-du-Roi. Elle traversa des zones infestées de gardes royaux, de patrouilles vigilantes, par les canaux étroits, les marais malaisés. Puis la bande investit un petit village de pêcheurs abandonné à la saison d'hiver. C'étaient des masures de roseaux, enfoncées dans les marécages, sur des bandes étroites de terre. Les marées travaillaient sans cesse cette glaise instable. Il fallait s'y mouvoir avec prudence, surtout à la mer haute. D'heure en heure, la géographie des lieux changeait de nature. Les môles, les digues et les sentiers qui les reliaient entre eux disparaissaient comme par enchantement. Tantôt île, tantôt promontoire, leur repaire était le plus protégé qui fût, mais aussi le plus inconfortable qu'on pouvait craindre. Pourtant, la bande s'en accommodait au gré des heures, sur le qui-vive, guettant l'heure propice avec une anxiété croissante. Au contraire, il leur semblait que plus les éléments étaient hostiles et plus grande serait leur chance. En effet, les gardes du gouverneur rechignaient à mettre le nez dehors par ce temps de chien, préférant leur casemate ou des tours de ronde limités aux quais, aux remparts de la cité.

Le message de Valleraugue avait réussi à traverser les murs épais de la tour de Constance. Un geôlier avait transmis à Abraham Mazel le signal de l'attaque. Déjà, le reclus de la salle haute s'y était préparé avec les quinze compagnons qui partageaient sa prison. A l'aide d'un malheureux couteau volé à une des sentinelles, il était parvenu à desceller quelques pierres d'une archère, par laquelle les hommes de la salle haute avaient prévu de s'enfuir.

Une nuit de novembre, par pluie froide et brouillard persistant, les compagnons de Maletaverne s'avancèrent

Les princes du Gardon

au pied de la tour. A proximité, des barques amarrées à la jetée dansaient sur la lagune en s'entrechoquant dans un bruit d'enfer. Ce temps de chien était le meilleur allié qu'on pouvait espérer pour mener à bien une telle besogne. En moins d'une heure, dix sentinelles furent neutralisées et remplacées par des camisards. Ceux-ci se vêtirent en hâte avec les uniformes des gardes. Et tout sembla rentrer dans l'ordre.

Julien Valleraugue, Grattepanse et Aurèle de Jassueix attendirent le signal pour se risquer, enfin, à escalader le quai. En mesurant la hauteur de la tour, éclairée seulement par la lanterne qui la dominait comme une bougie posée sur une pâtisserie, ils en éprouvèrent du découragement. Le petit comte passa la main sur la pierre giflée par la pluie et sentit que l'escalade serait des plus périlleuses. Pourtant, il avait préparé une cinquantaine de dagues, suffisamment trempées pour supporter son poids. La difficulté était de trouver dans les jointures de la maçonnerie des interstices suffisants pour y planter ses couteaux. Après s'être élevé de plusieurs pieds, Aurèle comprit que son ascension lui demanderait plus de temps que prévu. Le capitaine lui avait accordé une heure tout au plus, une heure pour atteindre la meurtrière de la salle haute que Mazel avait agrandie.

A mi-hauteur, Aurèle ressentit les premières crampes. La récupération des dagues, au fur et à mesure de son escalade, demandait des contorsions qui le mettaient en péril. Deux ou trois fois, du reste, il faillit perdre l'équilibre et se reprit de justesse en moulinant l'air des bras, comme un oisillon qui hésite à se lancer dans le vide. Pour lui, l'aventure était nouvelle. Certes, enfant, il s'était déjà essayé à gravir quelques murailles de La Sourde, mais à l'époque tout cela n'était qu'un jeu sans

Les compagnons de Maletaverne

conséquence, pour épater les petites filles des cuisines. Cette fois, l'ascension devait s'accomplir dans la nuit pleine, le vent du large et la pluie battante. Pourtant, il se sentait plein de courage à l'idée de revoir son père, enfin, après ces longs mois de solitude, d'angoisse, d'interrogation, de doute. Combien de fois avait-il cédé au désespoir à l'idée de ne le retrouver jamais vivant ? La tour de Constance était réputée inviolable. Un sanctuaire royal d'où l'on ne pouvait s'évader...

Dans le dernier tiers, le petit comte décida d'abandonner les dagues là où elles étaient fichées, jugeant qu'elles ne lui serviraient plus à rien alors qu'il était en passe d'atteindre le but. Cette décision hâta son avancée. Dans la partie haute, la pierre était moins jointoyée qu'au pied de la tour, où elle était préservée des outrages du temps. Elle offrait des prises faciles, et les poignards s'y enfonçaient sans difficulté. Parfois même les doigts ou la pointe des bottes suffisaient à assurer ses appuis.

Enfin, Aurèle approcha de la meurtrière que Mazel et ses compagnons d'infortune avaient agrandie pour la circonstance. Le petit comte y glissa les bras, à la recherche d'une prise qui lui faisait défaut. Soudain, une main vint à sa rescousse, une poigne vigoureuse qui le hala. A mi-torse déjà dans l'étroit passage, Aurèle se contorsionna comme un ver afin de faire glisser le reste de son corps, en se râpant la chair. Heureusement, la corde enroulée autour de son torse le protégeait des morsures de la pierre.

Dans la pénombre de la salle haute, une vingtaine d'hommes s'étaient approchés de lui. Au centre se tenait Abraham Mazel, qui déclina, vivement, son nom et ses titres de gloire, car le chef camisard possédait une haute

Les princes du Gardon

conscience de son importance. Il portait une forte tro-
gne, un visage grêlé, un cou de taureau.

— O toi, messager de la liberté, qui viens nous tirer
de l'enfer papiste, je te salue ! Merci, grand merci, à
notre Dieu qui t'a donné des ailes pour vaincre la tour.
Mazel faisait partie du premier cercle des religionnaires. Et l'on s'étonnait chez les huguenots que le roi n'eût
pas exigé sa tête. Cette mansuétude avait rendu soupçonneux certains de ses anciens camarades, qui voyaient
en lui un prédicant un brin opportuniste.

Déjà, les hommes avaient commencé à délester
Aurèle de la corde qu'il portait à même sa chemise.

— Je veux voir mon père, répétait le petit comte en
fouillant du regard la pénombre de la salle haute.

Les hommes s'écartèrent pour laisser leur sauveur
avancer jusqu'à la cheminée où Thibaut de Jassueix se
tenait appuyé.

— Père ? Père ? Dites-moi que vous êtes là ? Je vous
en prie, ne me laissez pas dans l'ignorance...

Le comte Thibaut se dressa devant son fils. Et Aurèle
ressentit un coup de poignard dans le ventre en découvrant sa pâle figure dévorée par la barbe.

— Mon Dieu, quelle folle audace !

— Je suis venu pour vous tirer de cette geôle. Venez
vite ! Le temps nous manque.

Thibaut tendit les bras vers Aurèle.

— Approche donc que je te serre dans mes bras, toi,
mon pauvre petit que je ne croyais jamais plus revoir.

Des larmes coulaient sur ses joues et embrumaient sa
barbe grise. Thibaut le serra fort, puis palpa ses épaules,
ses bras, son visage. Et, chaque fois que leurs corps
s'éloignaient, le comte prenait tout le temps de l'observer, avidement, droit dans les yeux.

Les compagnons de Maletaverne

Pendant ce temps, les compagnons de Mazel avaient amarré la corde, solidement, à un pilastre. Et les premiers fuyards s'étaient déjà engagés dans la meurtrière, sans un mot. Abraham Mazel restait planté devant l'orifice de sortie et surveillait la manœuvre, en chef incontesté qu'il n'avait jamais cessé d'être, même au cœur de la tour de Constance. Il avait choisi de sortir le dernier, comme un capitaine dans le naufrage. Ses lèvres murmuraient une prière à l'adresse du Dieu généreux qui lui avait envoyé un messager jusqu'au neuvième cercle de l'enfer, pour l'en délivrer.

Aurèle enrageait de voir son père immobile, le dos voûté dans la tourmente, alors qu'il eût dû déjà se porter vers la liberté qui lui tendait les bras.

— Père, je vous en prie, venez ! insista le petit comte. Des hommes armés nous attendent au-dehors.

— Mon petit ! Tu vas devoir repartir sans moi. J'ai juré sur mon honneur de ne point m'enfuir.

— A qui donc avez-vous juré ?

— Au gouverneur de cette place, monsieur de Ruffin. Il a adouci ma captivité, alors qu'on lui avait demandé ma tête. Comment pourrais-je renier ma parole ? Ce n'est pas dans mon éducation.

— Une parole ne vaut rien en face de Montrevel. Vous pouvez me croire. Ce grand capitaine est d'une férocité sans égale. Je puis en témoigner mieux que quiconque, moi qui ai partagé le sort des réprouvés. Moi qui ai même combattu à leurs côtés... ajouta-t-il.

— Je le sais. Et je ne t'en blâme pas. Mais il se trouve que j'ai un rang à tenir. Il y va de l'honneur de notre famille, de nos titres et...

— Il est trop tard, père, pour songer encore au monde ancien. Il nous a abandonnés sur la grève. Et il ne nous

Les princes du Gardon

reste plus en partage que nos vies, précieuses et sacrées. Nous devons les préserver.

Cinq ou six hommes attendaient encore le signal de leur chef pour s'emparer de la corde. Puis Mazel fit signe à Aurèle de s'avancer aussi.

— Partez donc tous ! Fuyez ! Je reste, puisque mon père se refuse à la liberté. A quoi me servirait-elle, alors ?

Thibaut prit son fils par les épaules et le secoua vivement.

— Tu dois repartir avec eux. Je te l'ordonne.

— Comment, vous me l'ordonnez ? Croyez-vous que je n'ai pas gagné le droit de choisir, moi aussi ?

— Tu le feras pour moi.

— Non.

— Tu le feras, répéta le comte Thibaut, parce qu'il nous reste encore une mission à accomplir, et que toi seul pourras la mener à son terme.

— Je ne comprends pas où vous voulez en venir.

— Avant de me rendre au roi, je me suis acquitté d'une ultime tâche. Avec le sergent Magnien et quelques-uns de mes derniers fidèles, j'ai transporté à Fournel, dans l'ancienne demeure des Hospitaliers, cinq malles de cuir que nous avons emmurées. Elles contiennent nos actes notariés, nos titres seigneuriaux, nos archives. Un jour, tu devras les produire pour recouvrer l'honneur et les biens de notre famille. Les Jassueix ne peuvent disparaître de la terre. Tout ce qu'ils ont acquis le fut dans la droiture. Et tu as le devoir de rallumer le flambeau que Salamon a cru éteindre à jamais. Un jour, La Sourde renaîtra. Peut-être ne serai-je plus de ce monde, mais qu'importe, le sang d'une famille telle que la nôtre ne saurait se tarir par la seule volonté d'un scélérat.

— Père ! Vous me placez devant un choix terrible !

Les compagnons de Maletaverne

— Je t'en prie, mon petit, fais ce que je t'ordonne. Et, d'un geste énergique, le comte Thibaut poussa son fils vers la meurtrière. Lorsque Aurèle se fut engouffré dans le passage, le comte s'éloigna d'un pas mesuré vers la cheminée, la tête dans les mains. Il éprouvait une grande peine devant cette nouvelle séparation. La dernière, sans doute. La réapparition d'Aurèle avait réveillé en lui des souvenirs douloureux.

Aurèle descendit le long de la tour, d'un mouvement pendulaire. Il avait hâte d'atteindre le quai où l'attendaient ses compagnons. Mais, à mi-parcours, il vit au travers du brouillard, avec horreur, les flammes des mousquets. Une fusillade s'était engagée sur le quai d'Aigues-Mortes. On tirait du chenal. On tirait des remparts. Julien ne m'aura pas attendu, pensa-t-il.

Soudain, les plombs se mirent à cingler sur la pierre et à ricocher autour de lui. Un éclat l'atteignit au visage. La brûlure vive lui fit lâcher prise. Aurèle tomba sur le chemin de ronde. Le choc le versa cul par-dessus tête. Et lorsqu'il reprit ses esprits, il lui sembla que sa blessure l'avait rendu aveugle. Il passa sa manche sur son visage. Le tissu était ensanglanté. Il voyait distinctement les corselets métalliques des gardes, comme des carapaces d'insectes géants. Il alla quérir son pistolet accroché dans son dos et visa la patrouille qui courait vers lui. L'un des gardes tomba à la renverse. Ses voisins s'accroupirent, par crainte que le fuyard fît de nouveau le coup de feu. Aurèle jeta son pistolet par-dessus le muret. Il ne pouvait plus lui servir. Il courut vers le chenal, à perdre haleine. Une dizaine de pieds, seulement, le séparaient de la barcasse que Valleraugue lui avait abandonnée. Mais le petit comte comprit qu'il n'arriverait pas jusqu'à elle. Les

364

Les princes du Gardon

plombs sifflaient autour de lui. Il ne pensait plus qu'à la mission que son père lui avait confiée. Je dois vivre, vivre, vivre, se disait-il en accélérant sa course, transporté par les dernières forces qu'il jetait dans la bataille. Soudain, un vigoureux coup de poing l'expédia sur les pavés. Il tenta de se relever, mais la douleur était trop vive. Et Aurèle se résolut à ramper, encore et encore, mètre par mètre. Le chenal n'était plus qu'à deux pas. Deux petits pas. Mais, déjà, les gardes étaient sur lui, l'un d'eux braquant un fusil contre sa nuque.

— Tu es mort, misérable ! dit-il.

Aurèle entendit le déclic du chien qui se tendait sur l'amorce.

— Isabeau ! Je t'aime ! Je t'aime… murmura-t-il.

— Ne tirez pas ! dit une voix dans la nuit.

— Qui va là ? cria un autre garde.

— Le gouverneur !

Trois jours après ces événements, monsieur de Ruffin fit descendre son prisonnier dans la salle des gardes.

— J'ai le regret de vous dire que votre fils a été blessé alors qu'il tentait de s'enfuir.

— Oh, mon Dieu ! soupira le comte Thibaut. Tout cela est ma faute…

— Votre faute ? interrogea le gouverneur.

Le geôlier en chef interpréta à sa façon le sens de cette réflexion. En vérité, le comte voulait dire qu'Aurèle avait tout risqué pour remplir la mission dont il était chargé. Devant son air affligé, Ruffin ordonna à un garde qu'on vînt lui apporter un siège. Jassueix s'y laissa choir, d'une seule masse. Il était sans force, à bout de résistance. Si

Les compagnons de Maletaverne

par malheur la mort l'emporte, alors moi aussi je me laisserai décliner, songea-t-il, la tête dans les mains.

— Notre chirurgien de marine a extirpé la balle qui l'avait atteint sous l'omoplate. Malgré une forte hémorragie, nous avons toutes les raisons de croire qu'il s'en tirera, ajouta Ruffin. C'est un garçon vigoureux. N'ayez crainte...

Le comte Thibaut releva la tête. Il avait honte de montrer ainsi sa détresse et se ressaisit.

— Pourquoi faites-vous cela pour moi ? Vous auriez pu achever mon petit Aurèle. Après tout, vous étiez dans votre bon droit.

— Quel bon droit ?

— Celui qu'on réserve à un ennemi.

— La guerre que nous livrons aux hérétiques ne nous dispense pas d'un peu d'humanité.

— Vous êtes bien le seul ! rétorqua le comte.

— Je ne suis pas un boucher. Et sans doute paierai-je un jour ma mansuétude.

— Du moins, releva Jassueix, vous n'aurez pas à rougir de vos œuvres. Vous les aurez accomplies avec grandeur d'âme.

Monsieur de Ruffin n'avait pas envie de s'appesantir sur sa personne. Lorsqu'on lui avait confié la cité forte d'Aigues-Mortes, il avait longuement réfléchi aux conséquences d'une telle responsabilité. Il me faudra être d'une dureté sans égale si je veux que ma prison acquière une certaine réputation, alors que mon esprit est peu versé à la cruauté. Et sans cesse revenait en lui la hantise de n'être pas à la hauteur de ses jugements. Il avait passé les premières années de sa vie active à commander une corvette royale, à naviguer sur les côtes africaines et à guerroyer contre les felouques mauresques. Les missions

Les princes du Gardon

maritimes dont il avait dû s'acquitter eussent dû lui durcir le cuir. Mais souvent, trop souvent, il avait usé, devant l'ennemi, de ses droits de grâce. « Monsieur de Ruffin est un grand marin, disait-on de lui, mais le discernement lui fait défaut. » On entendait par là qu'il n'usait pas assez de son pouvoir discrétionnaire.

Le sergent aux gardes qui avait conduit le prisonnier devant le gouverneur ne décolérait pas à l'idée qu'on prît des gants avec un ennemi du roi. Derrière la lourde porte, il battait la semelle, rageusement. Surtout, il éprouvait une grande amertume à ôter les fers au relaps pour le faire paraître devant le grand maître d'Aigues-Mortes. « Ça le chagrine donc tellement de voir ses prisonniers entravés ! » disait-il.

— Dès qu'il sera en état de supporter le voyage, poursuivit le gouverneur, je ferai transporter votre fils au fort de Saint-Hippolyte. Mais, auparavant, nous le questionnerons sur Valleraugue. Je ne doute pas qu'il nous en apprenne beaucoup sur les caches des camisards dans le haut pays. Ma mansuétude vaut bien un service.

Le comte Thibaut caressait sa longue barbe du bout des doigts.

— Mon fils ne livrera jamais ses compagnons maintenant qu'il a partagé leur destin. Il a vu comment on traitait les protestants dans ce pays. Et toutes ces horreurs ont révolté son âme sensible.

Ruffin afficha une moue de déception. Il escomptait fort que son captif vînt à coopérer avec lui en échange de quelques autres gratifications. Mais le comte Thibaut reprit aussitôt un masque hautain et fier. Et son regard se transporta vers la fenêtre. La lagune était aussi grise que le ciel. Je dois me préparer à un long hiver de solitude, pensa-t-il. En voyant son voisin reprendre sa

Les compagnons de Maletaverne

pose extatique de séquestré, le gouverneur comprit qu'il ne tirerait plus un seul mot de lui, ni un regard ni un soupir.

En remontant à la salle haute, dans le bruit des chaînes qui frappait, à la cadence du pas, les larges dalles luisantes d'humidité, Thibaut se sentit uni, plus que jamais, avec son faucon de Fontmort. Sur ses hauteurs battues par les vents, il guettait le retour du maître.

13

Lavèze fut informé de l'arrestation d'Aurèle par Urbain Pierrefeux. Ce dernier lui avait adressé, par un de ses courtiers, un bref message, codé. On y apprenait que le jeune captif avait été transporté dans les infirmeries du fort de Saint-Hippolyte pour y être soigné de ses blessures.

La nouvelle jeta le marquis dans une colère noire. « Ne savait-il pas, ce petit imbécile, que la tour de Constance est une citadelle imprenable ? Alors que j'ai tenté de l'en dissuader, il a désobéi, tempêtait le marquis de Lavèze. Est-ce bien la jeunesse ? Tant d'impétuosité... Alors qu'un peu de temps aurait suffi à faire aboutir nos tractations. Désormais, nous voici avec deux prisonniers sur les bras ! »

Gérald de Lavèze arpentait ses salons à grands pas. Les laquais n'écartaient pas les portes assez vite pour le laisser aller. A mesure que les minutes passaient, il mesurait toute la difficulté de la situation. « Nous sommes devant un cas grandissime ! » marmonnait-il. Et il ponctuait ses pensées de vigoureux coups sur le parquet, frappés de la pointe de sa canne. « A ce stade, Ponchartrain ne pourra rien ! Et Beauvillier ? Nom de Dieu,

Les compagnons de Maletaverne

Beauvillier ? J'entends d'ici les reproches. Après tout, pourquoi serais-je responsable ?... Comment contenir les emballements de jeunesse ? Peut-on empêcher un surgeon d'eau de s'épancher ? Qu'importent les obstacles qu'il rencontre, la force imprimée sur les éléments mine les roches les plus résistantes. Telle est notre jeunesse ! Voilà ce que je dirai à Beauvillier...»

— Est-ce vous qui nous faites tout ce vacarme ? s'écria la marquise, qui tenait un tambour à broder.

Le marquis passa devant elle sans s'arrêter. Elle tendit le métier à sa cámeriste et courut derrière lui à petits pas précipités. Elle paraissait danser sur la pointe de ses chaussons.

— Qu'est-ce donc qui vous a mis dans cet état, mon ami ? Cela fait longtemps que je ne vous ai vu dans un tel transport, insista-t-elle.

Gérald de Lavèze n'avait aucune envie d'annoncer la nouvelle à son épouse. A la vérité, elle n'éprouvait aucun attachement pour Aurèle et se désespérait à l'idée qu'il devînt un jour son gendre. Mais ce n'était sans doute pas la seule raison qui enfermait le marquis dans son mutisme. Dans une telle situation, sa chère Lucille ne pouvait lui être d'aucun secours. Au contraire, il flairait déjà les grands reproches qu'elle ne manquerait pas de lui adresser. « Ne vous avais-je point prévenu que ce garçon nous causerait des ennuis ? Il n'est point besoin d'être grand observateur pour voir que c'est tout le portrait de son père. Un ours vindicatif, un garçon belliqueux élevé en dehors des conventions de notre monde... » Dans son inimitié, la marquise de Lavèze pouvait être redoutable et faire montre de la plus insigne mauvaise foi.

Le marquis se retourna vers elle, vivement, et jeta sa canne sur une bergère qui se trouvait à côté de lui.

Les princes du Gardon

— Aurèle de Jassueix a tenté de délivrer son père de la tour de Constance. Et il a échoué, le malheureux.

— Mon Dieu, soupira la marquise, comme tout cela est fantaisiste !

— Cela ne me fait point sourire ! releva Lavèze. Notre petit Aurèle est désormais prisonnier.

— Ah ! fit-elle.

Et un petit air de contentement se dessina sur son visage. Ainsi voyait-elle s'éloigner l'alliance prochaine qu'elle redoutait tellement.

— Un séjour en cachot le ramènera peut-être à la raison...

— Ne dites pas des choses stupides ! Ignorez-vous que j'ai engagé des démarches pour obtenir la grâce de son père ?

— Vous avez fait cela ? Votre bon cœur vous perdra.

— Thibaut est un de mes amis. Et j'éprouve une grande estime pour cette famille. Est-ce un crime à vos yeux ?

— C'est une faute !

— Tant mieux. Il est des erreurs salutaires dans l'existence. Et celle-ci m'honore. Elle me grandit à mes yeux.

— Vous avez toujours été prompt à combattre l'injustice. Je vous reconnais là, mon ami, tout entier dans vos œuvres. Et qu'y puis-je ? Je vous aime tel que vous êtes.

La marquise avait su employer les mots qu'il fallait pour atténuer un peu la colère de son mari. Et il s'approcha d'elle avec des gestes caressants.

— Je vous retrouve, ma chère Lucille... Seriez-vous capable de m'écouter ?

— Je suis tout ouïe.

Gérald de Lavèze s'abandonna à un siège. La respiration lui manquait. Ses membres étaient agités de tremblements.

371

Les compagnons de Maletaverne

— J'ai fait deux voyages à Versailles pour obtenir la grâce de mon ami. Ponchartrain et Beauvillier étaient mes meilleurs alliés dans la place. Un mot, un geste du roi aurait suffi à dénouer l'affaire. La première fois que Ponchartrain posa la question à Sa Majesté, elle ricana. « Il n'est aucun seigneur au-dessus des lois. Et monsieur de Foucquet en fit, en son temps, le rude apprentissage... » Sentence terrible, ma chère Lucille, et qui ne laissait présager aucune issue. Certes, Ponchartrain essaya de démontrer à Sa Majesté que Jassueix n'était point Foucquet, mais, bien au contraire, un homme d'honneur, pétri de droiture et de probité. Le roi écarta son conseiller d'un geste de lassitude. Une semaine plus tard, Beauvillier revint à la charge, dans un des moments où Sa Majesté était d'une excellente humeur. « Ah ! le fameux comte des Cévennes ! s'écria Louis XIV. Encore lui ! Décidément... Vous me présenterez une requête fort bien raisonnée. Et je l'examinerai. » Depuis, nous étions sans nouvelles. Je m'apprêtais à retourner à Versailles pour relancer Beauvillier... Et voilà que ce pauvre Aurèle fait des siennes. Que puis-je espérer ? Dans l'affaire, je crains de perdre le soutien des conseillers. Et, pire encore, leur estime. Tel est mon courroux, ma chère Lucille. Et j'enrage des facéties de ce petit idiot. Elles ruinent à jamais mes démarches. Ernis de Salamon aura beau jeu d'expliquer à Chamillart que la famille Jassueix compte parmi les enragés des Cévennes.

Isabeau entra soudain, en larmes. Elle avait entendu le récit de son père. Aussitôt le marquis vint la prendre dans ses bras, la serrant contre son cœur, autant qu'il pouvait.

— Voilà une affaire bien compliquée, dit-il en séchant les larmes de sa fille avec la dentelle de sa manchette.

Les princes du Gardon

Votre petit Aurèle a fait plus de mal à sa famille qu'il ne l'imagine. Mais je ne lui en veux point. Croyez-le, ma chère fille. Peut-être, dans la bêtise de son âge, aurais-je agi de la sorte...

— Père ! dit Isabeau. Faites libérer mon Aurèle. Je ne peux supporter l'idée qu'il souffre. Lui, dans les fers, comme un criminel ?

Lavèze fit signe à la marquise de se retirer. Déjà, il lui savait gré d'avoir contenu ses jugements devant sa fille, car ils eussent ajouté la colère au désarroi.

— Tenez l'affaire secrète devant nos gens, conseilla le marquis à sa femme, qui s'éloignait d'un même pas sautillant. Par respect pour notre fille, ajouta-t-il.

Isabeau tenait ses petits poings serrés contre sa poitrine. Elle regardait fixement, devant elle, dans une torpeur muette. Puis elle parla d'une voix brisée :

— Ne me dites pas que, dans la situation présente, l'opinion de nos gens vous préoccupe ? Vous me décevriez. Car j'attends de vous...

— Je ne peux rien, ma pauvre enfant. Je ne peux rien...

Le marquis baissait la tête. Il était malheureux à l'idée de décevoir sa fille. Tandis qu'Isabeau bouillait intérieurement à l'idée que son père, un homme si puissant, qui avait ses entrées à Versailles, qui tenait la dragée haute aux marchands de Hollande et qui pouvait, d'une chiquenaude, ruiner quelques négociants en soie de Nîmes, ne pouvait rien faire de plus qu'ânonner des apaisements.

— Vous ne pouvez rien ? Même pour moi, votre petite fille ? Souvenez-vous, autrefois, vous eussiez décroché la lune si je vous l'avais demandé.

Lavèze ne disait mot. Ce n'était pas un homme d'action, de décision irréfléchie. Au contraire. Tout en

Les compagnons de Maletaverne

lui était calcul et supputation. Chez ce grand seigneur, les actes ne se pouvaient accomplir sans avoir été mûrement pensés. La mésaventure d'Aurèle le prenait de court et le privait, désormais, de toute manœuvre.

— Quoi ? se révolta Isabeau. Nous avons de l'argent. Nous pouvons lever une troupe de spadassins et attaquer la prison où on le tient enfermé.

— Avez-vous mesuré les conséquences, ma pauvre enfant ? Cela est fantasque. On nous conduirait aux galères. Est-ce ce que vous désirez ? La ruine de Louradour ?

— Je ne désire rien d'autre que la liberté d'Aurèle, quel qu'en soit le prix à payer.

— S'il ne s'agissait que d'ouvrir nos coffres, je le ferais.

— Donnez l'ordre à votre banquier de Nîmes. Je vais le voir sans tarder. Et, avec quelques milliers de livres, j'armerai une troupe décidée.

Le marquis se détourna de sa fille, la mine affligée.

— Vous tomberiez, ma pauvre enfant, dans les mêmes travers que notre ami.

— En des temps troublés, tout peut se concevoir. On ne saura jamais qui a organisé l'évasion. Je m'arrangerai pour qu'on accuse les camisards.

Le marquis voulut reprendre sa fille dans ses bras pour éteindre la folie qui s'était emparée de son esprit. Mais elle s'y refusa d'un mouvement de travers. Elle avait deviné que, son affection mise à mal, il serait plus conciliant. Elle était décidée à en jouer, plus que jamais, pour amollir sa raison.

— Isabeau ! Tu me fais vivre l'enfer. Je ne supporterai pas de te savoir engluée dans ces manœuvres douteuses.

— Que craignez-vous, père ? Que je perde la vie ? Elle m'importe peu sans Aurèle. Je l'aime bien plus que vous ne l'imaginez.

Les princes du Gardon

Le père se tenait la tête dans les mains. Ses doigts comprimaient les boudins de sa perruque, qui perdait, peu à peu, son assise. Et lorsqu'il s'en sentit embarrassé, il l'arracha de sa tête, vivement, et la jeta rageusement dans le milieu du salon. Ainsi, tête nue et chauve, il apparaissait dans sa détresse, tel qu'il n'avait encore jamais osé se montrer devant sa fille.

— Si je ne sauve pas mon Aurèle, je suis perdue ! gémit-elle.

— Il nous faut réfléchir, la folie nous égare, dit Thibaut.

Lavèze ne pouvait contenir les larmes qui coulaient sur son visage.

— Il est temps d'agir. Et je vois clairement en moi ce que je dois entreprendre, affirma Isabeau.

Le marquis hocha la tête.

— Je vais te donner une lettre pour que notre banquier de Nîmes te verse la somme nécessaire à la réalisation de ces folies, se résigna Gérald de Lavèze. Et je prierai Dieu pour qu'il t'assiste.

Lavèze conduisit sa fille dans son cabinet de travail et traça, sans un mot de plus, le billet pour Urbain Pierrefeux. La plume avait du mal à contenir son anxiété. Aussi formait-elle des lettres démesurées sur le parchemin. Puis il appliqua son sceau sur sa signature, d'un geste décidé.

— Le sort en est jeté. Peut-être ne te reverrai-je plus ? Je crains pour ta vie. Mais que puis-je faire d'autre ?

Il paraissait ainsi se parler à lui-même, cherchant dans le fond de son esprit quelque raison de dompter l'angoisse qui l'étreignait.

— Tu as été tout mon bonheur, ma raison de vivre.

— Pourquoi dites-vous cela, père ?

Les compagnons de Maletaverne

— Parce que je crains de ne pouvoir un jour te le dire. Et que pour rien au monde je ne voudrais te savoir sur des chemins de péril sans que tu saches les sentiments qui m'attachent à toi. Ceux-ci t'accompagneront partout où tu iras. Quoi qu'il advienne, quoi que tu fasses, je serai toujours de ton côté.

Le marquis tendit la lettre à Isabeau, qui s'en empara d'un geste vif. Elle la glissa, précieusement, dans l'échancrure de son corselet.

— Mesures-tu mes craintes, mes peurs, au moins ? Je te vois tellement décidée à agir que j'en éprouve du vertige. Le comprends-tu ? C'est la plus terrible décision que j'aie jamais eu à prendre dans ma vie d'homme.

Isabeau était tout entière sous l'emprise de son rêve fou. Elle paraissait tellement insensible au désarroi de son père qu'il se sentait floué de l'amour qu'il lui avait toujours voué. Déjà, elle avait hâte de courir vers Nîmes. Sans doute ne mesurait-elle pas la détresse de son père, qui n'attendait plus d'elle qu'un mot, un geste d'affection pour en éprouver un peu de consolation.

— Où a-t-on enfermé mon Aurèle ? Vous me devez cette vérité avant que nous nous quittions !

— Aux infirmeries de Saint-Hippolyte, avoua-t-il.

— Il est blessé ! Vous ne me l'aviez point dit...

— Cela est arrivé au pied de la tour de Constance. Le gouverneur a décidé de lui appliquer un traitement de faveur. C'est un homme de notre connaissance. J'ai déjà intrigué auprès de lui pour que le comte Thibaut soit bien traité. J'espère, ma chère fille, ne pas devoir un jour faire de même pour toi. J'en mourrais de désespoir.

— N'ayez crainte ! Je volerai vers lui comme un chevalier à l'armure étincelante. Cela est déjà écrit dans

Les princes du Gardon

le ciel. Et j'en connais la conclusion. Il n'est que l'audace qui sauve.

En remontant la rue de l'Aspic, Isabeau de Lavèze éprouva un pincement de cœur en songeant qu'Aurèle, quelques mois plus tôt, avait parcouru le même trajet. Elle marchait sur ses traces, la gorge serrée, en se disant que lui aussi avait éprouvé ce qu'elle ressentait devant l'inconnu : l'angoisse, la peur. Depuis qu'elle avait franchi les portes de Nîmes, elle se sentait plus que jamais unie à lui, dans la même ferveur pour l'entreprise qu'il avait déjà engagée et perdue. A n'en point douter, cette lente ascension vers Aurèle ferait d'elle une hors-la-loi et la compromettrait à jamais.

Isabeau avait troqué ses jupons, ses robes et ses guipures de petite marquise contre la tenue de cuir et de gros drap du chevalier de La Tournelle. La métamorphose était complètement réussie. Sa chevelure était ramassée par un catogan, sous un ample chapeau de feutre gris orné d'un plumet blanc. Au côté droit, elle portait une épée et deux pistolets crochetés à son ceinturon de cuir. Un mantelet en peau couvrait ses épaules, orné d'un insigne frappé aux armes des Lavèze. C'était la seule marque distinctive qui la rattachait, désormais, à sa famille, car la petite marquise avait décidé de reprendre le nom d'emprunt de son amant, celui du chevalier de La Tournelle. Elle avait besoin de cette identification afin de poursuivre l'ouvrage interrompu par Aurèle. Une telle initiative relevait de la pure folie. Les espions de Montrevel avaient encore en tête le pseudonyme emprunté par le fuyard de la tour de Constance.

Les compagnons de Maletaverne

La rue était déserte à cette heure et il tombait, sans discontinuer, une pluie fine et glacée qui faisait luire le pavé. Seuls les mendiants occupaient les portes cochères, enroulés dans de vieilles hardes. Isabeau avançait en tenant sa jument à la bride, sans se laisser distraire par les réflexions des miséreux.

En pénétrant dans la cour de l'hôtel de Bernis, elle trouva un attroupement de spadassins qui se réchauffaient autour d'un feu de bois allumé à même le dallage. Ils avaient le verbe haut, se repassant une outre de vin à laquelle ils buvaient à la régalade, excités parfois lorsqu'un de leurs compagnons s'y attardait plus que de raison. Isabeau conduisit son cheval dans l'écurie du fond de la cour et donna quelques sols au palefrenier pour qu'on en prît soin.

Sous l'enseigne du cambiste, un domestique entrouvrit le petit volet à claire-voie avec prudence.

— Le sieur Pierrefeux ne reçoit pas à cette heure. Vous repasserez !

— Annoncez-moi, je vous prie ! ordonna Isabeau d'une voix autoritaire.

L'homme rapprocha son visage de l'ouverture grillagée.

— Chevalier de La Tournelle.

Il y eut quelques minutes d'hésitation, puis la lourde porte s'écarta sur un grincement de gonds. Isabeau traversa une salle voûtée, et on la pria de gagner l'étage par un escalier de pierre. Il conduisait directement dans les appartements du maître. L'homme l'accueillit avec un chandelier à la main. Il portait une longue robe de nuit en madras et un bonnet de satin de même couleur, rouge et vert.

— Ce n'est pas possible ! s'écria Urbain Pierrefeux. Vous mentez ! Le chevalier de La Tournelle ne se trouve

Les princes du Gardon

point à Nîmes. Il va falloir m'expliquer qui vous êtes. Sinon je vous fais jeter dehors, promptement, par mes domestiques.

La petite marquise ôta son chapeau. Et le cambiste approcha, prudemment, le chandelier près du visage de l'étranger.

— Mon Dieu ! s'écria-t-il, estomaqué. Que faites-vous ici, à cette heure, déguisée comme un spadassin ?

— Je détiens une lettre de mon père que je dois vous remettre.

Isabeau dégrafa son pourpoint et tendit le parchemin que son père lui avait confié. Sa lecture ne demanda que quelques secondes d'attention. Aussitôt, Urbain Pierrefeux donna ses ordres pour qu'on accueillît dignement le fameux chevalier de La Tournelle.

— Comptez-vous repartir ce soir même ?

— Les renseignements que vous me donnerez dicteront ma conduite, répondit Isabeau.

— Quels renseignements ?

— Je veux entrer en relation, au plus vite, avec Julien Valleraugue.

— Que lui voulez-vous, au juste ?

— Qu'il achève sa mission... Cet homme a touché cinq mille livres pour libérer Thibaut de Jassueix. Et il est revenu bredouille. Pire ! Il a abandonné son protégé aux mains des gardes royaux. C'est une faute impardonnable.

— Marquise ! Vous ne pouvez dire une chose pareille. Julien Valleraugue est un homme d'honneur.

— Alors, si tel est le cas, nous parviendrons à nous entendre. Sinon, je compte lui apprendre les bonnes manières avec ceci !

Isabeau tira de son ceinturon un pistolet qu'elle dressa en l'air.

Les compagnons de Maletaverne

— Dire que je vous ai connue si jeune, gracieuse et aimable comme une petite princesse. Vous jouiez encore à la poupée de chiffon et au cerceau. Comme le temps passe ! Ne craignez-vous point de vous blesser avec ces vilaines machines de guerre ?

— Monsieur le cambiste, il est loin le temps où je visitais nos manufactures de soie en tenant la main de mon père. Il se trouve qu'Aurèle de Jassueix est mon ami...

— Ah ! je comprends tout... Il n'est que l'amour pour dicter de telles tocades. Bien que tout cela soit charmant, reconnaissez que le monde autour de nous est fait de chausse-trappes et que le pays où vous vous promenez vêtue en chevalier est en proie à la guerre civile. Que vous soyez encore en vie relève du miracle.

— Je ne suis pas née de la dernière pluie. J'ai croisé quelques patrouilles de dragons, bien entendu. Et je n'ai pas eu à faire le coup de feu.

Urbain Pierrefeux éclata de rire. Où donc la petite marquise avait-elle été pêcher un tel caractère ? Ce n'était pourtant pas dans le style des Lavèze, cette folle autorité.

— Je me dois d'obéir aux ordres de votre père, admit le banquier en s'inclinant devant la jeune marquise. Je vous remettrai la somme dont vous avez besoin. Sans compter, comme il est écrit dans ce pli. Nous avons envers votre famille des devoirs. Nos affaires communes sont florissantes.

Il ajouta, non sans quelque hésitation :

— Serait-il inconvenant de ma part de vous demander ce que vous comptez faire d'autant d'argent ?

— Je n'ai rien à cacher. Surtout à vous, monsieur, qui êtes un homme de confiance et qui avez toujours voué une grande estime à notre famille.

Les princes du Gardon

Le banquier obligea sa visiteuse à venir s'asseoir devant un rôt que les domestiques avaient servi dans la pièce voisine, agrémenté de fèves. Elle réclama un peu de vin pour étancher sa soif. Pierrefeux lui-même s'obligea à lui emplir son verre, priant ses gens de s'éloigner d'une conversation qui devait être tenue secrète.

— Je veux lever une solide équipée pour tirer mon ami de sa prison.

— Décidément, c'est une habitude, releva le banquier.

— Oh, monsieur, telle que vous me voyez, je n'ai guère le goût de plaisanter. Mais je me crois assez forte pour réussir ce coup-ci.

— Vous y laisserez la vie...

— Les camisards, seuls, me viendront en aide. Et je compte en enrôler quelques-uns. Pourtant, je n'entends rien à la guerre qui déchire le pays. Les religions ne sont pas mon fort, au grand désespoir de mon père, du reste, qui souhaiterait que j'acquière enfin sur ces choses un peu de jugement.

— N'ayez crainte, marquise. L'affaire à laquelle vous comptez prendre part sera la meilleure manière de vous instruire. Et si vous en réchappez, ce que je vous souhaite, mon Dieu, vous saurez alors faire la différence entre un catholique et un réformé.

— Mon camp sera celui des libérateurs de mon ami.

— Je crains que nos frères n'aient d'autres ambitions et qu'ils vous rabrouent. A moins que je ne fasse passer quelques consignes. Mais j'hésite à vous lancer dans ce guêpier. Si je possède quelque autorité sur certaines factions, je ne les domine pas toutes. Dans la guerre âpre que nous menons, il est des attroupés qui agissent sans contrôle. Il y aurait grand péril à ce que vous les croisiez...

Les compagnons de Maletaverne

Urbain Pierrefeux se recula dans les profondeurs de son siège. D'une main tremblotante, il rajusta son bonnet, signe de réflexion chez cet homme, et étira les bords du tissu galonné qui lui comprimait les méninges.

— Votre ami est prisonnier à Saint-Hippolyte, dans les infirmeries, en train de guérir d'une mauvaise blessure contractée au pied de la tour de Constance.

— La forteresse de Saint-Hippolyte est-elle aussi imprenable que celle d'Aigues-Mortes ?

— Hélas oui. Seul Julien Valleraugue peut réussir un tel exploit. Mais qu'est-ce donc qui pourrait l'inciter à vous suivre ? Sûrement pas l'arme que vous viendriez à brandir sous ses yeux.

— Où est-il à cette heure ?

— Je ne sais. Mais, au matin, je vous promets que vous saurez tout. Où et comment le joindre. Après, je ne pourrai plus rien pour vous.

Avec trois cents hommes, Sircey s'était emparé du château de Bellefont, qui appartenait à monsieur de Tornac, à quelques lieues de Saint-Hippolyte. Le chef camisard avait appris que la place était garnie d'armes et de poudre. Le vicomte de Tornac et sa famille, par bonheur, ne se trouvaient pas dans les murs.

A la vérité, les assaillants ne trouvèrent dans la place qu'un maigre butin. Pour effacer leur déconvenue, Sircey ordonna qu'on fît exécuter tous les habitants, gardes et domestiques. Les corps mutilés furent précipités dans les fosses et douves du château.

Le bruit des armes attira sur les lieux un petit détachement de cadets de la croix. Plus aptes au pillage qu'à la guérilla, les camisards blancs d'Ernis de Salamon

Les princes du Gardon

furent pris en tenaille avant d'atteindre le pied du château. La bataille s'engagea en rase campagne, au milieu des vignes qui peuplaient les douces collines environnantes. On ne fit que peu de prisonniers. Les fanatiques du camp des catholiques eurent droit à un traitement particulier. Sircey fit preuve à leur encontre d'une cruauté sans égale. Tous les tourments possibles leur furent infligés, jusqu'à l'écartèlement, l'estrapade et autres raffinements. Seul le chef qui commandait le détachement fut épargné, après qu'il eut fait connaître son nom et son titre : Victorin de Serguille.

Au soir, Sircey conduisit son captif dans la salle haute du château de Bellefont, où il s'était installé. Si la demeure de Tornac ne recelait pas les armes tant convoitées, elle était en revanche fort bien pourvue en vins fins et victuailles. Des jambons, des saucissons, des viandes au sel firent la joie des camisards. Et c'est au milieu du banquet, dans les rires et le tohu-bohu, qu'on s'interrogea sur ce qu'on allait bien pouvoir faire d'une si belle prise.

Dans la salle des réceptions, Sircey avait enfin trouvé un trône à sa mesure. Il s'était habillé en tenue d'apparat pour montrer à ses hommes qu'il n'avait rien à envier à Jean Cavalier. Un moment, il voulut dresser un tribunal, selon les habitudes, et y faire donner, avec force coups de trompe et de tambour, une terrible sentence. Mais il renonça à son projet. Valleraugue devait le rejoindre, au petit matin, avec ses compagnons. Et il craignait de devoir affronter sa colère. Un tel prisonnier, un fidèle lieutenant de Salamon, sinon son principal allié, ne serait-il pas monnayable en son heure ? Néanmoins, il ne put résister au plaisir d'interroger le capitaine des cadets, qui

Les compagnons de Maletaverne

avait brûlé à la tête de ses hommes tant et tant de villages, décapité nombre de huguenots, éventré des femmes enceintes et égorgé des enfants.

A l'instant où il parut devant son vainqueur, Victorin se mit à chanter un de ses cantiques préférés, à la gloire de la Vierge. Sircey fut surpris par tant de bravoure. Et il ordonna à ses hommes, sur-le-champ, de le faire mettre à genoux. Le petit marquis de Serguille s'y résigna à force de coups.

— Comme on se retrouve ! jubila Sircey du haut de son trône. Dieu, aujourd'hui, ne t'a point porté secours. Au contraire, à ce que je vois. Il a pointé son doigt accusateur sur ta petite personne, vermine, et Il a désigné ton serviteur pour te conduire en enfer. Mais n'espère pas une mort douce. Cela nous serait à tous une grande injustice. Toi-même, fidèle d'entre les fidèles de ton maître Salamon, tu as donné la mort à nos frères d'une poigne généreuse. Examine-la, cette main, mon petit marquis, elle transpire encore du sang de nos martyrs. Oh oui, je voudrais qu'elle te soit tranchée à la seconde, mais, peine perdue, elle n'est pas seule coupable. L'esprit maléfique qui l'a guidée se doit aussi d'être extirpé de ton crâne.

Victorin de Serguille releva la tête pour affronter le regard de son juge. Puis il cracha dans sa direction. Quelques coups de bâton le jetèrent au sol. Mais il se redressa aussitôt, en chantonnant.

Ave Maria stella
Dei Mater alma
Atque semper Virgo
Felix coeli porta...

Les princes du Gardon

Un vigoureux coup de cravache, en plein visage, le renversa en arrière.

— Finis-en avec moi ! jura-t-il. Et cesse donc tes imprécations. Cela est sans effet sur moi. Tu es une des créatures du diable. Et je n'ai point à baisser les yeux devant Belzébuth. J'ai appris à le combattre. Le sang que j'ai versé au nom de Notre-Seigneur m'a purifié. Et cette main que tu veux trancher, elle fut l'arme de Dieu contre les hérétiques. Ce n'est pas mon esprit qui l'a guidée, mais Notre-Seigneur. Car je suis tout à lui, son combattant fidèle et dévoué, son sacrificateur et son esclave. Si son aide me fait défaut, dans ce moment, ce n'est point qu'il m'ait abandonné. Il veut me rappeler à lui, maintenant que mon œuvre est accomplie sur la terre. Je mourrai donc la tête haute, l'esprit en paix.

Sircey l'écoutait sans broncher. Cela lui était égal qu'il fût empreint de bravoure. Les fous de Dieu sont semblables dans la guerre qui les oppose, aussi bien dans le courage et dans la mort. Rien ne peut ébranler leurs certitudes. Ils vont d'un même pas allègre sur les chemins de l'horreur, avec à la bouche des chants et des prières.

— Moi, Sircey, fit-il en plaquant sa main droite sur sa poitrine, j'ai tué ton père et ta mère de mes propres mains. Et je te tuerai aussi. Vois donc ce qui m'inspire. Cela brille dans mon regard. La vérité de Dieu. Que dis-tu de cela ?

— J'ai hâte de les rejoindre. Et ne te réjouis guère. Le moment viendra aussi où il te faudra rendre des comptes à la table des juges. Les tourments seront plus grands encore que ceux que tu veux m'infliger. Et ceux-ci dureront une éternité.

Les compagnons de Maletaverne

Le lendemain, le chevalier de La Tournelle se présenta sous les remparts de Bellefont. Il était porteur d'un message du grand argentier — ainsi qu'on avait coutume de nommer Pierrefeux chez les camisards —, fort heureusement, car il eût pu craindre pour sa vie avant de pénétrer dans la belle demeure des Tornac, qui se dressait sur sa colline au milieu des oliviers et des chênes-kermès. Les attroupés disséminés dans les environs, en embuscade, pour prévenir de nouvelles attaques ennemies avaient reçu l'ordre de ne pas faire de quartier avec les rôdeurs, surtout s'ils portaient grand habit.

La petite mine d'Isabeau de Lavèze avait de quoi étonner. Ses traits fins ne se pouvaient entièrement dissimuler, malgré la poussière. Certes, elle avait pris l'habitude de se cacher habilement sous un grand chapeau, qu'elle maintenait toujours à ras des sourcils. Mais il y avait dans ses gestes, toutefois, des mimiques troublantes. Et, sur le chemin, les hommes de Sircey cherchèrent souvent à s'en rapprocher pour voir de plus près la figure de l'étranger. Ils lui posaient des questions pressantes, auxquelles la petite marquise ne répondait jamais. Elle préférait arborer une allure hautaine et fière.

Lorsqu'elle entrevit le château de Bellefont, solidement campé sur son éperon, la jeune femme soupira d'aise. Mais en franchissant le pont qui dominait les douves, son regard fut attiré par des monceaux de cadavres qu'on y avait jetés, pêle-mêle. Un jus noirâtre recouvrait les eaux mortes, exsudant de ces charniers, et elle ne put réfréner un haut-le-cœur. En voyant sa gêne, les hommes éclatèrent de rire. Et ils comprirent alors que le fameux étranger, hautain et fier, n'avait du chevalier que l'équipage. La lourde porte s'entrouvrit dans un grincement de chaînes rouillées.

Les princes du Gardon

Sans délai, on la conduisit auprès de Sircey. Isabeau trouva le lieutenant de Jouany allongé sur un lit à baldaquin furieusement en désordre. A côté de lui, une fille de ferme un peu forte, à la poitrine dénudée, somnolait. Avec le robinet de l'outre en peau de bouc, il s'amusait à faire goutter, sur la peau blanche de sa voisine, des perles de vin pour s'en désaltérer ensuite d'une langue avide.

— Tu ne me donneras jamais un tel lait, bougresse ! Comme quoi, la femme n'est pas si bien conçue que cela ! Pourquoi n'est-elle pas pourvue d'une telle tétée ? Cela ajouterait du piquant à l'amour. On s'enivrerait en même temps qu'on baiserait. Eh ! Samuelet ? Peux-tu me répondre, au moins ?

— Cesse de t'avilir, Sircey ! répliqua le prédicant qui se tenait appuyé de dos contre la porte voisine, dans son aube blanche.

— Pour le reste, ajouta le lieutenant de Jouany, la femme me convient. Celle-ci a le cul d'une jument.

La fille ouvrit les yeux. Elle ne semblait guère apprécier les compliments de son amant. Aussi voulut-elle se dégager des draps qui s'étaient entortillés autour de son buste. Et, à l'instant où elle quittait le lit, Sircey lui flanqua une claque vigoureuse sur ses fesses molles.

— Reviendras-tu, Marion ? minauda-t-il en la suivant du regard. Occire autant de papistes m'aiguise l'appétit. Je voudrais baiser sans relâche. Tu comprends ça, Samuelet ? Le sang et le foutre sont des liqueurs divines. Tantôt je tue, tantôt j'engrosse...

— Tu es un rat ! lança Samuelet qui tenait une bible serrée contre sa poitrine. Tu vis comme un rat et tu mourras comme un rat.

— Et toi donc, qui es-tu pour me parler de la sorte ?

Les compagnons de Maletaverne

De rage, Sircey lança l'outre à vin dans la pièce.

— J'enseigne la vérité de Dieu et ses mystères. Mais, pour un homme comme toi, je ne peux rien.

— Misérable orgueilleux ! Fais donc usage de ta trique de temps en temps, et tu verras le bleu du ciel.

A l'entrée de la chambre, interdit, le chevalier de La Tournelle avait suivi la scène.

— Qui es-tu, toi ?

— Je viens voir Julien Valleraugue, dit Isabeau.

Et elle lui tendit la fameuse lettre du grand argentier. Sircey ne prit pas la peine de la regarder.

— Qu'est-ce que tu lui veux ?

Isabeau ne répondit rien.

— C'est un enfant ou quoi ? questionna Sircey en la dévisageant. Ou alors ?... Enlève donc ton chapeau, que je voie à quoi tu ressembles...

La petite marquise détourna le regard.

— Et en plus, ces idiots lui ont laissé ses pistolets ! s'exclama-t-il. Si bien qu'il pourrait nous tuer, ce visiteur à la mine d'ange. Quoique, mourir pour mourir, autant que ce soit par la main délicate d'un ange.

Samuelet s'était rapproché du visiteur.

— Que regardes-tu, Samuelet ? Ne vois-tu pas, puceau, que c'est une femme ? Moi, je les flaire à dix pas, les bougresses. Viens me voir, ma jolie.

Isabeau avait posé la main sur la crosse de son pistolet. C'était un geste qui se voulait intimidant, mais qui ne faisait que la rassurer.

— Qu'on me conduise à Julien Valleraugue. C'est de la plus haute importance...

La porte du fond, que protégeait Samuelet, s'entrouvrit et un visage s'y montra dans l'entrebâillement.

— Avancez. Je suis Julien Valleraugue.

Les princes du Gardon

Sircey se laissa choir sur sa couche, pris de fou rire. Samuelet referma la porte derrière l'inconnue et vint s'y adosser de nouveau.

— Un jour, Sircey, un papiste te coupera ta queue de rat, fit-il en ouvrant sa bible.

Julien Valleraugue était occupé à écrire sur un petit secrétaire de bois noir. Ses doigts étaient maculés d'encre et, avant de serrer la main de l'étranger, il les essuya soigneusement à un mouchoir.

— Je sais qui vous êtes. Inutile de faire les présentations. Et je sais aussi ce qui vous amène vers moi.

Isabeau ôta son chapeau, arracha son catogan. Elle en avait assez des déguisements. Et il lui paraissait même que ses propos seraient plus assurés à visage découvert. Le chef camisard la scrutait avec attention.

— Votre Aurèle est à Saint-Hippolyte en train de se remettre d'une mauvaise blessure.

— Je souhaite qu'il recouvre la liberté au plus vite, quel que soit le prix à payer.

Elle glissa une main dans les poches de son pourpoint.

— Votre argent ne m'intéresse pas, dit Julien Valleraugue.

— Pourtant, vous avez bien pris le sien, et sans manière.

— Justement, je lui suis redevable.

— De n'avoir pas accompli la besogne pour laquelle il vous avait payé.

Valleraugue repoussa son secrétaire, qui l'embarrassait, d'un mouvement vif. Le petit meuble vacilla sur ses pieds frêles et l'encrier versa sur le tapis, dans une large éclaboussure noire.

— Le comte de Jassueix a refusé de s'évader. Voici l'étrange vérité. Cet homme est petri d'un honneur

Les compagnons de Maletaverne

ridicule, comme il sied quelquefois chez certains aristo-crates. Dans la salle haute de la tour de Constance, votre Aurèle a perdu trop de temps à le convaincre d'agir. Et, au moment de nous rejoindre, les gardes d'Aigues-Mortes ont surgi sur les remparts, comme la foudre. Je n'ai rien pu faire, sinon sonner la retraite.

Julien se tenait, jambes croisées, sur l'étroit fauteuil. Il se laissait conduire par le léger balancement qu'il imprimait à son siège. La petite marquise avait les yeux embués de larmes. Cette réaction émotive n'avait pas l'air d'intriguer Valleraugue. Il connaissait les liens amoureux qui la rattachaient à Aurèle.

Lors des longues journées à caracoler sur les chemins de Basville, le jeune comte lui avait raconté son histoire : la guerre qui les avait séparés et sa volonté de rattraper, ensuite, le temps perdu. « Nous aurons des enfants, envisageait-il. Trois, quatre... Et nous les élèverons sur les terres de La Sourde... » Julien avait écouté ses propos d'une oreille distante, comme s'il lui parlait d'un temps où il ne serait plus de ce monde. « Nul ne peut réchapper d'une telle guerre, disait-il souvent à Aurèle, et aussi sûrement que je me nomme Valleraugue de Maletaverne, je ne connaîtrai jamais les visages de tes enfants... Je souhaite seulement qu'ils grandissent dans un monde meilleur. »

— Votre Aurèle n'a rien à craindre, car il ne partage pas le sort des hérétiques. Un noble a droit à un traitement de faveur dans le royaume de France. Et je crois que le gouverneur d'Aigues-Mortes, en le faisant transporter à Saint-Hippolyte, a voulu le préserver.

— Je ne partage pas votre sentiment, rétorqua la petite marquise, parce qu'il vous prête bonne conscience. Vous vous dites : puisque le voici en sécurité, n'entreprenons rien...

Les princes du Gardon

Valleraugue se tenait la tête dans les mains, tandis que le fauteuil le berçait, en silence. Isabeau était restée debout devant lui, dans le grand salon en désordre. On y avait arraché les rideaux en toile de Jouy pour en faire des couches de fortune. Et, sur un vaisselier, il y avait encore une jarre emplie d'eau et une dague avec laquelle le capitaine s'était rasé de près. Sur la lame étincelante, on distinguait encore les traces blanches du savon de Marseille. Et à côté, sur un plat en étain, les os d'une volaille dont il s'était restauré.

— J'ai hâte de reprendre la route du désert, avoua Valleraugue. Là-haut, les dragons de Julien l'Apostat démolissent une à une nos maisons, chassent les villageois. L'hiver qui s'approche sera terrible, sans toit ni nourriture. Les troupeaux de vaches, de moutons et de chèvres ont été exterminés. Le peuple des Cévennes en est réduit à mourir de faim sur les routes. Est-ce que son sort vous émeut, marquise ? Je ne le crois pas. Et cela me peine que vous ne pensiez qu'à celui de votre amant. Certes, l'amour rend égoïste, aveugle et stupide. Voilà pourquoi j'ai refusé de prendre femme.

— Je puis vous offrir trois mille livres pour vos frères, ajouta la petite marquise. Mais vous les refusez...

Le chef camisard se leva de son siège, décidé.

— Nous allons délivrer votre Aurèle. De ce pas. Une vingtaine d'hommes me suffira. Entendez-vous, marquise ?

Isabeau poussa un grand soupir et, avant que le capitaine ait eu le temps de faire un geste, elle s'était déjà jetée dans ses bras.

— Mon grand monsieur, vous êtes notre sauveur !

Il la repoussa avec délicatesse. Il détestait les effusions. Et, pour rien au monde, il n'eût voulu paraître

Les compagnons de Maletaverne

désarmé et soumis devant une femme, lui qui avait remporté de si belles batailles contre les armées du roi de France et qui n'avait cédé à aucun marchandage.

— Sachez, marquise, que je fais cela pour Aurèle de Jassueix, et non pour vous, malgré toute l'estime que je vous porte. J'ai une dette envers lui.

Isabeau se recula en affichant un air de triomphe que son voisin ne prisait guère.

— Oh ! Ce n'est pas celle que vous croyez... se défendit-il.

Le capitaine voulait que son engagement à ses côtés ne pût être interprété de diverses façons, au cas où, un jour, elle aurait à en expliquer les raisons.

— Votre ami a fait évader de la tour de Constance l'un de nos grands chefs, Abraham Mazel, et quinze de ses compagnons. De cela, nous, les camisards, lui sommes redevables. C'est la seule dette que j'entends payer, rubis sur l'ongle.

Une semaine plus tard, par une nuit froide de novembre, les camisards encerclèrent le fort de Saint-Hippolyte par les nombreuses petites ruelles et venelles qui menaient aux remparts. Grattepanse, Franc-Cœur et leurs acolytes y jouèrent du couteau et de la serpette, comme à leur habitude, ne laissant derrière eux que des gardes à la gorge tranchée. Et lorsque Julien Valleraugue et le chevalier de La Tournelle atteignirent les murs d'enceinte, il ne se trouvait plus que quelques défenseurs isolés et une poignée de religieuses dans la place.

Avant de donner l'assaut final, le capitaine voulut que la petite marquise se tînt à l'écart des coups de mousquet que l'on tirait des fenêtres, en salves nourries. Mais elle refusa. Isabeau désirait plus que tout participer à l'opération, en petit soldat téméraire qu'elle était.

Les princes du Gardon

Du reste, le capitaine n'eut guère à s'en plaindre, car elle fut toujours au premier rang, ajustant elle aussi ses coups de pistolet avec adresse.

Dans la traversée des cours intérieures, quatre compagnons de Maletaverne furent tués. Les défenseurs s'étaient retranchés au dernier étage, sous les mâchicoulis, bénéficiant ainsi d'une position forte. Le capitaine envoya aussitôt Grattepanse pour nettoyer le nid de résistance. Il voulait s'assurer que leur repli s'opérerait sans encombre.

Pendant ce temps, le groupe principal prit les infirmeries. Les religieuses se dispersèrent vers les caves, sauf deux d'entre elles, qui préfèrent se jeter par les fenêtres plutôt que tomber aux mains des assaillants.

Valleraugue ne s'occupa guère des autres blessés. Seuls les plus valides profitèrent de l'occasion pour s'enfuir. Isabeau retrouva son amant dans une des petites salles. Il portait, autour de la poitrine, un bandage souillé de sang. Et lorsqu'il voulut se dresser sur son lit, la douleur le rejeta en arrière.

— Mais c'est mon beau chevalier ! grimaça-t-il.

— Mon amour ! Tu vois, mon rêve s'est réalisé. Je suis venue te tirer de là. Viens vite. Le temps presse.

— Qu'as-tu fait de ton armure ? Je ne vois que les oripeaux du chevalier de La Tournelle, plaisanta-t-il en passant la main dans la chevelure qui lui effleurait le visage.

Elle avait enjambé le lit et le serrait contre elle, de toutes ses forces. Elle cherchait ses lèvres, tandis que ses mains caressaient son visage baigné de sueur.

— Maintenant, plus rien ne pourra nous séparer. Jure-le-moi. Mon grand amour, fais-moi la promesse que nous ne nous quitterons plus. J'ai eu trop peur de te perdre. S'il t'était arrivé malheur, je serais morte...

Les compagnons de Maletaverne

Isabeau se glissa à ses pieds pour lui enfiler des bottes. Aurèle était sans force. Et la pâleur de son visage indiquait qu'il n'était pas encore tiré d'affaire.

— Viens, mon amour, je vais t'emporter vers l'horizon sur mon cheval ailé, dans un pays où nous pourrons nous aimer loin des haines et des peurs.

Isabeau le soutenait, mais il avait les plus grandes difficultés à marcher. Alors Valleraugue chargea deux de ses hommes de le porter dehors. Autour du cortège s'était formée une haie pour protéger la manœuvre.

A l'étage, comme prévu, Grattepanse s'était attardé pour neutraliser l'un des derniers gardes encore en faction. Il avait usé de sa serpette, aiguisée comme un rasoir de barbier. C'était un de ses plaisirs favoris que de sentir sur sa main le jet chaud du sang de ses victimes.

Lorsque l'équipage traversa, de nouveau, les cours intérieures de la forteresse, des coups de feu retentirent vers les toits. Cette fois, ils furent sans effet. Les balles se perdirent sur les rambardes de granit en faisant voler des éclats de pierre. En contrebas des remparts, les hommes chargèrent le petit comte sur un cheval préparé à cet effet, puis l'arrimèrent à la selle et à la ventrière avec des sangles de cuir. Le sang suintait sous les bandages, et Isabeau comprit que la plaie s'était rouverte durant la fuite.

— Je me vide, balbutia Aurèle, le visage collé à la crinière du cheval. Mais, qu'importe, au moins je mourrai libre.

— Vite ! Vite ! hurlait la petite marquise. Sinon il sera trop tard.

Le château de Bellefont n'était qu'à deux lieues de Saint-Hippolyte. On y conduisit Aurèle à bride abattue. Isabeau avait hâte de voir, enfin, son amant allongé sur

Les princes du Gardon

une couche. Souvent, elle redescendait à sa hauteur pour l'examiner, pétrifiée par la peur de le perdre. Les tressauts du galop avaient fini par avoir raison de sa résistance. Il s'était évanoui de douleur.

A Bellefont, Valleraugue ordonna aussitôt qu'on conduisît Aurèle dans une des chambres de la demeure. Au premier étage, il y avait un lit vaste et confortable, qui avait été occupé par la vicomtesse de Tornac. La pièce se trouvait dans un grand désordre. Quelques compagnons de Sircey s'y étaient reposés, sans prendre de grand soin. Les parures étaient maculées de boue, de vin et de gras. Isabeau alla quérir dans une lingerie de quoi refaire le lit avec des draps propres. Puis le capitaine l'aida à l'installer, avec de gros coussins pour maintenir la tête élevée.

Aurèle avait perdu tellement de sang qu'il n'était plus en état de parler, ni de bouger. Tout juste se contentait-il de remuer les lèvres lorsqu'on venait à lui présenter un mouchoir imbibé d'eau.

— Il nous faut voir cette vilaine blessure, dit la petite marquise.

Julien trancha les pansements avec son poignard. Puis il en écarta précautionneusement les bords. Avec une serviette, il épongea le sang qui couvrait la poitrine, y ajouta un peu d'eau pour diluer les croûtes coagulées. La simple pression des doigts suffisait à entraîner des râles.

— Donnons-lui à boire un peu d'eau-de-vie, conseilla le capitaine.

— De l'eau-de-vie, vous n'y pensez pas ? Cela pourrait le tuer, rétorqua la petite marquise.

— Croyez-vous que c'est la première fois que je soigne un blessé ? s'étonna Julien.

Les compagnons de Maletaverne

Samuelet, qui avait accompagné le cortège avec ses prières, revint avec une fiole. Valleraugue tendit le goulot au malade et le força à avaler une rasade. Aurèle suffoqua dans la douleur, rejetant l'alcool qu'on voulait lui faire ingurgiter. Valleraugue insista de nouveau. Et, cette fois, Aurèle ingurgita sans encombre.

— Ça va le requinquer, dit Julien. Je doute que les sorcières de Saint-Hippolyte lui aient administré ce traitement.

Le sang continuait à suinter par la plaie béante. Et Julien en épongeait le fil, à mesure, avec un tas de serviettes posé à ses pieds.

— Regardez, montra-t-il à Isabeau. Le plomb lui a traversé l'épaule. Assez haut, je crois, pour qu'il ne soit pas mort sur le coup. Mais il faut obturer la plaie en serrant fort les chairs avec des bandes. Auparavant, je vais brûler le mal avec ça.

— Avec quoi ? demanda la petite marquise.

Julien Valleraugue souleva la fiole d'eau-de-vie. Et, avant même qu'elle eût le temps de s'en emparer, le capitaine en versa en quantité sur la plaie ouverte. Aurèle se tordit de douleur. Isabeau se jeta sur le capitaine, poings en avant. Il reçut les coups sans broncher. Au contraire, un petit sourire se dessina sur son visage.

— Que craignez-vous ? Le mal est ainsi brûlé à vif. Maintenant, aidez-moi à lui faire un bandage. Et n'hésitons pas à serrer de toutes nos forces.

Isabeau demeura cinq jours au chevet d'Aurèle, sans dormir, guettant le moindre souffle, surveillant ses gestes désordonnés, épongeant ses suées. Aurèle passa par toutes les phases. Tantôt il reprenait ses esprits et on le croyait enfin guéri ; tantôt il sombrait dans le délire,

Les princes du Gardon

avec des fièvres ravageuses, et Isabeau le voyait déjà aux portes de la mort.

De temps à autre, le capitaine le visitait avec sa potion miraculeuse. Il aidait la petite marquise à lui refaire ses pansements. Un jour, il trouva la plaie vilaine. Alors il pria Isabeau de sortir de la chambre. Elle refusa.

— Promettez-moi de garder votre sang froid, ce n'est guère réjouissant.

— Qu'allez-vous faire ? Dites-le-moi avant qu'il n'arrive malheur.

— Je le crois assez fort et résistant pour tenir le choc.

Le capitaine maintint quelques secondes son couteau sous la flamme d'une soucoupe mouillée d'alcool. Et il ouvrit la plaie qui offrait des tumescences. Un pus jaune en sortit, à flots. Alors il l'épongea avec attention, jusqu'à ce que le sang perlât, de nouveau, dans la chair purulente. Puis il l'arrosa d'un jet de sa potion. Cette fois, Aurèle n'eut guère de réaction. Avec ses dents, Julien déchira l'enveloppe d'une cartouche qui servait à emplir les canons des fusils anglais. Et il saupoudra la plaie d'une pincée de poudre grise. Sans attendre, il y mit le feu. Isabeau eut le plus grand mal à contenir son malade, qui poussa un grand cri de bête.

— J'ai percé le bubon, dit Julien.

Le cinquième jour, le petit comte recouvra ses esprits. Il réclama à boire et à manger. Isabeau lui apporta du blanc de volaille et un vin clairet.

— Tu es sauvé, dit-elle en approchant ses lèvres.

— Grâce à toi, mon beau chevalier.

— Je n'y suis pour rien.

— Alors, c'est Dieu qui l'a voulu.

Dans le milieu de l'après-midi, Aurèle souhaita se lever pour regarder le soleil qui dorait la nature hivenale.

Les compagnons de Maletaverne

Mais il dut renoncer, tant ses forces lui faisaient encore défaut.

— Nous avons tout le temps, le rassura-t-elle.

Au soir, Julien Valleraugue revint examiner la blessure et parut satisfait.

— Vous n'êtes point encore parti pour le désert ? demanda Isabeau.

— C'est notre ami qui me retarde. Mes hommes piaffent d'impatience comme des chevaux excités par un seau d'avoine. Mais je ne voudrais pas vous abandonner ici, dans les pattes de Sircey.

— Vous souhaiteriez nous voir partir en même temps que vous ?

Il hocha la tête.

— Ce serait mieux pour tout le monde.

— Accordons-nous encore une semaine, dit-elle.

— Trois jours, répliqua-t-il. Pas un de plus.

Les jeunes gens ignoraient encore que Valleraugue et Sircey s'étaient querellés au point d'en venir aux mains. Ils étaient en désaccord sur toutes choses : sur le sort de Victorin de Serguille, que le lieutenant de Jouany voulait expédier à l'estrapade alors que Julien était pour qu'on le remette aux mains de Cavalier, et sur la stratégie à conduire, rester à Bellefont ou remonter vers le désert. Sircey escomptait occuper le château le plus longtemps possible, tandis que Valleraugue jugeait l'endroit peu sûr et désirait, avant qu'il ne fût trop tard, replier les troupes dans le désert. De telles divergences avaient de quoi les opposer aussi sûrement qu'une affaire de cœur. Alors ils décidèrent d'un commun accord de se séparer. Valleraugue conduirait sa centaine d'hommes sur les hauts plateaux, tandis que Sircey garderait Bellefont avec ses cent cinquante partisans.

Les princes du Gardon

Le capitaine rassembla sa troupe dans la salle des gardes et lui exposa les difficultés, sans détour. Grattepanse se fit le porte-parole des compagnons de Maletaverne pour annoncer que les hommes voulaient gagner, au plus vite, les hauteurs de Fontmort et s'y préparer à l'hiver. Julien Valleraugue leur donna alors l'autorisation de prendre le départ. « Je conserverai une dizaine d'hommes avec moi, ajouta-t-il. Et dans une semaine, tout au plus, je vous aurai rejoints à la grotte du Roc Pointu... » En ce lieu haut perché de Courbade, à plus de trois mille pieds d'altitude, les camisards avaient caché d'importantes réserves de vivres. Il y avait de quoi tenir tout l'hiver. Le village le plus proche était Cassagnas, sur l'autre rive de la Mimente, à une journée de marche.

Ainsi fut fait. L'armée de Valleraugue, placée sous les ordres de Grattepanse, gagna le désert au milieu de la nuit, après avoir chargé les mules des précieuses armes anglaises. Pendant ce temps, dans la salle d'honneur, Sircey préparait le jugement de son prisonnier. Pour la circonstance, il avait fait décorer les salons d'oriflammes noir et blanc, dresser une estrade pour s'y faire jucher comme un bailli et installer autour le banc des juges. Le fameux tribunal, formé par ses soins avec ses plus fidèles comparses, s'apprêtait donc à prononcer une sentence expéditive. Déjà, on s'était entendu pour une condamnation à mort, forcément. Restait à décider quelle sorte de supplice on allait requérir. Les uns penchaient pour l'écartèlement, d'autres pour le feu et quelques-uns pour la pendaison. Par ce coup d'éclat, la mise à mort d'un des personnages symboliques de la répression contre les protestants et, de surcroît, le descendant d'une noble famille cévenole, Sircey espérait entrer dans l'histoire tumultueuse de cette guerre, y

Les compagnons de Maletaverne

laisser son nom aux côtés des Cavalier, Laporte, Mazel, Catinat, Jouany...

En errant dans les couloirs de Bellefont, Aurèle avait appris, par quelques indiscrétions, le sort qui attendait Victorin de Serguille. L'infortuné marquis avait été un de ses meilleurs amis d'enfance, au temps heureux où les deux familles se fréquentaient. Les souvenirs ne lui manquaient pas et rendaient d'autant plus triste la perspective de le voir mourir au terme d'un procès expéditif. Aurèle avait appris à Victorin l'art de piéger le lièvre, la perdrix grise, et de prendre à la main la truite sous les rochers du Tarnon. Après la révocation, les querelles de religion avaient terni les relations entre les Jassueix et les Serguille, au point qu'ils ne s'adressaient plus la parole. Et les adolescents avaient suivi le mouvement de leurs pères, sans trop comprendre le sens de toutes ces dissensions.

Le petit comte apprit qu'on avait enfermé son ami dans les caves du château. Un endroit infesté de rats. Le prisonnier, déjà soumis à la torture lors d'interminables interrogatoires, devait repousser les assauts des gaspards durant ses seuls moments de paix. Aurèle chercha le moyen de pénétrer dans sa prison. Il parvint à mettre son plan à exécution, les gardiens n'étant pas insensibles à une bourse pleine.

A son approche, le prisonnier se releva vivement, le dos contre le mur humide.

— Qui es-tu, scélérat ?

— C'est moi, répondit le petit comte dont les pas vinrent buter contre un amoncellement de paille.

Autour de lui, il sentit le frôlement des rats qui occupaient les lieux. Saisi d'effroi, il se mit à fouailler, avec son épée, pour en éloigner la menace.

400

Les princes du Gardon

— Qui, « moi » ?

Aurèle s'approcha du captif et le conduisit sous le soupirail qui distillait un peu de lumière.

— Aurélien ! s'exclama Victorin. Que fais-tu avec les hérétiques ?

Autrefois, le jeune Serguille avait pris l'habitude de le prénommer ainsi.

— Et toi ?

— Moi, je suis leur prisonnier. Ils m'ont pris à la tête de notre armée des cadets. Nous étions en si petit nombre que nous avons été défaits. Qu'importe. Je vais recouvrer ma liberté. Bientôt... ajouta-t-il, la gorge serrée.

— Oui, soupira Aurèle, avec une corde autour du cou.

— Ce sera ma délivrance. Et je te plains d'être de leur côté. Tu n'iras pas vers la lumière, tandis que...

— Je t'en conjure, Victorin, cesse donc de raconter des bêtises. Je ne suis pas de leur côté, malgré les apparences. Je ne suis d'aucune faction. Simplement, la tournure des événements m'a contraint à une alliance de circonstance avec un chef camisard. Ton capitaine, Ernis de Salamon, a fait enfermer mon père à la tour de Constance. C'est la pire injustice qui soit. Et cela me peine que ta famille ait participé à cette infamie.

— Tu t'es donc allié à eux pour le faire libérer ?

— Avais-je un autre choix ?

— J'approuve la punition infligée à ton père, trancha Victorin, le visage fermé par la haine.

Le petit comte voulut prendre son ami par les épaules et le secouer un peu, comme il le faisait jadis lorsque celui-ci se laissait emporter par son caractère belliqueux et frondeur. Mais il fut vivement repoussé, avec des criailleries.

Les compagnons de Maletaverne

— Laisse-moi donc ! Tu ne vois pas que je ne suis plus qu'une plaie ? A force de subir leurs coups de fouet.

— Fais voir.

Victorin montra les zébrures profondes qui lui marquaient le dos.

— Mes tourmenteurs veulent savoir où se cache Ernis de Salamon. Je ne parlerai jamais.

Et il fit un pas en arrière pour revenir contre le mur, hors de la pâle lumière du soupirail.

— Et toi ? Ils t'ont chargé d'accomplir la même mission scélérate ? Par la douceur, sans doute.

— Je voudrais que tu me prêtes un peu d'honneur, rétorqua Aurèle. Au nom de notre amitié.

— Tout ça est fini, bien fini. Les enfants grandissent et épousent les causes de leurs pères.

— Ce n'est peut-être pas la façon la plus intelligente de grandir.

— Tu veux me juger, toi aussi ?

— Non. Je souhaiterais seulement que tu croies en ma parole. Je ne suis pas descendu dans ton cachot pour te questionner, ni te juger, quoi que tu aies fait. Cela n'est point notre affaire, à nous, pauvres humains. Laissons cela à Dieu ! Et notre malheur ne vient-il pas, précisément, de ce que nous voulons juger à sa place ?

Victorin se laissa glisser contre le mur, jusqu'à ce qu'il fût assis à même les dalles de la cave. Puis il fourra sa tête dans ses bras repliés.

— Ernis de Salamon s'est emparé de nos terres, de nos gens, de La Sourde, ajouta le petit comte. Et il a obtenu du roi la disgrâce de mon père. Le reste de ma famille est exilé en Suisse. Voilà le triste bilan.

— Le mien n'est pas meilleur, dit Victorin. Mon père et ma mère ont été exécutés par Sircey. Et j'attends

Les princes du Gardon

ma fin, comme un martyr, alors que le soleil poursuit sa course dans le ciel et que les truites batifolent sous les rochers blancs du Tarnon. Certes, je n'ai pas toujours été juste, poursuivit-il d'une voix cassée. Je me suis surpris dans d'étranges cérémonies où chacun donnait libre cours à sa barbarie. Qu'est-ce donc qui a fait de moi une bête fauve ? N'étais-je pas prédisposé à la bestialité ? Et Dieu, l'Eternel des Armées, l'a voulu ainsi, que je devienne le sacrificateur des hérétiques. J'ai combattu la bête immonde, l'hydre tentaculaire de la Réforme.

— Et tu es devenu, toi-même, une bête immonde, ajouta le petit comte. Mais il n'est jamais trop tard pour se reprendre. Sans doute la prière et l'affliction finiront-elles par t'ouvrir les yeux, à la condition que tu échappes à ce mauvais pasteur qu'est le baron de Salamon.

Victorin, pris d'un rire nerveux, releva la tête.

— Mon pauvre Aurélien, le temps m'est compté. Et je m'en irai tel que je suis à cet instant, avec mon cortège d'ombres.

Aurèle était resté sous le soupirail d'où tombait une lumière de nuit blanche, poudreuse. Il observait son ami, tassé contre son mur luisant d'humidité. Autour d'eux, les rats menaient la sarabande, de rudes gaillards aux prunelles noires. Ils poussaient de petits cris stridents, dans la pénombre, guettant l'instant où la vigilance des deux garçons viendrait à mollir.

— Je vais quitter Bellefont cet après-midi même...

— Je te souhaite un bon voyage sur la terre, mon pauvre Aurélien. Et s'il te vient l'idée de prier pour le repos de mon âme, ce sera...

— Ecoute. Je vais glisser sous cette paille mon épée et deux pistolets. A la nuit prochaine, tu descelleras

Les compagnons de Maletaverne

la grille du soupirail. N'aie crainte, mon épée est d'un acier trempé de bonne composition. Au-dessous, il y a les douves, à moins de cinq pieds. Une fois celles-ci traversées, ce sera un jeu d'enfant que de prendre la fuite.

Victorin se releva, péniblement. Son regard brillait de larmes.

— Pourquoi fais-tu cela pour moi ?

— Un jour, il nous faudra reconstruire la paix dans les Cévennes, réconcilier les deux factions ennemies, comme le fit le roi Henri. Nous aurons besoin de toutes les bonnes volontés. Le moment n'est-il pas venu de prendre date pour ce grand jour ?

— Mon pauvre Aurélien, nous avons été emportés dans une tourmente que rien ne peut plus arrêter. Me le diras-tu ? Qu'est-ce qui serait assez fort pour éteindre l'incendie qui embrase notre pays ?

— L'amour, répondit le petit comte. L'amour est plus fort que tout.

14

Aurèle et Isabeau prirent congé des compagnons de Maletaverne sur les berges du Gardon, peu avant Colet-de-Dèze. Julien Valleraugue flanqua une claque dans le dos du petit comte. Cela réveilla ses douleurs. Mais c'était sa manière bien à lui, virile et brutale, de dire adieu.

— Que l'amour te soit prospère. Et, qui sait, peut-être un jour Samuelet baptisera tes enfants, lorsque nous aurons rebâti les temples.

Isabeau rougissait de ravissement sur sa jument fourbue.

— Souvenez-vous du chevalier de La Tournelle ! dit-elle.

Julien Valleraugue éclata de rire.

— Puissiez-vous, mes amis, n'avoir jamais besoin d'en porter la tenue, ajouta-t-il en faisant tourner son cheval d'un vigoureux coup d'éperon. C'est tout le mal que je vous souhaite.

Les jeunes amants attendirent pour se diriger vers La Sourde que les silhouettes eussent disparu sous la lisière de la forêt de pins de la Molierette. Il leur restait trois bonnes journées avant d'atteindre, enfin, le château

Les compagnons de Maletaverne

des Jassueix, où ils avaient décidé de se cacher pour l'hiver. Le vent s'était levé, poussant vers l'est de lourds nuages. Aurèle s'en félicitait, car, aussi entêtant qu'il fût sur les hauteurs sauvages, du moins les préservait-il de la pluie et du brouillard.

Ils traversèrent des villages dévastés et déserts. Les dragons de Montrevel et du brigadier Julien étaient passés par là, avec leurs cohortes de démolisseurs. Les ruelles étaient obstruées par des murailles renversées, éclatées, des toitures pulvérisées. Et, au milieu de la désolation, demeuraient les petites églises, livrées aux chiens errants. Parfois, ils croisaient des cortèges de gens qui avaient chargé sur des charrettes brinquebalantes, tirées par des vaches étiques, leurs derniers biens : des matelas pouilleux, des chaises et des tables misérables surplombant des sacs d'avoine ou de seigle... Les grappes humaines allaient, hagardes, possédées par la peur, où le vent les poussait, vers l'inconnu des basses terres. Chaque fois, Aurèle s'inquiétait de savoir d'où elles venaient. Et s'égrenaient des noms de lieux que l'armée royale avait rayés de la carte des Cévennes. Le petit comte, au fur et à mesure, distribuait ses derniers sols. Il ne voulait rien garder de ce que le cambiste de Nîmes lui avait remis, puisque son peuple aussi était démuni d'argent, de nourriture et de paix. Ainsi se sentait-il de plus en plus proche de ses gens, de leurs souffrances et de leur désarroi. Isabeau haussait les épaules devant autant de compassion.

— Il te reste un château, dit-elle. Et, quoi que tu fasses, tu ne partageras jamais leur misère.

— A moins que Salamon l'ait brûlé lui aussi.

Ils gagnèrent la barre du Bougès par un sentier étroit qui serpentait parmi la rocaille, les buis, les genévriers

Les princes du Gardon

et les rares pins ébranchés par les vents et les tempêtes balayant le plateau. En cet endroit de désolation, la nuit les surprit. Isabeau eût voulu forcer le train, mais le balancement du cheval avait malmené la blessure d'Aurèle. Le sang avait suinté le long de sa cuisse et, en séchant, avait raidi le tissu. Dans ses fontes, il possédait encore un pourpoint de rechange. Il se dévêtit au creux d'une combe, s'aspergea d'eau pour éliminer les téguments qui s'étaient formés autour de la plaie. Isabeau refit un pansement, comme le lui avait appris Valleraugue, en serrant fort les bandelettes de drap. Puis ils dénichèrent un endroit protégé du vent, sous un pin esseulé. Et, sans plus attendre, ils s'enroulèrent ensemble, corps contre corps, dans une couverture en fourrure. Au bout d'un moment, la petite marquise proposa d'allumer un feu pour se réchauffer, mais le jeune homme refusa.

Au milieu de la nuit, une pluie fine se mit à tomber, crescendo. A la longue, malgré la fatigue, elle finit par les tirer de leurs songes. Aussitôt sur pied, et de fort mauvaise humeur contre le froid humide qui les transperçait jusqu'aux os, ils décidèrent de reprendre la route.

— Ce sera plus avantageux que d'attendre l'aube, jugea le petit comte, qui claquait des dents.

Le fièvre s'était mise de la partie, une fièvre violente, dont les effets finirent par inquiéter Isabeau. Elle décida de l'attacher sur son cheval pour prévenir une chute, en cas de somnolence.

Les hauts plateaux franchis par des chemins malaisés, ils atteignirent, avec soulagement, les premières forêts de pins dans lesquelles ils s'engouffrèrent. Sous les ramures denses et gorgées de pluie, Aurèle sortit

Les compagnons de Maletaverne

de sa torpeur et, machinalement, glissa la main dans l'échancrure de son pourpoint pour vérifier s'il perdait encore du sang. Le pansement lui parut à peine souillé, sinon par les suées de fièvre qui l'avaient accablé.

Isabeau menait le train, prévenant les passages hasardeux qui s'ouvraient devant elle. De temps à autre, elle se retournait pour questionner son amant sur la route à suivre. Aurèle possédait une manière personnelle de se diriger, en repérant les crêtes des montagnes qui lui étaient familières.

Nombre de fois il avait parcouru ces contrées avec son père et son frère, pour y pourchasser des meutes de sangliers et de loups. Les traques sauvages avaient fait partie de leurs plaisirs favoris. C'était comme un combat où l'intelligence de l'homme se confronte à celle de l'animal et dont la seule stratégie consiste, pour le vaincre, à anticiper ses ruses. Souvent, la proie échappait à son chasseur. Chaque fois, le comte Thibaut ne manquait pas de méditer sur la supériorité de l'animal sur l'homme, à la condition qu'il fût sur son territoire favori. Toute la subtilité du traqueur consisterait donc à le contraindre à un terrain hostile où il perdrait ses repères.

Dans les dernières heures du jour, et sentant le but proche, Aurèle força l'allure. Le galop de sa monture réveillait un élancement dans sa poitrine. Mais la hâte de retrouver La Sourde contenait ses douleurs. Il ne pensait plus qu'à cet instant magique où, enfin, il franchirait le portique d'entrée, tout au bout de l'allée. Et il acheva sa course en escaladant la dernière lieue vers son château, la grimace aux lèvres.

La longue allée était recouverte d'un épais tapis de feuilles mortes. Le vent, soufflant du nord, avait

Les princes du Gardon

drainé les dégâts de l'automne jusque dans les écuries, les cuisines et la salle des gardes. Avant d'abandonner la place, l'armée du roi avait brisé toutes les portes et les fenêtres, sans vergogne, jeté les meubles par les ouvertures pour alimenter un grand feu. C'était un miracle qu'on n'eût pas incendié aussi les toitures. Sans doute les dragons avaient-ils préféré conserver la demeure en état de servir.

Le petit comte conduisit lui-même, malgré le peu de force qui lui restait, les chevaux dans l'écurie, où était entreposé un vieux foin. A la fourche, il en tira de quoi les nourrir, puis s'en revint dans la cour, où les herbes, les buissons noirs et les ronces avaient profité de l'abandon pour proliférer.

— On dirait qu'une éternité a soufflé sur ces lieux, dit-il à Isabeau.

La petite marquise paraissait aussi découragée que lui. Elle avait conservé en mémoire, de sa dernière visite, le souvenir d'une demeure accueillante avec ses bannières rouge et or pendant aux fenêtres, ses mâts alignés dans le parc, rehaussés d'écussons aux armes des Jassueix. Une main maléfique avait effacé tant d'orgueil ancestral. On avait désiré, plus que tout, éteindre à jamais la puissance des Jassueix sur leur comté cévenol. Mais les saccages ainsi opérés n'étaient rien à côté des villages dévastés, alentour. Et Aurèle admit, au bout du compte, qu'il avait tort de se plaindre.

Les bras chargés de vêtements et de fourrures, Isabeau avança dans le grand escalier. Le vent, aussi, y avait amassé des monticules de feuilles. Elle monta à l'étage, tandis qu'Aurèle demeurait appuyé contre la rambarde de pierre. Loin, au fond de sa poitrine, il cherchait le souffle qui lui faisait défaut. Et, fermant

Les compagnons de Maletaverne

les yeux, lui revinrent les dernières paroles de son père, prononcées dans la salle haute de la tour de Constance. Tout sera à refaire, se dit-il. Nos villages, notre château... Sans compter nos gens, dispersés à tous vents, pensa-t-il, qu'il nous faudra rassembler. Aurai-je la force de leur redonner espoir ? Serai-je assez fort pour une telle tâche ? Peut-être ne sortirons-nous plus jamais intacts de cette épreuve ? Ainsi qu'une malédiction qui se serait répandue sur nos terres, se pourrait-il que plus rien ne soit comme avant ? Se pourrait-il que le vieux monde se soit éteint avec les derniers feux de la fête ?

Dans le vent chantant sur la pierre et hurlant aux fenêtres éborgnées, il lui semblait entendre quelques rires lointains qui s'en revenaient comme un sortilège, ceux du dernier banquet errant dans les murs tels des fantômes. Et, sur ses lèvres, s'égrenèrent les noms perdus des anciens compagnons de son père : le sergent Magnien, le cuisinier Honorus, la caMériste Adeline, et tant d'autres qui avaient disparu dans la tourmente. Leurs visages s'en revinrent dessiner, trait à trait, dans son esprit, tous ceux qui avaient hanté les murs de La Sourde.

Aurèle se força à escalader les étages, à visiter une à une les pièces comme il le faisait, jadis, après un long séjour dans les montagnes et qu'il avait besoin d'en retrouver les visages, les objets, les odeurs... Mais les salons, les alcôves, les boudoirs, les chambres, avec leurs boiseries de chêne, de noyer et de merisier, n'étaient plus que l'ombre du passé. Les parquets, les meubles, les marqueteries, les plafonds à caissons, les parures des murs avaient essuyé toutes les tempêtes, tous les outrages des hommes et de la nature. Les dames blanches s'y

Les princes du Gardon

étaient réfugiées, laissant derrière elles leurs déjections, en longues traînées crayeuses. Sur la grande table de la salle d'honneur, un soldat avait fiché son poignard dans le bois, au beau milieu, afin d'y agrafer une ordonnance de monsieur de Broglio.

Isabeau avait traversé ces décors au pas de charge, puis était montée à l'étage afin d'y visiter les chambres. Celle d'Armandine, surtout, avait été visitée et pillée. Du lit à baldaquin il ne restait plus que l'armature, comme un vaisseau échoué dans une mer de sable. A son entrée, des corneilles, qui avaient élu domicile dans les lustres vénitiens, se dispersèrent, effarouchées, en se heurtant aux murs.

Le petit comte la rejoignit en traînant le pas. Il n'avait qu'une idée : se retrancher dans le cabinet de travail de son père. Il y trouva le bureau renversé et les tapisseries entrelardées de coups de sabre. D'un geste las, il remit le meuble sur ses pieds. A ses yeux, c'était symbolique. Il relevait le pouvoir bafoué du comte.

Souvent, Aurèle était venu s'asseoir, dans cet endroit, pour y converser avec son père. C'était un lieu sacré où l'on n'entrait que pour des raisons impérieuses. Thibaut de Jassueix y avait assis son autorité. Et l'enfant qu'Aurèle était alors croyait volontiers que le comte était aussi important que le roi, qu'il dirigeait des armées puissantes sur des territoires inconnus et qu'il avait la haute main sur une kyrielle de ministres et de conseillers.

D'un coup de botte, Aurèle repoussa la porte de la bibliothèque voisine. Ici même, il avait passé sa dernière nuit à La Sourde aux côtés de son père, sur la banquette de soie rouge. Les mites en avaient dévoré le tissu. Frappant du plat de l'épée sur les coussins, il fit voleter

Les compagnons de Maletaverne

quelques dizaines de lépidoptères voraces. Les rayonnages, les tiroirs, les coffres, tout était vide. Aurèle se souvint de ce que son père lui avait dit, à la tour de Constance. Avant de se rendre aux armées royales, il avait été cacher, dans la montagne, ses archives, ses titres, ses actes... Toute la puissance des Jassueix était donc là-haut, au cœur du désert, sous la surveillance du faucon de Fontmort. Voilà qui est bien, se dit-il. Puisque l'essentiel est préservé et que notre volonté sera exaucée, tôt ou tard.

Isabeau étendit une fourrure sur la banquette de la bibliothèque.

— Le temps est venu de te reposer, mon amour, dit-elle.

Elle l'aida à s'allonger.

— A partir de cette seconde, je te le dis, tu reprends possession de ton domaine. Et qu'importe ce qu'il adviendra, ajouta-t-elle en jetant deux fusils et trois pistolets sur la table de lecture, nous ne fuirons plus devant l'ennemi. S'il le faut, nous mourrons ici, ensemble.

Un sourire se dessina sur le visage du petit comte.

— Que ferais-je sans toi ? murmura-t-il avant de sombrer dans le sommeil.

Isabeau se leva à la pointe du jour, surprise par le froid et l'humidité. Le vent du nord n'avait cessé de souffler, en bourrasques, toute la nuit. Avant que son amant ne s'éveille, elle voulait organiser le salon du bas, y apporter un peu de confort et, avant toute chose, allumer le feu dans la cheminée.

En furetant dans le sous-bois, elle amassa du petit bois, des branches mortes de châtaignier, de pin et

Les princes du Gardon

de bouleau. Une fois qu'elle eut empli la cheminée, Isabeau y bouta le feu. Le cotret se mit à grésiller. D'expérience, elle savait qu'il lui fallait démarrer un foyer d'enfer pour chauffer le conduit de l'âtre et assurer ainsi une bienfaisante chaleur dans un petit périmètre de trois pas. En deux ou trois allées et venues, elle rapporta des bûches, d'essences diverses, et jugea enfin qu'elle disposait d'une provision suffisante pour la journée. Isabeau attendit que la braise fût en abondance pour y ajouter ses grosses pièces de châtaignier. Les flammes firent crépiter l'écorce, expédiant sur les dalles de pierre des escarbilles incandescentes.

Aurèle se vit cerné par les dragons. Ils tiraient salve sur salve à travers l'écran de fumée qui l'enveloppait. Son cheval était abattu et, jambe coincée sous la ventrière, Aurèle ne parvenait pas à se dégager. Il poussa un grand cri. Dans un mouvement de défense, à l'instant où il comprit que les balles allaient le transpercer de part en part, il chuta de la banquette dans un grand fracas.

— Oh ! mon amour, que t'arrive-t-il ?

Le petit comte était assis sur le canapé et se frottait les yeux, énergiquement, pour effacer de son esprit l'image d'horreur qui l'avait ensorcelé.

— J'ai cru ma dernière heure arrivée, dit-il.

Ils descendirent au salon, bras dessus bras dessous. En voyant crépiter le bois de châtaignier, il comprit enfin ce qui l'avait entraîné dans son cauchemar. La petite marquise avait étendu devant l'âtre une pelisse de fourrure. Aurèle s'y allongea aussitôt. Elle fit de même en venant se placer à côté de lui, mains enlacées.

— Il nous faut nous préparer à un long hiver, dit-il.

— Autant que tu voudras, mon amour, pourvu que ce soit avec toi.

Les compagnons de Maletaverne

— D'où tiens-tu ce courage ?

— De toi et de l'amour que je te voue.

Un sourire imperceptible se dessina sur son visage. Alors Isabeau se renversa sur lui, approchant ses lèvres des siennes, puis s'en désaltéra avidement.

— Cela fait des jours et des nuits que nous n'avons pas eu un moment à partager.

— Oui, regretta Aurèle. Il te faudra attendre un peu.

Il se releva et prit le fusil qu'il avait apporté avec lui. C'était une arme à deux coups, de facture anglaise. Le vent donnait dans l'allée, si fort qu'Aurèle dut enfoncer son chapeau sur sa tête. Derrière le château, il connaissait un endroit où les connils venaient batifoler pour grignoter le romarin et le serpolet. Souvent, à la pointe du jour, il avait accompagné son père, et chaque fois ce dernier avait exigé de lui une grande discrétion ; l'attention en éveil, les lapins de garenne détalaient avant qu'on n'eût le temps de les ajuster. Il longea les imposantes murailles de La Sourde en se faufilant entre les buissons noirs et les ronciers.

Autrefois, ce large passage bien dégagé autour de la bâtisse était occupé par les douves, que son grand-père avait fait combler afin d'effacer l'architecture archaïque et désuète du château et de lui apporter le charme des demeures d'agrément. Pierre de Jassueix avait surtout voulu se défaire des miasmes créés par les eaux mortes et leurs infâmes bataillons de moustiques.

Aurèle posa délicatement le canon de son fusil sur le muret de pierres sèches et abattit deux connils. Il s'en revint, triomphant, dans la cuisine, où il dépeça et vida son gibier. Puis il les embrocha et les installa sur la braise, assez haut dans la cheminée pour que les flammes ne vinssent noircir les chairs tendres.

Les princes du Gardon

Leur occupation principale dans cette réclusion volontaire se bornait à traquer le gibier, faire provision de châtaignes, dont les bois environnants étaient si bien pourvus, et à dormir ou rêver. Deux ou trois fois par jour, Aurèle faisait le tour du château, avec l'œil attentif et soupçonneux d'une sentinelle. Dans les chênes, les tilleuls et les marronniers, une escadrille de corneilles avait élu domicile, celle sans doute qui s'était risquée dans les pièces de l'étage ouvertes à tout vent. A son approche, les lourds oiseaux noirs s'éloignaient. Le petit comte les observait ainsi dans leur jeu, avec intérêt. Ce sont les meilleurs gardes qui soient, songeait-il. Jour après jour, il surveillait leurs mouvements, leurs alertes, assuré que les corbeaux signaleraient, sans défaut, l'approche du moindre intrus. De telles ruses s'étaient imposées à lui depuis qu'on le traquait jour et nuit, par monts et par vaux, au point qu'il lui semblait retourner à l'état sauvage. A La Sourde, rien n'était sûr, ni avéré. C'eût été faire preuve d'aveuglement que de croire que le château présentait toutes les garanties. D'une heure à l'autre, une patrouille pouvait surgir, peut-être attirée par les coups de feu qu'il tirait parcimonieusement, et alors il en serait fini de leur liberté. Ce n'étaient pas trois fusils et cinq pistolets qui pouvaient protéger leur retraite, ni garantir leur fuite. De son côté, Isabeau baignait dans l'insouciance, comme si elle avait fini par se convaincre que la guerre civile n'atteindrait jamais les hauteurs de La Sourde. « Ne crains rien, disait-elle chaque fois, Dieu nous protège. Ne vois-tu pas comment nous sommes déjà passés à travers les périls ? Sinon, Il nous aurait abandonné depuis longtemps. » De jour en jour, elle gravissait les marches d'une sorte de félicité qui l'émouvait profondément.

415

Les compagnons de Maletaverne

Profitant de la clarté du ciel, maintenant que le froid sec était tombé sur les Cévennes, le petit comte montait souvent au clocheton du château. Ainsi pouvait-il guetter jusque dans les profondeurs du Tarnon, dans le creux des combes, sur les à-pics blancs, l'indice qui eût révélé quelque mouvement de troupes. Son regard se portait jusqu'à Fontmort et ses hauteurs tachetées de gris, s'y attardait singulièrement en songeant à Julien Valleraugue. Rassuré, il redescendait dans le salon pour y retrouver Isabeau, occupée à rêvasser.

— Pourquoi tant de crainte ? interrogea la petite marquise enroulée dans une couverture.

Il ne répondit pas. Elle n'aimait guère ses silences. Elle y voyait le signe d'un désarroi qui l'éloignait d'elle, à moins qu'il ne fût impatient déjà de partir vers d'autres horizons.

— Je ne sais pas si j'ai eu raison de te conduire ici. Nous risquons à chaque heure de perdre la vie. Il suffirait de quelques dragons.

— Et pourquoi viendraient-ils jusqu'ici ? Que leur importe un château abandonné ? Moi, je ne crains rien. Parce que je pense qu'il n'est pas de meilleure cache durant ce long hiver. Et puis notre amour nous protège. Je le sens si fort ancré en nous qu'il est comme une carapace sur nos épaules. Il nous donne la force d'éloigner le malheur. Dieu désire que nous soyons heureux. Et demain, quand la guerre sera terminée, nous ferons des enfants. Qui sait, peut-être un jour leur raconterons-nous l'histoire étrange de ce long séjour à La Sourde ?

Aurèle hochait la tête pour s'en convaincre aussi. Peut-être eussent-ils dû suivre Valleraugue jusqu'à la grotte du Roc Pointu ? C'était une des solutions. La pire, sans

Les princes du Gardon

doute. Ce n'était pas leur affaire que de partager le sort des camisards de Maletaverne. Quelque temps plus tard, et après mûre réflexion, le petit comte reconnut qu'Isabeau avait raison sur toute la ligne, et que l'intelligence leur avait dicté le bon choix, celui d'unir leurs destins, quoi qu'il advînt.

— Si nous devons mourir, que ce soit dans les bras l'un de l'autre, dit Isabeau. Puisque je ne pourrai me résoudre à vivre sans toi. Alors il ne sert à rien d'avoir peur.

— Rien ne pourra nous séparer, sinon la mort, lui promettait Aurèle en la serrant dans ses bras.

Ainsi s'adressaient-ils deux ou trois fois par jour le même serment, pour se donner du courage.

— En ce sens, je demeure fidèle à mon père. Lui aussi a choisi d'attendre ses ennemis dans son château. Et, lorsqu'il lui a fallu choisir de fuir avec moi la tour de Constance, il a décidé de rester, hautain et fier. Pourquoi fuirais-je comme un voleur, puisque je suis innocent ? C'est exactement ce qu'il a voulu me faire comprendre. Je sais que s'il doit quitter sa prison, ce sera par la grande porte, la tête haute. Voilà l'exemple que je dois suivre, ajouta le petit comte.

— Et nous sommes venus ici reprendre ton bien. Fiers et hautains, comme ton père l'aurait désiré. Peut-être est-ce le plus important : vivre dans la vérité ?

Au milieu de décembre, le vent se mit à tourner vers l'est. Aurèle rapporta quelques grives qu'il avait chassées vers Lamolière.

— Le temps est à la neige, pronostiqua-t-il.

La petite marquise ne répondit pas. Mais ils firent des provisions de bois pour une semaine au moins. Dans le milieu de la journée, le ciel se para d'un couvercle

Les compagnons de Maletaverne

de bronze. Le vent cessa de souffler, par enchantement, et la neige survint, lente et douce, silencieuse, étouffant peu à peu l'ombre des montagnes, calfeutrant les chemins, noyant les forêts dans un voile de nuit blanche. Un jour, la tempête se leva, transportant des paquets de neige gelée jusque dans le salon. Alors ils montèrent aux étages et trouvèrent dans une lingère de grands draps de lin avec lesquels ils obturèrent les fenêtres brisées. Mais c'était présumer sans la force du vent, et les draps se mirent à gonfler comme des voiles. Isabeau et Aurèle se réfugièrent près de la cheminée, serrés l'un contre l'autre, veillant à nourrir la flamme.

— Nous sommes sur une île minuscule que la tempête menace d'engloutir, dit-elle avec l'esprit fantasque qui la caractérisait.

— Elle ne disparaîtra pas, ajouta le petit comte, tant que nous aurons la force de maintenir le feu.

Ils avaient de quoi être rassurés, puisque leur réserve de bûches était imposante dans l'écurie. Quand il le fallait, Aurèle s'enroulait dans une couverture et descendait en chercher. C'était lui le véritable veilleur. Jamais le sommeil ne pouvait le prendre en faute bien longtemps, tandis qu'Isabeau dormait comme une marmotte. Il lui parlait, souvent. Et dans ces moments d'étrange solitude, il retrouvait le courage de lui dire ce qu'il n'avait jamais osé. Cela n'avait aucune importance qu'elle fût endormie, puisqu'il était persuadé que ses mots terribles parvenaient à traverser le coton du sommeil. Par exemple, le petit comte lui racontait que jamais il ne la laisserait tomber entre les mains des dragons, devenir une proie facile pour leurs exploits tyranniques et barbares, comme on pouvait le craindre. «Je te tuerai plutôt que t'abandonner... Avec

418

Les princes du Gardon

ça... » murmurait-il, les larmes aux yeux, en serrant contre sa cuisse la crosse d'un pistolet. « S'il est écrit que nous serons pris, alors je te donnerai la liberté... » se promit-il en lui caressant les cheveux, dans la nuit où leurs ombres dansaient jusqu'au plafond, au rythme des flammes.

Un matin, Isabeau annonça qu'il était jour de Noël. Alors, sans un mot de plus, Aurèle partit dans la forêt. Il en revint une heure plus tard avec un genévrier aux baies odorantes. En le voyant les bras encombrés par l'arbuste qui ferait office de sapin de Noël, elle dansa de joie, sur place, comme la petite fille qu'elle était redevenue. Ils ne possédaient rien pour le décorer, mais qu'importait, ce peu de verdure d'hiver dans le salon apportait déjà une touche de gaieté.

Ils passèrent ensuite une bonne partie de leur journée à décorer les murs et les plafonds avec des guirlandes de lierre. La petite marquise prenait grand plaisir à ces jeux. C'était une manière de tuer le temps, puisqu'ils n'avaient rien à faire d'autre que d'occuper leur solitude. Cela leur permettait de parler de leurs Noël d'antan. Tous deux avaient été des enfants gâtés, nageant dans l'insouciance, comme un don du ciel. Sans doute, un jour, avaient-ils cru que leur enfance ne finirait jamais, que le temps n'aurait pas prise sur eux, puisqu'ils étaient nés pour le bonheur. Et ils se confortaient à épuiser leurs souvenirs, à imaginer quelle sorte de Noël ils offriraient à leur tour, maintenant qu'ils se sentaient presque de grandes personnes.

Pour le festin, Aurèle avait préparé deux coqs de bruyère débusqués sur le plateau. Il savait que la chair

Les compagnons de Maletaverne

en était rude, aussi avait-il préparé un jus épicé de baies de genièvre. Il venait souvent dans la cheminée pour les arroser avec une louche, prenant soin d'en récupérer le superflu dans un poêlon qu'il maintenait sous les viandes. Le petit comte détestait l'idée que la graisse enflammât les braises, à cause des fumées nauséabondes et rances. Isabeau était tout admirative d'autant de doigté, elle qui détestait la cuisine avec ses gibiers éviscérés, écartelés, malmenés, et dont on tirait, à force de contraindre la viande, des formes impersonnelles.

Ils avaient dressé une table avec tout ce qu'ils avaient trouvé, de la vaisselle en étain et quelques verres en cristal de Bohême. Un des draps de lin servait de nappe blanche. Aurèle alla disposer, pour parfaire le tout, un chandelier à chaque extrémité. La lumière était suffisante pour un repas en tête à tête. Elle ajoutait au charme de cette fête improvisée au milieu d'un monde désolé.

Isabeau disparut dans les étages. Aurèle poursuivit ses occupations puisque le gibier exigeait, pour ne point devenir trop sec et dur, une surveillance de tous les instants. Enfin, elle réapparut, dans une robe mauve que la mère d'Aurèle avait portée autrefois lorsqu'il était encore enfant. Le bustier saillant était provocant à souhait. Ses seins, ronds et hauts, semblaient posés sur un écrin de dentelle. La bordure en satin bordeaux était maintenue à ras des aréoles, qu'on devinait à peine sous le tissu. Aurèle alla s'asseoir au bord de la cheminée pour l'examiner à loisir, tandis qu'elle virevoltait pour jouer avec les plis et les reflets moirés du tissu.

— Et regarde, mon amour, je n'ai rien négligé.

D'une main, elle souleva le pan de sa jupe, prestement, pour lui montrer les jupons.

420

Les princes du Gardon

— Voici la friponne, dit-elle. Et, encore dessous, le dernier. Le distingues-tu, en soie fine ? C'est la secrète. Aurèle lui fit signe d'en montrer un peu plus. Elle s'y risqua avec un petit œil espiègle. Il vit ses bas blancs de soie et, au-dessus du genou, une jarretière de velours noir avec des plumetis d'or.

— Et je parie que tu ne portes rien d'autre, dit Aurèle.

— Comment l'as-tu deviné, mon amour ?

Prestement, Isabeau se débarrassa de ses atours. Il ne restait plus, sur son long corps bruni par les douces lumières des candélabres, que ses bas soutenus par leurs jarretières, comme un trait noir tiré sur la cuisse. Aurèle la fit tourner devant lui, de face, de côté, de dos. Il prenait plaisir à l'examiner ainsi, d'un regard avide, obéissant à ses injonctions comme une marionnette. Ses mains vinrent effleurer les fesses d'Isabeau, avant qu'elles ne se dérobassent d'un mouvement de côté, transi et peureux, puis ses doigts s'accrochèrent à son pubis, voulurent s'y attarder. Mais, déjà, elle lui échappait, comme si elle n'avait voulu dans la singulière nuit n'être qu'une apparition du désir, furtive et effrontée.

— Cruelle ! murmura-t-il. Regarde comme je suis. Prêt à rendre l'âme.

La petite marquise s'était assise sur un fauteuil, les jambes effrontément écartées. Auparavant, elle avait pris soin de glisser ses deux mains sur son pubis, bien à plat. Il s'était approché entre ses jambes, lutinant au-dessus des jarretières sa chair nue où saillait le grain de sa peau excitée.

— Mon amour. Ne pense pas à venir te perdre en moi promptement. Cela n'est décidément pas du meilleur goût.

Les compagnons de Maletaverne

Je veux user ta patience jusqu'à la corde. Le veux-tu ? Oui. Je le sais. Comme je te connais. Viens donc embrasser mes seins. Eux aussi ont droit à un peu d'égards.

Aurèle promenait sa langue sur le satin de sa peau, accrochant au passage entre ses lèvres les aréoles durcies par le désir.

— Oui, comme cela, mon amour. Ainsi qu'ils le méritent, mes beaux seins bien durs, tout à toi.

— Je n'y tiens plus. M'autorises-tu à venir un peu en toi ? Sinon, je vais m'égarer. Tu ne voudrais pas que je perde ce...

— Tu le veux ? demanda la petite marquise. Dis-le-moi donc ! A la condition que tu te contiennes, n'est-ce pas ?

Elle se laissa glisser sur la fourrure, devant la cheminée, dans la douce chaleur des flammes qui dansaient et dont les reflets faisaient miroiter sa peau.

— Oh, oui ! fit le petit comte. Je vais exploser.

— Non. Cela n'est point convenable. Recule-toi donc. Vilain amant impatient d'en découdre.

Et, d'un coup de reins, Isabeau se dégagea, reprenant sa position au bord du fauteuil, les mains de nouveau plaquées sur son ventre désormais interdit.

— Pourquoi me faire languir de la sorte ?

— Ne vois-tu pas que mes bas sont froissés ? Essaie donc de les remettre en place.

— Avec mes dents ? proposa-t-il. Le veux-tu, mon amour ?

— Avec tes dents. Mais avec délicatesse. Car tu ne gagnes rien à me froisser.

Et Aurèle vint aspirer entre ses dents la bordure d'un bas, qui se mit à résister sous la pression de la jarretière qui enserrait sa cuisse avec excès.

Les princes du Gardon

— M'autorises-tu à user de ma main ?

— Si tu le veux, mon amour.

Et cette fois, du bout des doigts, il tira les bas sur les cuisses afin qu'ils fussent tendus sur sa chair, sans qu'un pli n'en vînt gâter le regard.

— Maintenant, tu peux venir me dévorer, dit-elle en s'allongeant de nouveau sur la fourrure comme un serpent agile, s'entortillant autour de son amant jusqu'à ce qu'ils ne fissent plus qu'une masse unie, scellés cœur à cœur.

A l'instant de découper les gibiers, Aurèle se souvint que son père cachait dans une des profondes caves du château quelques bouteilles rares, qu'il voulait ainsi soustraire à la convoitise des domestiques. La seule perspective d'en dénicher quelques-unes pour arroser le festin l'enthousiasma aussitôt. Puis il se ravisa à la pensée que les pilleurs avaient dû faire main basse sur ce trésor aussi. En ces temps barbares, les pillards ne se croyaient-ils point investis de tous les droits qu'autorise la guerre ? Que ce fussent des soldats ou des pillards, rien ne pouvait en définitive les différencier. Cependant, il voulut en avoir le cœur net. S'emparant d'une bougie, il descendit aux cuisines, puis accéda par une dizaine de marches à la première cave. Il la traversa en butant contre de vieilles barriques et des dames-jeannes brisées, qu'on avait visitées et vidées, sans doute dans la liesse générale. Il suivit un couloir creusé à même la roche, étroit et bas, le plafond tapissé de chauves-souris. Par deux nouvelles marches, il entra dans la fameuse cave, entièrement creusée, elle aussi, dans le rocher. Il fallait s'y courber pour atteindre le fond. Et là, derrière un

Les compagnons de Maletaverne

muret de pierre, simplement ajusté pour y ménager une cache, il trouva dans la poussière de sable, qui les recouvrait, trois bouteilles à l'encolure cirée de jaune.

Avec le manche en corne de sa dague, le petit comte brisa le cachet de cire puis planta sa lame dans le bouchon, qu'il arracha, morceau par morceau. Il emplit délicatement les verres en cristal, puis en tendit un à Isabeau. Aurèle goûta, avant de se prononcer.

— C'est un ermitage, dit-il. Fort charpenté. Tu peux en boire. Il est parfait avec notre gibier. Et puis, convint-il, je ne puis t'offrir mieux. Le pire, sans doute, eût été de se contenter de neige fondue.

Elle goûta à son tour et hocha la tête. Aurèle amena son verre près du chandelier.

— Il est d'un rouge rubis. Ce vin a conservé son corps.

D'une main agile, Isabeau alla vérifier le renflement du pantalon. Elle avait incessamment besoin d'être rassurée sur l'état de son amant et rêvait qu'il lui fût disponible lorsqu'elle le désirait si fort.

Après qu'ils eurent éclusé deux bouteilles, les amants s'en revinrent sur la fourrure. Allongés, l'un près de l'autre, sans bouger, le regard fixé vers le plafond où s'animaient des ombres agrandies par les flammes vacillantes des candélabres, ils demeurèrent silencieux. Isabeau semblait goûter la beauté de la nuit. Au-dehors, le vent soufflait sur la pierre contre laquelle il aiguisait ses gammes. C'était un chant lugubre, aussi triste et désespéré que les événements qui les avaient conduits à La Sourde.

— J'ai peur, murmura-t-il.

— Pourquoi as-tu peur ? releva Isabeau qui vint approcher sa main de la sienne et la serra fort.

Les princes du Gardon

— De l'avenir, dit-il. J'ai peur que notre amour soit détruit par toutes ces horreurs qui nous guettent audehors. Le vent m'angoisse. Il semble porter tous les dangers dans notre direction.

— Allons, reprit-elle, notre île n'est pas près de sombrer. Nous avons déjà conjuré quelques tempêtes.

Aurèle ne pouvait avouer quelle sorte de peur l'animait, celle de ne pouvoir accomplir la promesse faite à son père. Il soupira et s'endormit. Mais son sommeil fut de courte durée, car elle vint poser sa tête sur sa poitrine.

— Je voudrais te poser une question, dit-elle.

— Quelle question ?

— Pendant ta maladie, à Bellefont, j'ai surpris dans ton délire quelques phrases énigmatiques. J'aimerais que tu m'instruises.

— Moi ? Ce n'est pas possible.

— Tu as parlé d'une mission dont ton père t'a chargé à la tour de Constance, juste avant que vous vous sépariez.

— Oh non ! se défendit Aurèle. Cela n'est rien.

— Pourquoi ne veux-tu pas m'en parler ? Est-ce si grave ? J'ai besoin de savoir.

Le petit comte se redressa pour ajouter une bûche sur la braise. C'était l'angoisse de voir le feu faiblir. Il lui semblait qu'il allait mourir avec lui.

— C'est un secret entre mon père et moi.

— Ne suis-je point digne de l'entendre ?

— Si par malheur tu tombais entre les mains de nos ennemis, il se trouverait toujours un tortionnaire pour t'arracher ce secret.

— Et, ne sachant rien, l'ire du bourreau serait impuissante à me délier la langue...

Le petit comte hocha la tête.

Les compagnons de Maletaverne

— Je voudrais te tenir en dehors de tout cela, d'autant plus qu'il ne s'agit que de notre famille.

— Mais, ne suis-je point de ta famille, à présent que notre amour nous lie ? N'ai-je pas prouvé ma confiance en allant te tirer des griffes de Montrevel ? Crois-tu que je n'ai pas risqué ma vie pour toi ? Il n'était pas facile de rallier les camisards pour les entraîner à ta cause. Et j'ai pour ce faire emprunté la tenue du chevalier de La Tournelle. Du reste, la supercherie a vite été découverte par Sircey. Et si Julien Valleraugue ne s'était trouvé là à point nommé, je ne serais plus en état de te parler. Oh, mon Dieu ! Quelle ingratitude ! Moi qui aurais donné ma vie pour toi... En cet instant tu me refuses la vérité, alors que nous serions plus forts, l'un et l'autre, pour la porter ensemble.

Le petit comte sortit dans la nuit claire. La neige scintillait sous la lune. Il s'avança au bout de l'allée, dans le vent glacial qui giflait son visage. Au loin, on distinguait les reliefs des montagnes du Bougès, les défilés sombres, les sommets de platine, les rochers jaunes. Puis il s'en revint dans le salon, d'un pas décidé.

— Je vais tout te dire ! s'écria-t-il. Même si je dois le regretter un jour.

Les manœuvres conjuguées d'Esprit Fléchier et de Lamoignon de Basville avaient porté leurs fruits. Ils avaient initié, voire orchestré, une savante campagne pour entraîner la chute du maréchal de Montrevel. Maintes lettres anonymes étaient parvenues entre les mains du roi, dans lesquelles on reprochait au marquis de La Baume la déportation massive d'innocents villageois, les assassinats inutiles et, plus encore, on y déplorait le mauvais

Les princes du Gardon

esprit qui régnait, désormais, au sein de son armée, le découragement des sergents devant l'impossible « grand ouvrage ». Le brigadier Julien avait, lui aussi, apporté sa pierre à l'édifice en fourbissant aux détracteurs de Montrevel d'utiles détails sur les incuries de son commandement. A cela s'ajoutaient les affres du gouverneur militaire, ses liaisons scandaleuses et ses petits soupers libertins... Sans doute la campagne ainsi engagée ne fit-elle qu'ajouter une pièce de plus dans le dossier à charge, car il ne faisait aucun doute que le roi ne tenait plus en haute estime son serviteur du Languedoc. Ce dernier n'avait-il pas promis à Sa Majesté, avec légèreté, que la révolte des camisards serait matée avant l'hiver 1703 ? Un an plus tard, la guerre des Cévennes s'était amplifiée et, pire encore, les armées royales avaient subi des revers douloureux à Sommières, à Nages, à Roque-d'Aubais.

Décidément, il était loin le temps où Montrevel entrait dans Nîmes sur son cheval blanc caparaçonné de sang et d'or, sous les vivats de la foule acquise au nouveau sauveur. Désormais, le maréchal traversait sa ville sous petite escorte, avec toute la discrétion possible, ce qui attirait dans la bouche de l'évêque des réflexions acerbes. « Voici un coquelet au plumage terne ! » Pourtant, dans le décorum officiel des salons, rien ne laissait transparaître les perfides saillies d'Esprit Fléchier. L'évêque lui faisait toujours bonne figure, et parfois même feignait de le plaindre. « Je reconnais, gouverneur, qu'on vous attente là un bien vilain procès... »

Au cours du mois de mars 1704, alors que le maréchal s'en revenait d'Alès, où il avait fait un grand discours à ses hommes pour les relancer, comme des chiens affamés, sur les bourgades cévenoles encore debout, un émissaire royal l'attendait dans les salons du Chapitre. Auparavant,

Les compagnons de Maletaverne

l'homme s'était restauré à la table de l'évêque et, à la fin du repas, on avait évoqué, comme toujours, la magnificence des fêtes de Versailles. C'était un sujet de conversation plaisant pour Fléchier, qui regrettait tellement l'époque de sa vie de cour, lorsqu'il taquinait encore la poésie et qu'on applaudissait ses homélies.

— Me direz-vous, monsieur l'émissaire du roi, ce qui vous amène dans notre bonne ville ? questionna Fléchier, perfide.

— Monseigneur, cela relève du plus grand secret.

— En tout cas, votre venue n'est point innocente. Et, pardonnez la curiosité d'un vieil homme, mais cela sent le roussi pour notre grand capitaine, n'est-ce pas ?

L'évêque, lorsqu'il voulait se railler de Montrevel, utilisait ce vocable : « grand capitaine ». Il mettait tellement de malice à le prononcer que son geste accompagnait le mouvement de ses yeux. Cela faisait rire autour de lui, dont le gouverneur de Nîmes, Saudricourt.

— Cela sent le roussi, comme vous dites.

— Bien, dit Fléchier avec un air de ravissement. Sa Majesté est le plus grand roi de la terre. Sa clairvoyance nous rend d'autant plus humble qu'elle est inspirée par le Seigneur.

L'émissaire ne lâchait plus le tube de cuir scellé d'un cachet noir. Le roi lui-même avait appliqué son sceau sur la pâte encore amollie. Et l'évêque contemplait avidement l'objet sur lequel était gravée à la feuille d'or l'effigie solaire de Louis XIV.

L'arrivée, enfin, de Montrevel décida l'homme à quitter la table de l'évêque sans délai. L'abbé de Beaujeu, qui faisait tapisserie sur sa petite chaise avec un air de communiant, l'accompagna jusque dans ses appartements. Aussitôt, monseigneur Fléchier se rapprocha de l'alcôve.

Les princes du Gardon

Il suffisait qu'une porte fût mal fermée pour le combler de bonheur. L'oreille collée à la tapisserie, il entendit, distinctement, les pas du « grand capitaine » dans l'escalier et le cliquetis métallique des armes que ses gardes remisaient au râtelier. Puis quelques bribes de mots, indistinctes... Une petite minute encore. Et, soudain, un grand hurlement et le fracas des dernières porcelaines qui avaient échappé aux colères du gouverneur.

L'évêque s'éloigna de l'alcôve avec de petits mouvements désordonnés, le teint rosi de contentement. « Oh, mon Dieu ! mon Dieu ! marmonnait-il, l'abbé de Beaujeu sur ses pas. Merci, mille mercis ! »

Le maréchal de Montrevel avait renvoyé l'émissaire du roi sans ménagement. Et il s'était retranché aussitôt dans son cabinet de travail. Le parchemin était étalé devant lui. De sa main, Louis XIV avait écrit, d'une calligraphie pointue et nerveuse : « Les affaires de la province de Guyenne étant d'un grand détail et le marquis de Sourdis peu en état d'y donner des soins, j'ai jugé à propos pour le bien de mon service de vous envoyer commander dans ladite province et d'envoyer le maréchal de Villars pour commander en votre place en Languedoc. Je lui donne mes ordres pour s'y rendre incessamment ; vous attendrez qu'il soit arrivé dans la province avant de passer en Guyenne[1]. »

Effondré dans son fauteuil, Montrevel songeait à son prédécesseur, qui avait connu la même infortune. Du bout des doigts, il caressait la gâchette de son pistolet d'arçon. Des envies de suicide lui titillaient l'esprit. A sa porte, qu'elle avait délicatement entrouverte, madame de Soustelle jouait les chattes énamourées. D'un geste las,

1. *Archives de la guerre*, 1796, folio 60.

Les compagnons de Maletaverne

il lui ordonna de s'éloigner. La Guyenne, décidément, était indigne de lui, une misérable gouvernance sans attrait, à se mourir d'ennui avec un traitement de misère... Ainsi demeura-t-il prostré une longue heure, à réfléchir. La mort ou l'héroïsme ? Son cœur balançait entre l'envie d'en finir d'un coup de pistolet dans la tête ou d'en découdre, une bonne fois pour toutes. Il parut se décider enfin, tant le caractère belliqueux de cet homme ne se pouvait abandonner au désespoir sans réaction. Puisqu'il faut mourir, se dit-il, autant que ce soit au combat, dans une ultime action d'honneur. Mon roi verra ce dont le maréchal de Montrevel est capable. Je voudrais lui donner un peu de regret avant de m'effacer...

Et, tandis que, le soir même, la nouvelle se répandait dans toute la contrée que le roi Louis avait jugé fort à propos de destituer son « cher cousin », Montrevel rassembla ses officiers et sous-officiers et ordonna à cinq mille de ses hommes de se diriger sur Sommières. Jamais on ne vit une telle levée d'armes en un temps si bref. D'ordinaire, il fallait au moins trois jours pour préparer une telle opération, mobiliser autant de régiments éparpillés. Mais, la mort dans l'âme, le maréchal avait décidé de faire feu de tout bois. Et ce fut à la tête de ses compagnies de dragons, parmi lesquels on comptait ceux du Charolais, du Hainaut, de Firmaçon, que le gouverneur marcha sur Sommières.

Le 16 avril, Montrevel, qu'on avait jusqu'alors peu vu à la tête de son armée, attaqua les camisards de Jean Cavalier à Nages. L'affrontement demeura indécis jusqu'au milieu de la journée. La férocité au combat des troupes rebelles était telle qu'il fallait sans cesse rameuter les régiments royaux dispersés afin de les remettre en ligne. Ce rôle incomba au maréchal, qui frôla dix fois la mort plutôt

Les princes du Gardon

que de battre en retraite. Et de le voir ainsi, déterminé, ses hommes ne perdaient pas courage, assaillant sans répit les camisards d'une lieue à l'autre, parmi les garrigues et jusque sur les berges du Vidourle et de la Vistre. Au fur et à mesure que les combattants de Cavalier s'amenuisaient, Montrevel comprit qu'il allait remporter sa plus belle bataille. Ainsi fut fait. A peine un tiers des rebelles échappèrent au massacre. A la nuit tombée, les troupes royales entrèrent dans Sommières, victorieuses. Le gouverneur militaire n'avait guère l'esprit à parader. Il décida de rentrer sur Nîmes aussitôt, ordonnant seulement à son commandement de laisser deux régiments en réserve.

Le lendemain, 17 avril, Montrevel répondait au roi en ces termes : « Je me donne l'honneur d'informer Votre Majesté qu'en exécution de ses ordres, je pars pour m'acheminer en Guyenne après avoir été assez heureux pour défaire entièrement la troupe de Jean Cavalier, qui avait été fortifiée d'une grande partie de la jeunesse des Cévennes[1]... »

En traversant l'appartement du Chapitre, au sein duquel il avait passé ses plus belles heures à lutiner sa belle maîtresse et à rêver de victoires faciles, Montrevel se sentait floué à l'idée de devoir s'incliner devant le nouveau héros que tout le Languedoc allait acclamer, comme on l'avait fait pour lui en son temps.

A ce moment de la journée, Fléchier se trouvait dans le jardin conventuel, où il avait l'habitude de se promener avec l'abbé Beaujeu. Les mimosas et les lauriers embaumaient encore autour de la source d'eau folle qui coulait sur des rochers roses de l'Esterel. L'évêque se trouva les

---

1. *Archives de la guerre*, 1796, folio 83.

Les compagnons de Maletaverne

jambes lourdes à tourner en rond et demanda à son petit abbé de lui approcher une chaise. Il vint s'installer près de la fontaine, dans le bourdonnement des abeilles qui butinaient les fleurs du parterre.

Soudain, Esprit Fléchier aperçut l'ombre du « grand capitaine » qui traversait le corridor de l'étage, dont la fenêtre Renaissance donnait précisément sur le patio. Il lui fit un petit signe de la main, doigts joints et pointés en l'air, ainsi qu'on donne l'absolution à une belle âme tourmentée. Les regards se croisèrent, furtivement. Et l'évêque comprit aisément que le maréchal n'avait pas envie de le voir, en cet état de disgrâce. Pourtant, le gouverneur ne pouvait, ainsi, disparaître comme un voleur par l'escalier de service. Il descendit les marches quatre à quatre, presque furieusement tant les bottes sabots qu'il portait, avec son uniforme d'apparat, sonnaient sur la pierre. Il était caparaçonné d'un corselet en métal noir et un mantelet rouge flottait par-dessus son épaule.

L'évêque se leva à son approche. Montrevel vint baiser son anneau en amorçant une génuflexion. L'abbé apporta un siège, mais le maréchal le refusa, prétextant que le temps lui manquait et qu'il devait sur l'heure rendre honneur aux troupes avant de partir en Guyenne.

— Monsieur le Maréchal, croyez bien que nous vous regretterons. Vous avez fait tellement pour la cause des catholiques. Souvent, j'ai critiqué votre fermeté. A tort ou à raison. Dieu seul jugera.

Montrevel le fixait droit dans les yeux, avec un sourire grimaçant. La haine qui s'était installée entre les deux hommes ne se pouvait effacer par quelques propos de circonstance. Le marquis de La Baume préférait-il singer encore quelques minutes cette comédie ? Toutefois, il lui était devenu impossible de s'incliner plus qu'il ne l'avait fait jusqu'alors devant ce prélat filandreux et roué. Il l'écoutait avec la patience que s'accordent les indifférents.

— Sans doute est-il difficile de concilier les préceptes de notre église avec l'art militaire. Chaque fois, l'alliance fait mauvais ménage. N'avez-vous point remarqué, maréchal ?

— Peut-être vous faudra-t-il, monseigneur, poursuivre cette conversation avec monsieur de Villars. On le dit versé à l'adoration des muses. Les belles-lettres, le théâtre, la musique... Vous y trouverez quelques sujets sur lesquels vous épancher tandis que tonnera le canon. Je doute que les massacres ordonnés par un bel esprit soient plus benoîts sur nos populations rebelles.

— Je ne connais monsieur de Villars que de réputation. J'avais espéré un conciliateur, Sa Majesté nous envoie le héros de Friedlingen.

— Quel que soit le gant dont un militaire se pare, la main qu'il recouvre doit être ferme et résolue. Moi, hélas, j'ai choisi d'agir sans parure, comme vous le savez, monseigneur. Et je ne connais de bonne diplomatie sans guerre. Les victoires des champs de bataille nous apportent les meilleurs traités. Si monsieur de Villars veut signer la paix avec les hérétiques, il lui faudra d'abord les mettre à genoux. Sinon, nous obtiendrons une victoire à la Pyrrhus.

Un sourire de contentement se forma sur son visage. Fléchier hochait la tête, tout en l'observant avec ses petits yeux de souris, ses lèvres pincées.

— Que la Guyenne vous soit de grand repos, fit-il en dessinant un signe de croix dans l'air doux d'une fin d'après-midi.

Montrevel claqua des bottes et se retira avec un salut bref.

15

Monsieur le maréchal de Villars n'aimait guère à paresser sur le pont de son bateau où, pourtant, tous ses officiers se trouvaient, à chahuter et à rire. Il s'était enfermé dans une étroite cabine, d'ordinaire réservée au capitaine. L'endroit n'était pas des plus confortables. Mais qu'importait. Tout exigu qu'il fût, il ne pouvait être pire qu'un dais sur les hauts de Friedlingen, d'où il avait commandé, dans la boue et le brouillard, les mouvements compliqués de ses hussards, de ses fantassins, de ses artilleurs contre l'adversaire badois. La bataille, avec ses lots d'imprévus, ne se peut concevoir que pièce après pièce, ainsi qu'on ajuste un jeu de construction. Et encore, il ne suffit pas que les pièces s'emboîtent, l'art commande surtout qu'elles soient utilisées à point nommé. Le moindre contretemps suffisait à perdre quelques milliers d'hommes. Et trop de hâte, à les exposer sans profit.

Villars avait longuement étudié l'art de la bataille, penché sur ses cartes, avec des dominos figurant les escadrons. Ainsi la guerre se résumait-elle à déplacer des pièces sur un plan, à les manœuvrer du bout des doigts. Avant l'instant décisif, comme à Höchstädt, en Bavière,

Les princes du Gardon

il avait préparé une stratégie offensive, en questionnant ses officiers sur la nature des terrains, la largeur des rivières, la profondeur des marécages. Chaque élément se devait d'entrer dans la vaste composition par laquelle on choisirait ensuite la meilleure tactique. L'artillerie sur les flancs hauts et les fantassins par le bocage, en rangs serrés... Puis, des bois de crêtes, la cavalerie, surgissant comme la foudre... Villars, la veille d'une bataille, aimait à répéter inlassablement ses plans, avec une sainte horreur qui le tenaillait à l'estomac : subir l'imprévisible.

Par le hublot de sa cabine, il voyait défiler les rives plates du Rhône, les petits villages de pêcheurs, les pinasses de marchandises qu'on avait fait accoster pour ne pas gêner l'avance du convoi. Lorsque le fleuve, plus impétueux en certains endroits, faisait cahoter le bâtiment, il se reculait sur son siège et gardait le regard fixé sur le petit portrait qui ornait le mur, devant lui, et qui épousait le mouvement du navire : une petite joueuse de fifre. L'enfant avait des joues rebondies comme des fesses de bébé, vermillonnées à l'excès. Le petit portrait le hantait depuis son départ de Lyon. Il eût été facile de le faire déposer dans un recoin de la cabine, et pourtant il ne s'y résignait pas.

A la vérité, Villars ne prisait guère la peinture, même celle qui ornait le cabinet du roi et qui changeait souvent. Tantôt les hymnes à la nature, tantôt les petites scènes d'amour, rarement les furies de la guerre que Louis, pourtant, avaient tant aimées dans sa jeunesse.

Le calme revenu sur le courant du Rhône, Villars reposa son regard sur la carte qui était étalée devant lui. Elle représentait les Cévennes et leurs entrelacements de routes et de chemins qui semblaient irriguer le pays

Les compagnons de Maletaverne

jusque dans ses moindres recoins, comme des vaisseaux sanguins dans la chair vive d'un écorché. Alentour étaient dessinés montagnes et gorges, falaises et plateaux. Cela doit être épuisant de circuler dans un tel pays ! songea-t-il en jouant de son compas pour mesurer quelques distances, au hasard. Et par quel côté prendre le problème ? Certes, on peut infiltrer chaque contrée, à la manière dont on saupoudre un gâteau. Une pincée par-ci, une autre par-là. Mais comment, ensuite, relier tout cela, en faisant en sorte que la chaîne du commandement s'établisse d'un bord à l'autre, sans rupture ni cassure ?

Villars ôta sa règle et son compas, et la carte ainsi libérée se referma devant lui en un long rouleau, qu'il poussa d'un geste d'agacement vers le recoin du hublot. Louis ne m'a point gâté avec cette affaire-là ! marmonna-t-il. Faire la guerre à des étrangers, passe encore, mais à des Français, c'est embarrassant. Devrai-je y compromettre ma gloire récente, par des victoires honteuses ? Ou la corroder à des défaites honorables ? Je ne sais, mon ami. Je ne sais. Mais sans doute y a-t-il là une autre sorte de guerre à livrer. A cent lieues de mes prédécesseurs, qui ont tout perdu à poursuivre le protestant par monts et par vaux, en vain. L'animal hérétique est sur son terrain favori, en connaît toutes les subtilités, et moi je n'ai de science que celle que l'on enseigne dans nos académies. Celle-ci est nouvelle et ne connaît aucun maître. La poisse, grand Dieu ! Je n'ai guère le désir de m'y faire les dents.

Le maréchal se souvenait encore des derniers propos du roi. Il avait posé ses mains sur les deux globes qui ornaient son cabinet de travail, le terrestre et le céleste.

Les princes du Gardon

« Monsieur de Villars, des guerres plus considérables vous conviendraient mieux. Mais vous me rendriez un grand service si vous pouviez arrêter une révolte fort dangereuse dans les Cévennes. C'est un pays étrange où les adeptes de la religion prétendue réformée résistent aux conversions. Partout, ma politique triomphe. Et ici, nous n'arrivons à rien. Dans la conjoncture présente, cette affaire m'embarrasse. Il est fâcheux, voyez-vous, faisant la guerre à toute l'Europe, d'en avoir une dans le cœur du royaume. Je crains que Victor-Amédée, le duc de Savoie, ne profite de la situation pour fraterniser avec ces misérables... »

Le roi n'attendait plus que sa réponse, même un mouvement de tête lui suffisait pour qu'il signât sur-le-champ sa nouvelle nomination : gouverneur militaire du Languedoc. Mais le malicieux Villars se faisait désirer. Tant de victoires en Bavière, aux côtés de Max-Emmanuel, l'avaient rendu exigeant.

« J'y consens, Votre Majesté, à ma manière. La force, certes. Mais aussi la ruse. Je crois qu'il nous faudra parlementer avec les chefs rebelles. Si vous m'y autorisez, Majesté... »

L'aide de camp ouvrit le portillon qui menait au pont. Et la rumeur du dehors, des éclats de rire, tira Villars de sa torpeur.

— Qu'est-ce donc ?

— Nous approchons de Beaucaire, maréchal.

— Déjà ?

Sur le pont, Villars, par sa seule présence, imposait le silence. Les officiers et les aides de camp se figèrent dans une pose respectueuse. Le maréchal avait la réputation d'être autoritaire. Et son long commandement en Bavière, avec son lot de hauts faits d'armes, lui avait

Les compagnons de Maletaverne

bâti une réputation de chef intraitable, qui ne s'entendait avec personne. Sauf avec lui-même. Il possédait une haute idée de sa personne, surtout lorsque le roi requérait son opinion sur des projets qui lui tenaient à cœur. Ces privautés avaient, du reste, l'art de mettre le conseiller à la guerre, le ministre Chamillart, hors de lui. Villars distillait ensuite ses confidences à son entourage, pour qu'on sache dans quelle opinion on le tenait à Versailles.

Les mains croisées sur sa poitrine, le pied en avant, le maréchal suivait le lent débarquement de ses troupes à cheval. Plusieurs escadrons de cavalerie foulaient déjà le quai de Beaucaire. Les hussards et les cuirassiers avaient les pires difficultés à calmer l'impétuosité des chevaux que le lent voyage sur le Rhône avait contenus au repos forcé. A l'arrière du convoi, les transports de troupes commençaient eux aussi à accoster. Un bon millier d'hommes, dragons et fusiliers, étaient entassés sur le pont, en rangs serrés, attendant l'ordre de leurs chefs pour fouler le sol. Les soldats étaient équipés d'un fourniment impressionnant sous lequel ils croulaient : des couvertures, des gamelles, des armes. Villars fit signe à ses capitaines de hâter le mouvement. Et l'on vit alors cette fourmilière s'animer en tous sens, les hommes courir sur les quais et rejoindre leurs bataillons à la hâte, s'y ranger selon un ballet bien réglé. Le maréchal hocha la tête de contentement, puis descendit du gaillard d'avant.

Sur la place et aux alentours du château, jusque dans les ruelles qui se perdaient dans les jardins, il y avait foule. Toute la population de Beaucaire se pressait pour admirer le nouveau héros. Villars fit signe à ses officiers de venir l'encadrer, car il voulait entrer, ainsi, dans

Les princes du Gardon

Beaucaire, avec ses fidèles lieutenants rassemblés autour de lui, afin de faire forte impression. Nul ne possédait mieux que lui le sens du théâtre et de la mise en scène. Et la foule, aussitôt, accourut au plus près. Mais il pressa le mouvement pour ne pas se laisser submerger. Il n'était pas dans ses intentions qu'on l'adulât trop longtemps. Tout au plus s'agissait-il de se laisser entrapercevoir, puis de s'effacer d'un pas martial.

A la vérité, le nouveau gouverneur se fichait bien des autorités locales, baillis et sénéchaux, viguiers et contrôleurs, prélats et conseillers. La reconnaissance du roi Louis, seule, lui suffisait. Quant aux notabilités du Languedoc, il s'en moquait fort, puisqu'elles se trouvaient, de fait, rangées sous ses ordres. Peut-être éprouvait-il à leur égard un certain mépris, de n'avoir su gérer leurs affaires sans le recours à un grand officier du roi.

Le cortège traversa la place Vieille, remonta la rue de la Draperie et s'enfonça sous le porche des Marguilliers. Dans le salon du premier étage, on avait préparé une réception en son honneur. Villars salua les personnes qu'on lui présentait d'un air indifférent. L'une d'elles vint lui dire :

— Monsieur le Maréchal, les conjonctions des planètes vous sont favorables. Nul doute que votre entreprise sera couronnée de succès.

Le nouveau gouverneur sourit à peine devant autant de superstition. Pourtant, son entourage avait l'air de prendre l'affaire très au sérieux.

— Oh, monsieur de Villars, ignoreriez-vous la prédiction de Nostradamus ? ajouta l'un de ses voisins.

Le maréchal ne répondit pas. Ce n'était pas dans ses intentions de palabrer. Il avait plutôt hâte de prendre la route de Nîmes.

Les compagnons de Maletaverne

— L'astrologue a prédit que la guerre prendra fin le jour où un général victorieux débarquera à Beaucaire. Voilà qui est fait.

A peine la cérémonie avait-elle commencé que Villars s'éclipsait, déjà, dans un cabinet où il avait demandé à se retirer. Son aide de camp Bertomieu ferma la porte derrière lui. Seul, enfin, il poussa un grand soupir. La prédiction de Nostradamus, à laquelle il songeait encore, le fit éclater de rire devant le miroir où il s'observait avec coquetterie. Soudain, on vint frapper à sa porte, et de nouveau le visage de Bertomieu apparut.

— Voici notre visiteur, annonça-t-il.

Un grand jeune homme apparut, du haut de ses trente ans, vêtu d'un pourpoint gris et portant entre ses mains un chaton qu'il avait ramassé sur le pavé.

— Il n'est pas facile de vous approcher, monsieur de Villars.

Le gouverneur le fit asseoir en face de lui, sur une bergère étroite festonnée de satin vert. Le maréchal se tenait debout, comme il en avait l'habitude durant les entretiens. Par contre, le visiteur éprouvait une gêne à se trouver assis devant un si illustre personnage. Aussi ramena-t-il son buste en avant, un peu embarrassé par son chaton dont les petites griffes s'accrochaient au revers de sa manche.

— Pourtant, vous y êtes parvenu. Et sans encombre.

— Sans doute mes projets vous agréent-ils, sinon vous m'eussiez déjà chassé.

— En effet, La Lande a fortement insisté pour que je vous reçoive.

— Vous avez là un allié intelligent.

Villars hocha la tête.

440

Les princes du Gardon

— Je suis le marquis d'Aigaliers, dit l'homme. Les guerres de religion ont ruiné ma famille. Je me suis converti comme tant d'autres. Et, désormais, je fais œuvre de catholicité, sans affectation. Ma nature véritable répugne à l'hypocrisie. Il y a plus de faux dévots dans l'armée des cadets qu'on ne le croit généralement. Et plutôt que de me résigner à porter les armes contre mes frères, j'ai préféré le chemin de l'exil. On a vu en moi, hélas, par mes incessants séjours en terre étrangère, un espion de Guillaume d'Orange.

Le gouverneur le fixait attentivement, d'un œil grave. Son maréchal de camp de La Lande avait présenté le visiteur sous un angle favorable, cela était suffisant pour qu'il donnât du prix à ses propos. Villars était de cette école où les mots et les gestes ont un prix. Et, sur le fond, la question religieuse lui était assez indifférente.

— Je porte en mon cœur une profonde déchirure, celle de voir mon peuple sombrer dans la guerre civile. Il se trouve que je puis, par ma position, vous apporter une solution au différend qui détruit nos Cévennes. Mon rêve serait de mener à la négociation les chefs camisards, dont Jean Cavalier. Ainsi, par un geste apaisant du roi, nous pourrions aboutir à...

— Croyez-vous que les chefs camisards seraient prêts à poser les armes en échange d'un armistice ? Croyez-vous que ce Jean Cavalier soit disposé à entrer dans ce genre d'arrangement ?

— Je le crois. Votre prédécesseur a déjà reçu quelques-unes des lettres par lesquelles Cavalier annonçait qu'il était prêt à parlementer. On n'en fit aucun usage, par obstination ou par négligence.

Villars avait lu les courriers du chef camisard dans le dossier de Chamillart. En effet, le ton pressant dont il faisait montre pouvait laisser apparaître plus de désarroi que de conviction dans la lutte engagée. Un tel détail n'avait pu échapper au maréchal. A Versailles, on raillait plutôt le style relâché et la forme alambiquée avec lesquels Cavalier traitait son affaire.

Le gouverneur réfléchissait, la main au menton. D'un mouvement de tête, il chassa les mèches de sa perruque qui lui encombraient le visage.

— J'y consens. Toutefois, ma main ne saurait faiblir dans l'intervalle. J'ai appris à mes dépens qu'une négociation ne s'impose que par la force. La moindre faiblesse me serait fatale. Le roi ne me la pardonnerait point. Et les rebelles y verraient, naturellement, le signe d'une reculade.

Jacques-Jacob de Rossel d'Aigaliers se leva de son siège pour approcher le gouverneur.

— Je vous propose mes services. Sincèrement. Le reste est votre affaire. Et vous ne me verrez point m'en mêler.

— Je l'entends ainsi, monsieur.

— Je vais donc m'employer à entrer en relation avec Cavalier. A la condition que mes faits et gestes puissent s'accomplir sans embarras.

— Vous avez ma parole, ajouta Villars.

Le gouverneur pivota légèrement vers la porte, puis ajouta :

— Etes-vous seul à conduire cette entreprise ?

— J'ai des appuis. Celui de monsieur de Lavèze, par exemple. Et...

— Qui donc encore ?

— Monsieur de Jassueix. Ce dernier sait parfaitement comment entrer en contact avec Valleraugue. Ce chef

Les princes du Gardon

camisard est un des alliés précieux de Cavalier. Toutefois, il y a encore une condition...

— Je vous écoute, monsieur d'Aigaliers.

— Un proche parent de monsieur de Jassueix est prisonnier à la tour de Constance. Ce serait faire un geste d'apaisement que de lui rendre la liberté.

— Monsieur le conseiller à la guerre m'en a entretenu avant de quitter Versailles. Et je trouve fâcheux que l'on enferme, ainsi, de nobles familles des Cévennes. Cela est assurément une erreur. Je vous le concède. Montrevel a péché par excès d'autorité. Il a ainsi jeté dans les bras des factions rebelles des gens qui eussent été plus utiles à servir notre cause.

— Les Jassueix ont montré, par le passé, leur indéfectible loyauté au roi, insista Aigaliers.

Villars ouvrit la porte sur les salons bourdonnants de voix. Et il fit sortir le jeune marquis, en le poussant par l'épaule.

— Je me rends à Nîmes pour prendre mon commandement, dit Villars. Rassurez monsieur de Jassueix et le marquis de Lavèze, je vais faire sortir notre homme de la tour de Constance. Une nouvelle politique impose un signe fort. Celui-ci sera de nature à nous servir plus qu'à nous déprécier.

A peine parvenu à Nîmes, et après avoir rempli ses obligations auprès de la population d'Avignon — où on lui fit grand accueil —, le maréchal de Villars s'enferma dans son bureau avec le brigadier général de La Lande. Les deux hommes n'avaient pas besoin de longs discours pour se comprendre. Il émanait d'eux de petits signes, des œillades de complicité, des gestes

Les compagnons de Maletaverne

appuyés, et l'affaire était entendue. D'autant que, durant l'exercice de son commandement, Villars se privait de la rhétorique dont il faisait pourtant grand usage durant ses heures contemplatives. Pour l'instant, il fallait aller vite. D'un côté, porter les troupes à l'assaut des grottes et caches camisardes que les espions de Montrevel avaient repérées dans la région d'Alès, dont une fort bien pourvue en vivres et en armes, à Euzet ; de l'autre, appuyer la mission du marquis d'Aigaliers.

— Mon cher La Lande, ne mollissons point à l'endroit de nos batailles. Bien au contraire. Faisons des exemples fort sanglants pour montrer aux chefs camisards que nous ne sommes pas venus prendre le commandement sans moyens.

La Lande acquiesçait. Il avait dressé la liste des régiments engagés entre Alès et Uzès. Il en fit l'énumération pour apaiser l'impétuosité de son gouverneur, pour lui montrer que l'affaire ne fléchissait guère sur le front et que, partout où l'on avait des renseignements, les dragons sévissaient avec brutalité. Villars parut rassuré, puis il se retira à l'instant où l'évêque Fléchier voulut le rencontrer.

— Plus tard ! dit-il. Plus tard ! J'ai du travail. Allez dire à l'évêque que la messe peut attendre.

Villars se mit à rédiger une lettre à l'intention des chefs camisards. Elle devait être, dans l'esprit, le premier acte par lequel il s'engageait, au nom du roi Louis XIV, à traiter d'égal à égal avec les religionnaires. On éviterait d'y ressasser les vieilles haines et les antiques querelles. On rendrait hommage, à mots couverts, à des vertus telles que le courage, l'héroïsme, et on y déplorerait que celles-ci fussent si mal employées.

Les princes du Gardon

Le maréchal avait longuement réfléchi à la tournure. Il ne craignait pas qu'elle fût trop littéraire. Après tout, Jean Cavalier avait montré dans les siennes quelque talent lyrique, même si elles péchaient à l'endroit de la syntaxe. Ainsi débuta-t-il, d'une plume assurée : « Messieurs, dans les crimes les plus noirs, il faut s'il est possible démêler les semences de vertu et ne rien oublier pour lui rendre sa pureté et la séparer de ce qui la rend odieuse et punissable... »

Satisfait de son ouvrage, il vint le lire à son maréchal de camp, qui en approuva les termes. Ni précieuse ni familière, la lettre semblait convenir à l'événement. Ensuite, il s'employa à rédiger une ordonnance que ses hommes feraient placarder partout dans les Cévennes. Il s'agirait, pour une fois, non plus de sommation, ainsi qu'à l'accoutumée, mais d'amnistie. « Une amnistie complète sera offerte à tous les rebelles qui, dans les huit jours, se retireront dans leurs maisons avec leurs armes. Le mal de cette révolte n'a que trop duré... »

— L'ordonnance facilitera le travail d'Aigaliers, dit La Lande. Ainsi, elle apportera du crédit à ses tractations.

Villars s'amusait déjà de la perspicacité de son maréchal de camp.

— Maintenant, il nous faut monter sans tarder vers les cités huguenotes et répandre notre bonne parole, dit le gouverneur en se frottant les mains.

Il était impatient de fouler le théâtre des opérations, de comprendre pourquoi ses illustres prédécesseurs avaient échoué et, surtout, de mesurer de visu les effets de ses premières décisions sur la population cévenole. Pourrait-elle se soumettre, simplement, avec des harangues ? Se désolidariser de ses chefs au point qu'ils seraient contraints à la reddition, faute de combattants ?

Les compagnons de Maletaverne

Que représente encore l'armée des camisards, après tant de défaites cuisantes ? se demandait Villars. Les rapports sur la question différaient de l'un à l'autre : mille hommes, huit cents, trois cents... Dans tous les cas, nul ne pronostiquait plus d'un millier de combattants. Pourtant, il s'agissait des meilleures troupes qui soient, aguerries et fanatisées, jouissant de l'appui des populations pour se cacher et se nourrir. C'était ce lien sacré que le maréchal de Villars voulait briser, par la violence, par la ruse, par l'apaisement, quitte à jouer tous les registres à la fois.

Son régiment de dragons prêt au départ, Villars se fit transporter en voiture au casernement. En trois jours, le gouverneur avait atteint le cœur de la tourmente. Il entrait dans les bourgades à la tête de ses troupes, saluait aimablement les populations qui n'avaient pas été chassées lors de la destruction des cinq cents villages et prononçait son discours du haut de son cheval.

— Je viens vous apporter l'amnistie du roi, à la condition de rendre les armes... clamait-il.

Poussé par l'enthousiasme, le gouverneur militaire promettait même de reconstruire les villages que Montrevel avait fait détruire, d'éteindre les bûchers de la haine, d'abattre les gibets... Une guerre d'une tout autre nature que celle qui avait ensorcelé le pays était en train de se développer : une guerre psychologique. Pour Villars, il s'agissait de gagner une popularité rapide, fût-elle teintée de défiance. Qu'importait. Il était assuré tôt ou tard, à ce jeu, de contraindre Cavalier à la négociation.

— Je n'ai d'autre alternative que la conquête des esprits ou la guerre classique avec le harcèlement de nos troupes, répétait-il souvent à son maréchal de camp.

Les princes du Gardon

Cependant, le temps presse. Et il nous faut conclure honorablement.

Depuis l'arrivée du printemps et le réveil de la nature, qui intervenait un peu en retard sur la plaine, là sur les hauts des Cévennes, Aurèle et Isabeau partaient des journées entières en promenade. Eux aussi avaient remarqué que l'étau semblait se desserrer sur les villages martyrs. La population qui avait survécu à la disette de l'hiver s'en revenait, peu à peu, dans ses ruines. En reconstruisant à la hâte des semblants de huttes, des fantômes de masures, elle semblait reprendre pied, tenace et rebelle, telle qu'elle avait toujours été, siècle après siècle, avec sa bible cachée sous la pierre. On était revenu vers les cimetières pour enterrer les morts. On était retourné aussi dans les jardinets pour y semer l'avoine et le blé noir. Seule l'église restait en jachère, en attendant le temple qu'on rêvait de rebâtir avant la Saint-Jean.

Isabeau et Aurèle avaient passé de longues journées à aider les gens de Maletaverne à reconstruire leurs maisons, à hisser les pierres sur les murets, à abattre les chênes et tirer les bois, à remonter les charpentes, à reclouer les ardoises. Et, le soir venu, ils avaient partagé avec les habitants leurs prières, leurs repas, leurs rires et leurs peines.

Fourbus, ils s'en revenaient à La Sourde avec le gibier, dont ils vivaient maintenant depuis des mois. Peu à peu, la peur s'était éloignée d'eux. Aurèle avait longtemps cru qu'une patrouille de dragons investirait sa demeure et qu'on y traînerait leurs corps criblés de balles sur la claie. En partageant le sort des gens

447

Les compagnons de Maletaverne

de Maletaverne, cette angoisse s'était envolée. Ils ne craignaient plus rien puisqu'ils se trouvaient eux aussi réduits à vivre au jour le jour, comme des bêtes traquées pour qui la trompe du chasseur est le lot quotidien. Peut-être avaient-ils fini par dépasser la peur et atteindre le sommet du courage où la mort s'apprivoise.

Avril finissait à peine. Aurèle avait fauché les mauvaises herbes de la courtine, brûlé les ronces et les buissons noirs. Les corneilles avaient disparu vers les hauteurs de Fontmort pour y prendre leurs quartiers d'été. La citerne du château était remise en service et, désormais, on pouvait se laver en toute commodité. Les fenêtres étaient protégées par des toiles solides, huilées au lin. Les vastes pièces de La Sourde ne craignaient plus ni le vent ni la pluie.

Un matin, deux cavaliers apparurent à l'orée du bois. Isabeau courut aux cuisines et arma deux fusils. Elle en tendit un à Aurèle, éberlué.

— Tu tires celui de droite et moi celui de gauche.

Ils vinrent se poster à la fenêtre de la salle des gardes. Aurèle hésita. Pourtant, la solution était simple. Il leur suffisait d'attendre que les cavaliers atteignent l'allée à mi-parcours. Isabeau avait calé son arme sur une saignée de la pierre. Elle suivait des yeux la progression de sa cible, le cœur battant la chamade. C'était la première fois de sa vie qu'elle allait tuer un homme. Et l'affaire demandait un peu de courage. A côté d'elle, occupant l'autre fenêtre, Aurèle se tenait debout, le fusil posé à ses pieds.

— Voyons, marquise, n'est-ce pas trop se hâter ?

— Tais-toi et vise !

— Non. Ce n'est pas une manière d'accueillir des gens qui ne nous sont peut-être pas hostiles.

Les princes du Gardon

— Idiot ! L'ennemi est partout.

— Je vais sortir. Et voir de quoi il s'agit.

Isabeau était défigurée de peur à l'idée que son chevalier bien-aimé pût prendre un mauvais coup. Mais elle se disait qu'avec son fusil anglais à deux détentes, elle parviendrait peut-être à les étendre raides morts ensemble, avant qu'ils n'eussent le temps de remuer le petit doigt.

Aurèle avança sous le porche, sortit dans la douce lumière qui dorait les tilleuls. Il avait le soleil dans les yeux et était obligé de cligner des paupières. A première vue, les cavaliers avançaient d'un pas égal, sans précipitation. Et rien dans leurs gestes ne laissait apparaître la moindre menace.

— Qui vive ? cria-t-il.

— Amis ! répondit-on.

Aurèle se retourna et vit le canon de fusil d'Isabeau qui dépassait de la meurtrière.

— Retire-toi ! dit-il.

Mais elle refusa. La sueur coulait sur son front et jusque dans ses yeux. La détente sur laquelle son doigt était posé lui semblait dure à actionner. Et elle se demanda même si elle aurait assez de force pour enclencher le mécanisme. Elle n'attendait plus qu'ils fissent un mauvais geste pour l'actionner, persuadée que les visiteurs étaient venus pour les prendre.

— Arrière ! hurla le petit comte.

Les deux cavaliers s'arrêtèrent, à mi-chemin de l'allée. Alors Aurèle prit son pistolet et marcha dans leur direction. C'était le seul moyen pour empêcher Isabeau de tirer. Désormais, il s'interposait entre elle et la cible.

— Mettez pied à terre, je vous l'ordonne. Ou je tire ! cria Aurèle.

Les compagnons de Maletaverne

Les deux hommes firent ce qu'on leur demandait, en gardant les mains éloignées de leur poitrine.

— Doux ! Tout doux, l'ami, dit un des visiteurs.

Soudain, Aurèle éclata de rire.

— Toi, Jacob ? Que fais-tu ici, sacrebleu ?

Et le petit comte courut dans sa direction. Ils se saluèrent avec force embrassades, comme de vieux amis qu'ils étaient encore après tant d'années.

— Je te croyais en Hollande, chez les calvinistes !

— Après la mort de mon père, je suis revenu dans mon domaine d'Uzès. Et me voilà, pour te rendre une visite plus que de courtoisie, une visite de la plus haute importance...

Le petit comte se mit à rire et fit signe au second cavalier d'approcher.

— C'est mon ange gardien, fit Jacob, monsieur Alari.

L'homme, un colosse à la barbe fournie, inclina la tête.

— Emmène les chevaux aux écuries et prends soin de Josué. C'est mon chaton. Je l'ai ramassé sur le pavé de Beaucaire, alors qu'il courait dans les pattes du maréchal de Villars.

— Villars ? releva le petit comte. Je vois que tu te places plutôt bien.

— Oh ! ce n'est pas peu dire. Mais, patience, nous avons à parler.

Aurèle et Jacob avancèrent jusque sous le porche de La Sourde, bras dessus bras dessous.

— Tiens ! Je te présente Isabeau de Lavèze, dit Aurèle.

La petite marquise tenait son fusil contre elle, un peu confuse.

— Dire que j'ai failli prendre du plomb par la faute de ces si jolies mains ! fit-il en les baisant.

Les princes du Gardon

— Jacques-Jacob de Rossel d'Aigaliers, dit Aurèle. Un revenant.

Isabeau voulut présenter ses excuses pour l'avoir si méchamment mis en joue, mais Aigaliers s'en amusa, ce qui la rendit encore plus honteuse. Aussitôt, elle courut dans le salon pour y mettre un semblant d'ordre. Du linge séchait sur une cordelette : des robes, des bas, tout ce qu'elle voulait faire disparaître de la vue d'un gentilhomme. La petite marquise s'affaira en hâte, ignorant sans doute qu'Aigaliers était à cent lieues de ces préoccupations.

Elle amena des sièges près de la grande table, dont une partie était recouverte d'aulx, d'oignons et de pommes de terre. Aurèle et le marquis d'Aigaliers prirent place.

— J'ai des nouvelles de votre famille à vous transmettre, fit Jacob en se tournant vers la petite marquise. Ils s'inquiètent pour vous.

— Pourquoi, vous connaissez Louradour ?

— J'y ai séjourné deux jours avant de monter jusqu'ici. Monsieur votre père est un ami de ma famille. C'est à lui que je dois mon passage en Hollande, dans un moment de ma vie où la cour de France était courroucée contre moi.

La petite marquise posa alors de nombreuses questions sur ses parents, l'état du château et tout ce qu'il avait vu durant ces deux journées. Elle parut rassurée lorsque le marquis d'Aigaliers raconta une passe d'armes entre Lucille et Gérald à propos d'un caneton à l'orange qui n'était pas du meilleur goût.

— Mais qui t'a appris notre présence à La Sourde ? Nous sommes ici incognito, comme l'on dit dans le Milanais.

Les compagnons de Maletaverne

— Les renards finissent toujours par retourner dans leur tanière. C'est souvent la seule faute qu'ils commettent et qui leur est fatale.

— Pour l'heure, cela ne nous a pas mal réussi.

— J'en conviens. Mais, présentement, la crainte est écartée.

— Comment peux-tu dire une telle bêtise, alors que mon père est à la tour de Constance et que ma tête est mise à prix ?

Aigaliers détacha le corset de cuir qui lui oppressait la poitrine. Il en tira une affiche de gros papier chiffon.

— La situation politique a évolué dans nos Cévennes. Montrevel a été suspendu par le roi et remplacé par le maréchal de Villars. Voici ce qu'il placarde partout où ses hommes passent... Une ordonnance qui appelle à l'amnistie. Les rebelles qui accepteront de déposer les armes seront graciés.

Aurèle repoussa l'affiche sans la lire.

— Maintenant que cinq cents villages ont été rasés, que des milliers de gens sont morts de faim, que des populations entières ont été déportées vers Montpellier, que des charniers peuplent nos montagnes, où est la raison ? Rien ne pourra ramener le calme et la paix. Les camisards poursuivent leurs combats, le désespoir au ventre, avec pour seule volonté la liberté de culte. Crois-tu que Villars leur rendra ce droit et les autorisera à rebâtir leurs temples ?

Le marquis d'Aigaliers acquiesçait à ces propos par un mouvement de tête. Lui aussi avait souffert dans sa chair de voir son peuple décimé par la répression. Et s'il avait applaudi les premiers soulèvements, il s'était aussitôt insurgé contre les excès des camisards, la mise à mort des prêtres, l'incendie des églises. Depuis lors,

Les princes du Gardon

il n'avait cessé de prêcher pour la fin des hostilités et le retour à l'ordre, jusqu'à inciter les chefs rebelles à se ranger dans la voie du repentir. C'étaient là seulement les vues généreuses d'un visionnaire. Toute l'histoire des dernières années démontrait le contraire. Basville, lui-même, avait écouté cet homme d'une oreille distraite, jugeant sans doute que sa conversion n'était que de pure circonstance et qu'il était peu influent chez les réformés.

— Avant que ne refroidissent les cendres de la révolte, beaucoup d'eau coulera sous le pont de Saint-Esprit. Mais, pour l'heure, il nous faut éteindre l'incendie, à tout prix. Ensuite, le temps viendra où les protestants pourront reconstruire les temples. Les rois meurent aussi. Et d'autres naissent, plus cléments. Après la Saint-Barthélemy, il y eut l'avènement d'Henri et la réconciliation de nos deux peuples. Telle est l'histoire de France. Elle nous enseigne que la guerre contre les réformés n'a point éteint leur foi, bien au contraire. Aujourd'hui, les protestants n'ont hélas rien à gagner dans le martyre.

— Je crains, mon pauvre Jacob, qu'il ne faille une révolution pour arrêter ces querelles anciennes et inutiles. Les rois accordent d'une main ce qu'ils refusent de l'autre. Huit guerres ont été nécessaires pour conduire à l'avènement de l'édit de Nantes. Et, alors que l'on croyait l'affaire terminée, reléguée aux oubliettes, il fallut que Louis revînt sur la parole de ses ancêtres et remît le feu aux poudres.

Pendant qu'il écoutait son ami, Aigaliers avait saisi une tête d'ail qu'il évidait de sa carapace. Il délogea une gousse et la porta à ses narines. Puis il se mit à la croquer du bout des dents.

Les compagnons de Maletaverne

— J'ai eu une entrevue avec le maréchal de Villars à Beaucaire. Le nouveau gouverneur est prêt à discuter avec Cavalier. Nul ne sait ce qu'il en adviendra. Mais j'escompte que les deux parties parviendront à un accord pour mettre un terme à la guerre. La difficulté, sans doute, est d'amener Cavalier à s'asseoir à la table des négociations. Pour ce faire, il nous faudrait le convaincre.

— Je n'ai vu Jean Cavalier que deux fois. A Nîmes et à Sommières, répondit Aurèle. C'est un personnage imprévisible. A Nîmes, il m'a paru souverain et digne dans sa foi ; à Sommières, atteint par un brin de folie.

— Seul Julien Valleraugue pourrait le décider. C'est un chef camisard qui jouit d'une grande influence sur lui...

— Ah, Jacob ! rétorqua le petit comte. Je vois où tu veux en venir... Et l'objet de ta visite...

— Pas seulement.

— Quelle garantie nous donnera Villars ? Tant de traîtrise chez ces gouverneurs du Languedoc nous incline à la prudence.

Aigaliers rapprocha son siège de celui du petit comte. Sa main vint à effleurer celle d'Aurèle.

— J'ai obtenu des gages de sa bonne volonté.

— Lesquels, Jacob ? La parole d'un maréchal du roi ?

— A cette heure, le comte Thibaut de Jassueix doit recouvrer sa liberté.

— Que dis-tu ?

Le petit comte devint blême. Et sa main serra celle de son ami, fort.

— Tu veux dire que Villars a accédé à ta demande ?

Les princes du Gardon

— Parfaitement. Il a reconnu que ton père n'était pas à sa place à Aigues-Mortes et que les princes de ce pays n'avaient en rien démérité. Au contraire, il a qualifié notre affaire d'erreur. Et il a même ajouté que Montrevel avait péché par excès d'autorité. Qu'en dis-tu ?

— Je dis que je te suis reconnaissant. Voilà tout.

Au bout de la table, Isabeau pleurait dans ses mains. Se pouvait-il que l'histoire enfin se fît clémente et qu'elle fît justice aux réprouvés ?

— Oh ! monsieur d'Aigaliers, vous mesurez mal le bonheur que vous nous apportez.

— Mais je le mesure, marquise, c'est pourquoi vous avez fort bien fait de ne point m'expédier au paradis !

Au petit matin, Jacob et Aurèle partirent pour les hauts de Fontmort.

Gérald de Lavèze avait conduit sa calèche jusque sur le quai d'Aigues-Mortes. En se penchant, il pouvait voir l'imposante forteresse. Ce n'était pourtant pas la première fois qu'il découvrait la tour de Constance, mais c'était la seule où elle lui inspirait autant d'horreur. Cette masse de pierre ventrue, sans âme ni beauté aucune, ne ressemblait à rien qui fût humain. Mais, après tout, elle était conforme à sa vocation première : contenir par la force les opposants au roi, quels que fussent leur rang et leur qualité. L'architecture, ici, répond à la nécessité et gomme le superflu, pensa-t-il. Elle est comme une cloche de plomb posée sur une fourmilière. On s'y débat, en vain, contre le métal qui finit par en étouffer la vie, avec la lenteur désolante du pur désespoir.

Le marquis se rencogna dans son siège capitonné et tira sur son visage le chapeau de feutre. Il avait les reins

Les compagnons de Maletaverne

brisés par la route. Il avait dû obliger ses cochers à forcer l'allure, dans la nuit malaisée. Et, malgré les rideaux, la poussière blanche avait poudré son habit, au point qu'il n'osait le tapoter de la main. Cette mauvaise glaise séchée avait le don de réveiller l'asthme dont il souffrait parfois.

L'aube se dessinait sur la lagune, avec ses effilochures roses et jaunes. C'était signe que le jour serait venteux, qu'on y respirerait les odeurs salines des marais, les puantes décompositions des marécages. Ah, décidément, monsieur de Lavèze avait horreur de la mer et des pestes que les galions rapportaient des contrées infestées. Cela lui rappelait son dernier voyage à Marseille, où se mouraient dans les portes cochères de malheureux cholériques, hâves et bleus, cernés par des essaims de mouches. Elles chantaient la mort, ces affreuses bestioles acharnées à leur besogne et transportant d'un cadavre à l'autre les miasmes de leur répugnant commerce.

Gérald de Lavèze ouvrit les yeux en poussant un cri d'étouffement. Cela lui arrivait souvent de se sentir oppressé à la poitrine, jusque dans la somnolence. Il rêvait que la mort le gagnait et, chaque fois, elle possédait le visage des pestiférés de Marseille. Oh, mon Dieu ! Comment a-t-il pu survivre à cette horreur ? Moi, à sa place, dans la salle haute, je n'eusse pu tenir. Et l'on m'eût jeté, là-bas, près de la lagune, sous la vase, avec les autres disparus sous un peu de chaux pour que l'odeur de notre décomposition ne dérange pas les pêcheurs.

Un garde vint parler au cocher. Mais Lavèze ne bougea pas. Il s'était juré de ne s'adresser à la soldatesque sous aucun prétexte. L'homme s'éloigna dans la pâleur du jour, avec son mousquet de onze livres sur l'épaule.

Les princes du Gardon

Le cocher s'approcha et le baron écarta le rideau, délicatement, pour ne pas bousculer la poussière qui le faisait éternuer.

— Le garde dit que nous pourrions avancer l'équipage dans la courtine.

Monsieur de Lavèze acquiesça d'un mouvement de tête. Puis il ferma les yeux. Cela excitait le battement de son pouls, l'idée de franchir le porche de la prison d'Aigues-Mortes. Dire que j'aurais pu venir ici, comme ce pauvre Thibaut, la disgrâce posée sur mon front telle la fameuse couronne d'épines. Rien n'est pire que l'innocence livrée à la géhenne. Il n'est de mot supportable pour décrire l'horreur du proscrit. Une main se posa sur la portière et l'ouvrit d'un geste sec. Ces gens ne savent que torturer, brutaliser, pensa-t-il en évitant le regard qui le scrutait. Le marquis avança comme un somnambule. Il traversa un couloir. Les pas résonnaient dans la froide humidité qui tombait des voûtes. Machinalement, il resserra sur ses épaules les bords du manteau qui l'enveloppait jusqu'aux talons.

— Monsieur le gouverneur va vous recevoir, dit le garde.

Gérald de Lavèze attendait devant la grille. Au-delà, une faible lumière de lampe à huile dorait la pierre. La réclusion est de quelle couleur ? s'interrogea-t-il. S'il me fallait la peindre avec l'art divin de nos maîtres flamands, j'userais des tons propres au clair-obscur, avec tout de même une dominance de l'obscur. Si le miracle céleste veut que le jour étouffe la nuit, ici l'art est contraire, la nuit étrangle le jour.

Un second garde vint ouvrir le portail de fer. Gérald hésita. On ne sait s'il ne se refermera pas pour toujours.

Les compagnons de Maletaverne

Bien entendu, la crainte est absurde. Mais, chaque fois, c'est un fait, elle nous saute à l'esprit. Pourquoi l'ombre de la prison réveille-t-elle en nous le coupable qui sommeille ? C'est que le mal, peu à peu, y supplante le bien, comme l'obscur le clair.

On l'abandonna, seul, dans l'étroit couloir qui menait à la salle des officiers. Il s'y dirigea d'un pas hésitant, en frôlant le mur. Son ombre, sur les dalles, s'allongeait et rapetissait alternativement, au fur et à mesure qu'il passait sous les lampes à huile qui dégageaient une odeur de graisse rance. Enfin, il parvint à une lourde porte à peine entrouverte.

— Entrez, monsieur de Lavèze, nous vous attendons.

Le gouverneur d'Aigues-Mortes, dans son habit noir, se tenait au milieu de la longue table. Il lui tendit une main que Lavèze s'empressa de serrer.

— Nous ne nous connaissons que par lettres interposées, dit le marquis.

— Je vous connaissais de visage, répondit le gouverneur.

— Ah ! s'interrogea Lavèze, nous nous serions déjà croisés ?

— En effet. A Montpellier, lors de la fameuse séance sur les états du Languedoc.

Le marquis hocha la tête. C'était une conversation qu'il n'avait pas l'intention de poursuivre plus avant.

— Ces lieux me glacent le sang, avoua-t-il. Et vous comprendrez que je n'aspire guère à m'y attarder plus que nécessaire.

Ruffin s'inclina de bonne grâce.

— Soit. Avant de vous rendre votre ami, je voudrais que vous sachiez que j'ai fait tout ce qui était en mon pouvoir pour atténuer ses tourments. Mais la garde est

Les princes du Gardon

sévère avec les prisonniers, et les recommandations peu respectées.

— La garde n'est-elle pas placée sous vos ordres ?

— En effet, mais...

Le marquis de Lavèze l'interrompit d'un geste. Ce n'était pas dans ses vues de discuter de la discipline à la tour de Constance.

— Le comte de Jassueix est en train de se préparer dans mes appartements. Nous avons désiré qu'il reprenne figure humaine avant de lui rendre la liberté.

— Sage attention, admit le marquis. Mais je me serais fort bien occupé de la chose.

Les chaises étaient alignées, bord à bord, le long du mur. C'était l'ordre militaire qui régentait le mobilier. Et, visiblement, le gouverneur ne voulait en rien le bousculer, même pour offrir un siège à un visiteur. Ils se tenaient de chaque côté de la table, à s'observer, ne sachant trop de quoi parler après tant et tant de correspondances. Le marquis avait adressé à monsieur de Ruffin une lettre par semaine, au moins, pour l'informer de l'avancement de ses démarches. Chaque fois, il répétait inlassablement que son ami était innocent et qu'on devait le traiter comme tel. Le gouverneur, de même, avait répondu à toutes les missives pour lui assurer qu'il surveillait son état de santé.

Le comte Thibaut apparut, enfin, le pas rendu malhabile à force de porter les fers aux pieds. On lui avait coupé les cheveux et rasé la barbe d'ermite.

— Mon bon ami ! s'écria Lavèze en se précipitant vers lui. Quelle joie de vous revoir ! Mais dans quel état ? Vous n'êtes plus que l'ombre de vous-même.

Le gouverneur avait croisé les bras sur sa poitrine, l'air songeur.

Les compagnons de Maletaverne

— Me voici libre, dit Thibaut de Jassueix. Et je n'osais l'espérer. C'est pour moi une sorte de résurrection, car je m'en reviens de chez les morts. Je devrais dire, de chez les emmurés vivants. C'est un état lamentable qui précède la mort. Et cela me peine de quitter cet endroit en laissant derrière moi d'autres malheureux tout aussi innocents que moi.

Le comte Thibaut fixait le gouverneur, stoïque.

— Alors que vous auriez pu vous évader... ajouta le marquis de Lavèze. Et je vous aurais caché, à la barbe de la soldatesque.

— Non. C'est mieux ainsi. Je quitte la tour avec mon honneur, tel que je suis entré. Ce ne fut, après tout, qu'un long cauchemar.

— Monsieur le Comte, dit le gouverneur, je vous souhaite d'oublier au plus vite cette mésaventure. Très sincèrement.

— Oh, je ne crois pas l'oublier. J'aurai toujours en mémoire les visages de mes voisins, dans la souffrance des pestes qui les enlevèrent. Et le peu de secours qu'ils rencontrèrent de vos gens.

— Mon ami, fuyons cet endroit, fit Lavèze en le prenant par l'épaule.

Le gouverneur tira de sa poche une feuille de papier et la posa au milieu de la table.

— Auparavant, il vous faut signer votre levée d'écrou.

— Moi ? dit Jassueix. Signer une levée d'écrou ? Vous n'y songez pas, monsieur. Je n'ai point à le faire, parce que la prison me fut imposée sans procès, sans jugement, de manière arbitraire.

— Oh, s'éleva Lavèze, suffit, gouverneur. Suffit !

La calèche quitta Aigues-Mortes par la route de Saint-Laurent-d'Aigouze, à bonne allure. Les pêcheurs

Les princes du Gardon

devaient se ranger sur les côtés pour la laisser passer. Au gré de Lavèze, elle ne s'éloignait pas assez vite. Le comte Thibaut fermait les yeux à cause de la lumière du jour, aveuglante, qui entrait par les portières.

— Désirez-vous que je tire les rideaux ?

— Surtout pas. Laissez, que je m'habitue à la vie retrouvée.

Et, de même, il respirait à pleins poumons l'odeur de la terre qui montait jusqu'à lui, dans la poussière blanche.

— Avez-vous des nouvelles de mon fils ?

— Sa blessure est guérie et...

— Où se trouve-t-il à cet instant ?

— Il a repris possession de La Sourde.

Un sourire de ravissement se dessina sur le visage du comte.

— L'affreux Salamon ne l'a point détruit ?

— Assurément non, puisque votre Aurèle y demeure avec ma fille.

— Votre chère Isabeau est à ses côtés. Mon Dieu, quelle belle nouvelle ! Il ne nous reste plus qu'à les marier.

Le marquis de Lavèze éclata de rire.

— Il restera à convaincre la marquise...

— Pour le banquet, nous irons traquer un vieux sanglier dans le Tarnon. Espérons que je n'aurai pas perdu la main.

En deux jours, Aurèle et Aigaliers atteignirent la corniche des Cévennes. Sans se hâter. Le petit comte avait besoin de parler à son compagnon et leurs conversations à bâtons rompus avaient pour effet de ralentir leur

461

Les compagnons de Maletaverne

marche. Ils prirent le temps de s'alimenter au bord du Gardon, où Aurèle fit une démonstration de la bonne manière de pêcher les truites à la main. L'eau était si claire qu'il dut exercer tout son savoir pour en prendre deux, fort grasses et gorgées d'œufs. Ensuite, ils les firent griller sur la braise et les dévorèrent avec les doigts.

La chaleur de mai s'était installée et la campagne bruissait d'insectes. Tout appelait à la paresse, et les deux comparses firent un petit somme sur les galets de la rivière. Pourtant, l'avenir des Cévennes pesait sur leurs épaules. De l'issue de leurs démarches dépendait le sort de la guerre. Ils n'osaient trop y songer tant qu'ils n'avaient pas atteint les hauteurs de Fontmort. Ils s'autorisèrent encore une récréation. Et, au soir, ils approchaient déjà de Saint-Germain-de-Calberte. Il n'était pas dans leur intention de se montrer plus que de raison. Certes, Aigaliers avait obtenu de Villars que les troupes royales ne leur cherchent pas querelle, mais le marquis préférait jouer la sécurité. Et le petit comte était encore plus méfiant que lui, au point de vérifier, à maintes reprises, qu'ils n'étaient pas suivis. Son long séjour à La Sourde l'avait rendu aussi sauvage qu'un animal traqué. Il demeurait sans cesse en alerte, l'oreille aux aguets, surveillant autour de lui les bruits et les murmures de la nature.

Les deux hommes bivouaquèrent à Calquières, dans un site que le petit comte s'employa à choisir, assez haut pour dominer la situation et assez éloigné des routes de Basville pour qu'on ne les surprît point. A l'orée d'une forêt de pins, ils mirent leur chevaux à brouter l'herbe et se glissèrent à l'abri d'un dolmen. Jacob prépara du thé sur un petit feu et distribua ses derniers biscuits.

Les princes du Gardon

— A Sommières, raconta Aurèle, Valleraugue et Cavalier se querellèrent sur la stratégie à suivre. Un moment, je crus même qu'ils allaient s'entretuer.

— Pourquoi me racontes-tu cela ?

— Je doute que Valleraugue accepte notre mission.

— Nous le saurons demain.

En atteignant les hauts de la corniche, le vent les cueillit avec une telle violence qu'ils durent reprendre leurs vieux manteaux d'hiver. Puis ils quittèrent la route de Basville, au col de la Pierre Plantée, pour monter sur Fontmort. C'était un étroit chemin de troupeaux, fort pentu et dangereux pour les chevaux. Qu'importe, le petit comte en connaissait tous les dangers pour l'avoir assidûment fréquenté avec son père, lors de leurs mémorables parties de chasse. Dans les contrées sauvages et isolées, ils avaient tué des loups, simplement pour le plaisir. Les battues étaient fortement encouragées par les bergers, et le comte Thibaut avait jugé qu'elles relevaient de sa charge. C'est pourquoi il prenait toujours grand plaisir à en rapporter les dépouilles jusque dans les villages, où les hordes descendaient dès la première neige. Chaque fois, Aurèle désignait du doigt les lieux où ces combats s'étaient livrés entre l'homme et l'animal. Jacob faisait mine de s'y intéresser, mais il ne songeait plus qu'à sa mission. Après tout, se disait-il, si Valleraugue refuse, alors nous agirons sans lui.

Sur les hauts de Courbade, ils traversèrent de vastes espaces désertiques, fauchés par les vents. Sous l'ancienne herbe brûlée par le froid et la neige transparaissait le sainfoin. Il y manquait quelques pluies nouvelles pour qu'il crût enfin. Plus ils avançaient et plus le caillou gagnait sur la lande. Les buis et les genévriers

Les compagnons de Maletaverne

peuplaient les moindres endroits où la terre s'était accrochée.

Aurèle montra, bras tendu, le Roc Pointu. C'était là l'ultime repaire des compagnons de Maletaverne, dans les hauteurs froides et venteuses des Cévennes.

— Cela fait une heure déjà que nous cheminons à découvert, nota Jacob.

— N'aie crainte, les camisards nous ont aperçus.

— Pourquoi ne viennent-ils pas à notre rencontre ?

Le petit comte ne répondit pas. Sans doute, Grattepanse ou Franc-Cœur étaient-ils déjà en embuscade, quelque part sur l'épaulement de rocher qui fermait le passage. En effet, en suivant un chemin de crête qui conduisait au pic, ils virent briller les fusils. Aussitôt, une poignée d'hommes dégringola du goulet d'observation.

— Qu'est-ce qui t'amène, chevalier ? demanda Grattepanse.

— Je vous présente le marquis d'Aigaliers, répondit le petit comte. Il vient apporter de bonnes nouvelles.

Un sentier étroit entre les rochers menait à la grotte. Un seul homme s'y pouvait mouvoir pour l'atteindre. Et Aurèle reconnut là, dans le choix de la cache, l'intelligence du chef camisard.

Valleraugue était assis à l'entrée de la grotte, sur un siège taillé dans le calcaire. Il portait un grand manteau sur les épaules, noué par une bride à ras du cou. Le fond de la cavité était éclairé par des lampes à huile suspendues à la paroi. La grotte n'était pas si vaste qu'Aurèle l'avait imaginé et il fut surpris qu'une centaine d'hommes au moins pussent y loger en même temps. Il en fit la réflexion. Valleraugue éclata de rire en embrassant son ami.

Les princes du Gardon

— Un boyau conduit à trois autres grottes, ouvertes sur toutes les faces. Si bien que nous pouvons surveiller tout autant les contrées de Cassagnas, de Vergougnous, de Saint-André, de Saint-Privat. Si l'on nous attaque sur un flanc, nous pouvons fuir par un autre.

Et, soudain, il parut las d'apporter toutes ces explications. Il se sentait de mauvaise humeur devant l'arrivée d'Aigaliers et s'interrogeait déjà sur le risque qu'on lui faisait courir.

— Je connais votre famille, dit-il en le fixant droit dans les yeux, et tout ce qu'elle a dû endurer avec les conversions forcées.

— J'ai vécu en Hollande avec nos frères. Ils savent ce que le roi de France a entrepris et tous les malheurs que nous traversons. Mais l'heure n'est-elle pas venue d'en finir ?

Valleraugue se tourna vers le petit comte.

— Comment se porte votre blessure, mon jeune ami ? Et votre chère petite marquise ?

Aigaliers sentit aussitôt que la partie serait rude. Aussi attaqua-t-il sèchement sa proposition, celle d'amener Cavalier devant le maréchal de Villars pour conclure la paix.

Le capitaine éclata de rire. Et ses hommes alentour le suivirent dans l'hilarité. Aigaliers et Aurèle s'observèrent sans mot dire.

— Je lis la déception sur votre visage, dit Valleraugue au marquis. Mais, pour cette besogne, vous n'avez point besoin de moi.

— Comment cela ? s'étonna Jacob.

— Cavalier est prêt à rendre les armes. Il a perdu les trois quarts de ses compagnons. Il lui reste une armée squelettique, quelques fusils, et il manque de chevaux

Les compagnons de Maletaverne

et de vivres. A Nages, Montrevel a porté un coup décisif. Du reste, je ne comprends guère que le roi l'ait relevé, cet homme-là, après un tel exploit. Ce Louis XIV est bien mal renseigné par ses espions. Deux ou trois attaques de ce genre et c'en était fini du prince du Gardon.

D'Aigaliers fixait la pointe de ses bottes.

— Villars veut parlementer. C'est une occasion à saisir. Ne croyez-vous pas ?

— Pourquoi Villars voudrait-il négocier une guerre qu'il est en train de remporter ?

— Le roi l'a chargé de le faire.

— Le roi ? Que craint-il ? Le temps joue en sa faveur. Je vous le dis, mes amis, 1704 sera notre tombeau. Une année fatale.

— Le roi craint que Victor-Amédée, le duc de Savoie, ne fraternise avec les réformés.

— Ce sont des lubies de haute stratégie, ricana Valleraugue. Nos dernières dépouilles pourriront dans la Vaunage avant que la Savoie ne se décide. Ah, oui ! Nous attendions aussi des renforts anglais. Il n'y avait que Cavalier pour croire à ces sornettes. Tout juste nous ont-ils livré des fusils... A la condition d'aller les chercher. Je fus le seul, du reste, à courir le risque. Traverser les lignes ennemies d'Agde... Pendant ce temps, Cavalier s'éternisait dans une commanderie. Son erreur, précisément, fut de maintenir ses troupes dans la Vaunage. Moi, j'ai pris le désert. Là-haut, ils ne peuvent rien contre nous. A part deux ou trois régiments de miquelets. Les dragons sont efficaces en plaine, avec des équipements si lourds qu'ils peinent à remonter à cheval une fois versés à terre.

Aigaliers se releva du sol où il s'était assis en tailleur.

Les princes du Gardon

— La question n'est plus de savoir qui va remporter cette misérable guerre, mais ce qu'il va advenir du peuple protestant des Cévennes. C'est contre lui, surtout, que les troupes royales sont le plus efficaces. Le rasement des cinq cents villages a tué plus de pauvres gens que tous les combats au corps à corps et les embuscades...

— C'est vrai, monsieur d'Aigaliers. Et je le déplore. Mais je ne puis rien pour vous. Plus rien. Je commande à une cinquantaine d'hommes. S'ils veulent déposer les armes, c'est leur affaire. Moi, je vendrai chèrement ma peau.

— Alors, vous refusez de nous accompagner ?

— Cavalier se trouve près d'Uzès, à Belvezet. Vous l'y rencontrerez sans peine. Sans doute vous attend-il. Prêt à se ranger aux injonctions de Villars. N'a-t-il pas écrit dans ce sens ? J'ai encore en mémoire sa dernière lettre. « Nous sommes prêts à mettre bas les armes si Sa Majesté nous accorde la liberté religieuse et fait délivrer ceux des nôtres qui sont prisonniers ou galériens... » Jean Cavalier obtiendra, pour lui, la grâce royale. Certes, oui. Je n'en doute guère. Quant à la liberté religieuse de notre peuple... C'est une tout autre affaire. C'est pourquoi je ne participerai pas à cette comédie.

Le petit comte fit ses adieux à Julien Valleraugue. Aigaliers, lui, ne daigna pas le saluer, tout courroucé qu'il était, si immensément déçu de ne pas trouver auprès de lui l'appui dont il avait besoin.

Le soir même, les deux hommes quittaient le Roc Pointu.

— Ce fanatique, jura Jacob, nous a fait perdre cinq précieux jours. Nous n'arriverons pas avant dimanche à Belvezet.

Les compagnons de Maletaverne

Le petit comte interpréta le mot « fanatique » comme une insulte.

— Tu ne peux dire que Valleraugue est un fanatique. Il a choisi de ne pas se rendre, en vrai camisard qu'il est. Nous devons respecter son choix.

Un jour durant, Aurèle n'adressa pas la parole à Aigaliers. Il avait le cœur gros à l'idée que le capitaine poursuivrait son combat jusqu'au bout, seul, un combat perdu d'avance et sans espoir. Et il éprouvait plus que jamais de l'admiration, et même une certaine affection pour ce cœur pur, juché sur ses hauteurs d'où il ne descendrait plus jamais, sachant sans doute que Fontmort serait son tombeau.

A l'instant de traverser le Gardon, Aurèle descendit de cheval.

— A quoi me sert-il de te suivre ? Je n'ai pas d'intérêt dans l'affaire, dit-il. Et j'ai hâte de rejoindre Isabeau.

— Oublies-tu que j'ai obtenu la libération de ton père ?

— Et que je te suis redevable, compléta le petit comte, blessé dans son amour-propre.

Alors, la mort dans l'âme, il chevaucha trois jours aux côtés d'Aigaliers, jusqu'à Belvezet. Les deux hommes trouvèrent Jean Cavalier retranché dans une métairie, avec une dizaine de ses compagnons. Mais un autre émissaire du maréchal de Villars les avait précédés dans la place. Aigaliers en éprouva une grande peine. Que le gouverneur eût pris l'initiative de le doubler montrait le peu de confiance qu'il lui réservait.

Louis de Giberne, sieur de Valotte, avait accompli la besogne au mieux. Jean Cavalier était assis sur un tambour, les bras ballants, les traits creusés.

— Vous aussi, vous venez aux nouvelles, dit-il en saluant Aigaliers. Je peux vous rassurer. Nous irons à

Les princes du Gardon

la table de négociations pour discuter avec monsieur de La Lande. Mais, insista Cavalier dans une sorte de sursaut d'orgueil qui jeta ses compagnons dans la consternation, j'exigerai la liberté de culte pour nos frères. Que cela soit entendu. Sinon...

— Sinon ? reprit Valotte, qui tenait Cavalier en piètre estime.

— Je dispose encore de...

— De rien du tout, ajouta l'émissaire.

— La paix dans nos Cévennes, fit Aigaliers. Exigez la paix, surtout. Le reste viendra après. Avec le temps.

— Oh, monsieur d'Aigaliers, dit Valotte. Vous arrivez après la bataille. Cela fait une journée que nous parlementons.

— Et qui vous a envoyé ici ? interrogea Jacob, blanc de rage.

Les deux hommes se retirèrent dans le couloir de la métairie.

— Monsieur de Basville, dit-il.

— Villars a concédé cela aussi ?

— Villars et Basville sont la main dans la main. Deux précautions valent mieux qu'une.

Puis ils revinrent dans la cuisine, auprès de Cavalier.

— Où aura lieu l'entrevue, monsieur de Valotte, le savez-vous ?

— Le 12 mai au matin, au pont d'Avènes. A neuf heures sonnantes.

A la sortie de Belvezet, cinq cents dragons bivouaquaient sous la lune. Un sergent arrêta Aigaliers. Aurèle se tint à distance. Il craignait qu'on ne le reconnût. Crainte inutile.

— Autant dire que Cavalier est déjà leur prisonnier, dit le petit comte.

Les compagnons de Maletaverne

Aigaliers baissait la tête.

— Je n'ai pas été à la hauteur. J'eusse évité Valleraugue, je serais parvenu le premier à Belvezet. Et tout eût
été changé.

Aurèle s'amusa de la réaction de son compagnon.
Mais il n'eut pas l'outrecuidance d'en relever le trait.
Après tout, l'affaire ne le concernait plus.

— Mon ami, dit-il, je vais te quitter. Ma belle marquise m'attend à La Sourde. Et cela seul m'importe. Le
bonheur est au-dessus de tout, dans ce monde étrange
où je n'aspire à jouer aucun rôle.

— Tu es un sage, Aurèle. Un sage.

Jacques-Jacob de Rossel d'Aigaliers entra à Uzès au
petit matin. Il avait chevauché toute la nuit, sans repos.
La dernière mission dont il avait à s'acquitter était de la
plus haute importance. Et, cette fois, le maréchal de Villars lui en saurait gré. Car il n'aspirait plus qu'à gagner
son estime, même au prix du pire reniement qui fût. Il se
fit annoncer aux gardes qui protégeaient la demeure de
l'évêque. Le maréchal de Villars y avait installé son quartier général, à l'étage. En haut de l'escalier, l'aide de camp
Bertomieu l'accueillit sans ménagement. Villars se préparait à quitter les lieux pour se rendre à Alès. Un émissaire
l'avait prévenu que Cavalier était disposé à négocier.

— Vous dérangez, monsieur, vous dérangez ! Le gouverneur n'a pas de temps à perdre.

Aigaliers entra dans une vive colère. Cela n'était pas
une façon de recevoir un noble d'Uzès. Mais comment
en vouloir à un aide de camp borné, qui ne savait rien
des coutumes dans cette bonne ville. A force d'insister,
Villars l'accueillit, en débraillé, sans perruque. Le maréchal lui parut empâté, vieilli, sans ses atours, sans poudre de riz ni vermillon sur les pommettes.

Les princes du Gardon

— Oh, marquis, vous avez égaré votre petit chat ? dit-il, persifleur.

— Monsieur le Maréchal, je suis désespéré de n'avoir su atteindre votre confiance.

Le gouverneur se mit à rire. Le savon à raser lui collait encore aux oreilles et aux bajoues. Un valet de pied vint le lui ôter avec une serviette, pendant que Villars allait et venait, en proie à l'excitation.

— Ne m'en veuillez pas, Aigaliers. J'éprouve une grande affection pour votre famille. Mais, un temps, j'ai craint que Julien Valleraugue ne vous garde prisonnier dans sa tanière. Ou pire encore... Je le sais hostile à toute négociation.

— En effet, il a refusé.

— Vous voyez que je ne me trompais point. Mais son erreur fut, sans doute, de ne pas vous retenir.

— Que voulez-vous dire, monsieur le Maréchal ?

— Vous avez mesuré l'obstacle qu'il constitue, au moment où nous allons conclure la paix dans les Cévennes. Et l'heure est venue, cher Aigaliers, de nous montrer l'attachement que vous vouez à la réussite de notre projet.

— Valleraugue est à Courbade, fit-il sans hésitation, retranché avec cinquante hommes à la grotte du Roc Pointu.

16

A Louradour, la première visite du comte Thibaut fut pour Mustapha. En quittant son domaine, entre les griffes des dragons, il avait cru ne jamais revoir son cheval vivant. En entrant dans l'écurie, il tomba à genoux devant lui. L'animal vint passer sur son visage sa langue râpeuse. « Dire que j'ai failli te tirer une balle dans la tête, maugréa le comte. Comme quoi, il ne faut jamais céder aux craintes. L'histoire de nos vies ressemble à un balancier de pendule. Un temps pour le malheur, un temps pour le bonheur. Certes, rien n'est éternel, et la raison exige qu'on profite de la bonne fortune avant qu'elle ne s'envole. Et nul ne sait quand elle reviendra ! »

Thibaut de Jassueix salua ses amis avant de prendre congé d'eux. Il avait besoin de quelques journées de solitude partagées avec Mustapha, sur les chemins du retour vers Maletaverne.

— Prenez un peu de repos, après toutes ces épreuves, proposa Lucille.

— Moi ? s'étonna-t-il. J'ai eu tout le temps de me reposer dans la tour de Constance.

Gérald comprit qu'il était inutile d'insister. Cet homme sait ce qu'il veut. Et rien ne pourra le détour-

Les princes du Gardon

ner de son cours. Il le raccompagna jusque dans le parc. Ils longèrent les roseraies, en silence, au milieu des papillons bleus et jaunes qui hantaient les parterres.

— Nous marierons nos enfants au mois de septembre, dit le marquis. A Louradour ? proposa-t-il. Vous verrez, ce sera une grande fête. Et nous serons tous très heureux. A bien y réfléchir, nous nous en sortons, les uns et les autres, pas si mal...

Thibaut acquiesça d'un hochement de tête. Il n'avait pas envie de parler. Depuis son retour à la vie, il n'avait pas prononcé plus de dix paroles. Il se sentait étranger à lui-même dans les gestes de la vie ordinaire. Et la seule grande émotion qui lui avait tiré des larmes, il l'avait réservée à Mustapha. C'était tout.

— Faites transmettre ma lettre à Neuchâtel, rappelat-il au moment de s'éloigner dans les oliveraies qui bordaient le domaine.

— N'ayez crainte ! Armandine et Aaron seront là dans trois semaines au plus.

Le comte Thibaut fit un grand détour par Portes. Il avait appris qu'Ernis de Salamon s'y cachait. Et c'était pour lui presque une formalité que d'aller à sa rencontre pour lui dire deux mots. La propriétaire de la forteresse, qui avait abrité un temps les curés des paroisses du désert, l'informa que Salamon avait fui en Espagne pour échapper aux troupes de Villars.

— Quoi ? Villars le poursuit ?

Et un grand éclat de rire le submergea.

— Vous ne savez pas, mon ami, releva la marquise de Portes, que les cadets sont proscrits sur ordre de Sa Majesté ? Tant de crimes, tant d'exactions effroyables... Seul le petit marquis de Serguille s'est repenti.

Les compagnons de Maletaverne

Je m'étonnais aussi qu'un si bon garçon pût suivre un si méchant homme...

En reprenant la route, le comte Thibaut riait encore du vilain tour que l'histoire avait joué à son ennemi acharné. Comme quoi, Dieu merci, se dit-il, il y a quelque chose de changé dans le royaume de France. Tout se délite comme un château de cartes.

La rudesse des chemins, malgré le temps radieux, lui tira bien des souffrances. Le comte avait laissé une partie de sa santé entre les murs d'Aigues-Mortes, une affection cholérique ayant failli lui ôter la vie. Aussi mit-il plus d'une semaine à parvenir à La Sourde, s'attardant plus que nécessaire dans les relais de poste. Là, au milieu des voyageurs, des palefreniers et des cochers, il recueillit mille et un récits sur les désastres de la guerre dans ses Cévennes tant aimées. Et la traversée des villages martyrs fut pour lui une épreuve supplémentaire. Parfois, ses gens s'étonnaient qu'il fût encore vivant alors qu'on avait annoncé cent fois sa mort. Il dut, maintes fois, se fâcher pour qu'on ne fêtât pas son retour. Il se refusait, de toute son âme, à partager les honneurs alors que les traces des malheurs étaient partout, sur les murs des maisons et dans les esprits. Dans chaque village, les cimetières étaient fraîchement retournés tant on y avait enterré de morts, et en si grand nombre qu'on ne pouvait encore mesurer l'immensité de la saignée que la guerre avait produite. Aux massacres s'étaient ajoutées les disettes de l'hiver, les déportations consécutives à la destruction des cinq cents cités cévenoles.

Thibaut de Jassueix entra dans son château, la main sur le visage. Il craignait que son fils ne vît son chagrin. Mais, à l'instant de paraître devant lui, il ne put contenir ses larmes de joie.

Les princes du Gardon

— Père ! nous voici revenus. Dieu nous est témoin que rien jamais ne nous séparera. Sinon la mort.

— Oui, fit-il d'un geste las, la tâche nous attend. Il faut tout reconstruire. Ramener nos gens, et réparer les malheurs. Ensemencer les champs. Reconstituer les troupeaux...

Le comte n'en finissait plus d'énumérer la grande œuvre qui les attendait.

— Nos gens rebâtissent Maletaverne. Sauf l'église. Qu'en pensez-vous ?

— Bien entendu, il faut réparer l'église. Nous y mettrons de nos deniers s'il le faut.

— Et il y a ceux aussi qui veulent dresser un temple. Qu'en dites-vous ?

— Je crois l'œuvre salutaire aussi. Car Dieu ne possède qu'un seul peuple, celui des chrétiens. Et rien ne dit, dans les Ecritures, qu'on ne puisse adorer le même Dieu dans deux maisons différentes.

— Oh ! fit Aurèle en serrant son père dans ses bras, j'ai compris votre leçon. Et je sais, désormais, ce que vous vouliez dire autrefois, dans Maletaverne assiégée. Vous en souvient-il ?

— Parfaitement.

— Même Victorin de Serguille est disposé à nous aider, jusque dans le Conseil de Florac.

— Voici une bonne nouvelle. Car si l'on m'avait écouté jadis, à Mende, peut-être n'en serions-nous pas là aujourd'hui.

Ils gravirent le grand escalier jusqu'aux étages, visitèrent les pièces du château, dressèrent la liste de tout ce qu'il fallait entreprendre pour que La Sourde retrouvât son lustre d'antan.

Isabeau courut dans les bras du comte.

475

Les compagnons de Maletaverne

— Votre famille se languit de vous, dit-il. Et je ne voudrais pas qu'elle me reproche de vous garder plus que de raison.

— Je sais, comte. Mais ma vraie famille est ici, celle que nous allons construire avec votre bénédiction.

— Vous l'avez, ma belle. Et nous sommes convenus, votre père et moi, de vous marier en septembre.

Le comte Thibaut se retira dans son cabinet, seul. Il y fit, une nuit durant, le retour sur les mois passés dans la disgrâce. Le sommeil ne le tenait guère. A peine somnolait-il une heure ou deux, comme il en avait pris l'habitude en captivité. Au petit matin, il réveilla son fils et lui annonça qu'il partait pour Fontmort.

— Déjà ? Rien ne presse.

— Je vais recouvrer mes biens et demander réparation au roi.

Il portait un fusil en bandoulière et quelques petites réserves de poudre et de plomb.

— Je ne m'habituerai jamais aux mauvaises rencontres, dit-il.

— Père, il me faut vous suivre ?

— Bien sûr que non. Je suis assez grand. Et pour ce que j'ai à faire, la solitude m'est préférable.

Avec Mustapha, il atteignit Saint-André-de-Lancize à la fin du jour. Le ciel était d'une pure clarté. On y voyait à cent lieues à la ronde. En escaladant les derniers degrés du Fournel, sous le col des Abeilles, le soleil s'effaçait sur l'horizon. Une langue rouge s'étalait sur les montagnes du Bougès comme une flaque de sang. Près des ruines de l'Hospitalier, où il avait caché ses trésors, le comte décida de bivouaquer. Et comme il avait terminé son repas et s'apprêtait à installer une couverture sur un repli de terrain, à l'abri

476

Les princes du Gardon

des vents, un cri retentit, tout là-haut au-dessus de lui. « C'est mon faucon ! s'écria-t-il. Mon prince des hauteurs ! » Et il se mit à courir, à perdre haleine, jusqu'à la crête.

Enfin installé sur les hauts de Fontmort d'où il dominait les vallons alentour, avec leurs ombres portées sur le vert et le jaune des landes, Thibaut se mit à crier lui aussi et à s'agiter en tous sens. Le faucon tournait, majestueux, dans la lumière déclinante. Ses cercles se resserraient peu à peu. Soudain, il fondit sur lui, comme sur une proie. Battant ses larges ailes, il se posa non loin, immobile. Ses yeux fauves le fixaient intensément. Thibaut fit un pas dans sa direction et l'oiseau sauta en arrière. Ses ailes à peine ouvertes se refermèrent, lentement.

— Mon prince des hauteurs, je te reconnais. Tu ne m'as pas abandonné, toi. Fidèle parmi les fidèles, tu es une partie de mon âme qui ne cesse de tourner, là-haut sur nos terres. Oh, viens me voir. N'aie crainte.

Le faucon dressa la tête, et ses plumes se hérissèrent. Le comte claqua des doigts. Alors l'animal se mit à dodeliner de tout son corps. Vif comme l'éclair, il vint se poser sur son bras. Délicatement, Thibaut passa un doigt sur ses plumes. Du bec, l'oiseau lui prit le gras de la main.

— Je savais, murmura le comte, que tu serais au rendez-vous. Tu ne le manquerais pas pour un empire. Toi, tu es un seigneur. Et les seigneurs finissent toujours par avoir le dernier mot. O, mon prince, mon doux prince...

Thibaut se mit à tournoyer, avec son faucon qui battait des ailes, à tournoyer, tournoyer jusqu'à s'étourdir, en poussant des cris de joie.

Les compagnons de Maletaverne

A une demi-lieue d'Alès, sur un affluent du Gardon, les troupes du maréchal de camp de La Lande avaient pris pied avant la levée du jour. Les bois alentour, les berges de la rivière, les prairies voisines, tout était occupé par une centaine de dragons en grande tenue. Le brigadier général avait installé son poste à trois cents pieds du pont d'Avènes. Des estafettes couraient d'un attroupement à l'autre pour confirmer la nouvelle. Jean Cavalier approchait avec une soixantaine de camisards sur la rive opposée. D'un commun accord, il avait été entendu que les troupes ennemies se tiendraient à bonne distance, séparées seulement par la rivière, peu large et peu profonde en cet endroit.

— Prenez garde à vos dragons, hurla Jean Cavalier en approchant du pont où une table et deux sièges de campagne avaient été dressés.

— Retenez vos camisards ! répliqua le brigadier général. Moi, je réponds de mes hommes !

Puis les deux belligérants se rapprochèrent l'un de l'autre, à pas lents. De part et d'autre, on avait placé, à bonne distance, les meilleurs tireurs, au cas où l'une des parties ne respecterait pas la consigne. Crainte inutile. En vérité, le représentant du maréchal de Villars avait intérêt à ce que l'entrevue aboutisse, et Cavalier, de son côté, n'était plus en état de tenter quoi que ce fût. L'armée alignée au pont d'Avènes était tout ce qui lui restait de disponible. Un bon nombre de ses hommes avait préféré, dans la perspective d'une reddition, se disperser dans le désert ; certains pour rejoindre Valleraugue, d'autres Abraham Mazel.

La discussion fut âpre et sans concession du côté du maréchal de camp de La Lande. Les conditions posées par Villars se résumaient au dépôt des armes en échange

Les princes du Gardon

d'une grâce. Et on ne voulait en aucun point céder sur la question qui obsédait Cavalier : celle de la liberté de culte. Certes, il tenta d'en imposer les termes par mille détours. Mais le brigadier général les refusa, chaque fois, avec la plus grande fermeté. Au bout d'une heure de conciliabule, le chef camisard comprit qu'il ne parviendrait pas à infléchir la position de son adversaire. Alors on examina point par point la manière dont les troupes rebelles désarmeraient, ainsi que le sort des prisonniers, des proscrits, des condamnés à mort. Sur ces points, le brigadier général apporta toutes les garanties nécessaires. Et, pour conclure l'affaire, il fut entendu qu'elles seraient résumées dans un écrit établi sur-le-champ.

La Lande s'employa à en rédiger les termes. Lorsqu'il eut terminé son pensum, il en donna lecture à son voisin :

En présence de monsieur le marquis de La Lande, Jean Cavalier supplie très humblement Sa Majesté de lui accorder, à lui et à tous ceux qui ont été avec lui, pardon et amnistie de leur faute ; d'avoir la bonté aussi de pardonner à ceux qui ont été aux assemblées ; et de vouloir bien lui permettre de sortir du royaume avec les quatre cents dont on donnera un mémoire ; et d'avoir aussi la bonté de permettre à ceux qui voudront le suivre, outre ce nombre, de les laisser partir avec lui, lesquels s'en iront à leurs dépens et sous les passeports que nous supplions Sa Majesté de leur accorder ; et aussi d'avoir la bonté et charité de donner la liberté à tous les prisonniers qui sont détenus pour pareils cas[1].

Jean Cavalier signa la demande d'amnistie sans l'ombre d'une hésitation. La Lande s'en empara aussitôt d'un geste triomphant, en criant haut et fort, afin que tous les

1. *Archives de la guerre*, 1796, folio 118.

Les compagnons de Maletaverne

hommes pussent l'entendre, d'une berge à l'autre de
l'Avènes : « La paix est faite ! » Puis il s'approcha de son
ancien adversaire, qui était en train de se retirer, et lui jeta
une bourse de cent louis d'or. Cavalier ne daigna pas les
ramasser. Pourtant, il en avait grand besoin pour nourrir
ses hommes qui étaient affamés, après tant de jours et de
nuits d'errance, et mendiaient dans les demeures amies.

Pendant que la paix se concluait sur les berges de
l'Avènes, par une chaude journée de mai 1704, Julien
Valleraugue avait entrepris, avec Grattepanse, de traquer un peu de nourriture fraîche. Ils avaient quitté le
Roc Pointu avant la levée du jour, pour franchir le plateau aride de Courbade, loin des regards ennemis. Les
gorges encaissées de la Mimente étaient son territoire
de chasse favori. Il en connaissait tous les recoins, les
plus étroits passages, où se placer pour tirer les chevreuils, les perdrix, les sangliers. Face à Cassagnas, ils
descendirent de leurs chevaux et les entravèrent sous les
pins sylvestres. Les sentes, en cet endroit, étaient trop
dangereuses pour s'y risquer avec une monture. Ils prirent un fusil et deux pistolets chacun, une dague pour
découper sur place leurs proies et prélever les quartiers
de viande qu'ils convoitaient.

Les deux hommes se sentaient à l'aise comme des poissons dans l'eau, sautant d'un dénivelé à l'autre, le fusil en
travers de la poitrine, canon pointé en l'air pour ne pas
risquer de perdre la charge de plomb qu'il contenait. Ils
s'étaient équipés des chausses des grands jours, en cuir de
veau, lacées sur le bord extérieur de la jambe, jusqu'aux
genoux. Cela donnait à leur mouvement de la souplesse.
Ils escaladèrent un chemin escarpé, dominant la rivière

Les princes du Gardon

bordée de bouleaux. Les arbustes profitaient de la moindre anfractuosité du rocher pour s'accrocher à la vie. Et les camisards s'y agrippaient sans risque pour se hisser plus vite sur les degrés de pierre. Quand ils furent sur la crête, ils posèrent leur fusil devant eux. Grattepanse jeta, à trois reprises, un caillou dans le défilé. Un bruissement d'ailes annonça le départ de quatre perdrix rouges, juste dans le surplomb, au-dessous d'eux, à moins de cinquante pieds. Valleraugue tira ses deux coups de fusil, à l'épaule, et trois perdreaux tombèrent comme des pierres.

— Va falloir les chercher. Ce sera pas une mince affaire, dit Grattepanse qui avait repéré l'endroit où ils s'étaient abattus.

— Ça te fera un peu d'exercice, répondit Julien. Au Roc Pointu, tu commençais à t'empâter.

— Attends voir, j'en ai pour dix minutes.

— Après, ajouta le capitaine, nous irons au guet. Là où les chevreuils vont boire dans le trou d'eau.

Julien s'était allongé sur le tapis de bruyère qui recouvrait la petite corniche. Soudain, en tournant le regard vers la crête, il vit scintiller quelque chose qui l'intrigua.

— Grattepanse ! Oh ? Reviens vite !

Mais son acolyte ne parut pas l'entendre, tout occupé qu'il était à se faufiler dans la pierraille qui cédait sous son pas.

Un coup de feu cingla l'air du haut de la crête. La détonation se répercuta en écho dans les profondeurs de la Mimente. Valleraugue vit le regard ahuri de son compagnon. Et Grattepanse poussa un grand cri en s'affaissant. Son poids l'emporta en contrebas, jusqu'à un pin parasol qui arrêta sa dégringolade.

— Oh ! Capitaine, j'suis touché !

Les compagnons de Maletaverne

Valleraugue se laissa couler jusqu'à lui, sur les fesses. Grattepanse avait été blessé à l'aine et le sang coulait sur sa cuisse à gros bouillons.

— Les papistes m'ont eu, les salauds !

— Essaie de te redresser.

— Je peux pas. J'suis fini, capitaine. J'sens plus mon côté. Saloperie ! maugréa-t-il en grimaçant.

Un second coup troua l'air, faisant gicler autour d'eux des étincelles sur la pierre.

— Ils vont finir par nous avoir si on reste là, à découvert, jugea Valleraugue.

— Capitaine, tu peux te sauver...

— Non, je ne veux pas te laisser. Il faut que je te porte jusqu'au bois de pins, là, montra-t-il.

Valleraugue évalua la distance avec une moue. Cent pas à couvrir avec un blessé sur le dos, en terrain découvert : mission impossible... De quoi prendre dix fois le plomb de ces scélérats !

— Non ! murmura Grattepanse. Je suis mort dans une heure, au rythme où je perds le sang. Et ça ne servira à rien. Je t'en supplie, capitaine, finis-moi. Toi, supplia-t-il. Je veux que ce soit toi...

Il lui tendit sa dague, qu'il venait de décrocher de son fourreau.

— Je ne pourrai pas, fit Valleraugue en détournant les yeux.

Il regardait le ciel. Pas un nuage ni un souffle de vent. Une pure journée de printemps où le désert retrouve son éclat. Il soupira en portant la main sur le visage de son compagnon. Le soleil est déjà haut perché. Trop haut, pensa-t-il, pour surprendre les chevreuils au trou de la Mimente. Nous n'aurons rien à regretter.

482

Les princes du Gardon

— Ne me laisse pas vivant entre leurs mains. Tu peux pas faire ça, capitaine...

— Non, je ne le ferai pas. Tu le sais ?

— Alors, vite ! Fais ce que t'as à faire. Tranche-moi la gorge.

Valleraugue tenait son pistolet derrière son dos.

— J'ai pas peur, ajouta Grattepanse. J'ai vu trop mourir pour avoir peur. Et puis, Dieu est de notre côté. C'est lui qui a voulu tout ça ! C'est bien vrai, capitaine ?

— Oui, dit Valleraugue. Dieu nous exaucera pour tout ce que nous avons fait.

— Je regrette pas tous les papistes que j'ai égorgés, ajouta Grattepanse en serrant les lèvres de douleur. Oh non, je regrette pas. Même que je peux mourir tranquille. J'ai été un fidèle... Un fidèle, reprit-il en grimaçant, un fidèle combattant de l'Eternel des Armées. De celles qui ont écrasé Babylone. Je regrette juste toutes les églises qu'on a pas brûlées. Et tous ces papistes qui vont venir nous narguer, nous, bon Dieu, ce que j'ai mal... Allez, capitaine, courage. Dis voir que tu vas pas me laisser. J'ai comme le sentiment que tu veux pas en finir. Mais...

Le coup de pistolet l'atteignit en pleine tête. Son visage sursauta, simplement, dans une éclaboussure de sang. Ainsi achève-t-on les chevaux, pensa Valleraugue en poussant du pied le cadavre vers le contrebas où il disparut, comme un pantin désarticulé. « Et dire que nous n'avons pas même droit à une sépulture digne d'un chrétien », maugréa-t-il en jetant son fusil. Son arme était devenue trop lourde pour lui, désormais, aussi inutile qu'un bout de bois. Il ne me reste plus qu'à tenter une sortie digne. Qui donc m'achèvera, moi ? C'est une sale idée, quand même, de songer que

483

Les compagnons de Maletaverne

les miquelets vous tranchent la tête et qu'ils vous la plantent, comme un trophée, sur leur baïonnette. Et ensuite... Sais-tu ce qu'on en fait ? Bien sûr que tu le sais, capitaine, se dit-il. On vient la montrer aux convertis ! Histoire de leur faire comprendre ce qui arrive lorsqu'on désobéit à son roi ! Valleraugue se faufila dans les bruyères comme une couleuvre. La pierre lui écorchait les mains, les coudes, les genoux. Le plomb miaulait au-dessus de sa tête. Il éclata de rire. Je pensais pas que ça finirait de cette manière. Dans ma Cévenne. Sous un ciel si beau. Avec le soleil dans les yeux. Bientôt, il n'y aura plus que du silence, et puis le noir infini.

Le capitaine comprit qu'il ne pourrait jamais atteindre le bois de pins en rampant. Les miquelets ne lui en laisseraient pas le temps. Et, pour les tenir en respect, il n'avait plus que son pistolet à un coup. Au pire, se dit-il, celui-ci sera pour moi. Là, en plein visage, pour qu'on ne puisse pas me reconnaître quand ils la ficheront sur leur baïonnette.

Valleraugue fixait l'orée du bois, irisée de lumière. C'était comme un arc-en-ciel après un éblouissement, à vouloir trop fixer le soleil. Il s'était brûlé à cette contemplation depuis son enfance, par tous les chemins des Cévennes qu'il avait parcourus, sans trêve ni repos. Alors il se redressa, fièrement, et courut, courut, autant qu'il le pouvait, bondissant d'un degré à l'autre, comme un isard. Il ne lui manquait plus que les ailes des faucons de Fontmort pour atteindre le ciel. Les balles couraient derrière lui, sur ses traces, pas à pas. Puis il chuta, la poitrine trouée au-dessus du cœur. Il se releva, dans un cri. Un cri dont l'écho rebondit à travers la vallée. Ce fut tout. Sa respiration s'était éteinte dans cet effort

Les princes du Gardon

démesuré. Il marcha, encore, encore, un pas, deux pas, jusqu'au bord de la falaise qui tombait à pic sur la rivière, coulée de jaspe dans son écrin de roche blanche. Le capitaine ouvrit les yeux en grand, pour la dernière fois, et se laissa chuter dans le vide, les bras en croix, aussi minuscule qu'un oiseau.

PERSONNAGES
AYANT RÉELLEMENT EXISTÉ

AIGALIERS, Jacques-Jacob de Rossel (marquis d'), descendant d'une vieille famille de protestants d'Uzès.

BASVILLE, Nicolas de Lamoignon (marquis de), [1648-1724], avocat, conseiller d'Etat, intendant du Languedoc de 1685 à 1718.

BROGLIO, et plus tard Broglie (marquis de), maréchal de France, gouverneur militaire du Languedoc en 1703 et mort en 1727. Descendant d'une famille noble italienne qui a donné nombre de généraux et de ministres.

CAVALIER Jean (1680-1740), chef camisard, né à Ribaute, apprenti mitron à Anduze. En 1704, il fait la paix avec Villars moyennant une pension et un brevet de colonel, avant de devenir, au terme de nombreuses péripéties, gouverneur de Jersey.

CHAMILLART, Michel de (1651-1721), né à Paris, ministre des Finances et de la Guerre de Louis XIV.

DE SANDRICOURT, gouverneur de Nîmes au moment des faits.

FLÉCHIER Esprit (1632-1710), né à Pernes (comtat d'Avignon) évêque de Nîmes. On lui doit des *Sermons*, des *Oraisons funèbres*, dont celle, la plus célèbre, du maréchal de Turenne, des *Mémoires sur les grands jours tenus à Clermont en 1655*. Sans égaler un Bossuet, il reste un orateur habile et inventif.

JULIEN, Jacques de, petit-fils de pasteur, officier chez les vaudois, avant de devenir maréchal de camp de Broglio et Montrevel. Surnommé par les camisards « Julien l'apostat », par analogie avec l'empereur romain qui, bien qu'élevé dans le christianisme, avait restauré le paganisme.

LA LANDE (marquis de) brigadier général et maréchal de camp de Villars.

MAZEL Abraham, peigneur de laine à Saint-Jean-de-Gardonnenque (Saint-Jean-du-Gard), prédicant et chef camisard.

MONTREVEL, Nicolas-Auguste de La Baume (marquis de), maréchal de France, gouverneur militaire du Languedoc de 1703 à 1704. Mort à Paris en 1716.

PONCET DE LA RIVIÈRE, évêque d'Uzès au moment des faits.

PORTES (marquise de), Marie-Felice de Budos, propriétaire du château de Portes, nièce de Saint-Simon.

POUL, capitaine des dragons.

ROLLAND, de son vrai nom Pierre Laporte, originaire du Mas-Soubeyran, peigneur de laine et châtreur de moutons, chef camisard, compagnon fidèle de Cavalier.

JOUANY Nicolas, chef camisard qui s'est illustré à Génolhac et à Chamborigaud, ancien maréchal des logis.

VILLARS (duc de) [1653-1734], maréchal de France, né à Moulins, gouverneur militaire du Languedoc de 1704 à 1705, commandant de l'armée de Moselle en 1705 et 1706. Vainqueur à Denain en 1712 et rendu célèbre par ce haut fait d'armes. Fin diplomate et négociateur : paix de Rastadt avec l'Autriche.

PRODUCTION JEANNINE BALLAND

Romans « Terres de France »

Jean Anglade
Un parrain de cendre
Le Jardin de Mercure
Y a pas d'bon Dieu
La Soupe à la fourchette
Un lit d'aubépine
La Maîtresse au piquet
Le Saintier
Le Grillon vert
La Fille aux orages
Un souper de neige
Les Puysatiers
Dans le secret des roseaux
Sylvie Anne
Mélie de Sept-Vents
Le Secret des chênes
La Couze
Ciel d'orage sur Donzenac
Jean-Jacques Antier
Autant en apporte la mer
Marie-Paul Armand
La Poussière des corons
La Courée
   tome I *La Courée*
   tome II *Louise*
   tome III *Benoît*
La Maîtresse d'école
La Cense aux alouettes
Nouvelles du Nord
L'Enfance perdue
Un bouquet de dentelle
Françoise Bourdon
La Forge au Loup
La Cour aux Paons
Annie Bruel
La Colline des contrebandiers
Le Mas des oliviers
Les Géants de pierre
Marie-Marseille

Jean du Casteloun
Michel Caffier
Le Hameau des mirabelliers
La Péniche Saint-Nicolas
Les Enfants du Flot
Jean-Pierre Chabrol
La Banquise
Alice Collignon
Un parfum de cuir
Didier Cornaille
Les Labours d'hiver
Les Terres abandonnées
La Croix de Fourche
Etrangers à la terre
L'Héritage de Ludovic Grollier
L'Alambic
Georges Coulonges
Les Terres gelées
La Fête des écoles
La Madelon de l'an 40
L'Enfant sous les étoiles
Les Flammes de la Liberté
Ma communale avait raison
Les blés deviennent paille
L'Eté du grand bonheur
Des amants de porcelaine
Le Pays des tomates plates
La Terre et le Moulin
Les Sabots de Paris
Yves Courrière
Les Aubarède
Anne Courtillé
Les Dames de Clermont
Florine
Dieu le veult
Les Messieurs de Clermont
L'Arbre des dames
Le Secret du chat-huant

Annie Degroote
La Kermesse du diable
Le Cœur en Flandre
L'Oubliée de Salperwick
Les Filles du Houtland
Le Moulin de la Dérobade
Les Silences du maître drapier
Alain Dubos
Les Seigneurs de la haute lande
La Palombe noire
La Sève et la Cendre
Le Secret du docteur Lescat
Elise Fischer
Trois Reines pour une couronne
Les Alliances de cristal
Alain Gandy
Adieu capitaine
Un sombre été à Chaluzac
L'Enigme de Ravejouls
Les Frères Delgayroux
Les Corneilles de Toulonjac
L'Affaire Combes
Les Polonaises de Cransac
Gérard Georges
La Promesse d'un jour d'été
Michel Hérubel
La Maison Gelder
La Falaise bleue
Tempête sur Ouessant
Le Démon des brumes
Denis Humbert
La Malvialle
Un si joli village
La Rouvraie
La Dent du loup
L'Arbre à poules
Les Demi-Frères
La Dernière Vague
Yves Jacob
Marie sans terre
Hervé Jaouen
Que ma terre demeure

Jean-Pierre Leclerc
Les Années de pierre
La Rouge Batelière
Louis-Jacques Liandier
Les Gens de Bois-sur-Lyre
Les Racines de l'espérance
Jean-Paul Malaval
Le Domaine de Rocheveyre
Les Vignerons de Chantegrêle
Jours de colère à Malpertuis
Quai des Chartrons
Dominique Marny
A l'ombre des amandiers
La Rose des Vents
Louis Murom
Le Chant des canuts
Henry Noullet
La Falourde
La Destalounade
Bonencontre
Le Destin de Bérengère Fayol
Le Mensonge d'Adeline
Frédéric Pons
Les Troupeaux du diable
Les Soleils de l'Adour
Jean Siccardi
Le Bois des Malines
Les Roses rouges de décembre
Le Bâtisseur de chapelles
Jean-Michel Thibaux
La Bastide blanche
Le Secret de Magali
La Fille de la garrigue
Le Roman de Cléopâtre
La Colère du mistral
L'Homme qui habillait
les mariées
La Gasparine
L'Or des collines
Jean-Max Tixier
Le Crime des Hautes Terres
La Fiancée du santonnier

Brigitte Varel
Un village pourtant si tranquille
Les Yeux de Manon
Emma
L'Enfant traqué
Le Chemin de Jean

L'Enfant du Trièves
Colette Vlérick
La Fille du goémonier
Le Brodeur de Pont-l'Abbé
La Marée du soir
Le Blé noir

Collection « Sud Lointain »

Jean-Jacques Antier
Le Rendez-vous
  de Marie-Galante
Marie-Galante, la Liberté
  ou la Mort
Erwan Bergot
Les Marches vers la gloire
Sud lointain
  tome I *Le Courrier de Saigon*
  tome II *La Rivière des parfums*
  tome III *Le Maître*
    de Bao-Tan
Rendez-vous à Vera-Cruz
Mourir au Laos
Jean Bertolino
Chaman

Paul Couturiau
Le Paravent de soie rouge
Le Paravent déchiré
Alain Dubos
Acadie, terre promise
Dominique Marny
Du côté de Pondichéry
Les Nuits du Caire
Juliette Morillot
Les Orchidées rouges de Shanghai
Michel Peyramaure
Les Tambours sauvages
Pacifique Sud
Louisiana
Jean-Michel Thibaux
La Fille de Panamá

Romans

Alain Gandy
Quand la Légion écrivait
  sa légende
Hubert Huertas
Nous jouerons quand même ensemble

La Passagère
  de la « Struma »
Michel Peyramaure
Le Roman de Catherine
  de Médicis

Impression réalisée sur CAMERON par

BUSSIÈRE CAMEDAN IMPRIMERIES
GROUPE CPI
*à Saint-Amand-Montrond (Cher)
en janvier 2003*

Composition : Nord Compo –Villeneuve-d'Ascq

N° d'édition : 7046. — N° d'impression : 026040/1.
Dépôt légal : décembre 2002.

Imprimé en France